如果你希望身体强健
你一定需要这本书

  营养是维系我们身体健康的关键。我们知道，某些营养素的缺乏，容易造成某些特定疾病，如缺乏维生素 B_1 容易引起脚气病，癌症的发生与硒缺乏有着重要关系。

  世界卫生组织公布已经发现铁、碘、铜、锌、锰、钴、钼、硒、铬、镍、锡、硅、钒和氟是人体必需的 14 种微量元素。它们在人体的含量以毫克，甚至微克来计算，但却发挥着巨大的生化作用。它们不但能维护身体健康，而且调节机体代谢和促进生长发育，一旦缺乏或临界缺乏便会使人体生命系统的正常运作发生障碍。

  所以本书首先想告诉读者的是，当你生病后，在医生为你用医药治疗的同时，你最好能配合以饮食、生活调理，对症用以食疗，若日常饮食无法全面补充维生素和矿物质等营养素，可请教医生适当补充现成制剂。以此来辅助药物及手术治疗，对疾病恢复将大有益处，有时还会取得事半功倍的效果。

现代医学研究表明，目前危害健康的大多数慢性疾病其发生发展都与患者的生活方式、饮食习惯和生活态度、行为有着密切关系，若能纠正生活中不利于健康的因素，疾病便很难光顾你的机体。

本书更想做的是通过介绍营养、饮食与疾病的关系及不合理的饮食、生活习惯的危害，从而使读者建立正确的健康观念，养成合理饮食习惯，力求让大家能在日常生活中杜绝某些疾病的发生。

21世纪备受关注的问题是"亚健康"这个新概念以及它的研究。对于健康的标准历来是以"有无疾病"来定论的。但世界卫生组织认为其真正的健康标准，应该包含没有疾病、没虚弱状态，且心理和社会适应方面能做到大多数情况下自我感觉不错。国外有研究表明，现代社会符合这一健康标准者只占人群总数的15%左右，而人群中已被确诊为属于不健康状态的患病者也仅占15%左右。处于健康与有病两者之间过渡状态的那一大部分人，则属于亚健康状态。这一阶段人群，可有轻度身心失调、潜临床状态和前临床状态几种不同健康程度表现。在亚健康的各个阶段中均有着轻重不同的自身不适表现。亚健康各阶段的关系就像一列互相衔接的列车一样，从健康逐渐驶向疾病。"生命列车"一旦启动，往往依着惯性直向前行，当进入不健康状态后，多半有去无回。因为除感冒、感染、营养不良等少数病变外，医学对当今绝大多数疾病特别是严重威胁健康和生存的各种慢性疾病并无根治之法，能做的只是有所控制或缓解。所以对每个人来说，不应等到疾病发生后，把过高的奢望寄托于医学和医生，而是应充分发挥你自身保持健康的潜能，通过营养、保健、生活调理，将你的"生命列车"从潜临床状态驶回到健康状态。

需要指出的是,如果你意识到需用某种营养素的制剂来改变你的不良状态时,一定要在医生的指导下服用,否则应用不恰当,反倒会适得其反。

希望每个读者都能自己掌握健康的主动权,使自己的身体强健,充满活力。

SHIWEN BOOK

百世文库

新世纪家庭食疗保健实用手册

营养治病

武文慧　主编

中央编译出版社

世文出版(香港)有限公司

图书在版编目(CIP)数据

营养治病/武文慧等编 . —北京:中央编译出版社,2001.11

ISBN 7 – 80109 – 515 – 4

Ⅰ. 营… Ⅱ. 武… Ⅲ . ①营养卫生 – 基本知识　②饮食卫生 – 基本知识

　Ⅳ. R15

中国版本图书馆 CIP 数据核字(2001)第 084133 号

营养治病

出　　版:中央编译出版社

地　　址:北京西单西斜街 36 号(100032)

电　　话:66521152(编辑部)　　66171396(发行部)

E – mail: cctp_ edit@ sina. com

网　　址:http: / /www. cctp. com. cn

经　　销:全国新华书店

印　　刷:天津蓟县宏图印务有限公司印刷

开　　本:850 × 1168 毫米　1/32

字　　数:319 千字

印　　张:19

版　　次:2001 年 12 月第 1 版第 1 次印刷

印　　数:4000 册

定　　价:29. 80 元

委托经销:北京世文图书声像有限责任公司

电话:(010)64448949　　64448223

目　录

第二部分　营养素的保健作用及食物来源

第三部分　天然食物的营养成分及药效

目 录

第四部分 药草功效及食疗建议

附录　合理饮食建议

第一部分

常见疾病的营养治疗

1

白内障

在我们的双眼中各有一个透明的水晶体——晶状体。晶状体犹如一副能自动调节厚度和起聚光作用的双凸透镜。白内障就是晶状体发生混浊的一种致盲性眼科疾病。

白内障的典型表现是视力下降,且随着晶状体混浊程度的加重,视力下降逐渐加重,直至全盲;其次是近视力改善,远视力模糊,有些老花眼看近物比原来清楚了,可能是白内障的表现;还可能出现重影及眼前固定不动的并呈逐渐加重的黑点。以上都是白内障常见的表现。

到目前为止,还没有防治白内障的特效药,一旦形成白内障,其治疗方法就是手术摘除病变晶体,并植入人工晶体。所以从缓解白内障发展的角度考虑,我们可以在日常生活调理及加强某些营养素的摄入诸方面多下些功夫。

❖ 容易诱发的因素 ❖

➡饮食因素

●**乳糖摄取过多** 由于遗传基因的关系,一些人对牛奶中半乳糖的代谢能力较低,另外半乳糖又可干扰维生素 B_2 的利用,所以如果摄取过多的乳糖类食物,就会增加白内障的患病机会。

●**新鲜蔬菜及水果摄入不足** 新鲜蔬果及多种维生素中的抗氧化剂有很强的保护作用,能对抗白内障,平时这类食品摄入不足,使得体内抗氧化剂不足,对抗白内障的能力则较低。如有这些原因存在,就容易患白内障。

➡其他原因

●**遗传因素** 一些白内障患者,其家族中可能有多人患有白内障,这类患者的白内障的发生原因,恐怕与其遗传基因有关,上面所提到的乳糖代谢障碍,即是遗传因素之一。

●**紫外线照射** 过强的紫外线照射也会损害晶状体,形成白内障,大多数患者的白内障形成都在一定程度上与紫外线照射损伤、发生氧化作用导致细胞破坏有关。我国高原地区如西藏及广东、广西等地白内障的发病率高,就与其紫外线照射过强有关。

●**先天缺陷** 先天性缺陷,可导致先天性白内障。

●**老年退化** 大部分白内障都是晶状体老化所致,这是老年退化的结果,晶状体老化后弹性逐渐消失,不能随意地调节其厚度,同时其透明度也逐渐下降,一旦晶状体出现明显混浊(变白),就会造成视物障碍,所以称为老年性白内障。老年性白内障属于退行性病变,也是导致老年人失明的主要原因。75 岁以上的老人,约一半患有白内障。

●**外伤** 因事故损伤晶状体,也可形成外伤性白内障。

●**内分泌及代谢紊乱** 如糖尿病、肥胖症和高脂血症,其血糖、血脂代谢紊乱,均可引起晶状体营养障碍,使晶状体发生混浊,所以这三类疾病患者,其白内障患病率也高,尤其糖尿病患者白内障发病率明显升高。

●**药物及重金属** 某些药物及重金属中毒后,也会导致晶状体损害,而发生白内障。

❖ 生活建议 ❖

➡ 生活调理

●**遮着双眼** 为了避免紫外线伤害眼睛,出门请戴太阳镜,不只是夏天如此,整年都应这样。此外,戴宽边帽子也可以阻挡 50% 的紫外线,同时也有助于预防皱纹的产生。避免置身于不必要的紫外线下——如日光浴之类,因为紫外线可以破坏晶状体细胞,并促进晶状体氧化。

●**积极治疗相关疾病** 如果患有糖尿病、肥胖症和高血脂症,应积极治疗这些疾病。恰巧这三种疾病都可以靠控制饮食来协助治疗,请你参考有关这三种疾病的章节,选择合适的饮食。

●**避免眼部受伤**　无论是外力或药物等损伤眼部都有可能伤及晶状体,所以为了保护你的眼睛,请回避这些危害因素。

➡饮食建议

●**基本饮食原则**　对于仅是想预防白内障发生的人,你遵守基本饮食原则即可,这样可保证身体的营养平衡,也可减少有影响的危险因素。对于近亲中已有人患白内障的人,可考虑低乳饮食,当然如果能请医生做一下酶测定更好。

●**低乳糖食物是你遵守的饮食原则**　对于白内障患者及有白内障家族史的人,应限制饮食中乳糖含量丰富的乳制品,如牛奶、奶油、奶酪、冰淇淋等。它们都含有大量乳糖,容易加重或诱发白内障。

●**多吃蔬菜水果**　据有关专家研究,患白内障的老人,蔬菜和水果的摄取量偏少。事实上,每天的蔬菜水果摄取量低的人,患白内障的几率是其他多食蔬菜水果的人的5倍。白内障患者血液中的类胡萝卜素和维生素C含量均较低,而蔬菜和水果里含有丰富的这两种化合物,因此,得出上述结论也就不足为奇了。

●**少食动物脂肪**　血脂升高不利于白内障的治疗,所以为避免血脂升高应少食动物脂肪。

➡你应该了解的营养素

维生素

●**抗氧化维生素**　当氧分子受到光线照射时会转变为自由基,这是一种非常不稳定的物质,极易和细胞中的分子结合而伤

— 5 —

害细胞,同时由于晶状体暴露于阳光和氧气中,也就特别容易受到自由基的伤害。抗氧化的维生素如维生素 C、维生素 E 和胡萝卜素,可以对抗这种伤害,同时也有一些临床资料报道有早期白内障在其患者补充维生素 C 后病症消失的例子,所以最好增加这三种维生素的摄入,以期预防或治疗轻症的白内障。含有这三种维生素的食物见"第二部分"。

●维生素 B_2　目前已知,维生素 B_2 缺乏和白内障发生有关。有人试用维生素 B_2,结果初期白内障患者在 48 小时内,视力就有明显改善,九个月后白内障完全消失了。因此白内障患者每天可服用 15 毫克的维生素 B_2。

矿物质

●锌　与同龄人相比较,白内障患者较正常人其血液中锌含量偏低。当给白内障患者补充含锌的食物时,67% 的人视力有所改善。因此白内障患者应每天补充 30 毫克的锌。

➡营养治疗药膳

药　草

●枸杞子　枸杞子含胡萝卜素、维生素 B_1、维生素 B_2、维生素 C、维生素 A、烟酸及钙、磷、铁、锌、亚油酸等营养物质。枸杞子久服有滋肾、润肺、养肝、明目、强筋健骨、延年益寿等功效。中医常用其治疗头晕眼花、耳鸣、遗精、腰膝酸软、视力减退等病症。大诗人陆游到老年,因两目昏花,视物模糊,常吃枸杞治疗,因此而做"雪霁茅堂钟磬清,晨斋枸杞一杯羹"的诗句。

●**木贼草**　木贼草含有硅酸、鞣质等成分。中医常将其与不同的药物配伍治疗各种眼疾。专门治疗眼疾的处方——神消散即是以木贼草为主要成分而制成的。

●**珍珠母**　珍珠母含多种氨基酸,如亮氨酸、谷氨酸、甘氨酸等,具有平肝潜阳、明目安神退翳的作用,适用于肝阳上亢、眩晕耳鸣等症。

●**其他**　谷精草、青葙子、密蒙花等,都有退翳明目的作用,可用于治疗白内障。

白内障患者的生活饮食调理

◆避开紫外线,出门戴太阳镜

◆积极治疗相关疾病,如糖尿病、肥胖症和高血脂症

◆限制乳制品摄入

◆多吃蔬菜水果

◆补充抗氧化维生素,如维生素 E、维生素 C以及胡萝卜素

◆补充维生素 B_2

◆补充锌剂,每日 30 毫克

药膳

●**木贼、蝉衣茶**　木贼 15 克、蝉衣 10 克,煎汤取汁,代茶饮,每日一剂,可退翳明目。

●**杞子萹蒙茶** 枸杞子、青萹子、密蒙花各 10 克,煎汤取汁,代茶饮,不失为明目退翳之良方,可治各种白内障。

●**桂圆枸杞丸** 枸杞子 49 粒,桂圆肉 7 枚,每一枚桂圆肉中塞入 7 粒枸杞子,蒸服,每日七只,有滋肾、润燥、补肝明目的功效,还适用于肝肾阴亏、头晕、目眩、目昏多汗等症。

●**杞菊珍珠茶** 珍珠母 20 克,菊花 3 克,枸杞子 9 克,水煎代茶饮,具有清热补肝、潜阳明目的作用。

●**柠檬茶** 柠檬切片,糖渍,每日冲茶泡饮,以助天然维生素的吸收。

●**西红柿** 每日一个,或多食绿色蔬菜,以供应充足的维生素 C。

●**猕猴桃赤豆饮** 猕猴桃 100 克,山楂 100 克,赤小豆 100克,白糖 100 克。前三味放入沙锅内,加水 1000 毫升,煎熬成浓汁后去渣,加白糖煮沸片刻,趁热加入黄酒,冷却贮瓶备饮。此汤重在利用日常饮水之机补充维生素 C。

●**银杞明目汤** 水发银耳 15 克,枸杞 5 克,鸡肝 100 克,茉莉花 24 朵,料酒、姜汁、食盐、味精、水淀粉、清汤各适量。鸡肝洗净切片,加水淀粉、姜汁、料酒、食盐拌匀待用;银耳洗净,撕成小片,用水浸泡待用。茉莉花择去花蒂洗净,枸杞洗净;锅内加清汤,入料酒、姜汁、食盐和味精,随即下入银耳、鸡肝、枸杞烧沸,打去浮沫,待鸡肝刚熟,装入碗内,将茉莉花撒入碗内即成。此汤具有补肝益肾、明目美颜的功效,还适用于肝肾阴虚所致视物模糊、两眼昏花、面色憔悴等症。

2

口腔溃疡

口腔溃疡是一种非常多见的疾病，虽属小恙，但也给人们带来了诸多不便。口腔溃疡常反复发作，多数为复发性口疮，有周期发作的特点，轻的 7～10 天可以自愈，发作间隔也较长；重的口舌糜烂此起彼伏，终年不断，复发性口疮的发病率很高，达10％左右。

口腔溃疡俗称"上火"，多见于青年，以女性为多，常表现为口腔内黏膜及唇的多处溃疡或者糜烂，呈孤立的圆形或卵圆形浅溃疡，患者感到轻微的疼痛，有的表现为剧烈的烧灼样疼痛。

是什么原因导致讨厌的口腔溃疡纠缠不休呢？对这个问题现在还没有明确的答复。但大多数专家认为，这可能与免疫功能紊乱有关，胃肠功能失调、疲劳、失眠，多吃辛辣油炸食物也有影响,还有 30％的病人有家族遗传史。因为病因不是很明确,治疗也就没有特效办法。锡类散、维生素 B_{12},还有一些下火的中药,只是医者们穷于应付的常用武器,但也只能暂时止痛消炎,促进愈合,并不能防止复发。对于严重而顽固的反复口腔溃疡,除了局部用药,还必须整体治疗,这方面需要到医院请医生给你确立方案,我们在这里尝试着从生活营养的角度给读者提些建议。

值得注意的是,溃疡面积较大,中心凹陷,且长期不愈,应进一步做病理检查,防止发生癌变;另外,一些全身性疾病,也有口腔溃疡的表现(如白塞氏综合征、红斑狼疮等),应由专科医生排除这些疾病后,才可以按单纯口腔溃疡治疗。

❖　容易诱发的因素　❖

➡饮食因素

虽然有许多报告指出某些食物与口腔溃疡有关联性,但系统的科学资料却不多。但是据临床观察可见,口腔溃疡的病人大多是在过食辛辣油炸食物后发病。国外有些资料报道,在患者的饮食中去除一些敏感食物,患者即可不再发病,再食用时,就又出现口腔溃疡。这些资料表明,口腔溃疡的发病还是与饮食有一定关系的,只是对此还没有科学统计及研究罢了。这只有靠每一个患者细心观察哪些食品与你发病有关,就不要再食用它。另外有资料报道部分口腔溃疡患者的体内缺乏维生素 B_{12}、叶酸及铁,那么,这说明也许这些患者食物中缺乏这些营养素。在临床上还可以遇到一些病人,他们生活中几乎不吃蔬菜,水果吃得也很少,同时生活也极不规律,饮食中速食品、半成品占去了一大部分,这样家庭中的孩子,呈现出明显的营养不良面色。有这样生活方式的患者,他的口腔溃疡一定是由于某些营养素摄入不足所致了。

➡ 其他原因

生活中与口腔溃疡发作有关系的因素似乎只有精神紧张和情绪波动。俗话说着急"上火",在门诊有时能碰到这样的病人:平时经常有口腔溃疡反复发作,近日因遇急事,心情紧张,结果老病再次发作。此外要在生活中再找到与口腔溃疡有关的因素,似乎不那么容易。

❖ 生活建议 ❖

➡ 生活调理

在这里有十二个字送给你:生活规律、遇事沉着、勿急勿躁。

➡ 饮食建议

●**戒除敏感食物** 忌食敏感食物也许是避免发病的重要一环,所以应努力找到哪些饮食与你的口腔溃疡发作有关,从饮食中剔除它们,如果你的病不再发作,说明这就是病因,然后再一样一样地试着吃,鉴定一下你的判断是否正确,最后可根据情况在饮食中戒除敏感食物。

●**勿食辛辣** 烟酒及油炸食物都可形成对口腔黏膜的刺激,最好离它们远点。

●**多食蔬菜、水果** 多食蔬果可保持大便通畅，而且我们体内所需的一大部分营养素需从蔬菜、水果中摄取，如果摄入不足势必会导致这些营养素缺乏而发病。维生素 B_{12}、叶酸、铁、锌将是我们后面要提到的营养素，你可以在"第二部分"中查一下，哪些食物含这些营养素丰富，你可以多吃些。不过你要多注意烹调方法，烹调不当会造成许多营养素的丢失，尤其水溶性维生素类。

➡ 你应该了解的营养素

维生素

●**叶酸、维生素 B_{12}、铁** 常发口腔溃疡的人，有一部分缺乏这三种营养素，而这三种营养素缺乏往往正是造成贫血的原因，所以这部分人往往同时又患有贫血。有一项针对 130 位病人的研究证实，18% 的人缺乏上述两种或三种营养素，当给予适当的营养素补充，一年后症状都有了改善，且 2/3 的人竟完全好了。值得一提的是他们的贫血症状也得到了改善。

●**维生素 C、维生素 B_1、维生素 B_2** 这三种营养素可以提高机体对创面的修复能力，促进溃疡愈合。这也是临床医生们常开给口腔溃疡患者的药物性制剂。作为患者本人，除了在日常生活中注意这些营养素的摄取外，当口腔溃疡发作时，你可以大剂量口服，以加速溃疡面的愈合。

矿物质

●**锌** 锌缺乏引起的一系列病症中，就有黏膜病变，这可能是由于锌是人体 100 多种酶的组成部分,对人体的生长发育等生命活动起着重要作用的缘故。事实上给口腔溃疡病人补充锌,对治疗口腔溃疡是非常有效的,但是对于血清锌浓度正常的患者,效果远不如血清锌浓度偏低者。

其 他

●**乳酸杆菌**　乳酸杆菌是对人体有益的细菌,通常存在于肠道内及阴道湿润的黏膜细胞上。据初步研究,它可以很有效地治疗口腔溃疡。我们日常饮食用的酸奶中就存在着大量的乳酸杆菌,你不妨一试,可以先将其涂在溃疡表面,之后再服用,这个方法虽并未经过科学证实,但却是安全的。

当你口腔溃疡时请选择以下营养素

◆叶酸,1 片/次,每日三次

◆维生素 B_2,20 毫克/次,每日三次

◆维生素 C,200 毫克/次,每日三次

◆锌制剂

◆铁制剂(如果缺乏)

➡营养治疗药膳

药 草

●**甘草** 甘草是一味应用很广的中药,在它的传统功能上可益气,可清热解毒,用于气虚诸症及咽痛等,并没提它可治口腔溃疡。但近些年来人们研究着用它治疗肠道及胃的黏膜溃疡,证实甘草提取物制剂对上述黏膜溃疡复原有作用。也有人将甘草做成漱口水,用于20位口腔溃疡病人,15位获得完全的改善,而且改善的速度非常快,50%～75%的病人在一天内就痊愈了,在三天内全部都好了。

●**黄连** 黄连是一味名声极大的药,因为它有清心泻火的作用,历来也是"口疮"(口腔溃疡)的常用药。

●**鸡子黄** 即新鲜鸡蛋的卵黄。性味甘平,常用于阴虚不寐、产后虚痢等症,熬油后,即为蛋黄油,能润肤生肌,外搽可治疗口腔溃疡及乳头破碎及奶癣等。

●**凤凰衣** 即鸡蛋卵壳内膜,其主要成分由蛋白质构成,并含有胃激素,所以敷于溃疡表面可促进创面愈合。

●**苦瓜** 苦瓜性寒味苦,具有清热解毒、清暑明目的功效,能治疗口疮、暑天或热后口渴多饮等病。现代研究发现苦瓜的维生素C的含量很高,居瓜类之冠。维生素C能促进体内抗体生成,增强机体对疾病的抵抗力。苦瓜还含有一种能提高免疫功能的苦瓜蛋白,所以对免疫功能低下、机体修复功能较差的顽固口腔溃疡患者来说,确实是一味药食皆宜的佳品。

●**绿豆** 绿豆性凉味甘,具有清热解毒、清暑利尿等功效,可治疗暑热、小便不利、疮疖、腮腺炎和药物中毒等症,对口腔溃疡也能起到辅助治疗作用。

2 口腔溃疡

药膳

●**黄连蛋黄油** 川黄连末 6 克,蛋黄油适量,两味调和,涂口腔溃疡处。

●**一味凤凰衣** 凤凰衣膜依口腔溃疡大小而剪切,用淡盐水浸泡数分钟,敷患处。

●**蛋黄油** 蛋黄油加冰片少许,涂患处,1 日 3 次。

●**蜜硼剂** 蜂蜜 30 克,硼砂末 3 克,拌匀涂患处。每日 3 次,连用 3~5 天。

●**西瓜汁** 西瓜半个,挖出西瓜瓤挤取汁液。瓜汁含于口中,约 2~3 分钟后咽下,再含新瓜汁,反复多次,具有清热解毒、促进溃疡病愈合之功效。

●**鲜石榴汁** 鲜石榴两个剥开取籽,捣碎,以开水浸泡,凉后过滤。一日含漱数次。有杀菌、消炎、消肿,促进溃疡愈合之功效。

●**萝卜汁** 萝卜洗净,切碎,捣烂取汁。以汁漱口,每日数次,具有除热毒、散淤血、消积滞功用。

●**萝卜鲜藕汁** 生萝卜数个,鲜藕 500 克,两物洗净切碎捣烂绞汁,取汁含漱,每日数次,连用 3~4 天,可治疗心火旺盛所致的口腔黏膜溃疡。

●**莲子栀子饮** 莲子 3 克,栀子 9 克,连翘、甘草各 6 克,加开水浸泡代茶饮。每剂泡饮数次,连用 2~3 天。适用于有灼热、疼痛或脾胃湿热的口腔黏膜溃疡患者,亦可用于心肝火旺者。

●**绿豆粥** 绿豆 100 克,小米 50 克。先将绿豆用小火炖熟,再加小米,炖至极烂,放白糖适量,早晚各喝两碗,用于治疗口腔溃疡。

●**苦瓜炒肉** 猪肉 100 克,苦瓜 500 克。先将猪肉炒熟,再放入新鲜苦瓜和一点点盐(或不加盐),炖半小时即可,用于治疗口腔溃疡、口腔炎、牙龈炎。

为避免口腔溃疡反复发作,请你注意

◆ 饮食平衡   ◆ 多进食蔬菜水果

◆ 多饮用酸奶   ◆ 勿食辛辣生热之品

◆ 保持大便通畅   ◆ 保持情绪平稳

◆ 找找你的敏感食物

◆ 明确你体内缺少哪些营养素

口　臭

口臭，无论对自己还是对别人都是一件恼人的事。口臭之人，口中感觉特别不好，精神压力也非常大，最怕到公共场所与别人交谈，生怕口中那难闻的气味破坏自己的"形象"。可见，虽然口臭不会危及生命，却也着实令人烦恼。它不仅是一种不健康状态，而且还会影响到患者的社会交往和心理健康。

口臭是一个症状，其产生可有以下几方面的原因：首先是口腔和鼻的炎症所致，如萎缩性鼻炎、鼻窦炎、牙龈炎、慢性扁桃体炎；再则是消化系统疾病和一些全身性疾病，如糖尿病酮症酸中毒、尿毒症等，此时所表现的口臭，因疾病不同，各有其不同的特殊臭味。还有一些情况是由于有些个体缺乏某种消化酶，导致蛋白质消化不良，或口腔卫生习惯不佳及不良的饮食习惯而引起口臭,这就是单纯性口臭。实际上前两种情况所表现出来的已不仅是口臭,只要根据病情,按臭索因,找出病根,治疗原发病,口臭也即随之而愈。我们这里的主要话题是单纯性口臭。

❖ 容易诱发的因素 ❖

➡ 饮食因素

以中医的观点分析,口臭者往往不是肝火旺盛,就是胃火上炎,那么凡是加重和引发这种情况的原因,均可以诱发口臭。

●好食辛热生火之品 这类食品性热,吃下去后能去寒生热,口臭者多属内热型,服食这类食品后无疑是火上浇油,"助热生臭",如辣椒、辣酱、辣油、桂皮、姜、京葱、韭菜、洋葱、芥末、蓼蒿等。

●好食厚腻不易消化之品 这类食品易使内热加重,引起便秘、口燥,自然口臭加重;再者,一般食品在胃中最多停留两个小时,而这类食品因不易消化而在胃肠道中停留时间延长,食物会异常发酵,自然会有臭味自口中而出,像炸猪排、炸牛排、烤羊肉、油炸花生等煎炸炙烩之品,均属此类,而且这类食品人们往往会食之过饱,尤其是晚餐,易使脾胃受损,消化不良,出现口臭势在必然。

●好食甜食 甜食能使人感到口腻,并使内热加重,而口气酸臭越加明显。

●烟酒过度 无论烟酒,进入口中自会产生异味,况此两种均属辛辣之品,会引起内热加重,出现便秘,从而引发口臭或使其加重,还有此两物直接刺激口腔黏膜,使原来的口腔炎症加剧,从而出现腐败的恶臭。

➡ 其他原因

除了全身性疾病及不良饮食习惯外,与口臭有关系的原因,也许只有不良的口腔卫生习惯了。和现代人谈这个问题,也许有人会不服气,确实,如今还有谁不刷牙?但刷得不一定够,方法不一定正确,因此并没有达到清洁口腔的目的。有些患者,牙石、菌斑、齿垢常年堆积在牙齿表面,自然会出现口臭,况且这些异物持续刺激牙龈,引起牙龈发炎,当然也会产生口臭。

❖ 生活建议 ❖

➡ 生活调理

●祛除病因 对于由于各种疾病所引起的口臭,首先是治疗原发病,同时配合必要的祛除口臭的方法。

●口腔卫生 掌握正确的口腔卫生方法及良好习惯是预防口臭的最基本方法。首先刷牙要认真,仔细彻底,将食物残渣完全清除掉。同时不要忘记舌面及上腭的清洁,可用牙刷轻轻地把附于其上的黏液清除掉。再者一定要养成餐后漱口和睡前刷牙的习惯。如清水漱口效果不好,可选择用漱口液漱口。

●其他注意事项 保持大便通畅,防止便秘。

➡ 饮食建议

●饮食清淡 清淡的饮食是口臭者的基本食疗原则,我们说了口臭的原因是"火气大",因此,要想祛除这一毛病,重要的是清火,而不要助火,所以平素应多食一些清淡降火之品,常饮茶水、多吃蔬菜和水果,是减轻口臭的良好方法。如前面所提的辛辣助火之品、厚腻难消化之品、烟酒及甜食最好少吃,更不可过食。

●**进餐不宜过饱** 进餐不可过饱,尤其晚餐,且睡前不吃零食。

●**食用药膳** 经常配合清热泻火之药膳。

防治单纯性口臭,请你注意

◆进食不可过饱,尤其晚餐
◆睡前不可吃零食
◆忌食油腻难以消化的食物
◆忌辛热生火之品
◆忌过多甜食
◆忌烟,少饮酒
◆饭后漱口,睡前刷牙
◆适当饮药茶或漱口
◆对症以食疗臭
◆保持大便通畅

---

3 口臭

维生素

●维生素C 维生素C是组织生长及修补肾上腺功能、健康牙龈必需的抗氧化剂。它可以帮助口腔及牙龈恢复健康及防止牙龈流血,同时还能排除过多的黏膜分泌物及毒素(这些物质均可以造成口臭)。

●维生素 B_6 维生素 B_6 可以活化多种酶,以帮助消化食物。

●烟酸 它可使微血管扩张,以改善局部血流,避免感染。

●维生素E 可以修补牙龈组织,使用时可以将胶囊打开,直接将维生素E涂于牙龈上。

其 他

●蛋白质分解酶 我们说过,有些单纯性口臭的形成是因为体内缺乏一种消化酶,而使蛋白质消化不完全所致。此酶可帮助食物分解,尤其是残留在结肠中的食物颗粒,故而如有此类制剂,口臭者不防服用一些。

●嗜酸菌 良性菌不足及有害菌过多都可导致口臭。服用嗜酸菌可以补充结肠内的良性菌。

●蜂胶 蜂胶可以帮助牙龈恢复健康,控制体内感染,有抗菌效果。

```
┌─────────────────────────────────────────┐
│               营养素                      │
│                                          │
│   ◆维生素 C——600 毫克/日                 │
│   ◆维生素 B₆——100 毫克/日                │
│   ◆维生素 E——200 毫克/日                 │
│   ◆蛋白质分解酶(如果能找到的话)           │
│                                          │
└─────────────────────────────────────────┘
```

➡营养治疗药膳

药 草

●**藿香、佩兰** 这两味药草均属中药中芳香化湿之品,有醒脾化湿的功能,常用于湿阻脾胃及消化不良诸症,如恶心呕吐,口中黏腻,故而口臭者以泡茶常饮可有效。

●**薄荷** 其性辛凉,气味芳香,有清热之功,中医除用其治疗感冒、麻疹之外,还常用于咽喉肿痛。以其清热之性,芳香之气味,用于口臭疗效甚佳。

●**葛花** 葛花具有解酒毒、醒胃止渴的功能,常用于饮酒过度、口渴、胃气受伤者。对于消除饮酒后之口臭效果颇好,葛花30克,煎汁口服。

●**绿豆** 绿豆具有清热解毒、消暑之功,民间常用其煮汤冷饮,以解暑热。绿豆含有淀粉、脂肪油、蛋白质、维生素 B_1、维生素 B_2、烟酸、维生素 A 等物质。

●**龙胆草** 龙胆草善泻肝胆实火,中医界常用其治疗肝火诸症,对于治疗因肝火旺盛导致之口臭效果颇佳。其含有龙胆苦甙等成分,药理研究证实少量龙胆草于食前半小时服用,能刺激胃液分泌,可以健胃。

●萝卜 萝卜性味甘、辛、平,含有 B 族维生素、维生素 C、碘、精氨酸、胆碱、淀粉酶、氧化酶等成分,具有健胃、消食、止咳化痰、利尿的功效。常用于肺热吐血、气胀食滞、消化不良、小便不畅等症。故对于治疗因胃热、气滞形成的口臭可用之。药膳用法,可捣汁服,可与其他食品炖服。

●藕 藕性味甘、寒,含有淀粉、B 族维生素、维生素 C 等成分。具有除烦解渴,健脾开胃之功效,适用于胃热口臭及急性胃肠炎等症。可捣汁服,可与他料煎汁、煮粥服。

●苦瓜 苦瓜又名凉瓜,其性苦寒,含苦瓜甙、蛋白质、脂肪、糖类、铁、钙、磷、胡萝卜素、B 族维生素和多种氨基酸等物质,具有清暑涤热、明目、解毒之功,用于治疗热病烦渴引饮、中暑、痢疾、口臭、目赤肿痛、痈肿丹毒、恶疮。胃寒体虚者慎食。

●绿茶 绿茶是我们日常的传统饮品,其味清香,人们一般习惯夏季饮用,就是因为其性偏凉,有清热之功。现代研究发现,绿茶中含有绿茶多酚和鞣酸,能有效地抑制引起牙龈炎的致病菌,减少口腔内牙龈炎致病菌的数量,达到预防牙龈炎、避免口臭的目的。现在市场上有刚刚面市的由绿茶提取物绿茶多酚和鞣酸制成的胶囊,每次用一粒,打开胶囊,将其中粉末倒入 30 毫升的水中,溶化后即成为一份漱口液,直接漱口,一般每天只需漱口一次,每次含漱约 3 分钟,半小时内尽量避免进食和漱口。

药 膳

●藿香佩兰茶　藿香、佩兰各 3 克,用开水冲泡,饮用或常用本品漱口。或羊角藿香 20 克,水煎供一日漱口用。有芳香祛秽的作用。

●萝卜薄荷汤　萝卜 20 克,薄荷 5 克,萝卜水煎取汁,用该汁冲薄荷,待凉饮用。本品有理气清热的作用。

●藕节绿豆饮　藕节 10 克,绿豆 20 克,两物同煎,取汁饮用。本品有清热解毒的作用。

●龙胆山药汤　龙胆草 3 克,生梨 2 个(切片),淮山药 30 克,一起煎水饮用。本品有健脾泻火的作用。

●苦瓜凉菜　苦瓜适量,生切,加适量盐腌制,加香油少许,做凉菜食用,有清热泻火作用。

●细辛豆蔻液　细辛 3 克,白豆蔻 6 克,捣碎、煎汤、过滤,一日含漱数次。

●丁香香附粉　丁香 20 克,白矾 40 克烧灰,香附 1 克捣成粉末,三种药末拌和在一起,在刷牙后取少许药末涂牙。

牙及牙周病

我们在这里想和大家说的是牙及牙周组织的疾病。几乎每个人在一生中或多或少都会遭到牙病的折磨。牙齿是我们摄取食物、消化食物的第一器官，一切美味佳肴均由它先来品尝，当然一切由口而入的伤害因素，首先侵袭的也是牙齿；牙周组织，作为牙齿的支持、固定组织，紧紧地包绕在牙齿的根、颈部，那么无论是品尝美味佳肴，还是遭受有害物质的侵袭，与牙齿的"待遇"都是相同的。

临床上最常见的"牙病"是龋齿和牙龈炎，如果不能及时治疗和合理护牙，发展下去将会发生牙髓炎、根尖炎、牙周炎等，严重者造成牙龈萎缩、牙齿松动甚至脱落。牙及牙周疾病，临床上表现为慢性的较多，早期多无明显的自觉症状，易被忽视，而发现时往往已发展得较为严重,因此平时作好多方位的预防、护理、定期检查是十分重要的。

造成齿龈疾病和蛀牙的的罪犯是相同的,即细菌斑的累积。大家知道,口腔里共生着许多种细菌,这些细菌和口腔里的食物残渣、唾液里的黏合物质等混合成细菌斑,紧紧地贴附在牙齿和牙龈相邻接部位,如果刷掉,六小时后又会产生新的细菌斑,若不及时刷掉,菌斑就会和唾液中的矿物质结合变硬,像石头一样——此即牙石,这时再用一般牙刷就刷不掉了,菌斑长期附着于牙齿表面,会侵蚀珐琅质造成龋齿,结石附于齿龈线上,会刺激牙龈,使牙龈红肿、疼痛、糜烂、容易出血——此即为牙龈发炎。医学上把这种牙龈发炎叫做不洁性牙龈炎。不洁性牙龈炎是大多数牙周炎的直接病因和早期表现。

有些全身系统疾病,也会使牙齿抗龋能力降低,如糖尿病、慢性溃疡、口腔唾液过少等;由于年老或其他原因造成牙齿脱钙,都会增加牙及牙周疾病的发生几率,这说明内在因素与牙及牙周病的发生有着密切关系。

随着口腔保健意识的不断加强,也为了更好地保护好我们的牙齿,每个人都很有必要了解和掌握生活和饮食因素对牙齿健康的影响。

你有必要正确了解下列名词

◆**牙周组织**:紧紧地包绕于牙齿周围,使牙齿能固定于牙槽窝内的组织(牙龈、牙槽骨……)

◆**牙菌斑**:堆积于牙齿表面的细菌斑

❖ 容易诱发的因素 ❖

➡饮食因素

●**过多食糖** "过多吃糖容易诱发龋齿",这个概念已作为一种常识被所有人接受。我们前面讲过细菌是牙齿疾病的第一致病原因,而我们的口腔内平时就共生着许多种细菌,这些细菌形成牙菌斑贴附于牙齿及齿龈线上,当我们进食甜食后,牙菌斑中能发酵糖的高酸菌分解活跃,将糖发酵成酸而侵袭牙釉质,使牙齿的无机盐逐渐溶解脱钙而使牙齿龋坏形成龋齿;同时糖还会增加菌斑的累积,当菌斑不断累积之后会导致牙龈炎的发生;另一方面糖也会降低白细胞对有害菌的杀灭能力,而造成齿龈疾病。故而糖吃多了之所以容易使牙生病,是因为糖有利于有害菌在口腔内的繁殖,从客观上帮助了有害菌。

➡其他原因

●**牙齿清洁度** 牙齿清洁度差是造成牙齿牙周病的重要原因。无论是牙菌斑的累积,牙石的形成,或是吃糖后高酸菌的繁殖增强,其最直接有力的祛除方法就是及时地把这些有害物质清除出口腔,如果做不到这一点,那么食物残渣过久地在口腔内停留、腐化,则菌斑过度累积、结石的形成、酸性菌的毫无阻拦地繁殖,均会肆无忌惮地发展下去,那么你的口腔内将是一个极不利于牙齿健康的环境,自然牙齿疾病会愈演愈烈。

●**牙齿的不合理使用** 牙齿的不合理使用会造成牙齿损伤、松动,这样会造成菌斑有利积存的条件,而在清洁牙齿时又不容易清除,故而也是容易形成牙齿牙周疾病的一个原因。

请君莫贪甜

◆糖会帮助酸性菌产酸而伤牙

◆糖会助长有害菌的繁殖,是有害菌的帮凶

❖ 生活建议 ❖

➡ 生活调理

●**保持牙齿清洁**　保持牙齿清洁是预防牙病的根本办法。我们说无论是菌斑堆积,还是食糖导致病菌过度繁殖,或是食物残渣在口腔内腐败,只要我们及时把它们刷掉,这些致病因素就无法在口腔内兴风作浪,也可减少牙石的形成,口腔疾病自然就可大大减少。但是刷牙也是有讲究的,有的人早晨起来用牙刷在嘴里草草刷几下,就匆匆了事,岂不知这样刷牙既不能将菌斑和食物残渣刷掉,也不能使牙膏充分和牙面接触来发挥它的保健作用。正确的刷牙方法应该用牙刷顺着牙缝竖刷,每次刷牙不可少于3分钟,而且要认真地刷到每一个部位,这样不仅可以有效地预防菌斑形成和防止形成的菌斑长期停留危害牙齿和牙龈,还可以对牙龈起到按摩作用。我们前面还说过细菌斑被刷掉后,六小时内又会产生新细菌斑,所以我们应该坚持早晚刷牙,平时进食后及时漱口。晚饭后刷牙可以清洁一天内积存下来的食物残渣,清晨刷牙可以清除夜间睡觉时所形成的细菌斑,饭后漱口可以及时地把食物残渣冲掉,减少其在口腔内腐败的机会。刷牙的另一个问题是牙膏的选择,含氟牙膏能够增强牙釉质的抗酸能力,通过刷牙时牙膏中的氟和牙齿表面充分接触,氟化物可以在牙齿表面形成高矿化层,从而增强其"抵抗力"。茶叶含氟量很高,用茶水漱口,可达到一定的防龋效果。有人发现在高氟水地区,儿童龋齿发病率却很低,恐怕就是这个道理。

●**叩齿**　叩齿是我国自古就有的健齿方法,使上下牙齿轻轻咬合,轻叩有声,每日晨起和睡前各做一次,每次叩击二百下,或白天有时间时做,这样可兴奋牙体和牙周组织的神经、血管和细胞,促进牙体和牙周组织的血液循环,增强抗病能力,也可增强牙周韧带的功能和牙齿的稳固。

你也可用舌头在牙齿和牙龈上按摩,这是非常简单的事情,你可以根据自己的情况自己摸索一套用舌尖按摩牙齿、牙龈的舌操来,每天做两遍,不但对你的牙齿可以起到保健作用,还可以促进口腔内的血液循环,对口腔溃疡等疾病也会有一定好处。牙龈按摩的另一方法是,你可以在刷牙时用食指对牙龈按摩,这样不仅可以对牙龈起到保健作用,还可以排除龈沟及牙周袋内的分泌物(包括脓液),起到对牙周炎的辅助治疗作用。

●**就医**　及早到医院就诊是非常必要的,民间有说法叫"牙疼不是病",其实牙病大多是由龋齿引起的,而龋齿在早期并无症状,只是在发病处有颜色改变时,才有感觉,所以你应定期对镜自查,或到医院检查,及早治疗和预防,待到牙痛发生时更不应该以不是病对待,自己服止痛片了事,岂不知,这样发展下去,到形成牙龈炎、牙髓炎的严重阶段,就麻烦了。

●**简易止痛法**　一旦牙痛发作,你可以先用大拇指在虎口处的合谷穴按压止痛,在用力上下按压的同时,做左右方向揉动。按压频率以每分钟100下为佳,每次3~5分钟,一天中可重复按压数次。按压时要有酸胀感,而且越强效果越好。一般在第一次按压后牙痛就可以明显减轻。

➡饮食建议

●致龋食物的合理摄食 食物分为致龋性和非致龋性两大类。而致龋性食物主要指糖以及含糖高的食物，如糖果、饼干、糕点、饮料和一些用糖加工的干果蜜饯等都属于致龋食物。对于这类食物应该尽量不要多吃，而且摄取这一类食物后应该立即刷牙，且要认真，因为糖类食物，一般黏性较大，容易粘在牙齿上，所以在进食这一类食物后一定要随时把牙刷干净。对于儿童尤其要注意不要在睡前和半夜进食糖果、饮料，当然更不能含着奶瓶睡觉。

●含钙高的食物 豆浆、豆奶及牛奶等食物除含有丰富的蛋白质、维生素、脂肪等，还含有很高的钙磷等无机盐，在儿童成长期及对老年人都能起到良好的饮食平衡作用。尤其牛奶，其钙和磷的吸收率很高，所以常喝牛奶能提高牙齿的钙化程度，而且老年人容易发生骨质疏松症，每天200毫升牛奶，可以帮助提高血钙浓度，也可辅助降低牙齿易龋度。

●戒除不良饮食习惯 如烟、酒及过烫和辛辣食物均是慢性不良刺激，应该戒除掉这些不良习惯。

➡你应该了解的营养素

维生素

●叶酸 虽然一直应用叶酸来治疗贫血、子宫发育不全和焦虑等病，但是一些研究可以证明叶酸可以治疗齿龈疾病。而且齿龈疾病的患者，其血液中叶酸的含量虽然是正常的，但牙龈中的叶酸含量却是偏低，其原因虽并不明确，不过叶酸的确有这方面作用，所以最好是含服，或者制成漱口水使用。

●**维生素C** 可能是由于缺乏维生素C会减弱免疫系统抵抗细菌的能力,体内缺乏维生素C比较容易发生牙龈炎、牙齿松动及变质等毛病。所以在牙龈发炎时最好服用维生素C,这样有利于牙龈的恢复,而且平时就保证摄取足量的维生素C,有助于预防牙周病。

●**维生素E** 维生素E是一种抗氧化剂。它可以改善血液循环、修复组织,常用于心脑血管疾病。但是在牙龈疾病上它的疗效也是非常好的,你可以打开一粒维生素E胶囊,将其直接涂在牙龈上,可以起到修复牙龈的作用,有助于牙龈炎的治疗,且止痛效果也非常好。

矿物质

●**钙** 龋齿的发生有一些情况与钙质的流失有关。尤其老年人,由于骨质流失,使得腭骨和牙齿的骨质变薄、疏松,使得牙齿容易松动和发生龋齿。不过一些实验表明,当齿龈炎、牙齿松动和龋齿发生后,再补充钙,似乎并没有什么作用。所以平时保持体内含钙充足,并且避免骨质流失,可以从某种程度上达到预防牙齿及牙周疾病发生的作用。

其 他

●**胃酸** 胃酸低会造成钙吸收不良,而形成牙槽骨骨质再吸收,容易引起牙齿松动和龋齿。所以当你胃酸低时,或者已经发现有牙槽骨的骨质流失时,补充一些盐酸,可能会有一定好处。

营养素

◆维生素 E:将 1~2 粒胶囊打开,直接涂于
　牙龈上

◆钙:平时就应注意不要缺乏

◆叶酸:漱口用,可帮助牙龈创面愈合

◆维生素 C:必要时可按常量服用

➡**营养治疗药膳**

药 草

●**生姜** 生姜即我们做菜常用的调味品鲜姜。传统中医利用其发汗解表、温中止呕的作用,常用来治疗风寒感冒、胃寒呕吐以及鱼蟹中毒等。现代医学研究发现,生姜中含有姜醇、姜烯、水芹烯、柠檬醛、芳樟醇以及姜辣素等成分,所以它具有镇吐、抗炎、镇痛、杀菌等作用。根据临床经验,当牙痛时切一小片生姜咬在痛处,必要时还可连续使用,睡觉时也可含在嘴中,确实可以止牙痛,以应一时之急。

●**大蒜** 大蒜也是我们日常饮食常用的调味品。现代医学研究发现,大蒜含大蒜素,蒜中还含有大量的 B 族维生素、维生素 C、维生素 D,对痢疾杆菌、大肠杆菌、金黄色葡萄球菌、枯草杆菌有较强的抑制作用,由此也证实了中医用大蒜治疗钩虫病、蛲虫病、痢疾、腹泻、疮疡、阑尾炎等病的原理所在。在这里说到

大蒜的原因是,对于牙齿过敏症,用生大蒜瓣在牙过敏区涂擦2～3分钟即可见效。

药 膳

●**独头蒜**　独头蒜2～3头。将蒜去皮,放火炉上煨熟,趁热切开熨烫痛处,蒜凉再换,连续多次。可消炎、杀菌、解毒,用于治疗牙齿疼痛。

●**花椒酒**　花椒15克,白酒50克。将花椒泡在酒内约10～15天,过滤去渣,用棉球蘸药酒,塞蛀孔内可止痛。一般牙痛用药酒漱口也有效。可以消炎镇痛,治龋齿牙痛、一般牙痛。

●**酒煮黑豆**　黑豆、黄酒各适量。以黄酒煮黑豆至稍烂,取其汁漱口多次。可以消肿止痛,治热盛引起的牙痛、牙龈肿痛。

●**丝瓜鲜姜汤**　丝瓜500克,鲜姜100克。将鲜丝瓜洗净,切段,鲜姜洗净,切片。两味加水共煎煮3小时,日饮两次,治牙龈肿痛、口干鼻涸、鼻黏膜出血(即流鼻血)。

●**冰糖水**　清水一碗放入锅内,下冰糖煮溶,至只剩半碗水即成。一次饮完,每日两次,治虚火上炎引起的牙疼症。

●**生地煮鸭蛋**　生地50克,鸭蛋2个,冰糖5克。用沙锅加入清水两碗浸泡生地半小时,将鸭蛋洗净与生地共煮,蛋熟后去皮,再入生地汤内煮片刻,服用时加冰糖调味,吃蛋饮汤,可治风火牙痛,阴虚手、足心发热等。

●**地骨皮汤**　地骨皮(枸杞根)25克,水煎服。可治阴虚、虚火牙痛。

●**咸鸭蛋韭菜**　咸鸭蛋2个,韭菜100克,盐9克。将上三味加水共煮,空腹服,可治风火或风寒引起的牙痛病。

●**红茶水**　红茶50克水煎煮后用茶水漱口,然后饮服,每日数次,不能中断直至痊愈。此方为每次量,再漱饮需用新茶,不宜再煎。治全口及局部牙本质过敏,有一定疗效。

让牙齿与你"白头偕老"

◆合理进食致龋食品

◆保持牙齿清洁最关键

◆刷牙方法要正确

◆定期到医院做口腔检查

◆叩齿,可帮你挽留住牙齿

◆多进食含钙高的食物

◆刷牙要刷到每个部位,时间要充足

5

脱　发

俗话说："头发是内脏的镜子。"经专家研究发现，头发能及时反映出与之有着密切关系的各种内脏器官的疾病。一头秀发，显得健康、潇洒，青年男女谁不渴望自己拥有一头乌黑亮丽、飘逸柔顺的秀发？然而生活中，许多青年人却因头发日渐稀少而忧心忡忡；更有甚者，年纪轻轻就已"谢顶"，着实让人恼火，尤其这些年来，脱发几乎成了普遍话题。那么怎样才能使头发青春永驻？

一个人大约有 10 万根头发，平均生长期为 2000 天。在正常情况下，头发的经常脱落和再生是一种新陈代谢的自然现象。我们每人每天大约要脱掉 10～15 根头发，一般不超过 100 根，倘若大量脱落，新发生长缓慢，头发日渐稀疏，那就是患了脱发症。

头发的主要成分是氨基酸,除了一些基本性状由遗传因素决定外,它后天的荣衰、更替与人的后天行为因素密切相关,与人的健康状况、营养状况和精神状态等内在"素质"有着密切的关系。头发的生长速度受饮食、环境、精神、疾病等诸多因素影响。中医认为,"发为血之余",营养不良、产后出血过多、患出血性疾病等引起脱发,这似乎是可以理解的,也不那么使人有危机感,而平时看上去健康的人,头发却脱落不止,才真正使人焦虑不安,其形成的原因,正是平时被人们忽略的体内微环境的不协调。很多人过多地把拥有秀发的梦想寄托在外在因素上,不知却适得其反,很多行为无意中伤害了头发。

❖ 容易诱发的因素 ❖

➡饮食因素

正确的饮食营养是保护头发最重要的内在因素。饮食中维生素、矿物质、适度的饱和脂肪酸以及糖含量,都对头发的质量有着重要影响。饮食中如奶油、油炸食物、巧克力、白糖和盐摄取过多,其代谢产物中的酸性物质在血液中浓度升高时,头发即容易枯黄、脱落或折断。有很多女性为了身材苗条,不合理地控制饮食,盲目节食,结果造成营养失调,这种做法对身体的影响自不必说,令人始料不及的是可使头发受损。

营养失调所造成的影响不仅仅是我们常说的蛋白质、脂肪酸及糖类的不足或过盛,这其中包含着维生素及矿物质的成分在内,而头发对膳食中的某些微量元素缺乏是比较敏感的,缺钙易导致头发变粗而干燥,缺 B 族维生素易导致头发变灰白,缺铜、钴、铁后头发变黄变白,缺锌易导致秃顶甚至全秃。

➡其他原因

●**环境因素** 某些环境因素对头发会带来伤害,如夏季阳光中强烈的紫外线,不仅灼伤皮肤,而且可使头发干枯易断;长期在空调环境下工作,会使头发水分丧失而易发生头发分叉、劈裂,同时易产生静电。

●**精神忧郁** 精神忧郁对头发危害很大。精神状态不稳定,焦虑不安,会使人体的功能下降,内脏器官受损,血液循环不良,头皮血管痉挛,使毛囊得不到营养而导致脱发。忧郁程度越深,脱发速度越快。

●**洗发** 洗发也是脱发的原因之一。现代生活中,洗发护发用品令人眼花缭乱,这些用品选用不当会对头发造成伤害。洗发剂针对不同发质其配方不同,使用时应对号入座,否则会造成对头发的伤害。有些洗发剂脱脂性和脱水性都很强,易使头发干燥,头皮坏死;更不能使用碱性强的肥皂洗头发。

◈ 生活建议 ◈

➡生活调理

●**保持精神开朗** 保持精神开朗是保养头发无形的却很重要的基本要素。平时可经常做些深呼吸、慢跑及做些松弛肌肉的拳操等,可消除疲劳,振奋精神,防止脱发。

●**科学护理头发** 科学护理是生活中至关重要的一条。首先应选用合适的洗发剂,香波中含有十二醇硫酸钠、依捷那、硬脂酸钠等原料,对头皮的刺激很小,又能去掉头发上的油垢。洗发用的水不宜过烫,水温过高会损伤头皮表皮层。

●**头皮按摩** 按摩是很好的头发保健方法。以双手五指先沿前发际由前额向头顶揉,接着揉向后脑,然后再由两鬓向头顶按摩,再转向枕部。揉、擦用力均匀,切勿忽轻忽重。每次按摩2分钟,以后可延长5~10分钟,每天睡前和起床后各按摩一次。有效的按摩会使头皮有发热和紧缩感。

平时最好选用黄杨木木梳和猪鬃发刷,可避免产生静电。对于脱发者每天多梳几次,每次梳100下,以头皮温热为度,这样可促进局部血液循环,也能起到头皮按摩的作用。

●**环境保护** 环境保护也很有必要。夏季外出时应配戴草帽或撑阳伞;长期在空调环境下工作,室内可放置一盆水,减少干燥空气对头发的损害。

➡饮食建议

●**基本饮食原则** 基本饮食原则是你首先要遵守的(见"附录")。偏食会造成营养失调,使你体内缺少一些重要的营养素,对于脱发较明显者还应有意多进食一些食品。

●**富含维生素、蛋白质的食物** 富含维生素、蛋白质和矿物质、适度的脂肪酸和糖含量低的饮食,是脱发者应注意选择的。具体地说,可以多吃水果、绿色蔬菜,以及鱼和家禽、瘦肉等。

●**进一步调整膳食结构** 调整膳食结构是防治脱发的更好的保证。平时应限制动物性脂肪和甜食。常食含维生素 B_6 的食物,如动物肝脏、瘦肉、鸡肉、鱼、谷物、胡桃、花生、葵花子、麦芽、香蕉等(更详细的说明请参见"第二部分"),因为富含维生素 B_6 的食物可抑制头皮皮脂溢出,对毛发生长有利。还应常食含泛酸的食物,如大豆、芝麻、瘦肉、动物心脏、肾脏等,因为泛酸能保护毛发的表皮,促进蛋白质和类固醇的合成,进而使头发再生。最近还发现维生素 A 族中的 13 顺维生素甲酸对头皮皮脂溢出有明显抑制作用,因此可常食韭菜、黄色胡萝卜、南瓜等新鲜的黄绿色蔬菜。

●**忌食烟酒** 因为连续吸烟会使体温降低,血液不能流畅地进入毛囊的毛细血管,从而对头发生长不利。嗜酒,特别是饮烫热的酒,会使头皮产生热气和湿气,引起脱发。禁饮酒精度高的酒,否则可损伤肝脏,影响肝脏对头发的原料氨基酸的合成。

➡ **你应该了解的营养素**

维生素

●**B 族维生素** B 族维生素是一个族群,有维护神经、皮肤、眼睛、头发、肝脏、口腔的健康及消化道的肌肉色泽的作用。B 族维生素主要是在产生能量的反应中充当辅酶。我们在这里主要强调的是泛酸(维生素 B_5)、维生素 B_6 及烟酸(维生素 B_3),它们可以使得皮肤组织更有韧性,促进毛发生长。

●**肌醇** 肌醇对毛发生长很重要。它有助于预防动脉硬化,且对卵磷脂的形成很重要,对脂肪和胆固醇的代谢也很重要。它还可以辅助清除肝脏的脂肪。肌醇主要来源于水果、蔬菜、谷物、肉类、牛奶。饮用过量的咖啡因可导致体内缺乏肌醇。

●**维生素 E** 维生素 E 可以增加氧的吸收以改善头皮的血液循环,促进健康及毛发生长。

●**维生素 C** 维生素 C 可以改善头皮的血液循环。

●**生物素** 生物素协助细胞生长,制造脂肪酸,参与糖、脂肪及蛋白质的代谢,有利于 B 族维生素的利用,可以维护头发和皮肤的健康。脱发者需要充足的生物素,可以从熟蛋黄、肉类、牛奶、鸡、鸭、大豆、谷类中得到。

矿物质

●锌　锌参与蛋白质代谢,而头皮主要由蛋白质构成。维生素 E 在体内的浓度也需要锌来维持,锌还可以增加免疫功能以促进毛发生长。

其他

●L–半胱氨酸　L–半胱氨酸可以改善发质及促进头发的生长。

●甲硫氨酸　甲硫氨酸可以防止脱发,但其无法在体内形成,必须依靠食物,可利用补充胆碱或卵磷脂来减少 L–甲硫氨酸的消耗。

营养素

◆B 族维生素,其中泛酸、维生素 B_6、烟酸更重要

◆维生素 E,200 毫克/日

◆维生素 C,1000 毫克/日

◆锌,你可以酌情选择医院里的锌剂

◆肌醇,你可以选择富含肌醇的食物

➡营养治疗药膳

药草

●**黑芝麻** 黑芝麻是一种常用的润燥滑肠、滋养肝肾的佳品,也是日常补食的佳品,曾风行一时的黑芝麻糊即以此为原料。其性甘平,内含脂肪油、蔗糖、多缩戊糖、卵磷脂、蛋白质等成分。黑芝麻确实是个宝,据中医古书记载,它具有补肝肾、润五脏、益气力、长肌肉、填脑髓的功效。能治肝肾不足、病后虚弱、须发早白、皮肤干燥、大便燥结、腰膝酸痛、四肢乏力、言语塞塞、步履迟缓、头晕耳鸣等病症。在乌发养发方面,黑芝麻的功效更是有口皆碑,是中医治疗脱发、白发的常用佳品。

●**胡桃肉** 胡桃肉即我们日常所食干果——核桃之肉。其成分中的40%～50%是脂肪油,其中主要是亚油酸;另含碳水化合物、蛋白质、胡萝卜素、维生素 B_2、钙、磷、铁和卵磷脂等成分,核桃中的蛋白质和脂肪,均易被人体消化吸收。核桃蛋白质含各种氨基酸,更是组成人体蛋白的原料,对大脑细胞具有良好的作用,核桃中的不饱和脂肪酸有软化血管、降低胆固醇的作用。可以防治动脉硬化和心血管病,胡桃肉一般作为补益之品,有补肝肾、强腰膝、敛肺定喘的功效。中医还认为其有益智补脑生发之效,故它常用于记忆力下降及脱发等症。

●**何首乌** 何首乌其性苦甘涩而微温,内含蒽醌类、大黄素、大黄酚蒽酮、淀粉、粗脂肪、卵磷脂等成分,具有补肝益肾、养血、祛风的功效,常用于肝肾阴亏诸症,如须发早白、脱发等。何首乌入药膳可炖肉、煮粥、煮汤等,每次用量15～25克。

●**申姜** 又名骨碎补,有补肾续伤的作用,常用于肾虚耳鸣、腹泻以及骨折筋骨疼痛等症。此外其酒浸液外搽可治秃发。

— 41 —

取申姜 10~15 克,侧柏叶10~15 克,加 75% 酒精 400~500 毫升浸泡,7 天后用棉球涂于脱发处,每日4~5 次。

●**海带** 海带性咸寒,含有褐藻胶酸、纤维素、粗蛋白、碳水化合物、甘露醇、钾、碘等成分,具有消痰软坚等功效,常用于瘰疬、瘿瘤、疝气下堕等,常服还可以补充头发生长所需的矿物质。

药膳

●**何首乌煮鸡蛋** 何首乌 100 克,鸡蛋 2 个,葱适量,生姜、食盐、料酒、味精、猪油各适量。将何首乌切块;把鸡蛋、何首乌放入锅内,加水适量,再放入葱、生姜、食盐、料酒等调料。将锅内水烧沸,文火煮至蛋熟,剥去蛋壳,再放入锅内煮 2 分钟。食用时,加味精少许,吃蛋喝汤,每日一次。适用于血虚体弱、头晕眼花、须发早白、未老先衰、遗精、脱发、血虚便秘等症。

●**蜂蜜桑椹膏** 鲜红熟桑椹200 克,蜂蜜 50 克。将鲜红熟桑椹放入大碗中,用擀面杖捣烂,倒入白纱布滤汁液,然后将汁液放入瓦锅内熬至稍浓,加入蜂蜜,不停搅匀,煮成膏状,冷却后瓶贮备用。食用时取 1~2 汤匙,温开水送服,每天早晚各服一次。适用于须发早白、脱发、病后血虚、未老先衰等症。

●**淮药酥** 淮山药 250 克,黑芝麻 20 克,白糖 100 克。淮山药切成菱形小块,放入植物油锅内,炸至外硬中间软,浮出表面时,捞出。白糖加水少许溶化,炼至糖汁成米黄色,随即放入淮山药块,并不停翻炒,使外面包上一层糖浆,直至全部包牢,然后撒上炒香的黑芝麻即成。适用于肾虚久咳、须发早白、脱发、大便燥结等症。

●**乌发糖** 核桃仁 250 克,黑芝麻 250 克,红糖 500 克。红糖放入锅内,加水适量,用武火烧开,移文火上煎熬至稠厚时,加炒香的黑芝麻、核桃仁,搅拌均匀停火。将乌发糖倒在涂有熟菜油的搪瓷盘中,摊平、晾凉,用刀划成小块,装盒备用。食用时,早晚各服3块。适用于头昏耳鸣、健忘、头发早白、脱发等症。

●**黑芝麻核桃粉**　黑芝麻500克,核桃粉500克,分别炒熟,搅拌匀,放入瓶中,每天早晨细嚼3匙,可用白水或牛奶边嚼边喝送服。适用于健忘、头发早白、脱发等症。

头发——内脏的镜子

◆体内微环境的不协调是脱发的根本原因

◆要想头发好必须做到营养平衡

◆微量元素缺乏会使头发受损

◆忌烟酒

◆防止便秘

◆科学护理头发

◆经常进行头皮按摩

◆消除压抑感

◆睡眠充足

感　冒

　　物换星移,季节变迁,冷暖不均之时,很容易患感冒。在人的一生中,没有患过感冒的人,也许是极少数。中老年人由于抵抗力差,更容易感冒,而且常诱发或并发其他病症,青年人也不例外,所以有"百病多从感冒起"的说法。因此防治好感冒,对人们的健康长寿很有意义。

　　感冒是人类最常见的一种传染性疾病,是由病毒引起的,而且很多病毒都能引起感冒。普通感冒俗称"伤风",患者主要表现为打喷嚏、鼻塞、流鼻涕,或仅有低热、轻度畏寒、头身疼痛等。重者累及喉部、血管和支气管,则可见声音嘶哑、咳嗽等,如有痰,可为黏液性或白色水样,体温往往不超过 39℃,一般3～4天后热退。此外还可伴见全身疼痛、乏力、胃口不佳等症状。

　　伤风轻者5~7天即可痊愈,有上呼吸道症状者约需2周,所以感冒是一种自限性疾病。有位医学家戏言:感冒如不服药,14天可自愈;如果服药,则需2周。尽管语言不乏幽默调侃,然而却是实情。

　　目前尚无有效的抗病毒治疗方法,所以对于一般感冒症状轻者,病情又能自限,因此以不用抗感冒药为宜。不过如果症状较重有发热、咳嗽等症,则应对症给予退热、抗炎。由此看来对于一般感冒,日常生活调理则比较重要,下面我们从这个方面和大家谈谈感冒其病。

❖　容易诱发的因素　❖

　　几乎没有人从不受到感冒的"青睐",并且有些人与感冒遭遇更多,大概可分为两类。

　　●**体质弱、抵抗力不足**　这其中包含学龄前的孩子和身体薄弱的成年人。中医认为幼儿为稚嫩之体,正气未充,所以最宜遭受外邪侵袭。体质虚弱的成年人亦同样,免疫力低下,每有风吹草动,必然是受袭击的对象。这类人的发病往往是不需要什么诱因的,常可以听到这样的说法:"昨天,莫明其妙就感冒了。"发生这种情况的人往往是平素身体比较单薄。

　　●**不注意冷暖摄生**　有的人活得挺潇洒,但生活无规律,不注意衣着的应季保暖,或者无度饮酒聚餐等,使得机体应激能力差,也容易患感冒。

```
┌─────────────────────────────────────────┐
│              你知道吗                      │
│                                           │
│   ◆可以引起感冒的病毒很多                   │
│   ◆目前尚无有效的抗病毒治疗方法             │
│   ◆感冒病程短则 3～5 天,长则 2 周          │
│   ◆感冒轻者日常生活调理更重要               │
│   ◆感冒重者,需抗炎退热                     │
└─────────────────────────────────────────┘
```

❖ 生活建议 ❖

➡生活调理

●**劳逸结合**　劳逸结合对于感冒患者来说十分重要。当然得了感冒不一定要卧床休息,但要注意劳逸结合,过度劳累不利于身体恢复,容易形成疾病缠绵不休的局面。有些人就是因为过度劳累,机体抵抗力下降,再一感受风寒,随即酿成病况。对于发热的病人,最好卧床休息,这样有利于机体对抗疾病和早日康复,可以说休息也是感冒治疗方法之一。

●**增强体质**　对于体质弱的成人、幼童这些常爱感冒的人来说,适当锻炼、增强体质、注意冷暖的服装加减尤为重要,与其疾病来了再治,还不如拒病魔于门外好些。

●**预防性用药**　感冒的药物预防很重要,尤其对于流行性感冒的流行季节,更应预防性服药,这样可减少发病。冬春季可用贯众、紫苏、荆芥;夏季用藿香、佩兰、薄荷;时邪毒盛,流行广泛,可用板蓝根、大青叶、菊花、金银花等。

➡ 饮食建议

● **多喝水**　喝水是治疗感冒的最简单方法,大量喝水,促进人体代谢,并且发汗可促使感冒及早愈合。感冒本属轻浅之疾,治疗本应以发汗为首选方法,这是中医界治疗感冒的原则,但是对于体弱及老年人切不可发汗太过,对于较重者应到医院听候医生吩咐,也可喝热汤、热粥等。

● **常用食品**　葱、大蒜、姜、食醋等可达到一定预防感冒的目的。

● **适当进补**　对于体质虚弱的病人,体质虚弱就是其致病之关键,为了预防反复感冒,最重要的一点就是补其虚,中医对于体虚感冒治疗时采用的是扶正祛邪的原则,那么我们把这扶正—补虚的过程放在未病之时实行不是更好吗?这类人平时可针对自己的情况有意地多食一些食品或药膳,如大枣、黄芪、党参。本节所附滋补性预防药膳,可在平时经常服用。

➡ 你应了解的营养素

维生素

● **维生素 C**　两届诺贝尔奖得主鲍林博士主张"补充维生素 C 是预防与治疗感冒非常有效的方法",许多科学家受他的影响也在进行这项研究,证明高浓度的维生素 C 可预防感冒后毒物释放所造成的有害作用。如果每天补给 2000 毫克维生素 C 时,发现并无法预防感冒的发生,但是却可以减轻感冒的症状及缩短感冒时间。而鲍林博士所建议的服用量远高于 2000 毫克,但现在缺乏研究数据来证实其可行性。在我们现代感冒药中有许多就加入了维生素 C,如我们最熟悉的 V_C 银翘片。

矿物质

●锌　锌对感冒的作用没有更多的资料来说明其原理,但有一项资料表明,锌虽然不能杀死感冒病毒,但它似乎能防止病毒的繁殖和复制。这正支持了一些临床实验研究的结论,即口服锌制剂可以缩短感冒病程。

➡营养治疗药膳

药草

●生姜　生姜是我们日常生活中非常熟悉的调味品,同时又是一味非常好的中药。用它治疗感冒具有发汗解表、温中止呕、温肺止咳功效,经常用于风寒感冒、呕吐及咳嗽等病症。

●紫苏叶　紫苏叶是一味常用的治疗感冒的药。用中医理论讲,其能发汗解表、行气宽中、解鱼蟹毒。按现代药理说其含挥发油——紫苏醛等,所以其煎剂及浸剂能扩张皮肤血管、刺激汗腺分泌,有解热作用,还能促进消化液的分泌和增进胃肠蠕动。因此临床常用其治疗风寒感冒,尤以感冒而兼胸闷呕吐症状者更适宜,或无感冒表征而有气滞不畅的,也可以宣通。

●黄芪　黄芪本是一味补气药,适用于气虚诸症,对于气虚者,若平时常服,可减少感冒的发生。

●葱白　葱白即我们平时做菜调味用的葱的白色梗,它除了可做菜外,还是一味很好的治感冒的中药。现代医学研究其含挥发油,主要成分为大蒜辣素,药理实验说明其有抗菌作用。

治疗感冒时常与姜、红糖及豆豉同用。

●**淡豆豉** 淡豆豉系大豆经发酵加工而成,平时作为调味品在市场上有卖。其内含有脂肪、蛋白质和酶等成分。淡豆豉的发汗力量较弱,有健胃助消化和除烦的作用。治疗感冒常与葱白、桔梗、银花、连翘等同用。

药　膳

●**生苏茶** 紫苏叶5克,生姜5克。先将紫苏叶揉成粗末,生姜切成细丝,共置玻璃杯中,加沸水闷泡约10分钟后温饮顿服,饮后可服一些热稀粥以助其药力,以周身微微汗出为度。药液饮完后再加沸水冲泡,泡2~3次为宜。预防风寒感冒,适用于那些体质差、周围一有人感冒就"在劫难逃"的人。

●**姜糖苏叶饮** 生姜20克,紫苏叶10克,红糖适量。加水煎沸,或沸水冲泡,趁热代茶,分3次饮。若觉效力不足,本方可作一次量用,或另加葱白15克于配方中。适用于外感风寒、鼻塞流涕、头痛身疼、怕冷无汗、发热等。

●**五神汤** 荆芥10克,苏叶10克,茶叶6克,生姜10克,红糖30克。将荆芥、苏叶与茶叶、生姜一起放入大盅内备用。将红糖放入另一盅内,加水适量,烧沸,使红糖溶解备用。将盛装中药的大盅置文火上煎沸,加红糖液即成。随量服用,适用于风寒感冒所出现的畏寒身痛、无汗等症。

●**淡豆豉葱白炖豆腐** 淡豆豉12克,葱白15克,豆腐4块。先将豆腐加水适量,略煮,再放入淡豆豉、葱白,煮汤一大碗。趁热饮汤,吃豆腐,盖被而卧,出微汗,即可祛除风寒。适用于外感风寒的咳嗽,以及伤风鼻塞等症。

●**姜葱梨鸡蛋** 梨120克,生姜15克,葱白15克,鸡蛋2

枚。鸡蛋打入碗内搅匀,前三味煎汤,用煎好的药汁乘沸时冲入蛋液中。趁热顿服,盖被取汗。对于风寒束表、肺气不宣的感冒、咳嗽最为适宜。

●**苦参鸡蛋** 鸡蛋1枚,苦参6克。将鸡蛋打碎搅匀,苦参水煎取汁,用沸汁冲鸡蛋,趁热服。对流行性感冒有良效,对轻症头痛、发热、咳嗽、咽痛,用本方立见成效。

●**双花饮** 金银花30克,山楂10克,蜂蜜250克。将金银花、山楂放入沙锅内,加水适量,置武火上烧沸,3分钟后,将药液滗入小盒内,再煎熬一次滗出药液,将两次药液合并,放入蜂蜜,搅拌均匀即成。适用于风热感冒、发热头痛、口渴等症。

●**桑叶薄竹饮** 桑叶5克,菊花5克,薄荷3克,苦竹叶30克。将桑叶等四味放入茶壶内,用开水泡10分钟即成。适用于风热感冒、发热、头痛、目赤、喉痛、舌红苔黄等症。

●**一味鸡蛋汤** 沸水20毫升,鸡蛋5枚。将鸡蛋打入碗内搅匀,用沸水冲,再上火煮两三沸即可。趁热顿服,取微汗。感冒汗出不解用此方有良效。

●**白芥蛋清糊** 白芥子9克研末,用鸡蛋清调作糊状。敷足心(即涌泉穴)。本方也是治疗感冒的外用方,为上病下取之法。尤其适用于小儿感冒高烧不退者。

●**参芪精** 党参250克,黄芪250克,白糖500克。将党参、黄芪用冷水泡透,加水适量煎煮,每半小时取药液一次,共煎煮三次,然后合并药液。用文火将合并药液煎熬至稠黏时停火。待浓缩液冷却后,加入白糖,使之吸净药液,晒干,压碎,装入玻璃瓶内即成。适用于气虚型心悸气短、食少便溏、脏器下垂、浮肿、气喘、头晕等症。气虚易感冒者平时可常服,以预防感冒。

●**人参莲肉汤** 白人参10克,莲子10枚,冰糖30克。将人参、莲子(去心)放在碗内,加清洁水适量发泡,再加入冰糖。

将盛药的碗放置蒸锅内,隔水蒸炖 1 小时。食用时,喝汤、吃莲肉。人参可连续使用三次,次日再加莲子、冰糖和水适量,如前法蒸炖和服用。第三次时,可连同人参一起吃下。适用于病后体虚气弱、脾虚食少、倦怠、自汗、泄泻等症及易患感冒者。

●**黄芪汽锅鸡** 黄芪片 20 克,子母鸡 1 只,葱适量,生姜、食盐、料酒、味精、花椒水均适量。将子母鸡宰杀后,剁成 1 寸见方的块,放入沸水锅内烫 3 分钟捞出,装入汽锅内,加入葱、生姜、食盐、味精、绍酒、花椒水。将黄芪片洗净,放入汽锅内,盖上盖,上笼蒸 3 小时即成。适用于内伤劳倦、脾虚泄泻、气衰血虚等症。体质虚弱易患感冒者,平时可常服,以预防感冒。

易患感冒者特别注意

◆劳逸结合

◆增强体质

◆注意衣着冷暖适度

◆体质弱者平时进补很重要

◆感冒流行时预防性用药或食用一些食品

◆多喝水是治疗感冒的最简单办法

◆感冒时可以服些维生素 C

◆可以选用药膳来治疗感冒

●**十全大补汤** 党参、炙黄芪、茯苓、酒白芍各 10 克,猪杂骨适量,葱、料酒、花椒、食盐、味精适量。将以上中药装入洁净的纱布袋内,扎口备用。将猪杂骨洗净,砸破了与上述中药放入

沙锅内,加水适量,放入生姜、花椒、料酒、食盐,武火烧沸,用文火煨炖,炖至猪杂骨上的肉分离。食肉喝汤,早晚各吃一碗,全部服完后,隔 5 天再服。适用于气血俱虚或久病体虚、面色萎黄、精神倦怠、腰膝乏力等症。易患感冒者平时常服以提高体质预防感冒。但患感冒时禁用此方。

7

偏头痛

　　几乎所有的人都懂得什么是头痛,但我们却无法给它下一个简明的定义。偏头痛是一种症状多于体征的病症,检查虽偶而可发现异常,但并非常见。在众多的头痛中,偏头痛是最使人虚弱、最折磨人的头痛,有偏头痛的人都将本病比喻为"套在头上的紧箍咒",这实在是一种既形象又无奈的比喻。

　　从医学上讲,偏头痛是一种由于血管舒缩功能障碍引起的发作性头痛。病因尚不明了,60%～80%的病人有家族史,五羟色胺(5HT)在偏头痛中扮演着重要角色。在美国偏头痛的发病率很高,其中60%为女性。我国在上海的调查表明,其发病率为1%。

　　偏头痛的发作,通常在清晨醒来或白天发作,60%的女性患者严重的头痛与月经周期有着密切关系,可发生在经期前不久、经期中或经期后,这说明激素水平的活动也与偏头痛有关。发作前似有火星或五色彩光在眼前闪动,继而转为视野缺损,有面唇肢体的麻刺感或轻度失语的先兆表现,约数分钟至20~30分钟后开始出现一侧性头痛。通常起始于颞部,眼眶或前额部,渐扩展至半侧头部或全头部。始为搏动性钻痛、钝痛或刺痛,在一小时左右达到顶峰后转为持续性疼痛。还常伴有畏光闭目、畏声、眩晕、恶心、呕吐、出汗、心悸,令人苦不堪言,每次发作短则数小时,长则2~3天,发作后患者大多疲倦思睡。发作频率不等,可数日、数周发作一次,也有些数月或一年发作一次的。

❖ 容易诱发的因素 ❖

➡饮食因素

至今几乎没有研究表明营养医学在偏头痛中的作用,但在实际生活中,确实有患者发现在进食某种食品后而使偏头痛发作,且一些限制饮食疗法也确实有效,这说明食物及营养素在偏头痛的形成上确实占有重要地位,因为有些食物中含有影响血管收缩功能的物质。

●**含胺类的食品** 如长期发酵的乳酪、鸡肝、发酵的干腊肠、酸奶、红酒、巧克力、熏肉等食物。

●**含亚硝酸盐的食品** 如腊肠、意大利香肠等。

●**乳糖** 有患者肠胃乳糖酶偏低时无法正常分解乳糖,因而食用含乳糖高的食物也会发生偏头痛,如炼乳、乳制品、冰淇淋、牛奶等。

●**咖啡因** 有统计表明摄取的咖啡因量越多,产生头痛的机会也就越大,这类食品包含咖啡、清凉饮料、茶等。

●**铜** 铜参与影响血管收缩功能的胺类的新陈代谢,铜含量高的食物及影响铜在体内运送的食物都可能会刺激偏头痛的产生。这类食品有巧克力、坚果、贝类、柑橘类水果、香蕉、味精等。

你知道吗

◆含胺类食物容易诱发偏头痛

◆含亚硝酸盐类食物容易诱发偏头痛

◆含高乳糖类食品有时也是诱因

◆咖啡因可以诱发偏头痛

◆酒精也常是偏头痛的诱发因素

◆最好找到你敏感的食物,避免食用它们

➡**其他原因**

●**避孕药** 与经期偏头痛发生的原因相同,口服避孕药内含有较大量的激素,所以有些患者在服用避孕药后会诱发偏头痛。还有一些药物也可引起偏头痛发作,如硝酸盐、利血平、肼苯哒嗪及大剂量维生素 A。

●**应激因素** 有精神方面的,如意外的、不愉快的事情,也有躯体方面的,如睡眠不足,疲劳和进食时间不规律。

●**其他诱因** 强光刺激及气候变化时也可成为偏头痛发作

的诱因。

❖ **生活建议** ❖

➡**生活调理**

●**生活规律化** 患者的进食、入睡、起床等活动要有规律性,尤其要避免在周末或节假日有较大的变动。

●**保持心情愉快** 心情愉悦是偏头痛患者应该注意保持的生活准则。此类患者的性格倾向于要求任何事情都十全十美,当客观事实不能满足主观要求时,常常会产生烦恼与遗憾心理,容易诱发偏头痛。因此要学会辩证思维,在逆境中也能泰然处之。

●**避免不良药物刺激** 如前所举避孕药等。

●**加强耐力锻炼** 如慢跑。

●**止痛药加睡眠** 对较轻的偏头痛,用一般的止痛片,再加上睡眠就可以缓解。

●**其他注意事项** 避免强光刺激。

➡**饮食建议**

●**努力寻找诱发食物** 查找敏感食物是你首先要做的事。前面列举了一些容易诱发偏头痛的食物,那么你应该确定究竟哪些食物对你更为敏感,去努力找到它,并且避免食用。

●**低色氨酸饮食** 你可以在"附录"中查到低色氨酸饮食的组成。

●**其他建议** 高多糖饮食或稳定血糖含量。

```
避免偏头痛复发的注意事项

◆生活规律,不可过累      ◆避免精神紧张
◆避免不良药物刺激      ◆保证睡眠
◆加强耐力锻炼         ◆避免强光刺激
```

➡ **你应该了解的营养素**

维生素

●**B族维生素** B族维生素有益神经系统健康,服用时按药品说明掌握用量即可。你可以选用复合维生素B制剂,也可以选择单纯制剂,如维生素 B_6、维生素 B_2、烟酸(维生素 B_3),这些维生素在维持大脑的正常功能和改善脑部的血液循环方面有一定作用,而且在某些报刊上有报道,偏头痛患者按疗程服用维生素 B_2 后,既往的头痛有明显改善。

●**维生素C** 维生素C有助于肾上腺分泌抗紧张激素,增强免疫力。

矿物质

●**镁** 镁在血液中的含量过低容易引起肌肉痉挛,包括血管内壁的平滑肌。因此当镁含量临界缺乏时,常易引发偏头痛。妇女在月经期间或是怀孕后期更容易因镁缺乏而引发偏头痛。在一项3000名女患者参加的实验研究中发现,80%的女性补充

了镁后反应良好。如果能配合维生素 B_6,有助于镁的吸收,效果会更好。

●锌　少量的锌补品可能有助于降低体内的含铜量。

其他

●色氨酸　色氨酸是饮食中的一种氨基酸,其在血液中可转变成一种能够减少疼痛的物质。但实际上,血中色氨酸含量多却可增加一些人的偏头痛发作,因此这类人应该采用低色氨酸饮食。

➡营养治疗药膳

药草

●川芎　川芎属中药理血之品,其性辛温。其成分含有挥发油状生物碱、酚性物质及内酯,具有活血行气止痛作用,是一味常用来治疗头痛的特效药。

●天麻　其性甘平,含有香荚兰醇、香荚兰醛、维生素 A 等物质,是治疗眩晕、头痛的要药。现代药理研究还说它有镇静、镇痛作用。天麻还常用来治疗肢体麻木、半身不遂、小儿惊痫动风等症。药膳食法可蒸鱼、煮粥、炖鸡等,每次用量 5～20 克。

●白芷　其性辛温,有良好的止痛作用,常用来治疗头痛及肢节痹痛,对于偏头痛可与川芎等药配合研面塞鼻可立见效。

药 膳

●**天麻炖乌骨鸡** 天麻20克,乌骨鸡一只。天麻用温水浸泡1天,将天麻和鸡块一起放入锅内,加足量的冷水,用猛火烧开,再改文火慢炖;待天麻和鸡块熟烂后,放少许盐即可吃肉喝汤。适用于长期偏头痛患者,对失眠、伴有疲乏无力者有良效。

●**大枣山药汤** 大枣15个,核桃仁30克,鲜山药30克,白萝卜300克,橘皮10克。先将橘皮煮水,去其渣,再入上物共煮,待熟后,连汤带物吃尽,日服1次。适用于气虚头痛。

●**桑椹豆腐鸡** 桑椹子10克,山药10克,大枣10个,大豆20克,胡萝卜15克,将鸡切成块与上物共煮至鸡熟,煮时将豆腐切块置于笼上蒸,加严盖子,致使诸物之气透于豆腐。待温后,吃鸡和豆腐,最后喝其汤。一般3剂有效。适用于肾虚头痛。

●**瘦肉夏枯草** 瘦猪肉50克,夏枯草6~24克。同煮汤服用,每天1剂,连服3~5天。适用于肝阳头痛。

●**气虚头痛汤** 鹌鹑蛋5个,鲜山药15克,胡萝卜30克,荷叶200克,大枣10枚,菊花15克,红糖适量。共入沙锅加水煮至蛋熟,吃蛋喝汤连服6次。适用于气虚头痛。

●**桃仁白糖饮** 核桃仁5个,白糖50克,黄酒50克。将核桃仁、白糖捣碎成泥,再入锅中,加黄酒,用小火煎煮10分钟,分2次一日服完,连服3~5天。适用于淤血头痛。

失　眠

　　失眠是神经衰弱的一种重要表现。到睡眠时间不能安然入睡,确是人生一大憾事,而每天又有多少人为这样的憾事而烦恼。每当夜深人静,辗转反侧,烦躁不安,便试图强行控制情绪来诱导入睡,然而每每事与愿违,强行迫睡带来的只能是大脑的兴奋,以致翌日头昏脑胀,全身无力,整日精神不振,严重影响正常工作及生活。每当入夜,又担心睡不好,如此恶性循环,苦不堪言。

　　失眠还可以由一些疾病引起,如脑动脉硬化、椎底动脉供血不足、脑梗死后遗症、贫血、糖尿病、颈椎病等。有些更年期妇女,也可有较重的失眠表现。

　　长期失眠可出现头昏脑胀、疲乏无力、记忆力减退等症状,对人体的生理功能调节有很大影响,有的妇女会出现月经失调,男子会出现阳痿、早泄、遗精等症状。这些症状的出现使得病人精神更加紧张,加重失眠,导致恶性循环。

失眠重者不得不长期依赖药物入睡,然而长期服用安眠药、镇静剂会产生成瘾性,还会影响人的思维功能。许多人也想挣脱安眠药的束缚,所以我们建议大家可以先在生活中想想办法,尽量摆脱失眠的困扰,实在难以有效,再言服药。

❖ 容易诱发的因素 ❖

➡饮食因素

●**影响入睡的饮料** 首先是饮酒,有人误认为睡前饮一小杯酒,可帮助睡眠,事实上,虽然饮酒后容易入睡,但睡得并不踏实,所以不主张睡前饮酒。此外咖啡因能使大脑皮层兴奋,如果睡前饮用咖啡则肯定会影响入睡,甚至于整夜不能入睡,这似乎已成为大家的共识。睡眠不好的人,睡前喝茶也会影响入睡,而且睡眠不好的人,对这些诱发因素非常敏感。许多人在夜间加班时,都喝上一杯浓茶或浓咖啡来提精神,就是这个道理。

●**晚餐** 中医认为"胃不和,则寐不安"。晚餐吃得太晚或太饱,尤其是油腻之品,会增加胃肠负担,使膈肌上抬,胸部受挤压,腹部胀满,因此夜难安寐。

➡其他原因

●**生活安排失当** 睡前情绪激动,有心事,必然会影响入睡的抑制过程,导致失眠和多梦;如果是老年人,本已肾气虚,夜间小便会增多,如睡前喝水,或吃西瓜、喝稀粥等含水较多的食品,膀胱充盈,频频上厕所,自然难以入睡;失眠者入睡本难,如果床铺被褥不合适,环境清洁条件差,通风不佳,光线太亮,周围喧哗都可导致失眠;夜间睡不着,白天补觉,再到夜晚自然还是难以入睡,所以说睡眠时间安排不当也可加重失眠。

● **药物的影响**　有些药物也可导致失眠。

❖　生活建议　❖

➡ **生活调理**

● **失眠的生活调理**　首先当然是消除失眠的诱因,如前所述,都是对睡眠不利的因素,应该绝对避免。

另外还应该做些有利于入睡的事情,如能不药而愈,何乐而不为? 首先入睡时间一般以晚上 9~10 时至次日早晨 5~6 时为宜。睡前 1~2 小时最好停止紧张的脑力和体力劳动,到空气新鲜的户外散步半小时。还需建立一套辅助睡眠的习惯,如睡前用温水洗脸、洗脚、刷牙。有条件的,睡前可洗个温水澡。入睡宜穿单薄的衣裤,睡姿一般以右侧卧位为好。

其次,通向睡乡的"诀窍"是临睡前做一套自我按摩。盘腿坐位或仰卧位,先用双手轻轻按摩头面部,然后用右手按摩左臂,左手按摩右臂,接着用两手擦胸部和腹部,动作要轻而慢,最后按摩足底心(涌泉穴)。整个按摩过程可长可短,一般在 10 分钟左右。结束按摩后便可逐渐产生倦意和睡意。

➡饮食建议

●**避免影响入睡的饮料** 避免在晚上及午后饮用咖啡及茶。

●**注意晚饭结构** 避免晚饭吃得太晚及过分油腻,忌食不易消化的食物。

●**寻找敏感食物** 你还可以认真找一下,是否有某些食物特别影响你睡眠。因为个别患者反映,在食用某些食品后,会发生失眠,那么你注意一下,你的失眠因素,是否也有同样情况呢?

●**食疗药膳** 注意采用食疗方法,我们向你推荐一些食疗药膳,你可以根据自己情况选用。

➡你应该了解的营养素

维生素

●**烟酸(维生素 B_3)** 烟酸的催眠效果首先是在动物实验中得到证实,在人类身上还尚未进行试验,不过其结果很可能是相同的,只是其用量还尚不明确。

其 他

●**色氨酸** 色氨酸是蛋白质中一种必需氨基酸,它可以转变一种在睡眠调节上扮演了重要角色的神经信息传递物质。经实验证明,它的确具有改善睡眠的作用。轻度失眠者在服用色氨酸后很快即可奏效,而对于较严重的失眠需要服用几天以后方可见效,有时甚至显现出远期疗效,故而建议这类人应断断续续地不断补充。不过目前色氨酸制剂在市场上还没有出售,你可以多选用几种色氨酸含量高的食物(见"第二部分")。

经常失眠者须知

◆睡前、午后忌饮酒、咖啡和茶

◆合理安排生活

◆晚餐不可过晚、过饱

◆经常服用药粥等,以食代药

◆想想哪些食物影响你的睡眠

◆足部按摩以促入睡

◆试着补充营养素以促睡眠,如烟酸、色氨酸

➡营养治疗药膳

药 草

●**酸枣仁** 酸枣仁为酸枣的种子,甘酸性平,能滋养心脾,补益肝胆。其成分含多量脂肪油及蛋白质,还有两种植物固醇,此外尚含皂甙、多种维生素等成分。根据药理研究证实,其水溶性成分有催眠作用。实为治疗虚性烦扰、惊悸失眠的良药。药膳用法,可煮粥、煮肉汤等,每次用量10~25克。也可将酸枣仁炒熟研末,每晚睡前取10克冲服。

●**莲子** 莲子为莲之种子,含蛋白质、棉籽糖、碳水化合物、脂肪、磷、钙、铁等多种营养成分。有养心安神、益肾健脾、涩肠

等功效。可治心悸失眠、脾虚泄泻、肾虚遗精、尿频、白浊、妇人崩漏、白带多等病。莲子之心又称莲子心,其性苦寒,能清心安神,药理实验证实,莲子心所含生物碱有强心作用,同时还有降压作用。如用于失眠,对有热征者效佳。

●**百合** 为百合之鳞茎,其性甘苦微寒,含淀粉、蛋白质、脂肪等营养成分。能清心安神,治心烦不安、失眠多梦,还可以润肺止咳,治疗肺结核、久咳等症。可煮粥,或单味熬汤,还可加多种配料做菜。

●**绞股蓝** 又名南方人参,含有与人参皂甙相似的绞股蓝皂甙,能防治神经衰弱,治疗顽固性失眠,对长期失眠者效果较为理想。

药 膳

●**酸枣仁粥** 酸枣仁50克,粳米100克。将酸枣仁捣碎,煎取浓汁,用粳米煮粥,待米熟时加入酸枣仁汁同煮,粥成淡食或加糖食均可,每日晚餐趁温食用。此粥对神经衰弱、失眠多梦疗效甚好,无论失眠多久,均可选用。

●**桂圆莲子粥** 桂圆、莲子各适量,粳米50克,共放锅内煮成粥。临睡前服用一小碗,有养心、健脾、补肾之功效。适合于中老年失眠患者服用。

●**百合绿豆粥** 百合20克,绿豆25克,粳米50克。先煮绿豆至半熟,放入百合和粳米,再煮成粥,具有清心除烦、健脾的功效。适合于中青年失眠者服用,更适用于夏季服用。

●**百合红枣粥** 百合25克,大枣15枚,粳米50克,三物合煮成粥服用。具有清热、养阴、补血的功效,适合于有心悸、心烦症状的失眠者服用。

●**柏仁猪心粥** 柏子仁 15 克,猪心半只,粳米 50 克。三物同煮成粥,加适量盐、葱、味精等调味品后即可食用。具有养心安神的作用,适合于有心悸症状的失眠者服用。

●**糯米小麦大枣粥** 糯米、小麦、大枣各适量,共煮成粥。具有补血、解郁、安神的作用,适合于妇女烦躁失眠者。

上述诸粥皆有安神作用,一日三餐均可服之,尤以临睡前服用最好,因为药物要发挥安神作用,一般在食入该药 30 ~ 60 分钟后。倘若决定临睡前饮粥,晚饭不要吃得太多,否则会加重消化道负担。临睡前服用安神粥还能改善第二天的精神状况,这对提高工作效率是有极大帮助的。

●**莲心茶** 莲子心 2 克,生甘草 3 克,开水冲泡代茶,每日数次。具清心、安神、降压之效。对高血压病伴有失眠患者非常有效。

●**绞股蓝茶** 绞股蓝茎叶 2 克,白糖适量,开水冲泡当茶饮用,每日数次。此为保健安神佳剂,对长期失眠者较为理想。

●**糖水百合汤** 生百合 100 克,加水 500 毫升,文火煎煮,熟烂后加糖适量,分两次服食。此汤可用于病后余热不净,体虚未复的虚烦失眠,对伴有结核病史失眠患者,选服尤佳。

●**丹参冰糖水** 丹参 15 克,加水 200 毫升,煎煮 20 分钟,去渣,加冰糖以微甜为准,分两次饮服。对患有冠心病、肝炎等慢性病患者,还可改善原疾患。

●**甘麦大枣汤** 小麦 60 克,大枣 14 枚,甘草 20 克,先将小麦、大枣淘洗浸泡,入甘草同煎,待麦、枣熟后去甘草、小麦,吃枣喝汤,每日 1 ~ 2 次。对神经衰弱、癔病均有缓解急躁、焦虑及安神等作用。

●**莲子鸡丁** 净鸡肉 250 克,莲子 60 克,香菇、水发玉兰片各 10 克,火腿 6 克,蛋清 1 个,鸡清汤 60 克,鸡油 6 克,玉米粉(或淀粉)10 克。鸡肉去筋切丁,用蛋清和玉米粉拌匀,将莲子去皮去心,煮熟,滤去水分备用。将鸡丁炒至七成熟,入配料、调味品,加入莲子,翻炒几次即可。适宜于食欲不振、消化不良、肢软无力、失眠、心烦不安等患者食用,遗尿、遗精患者食用也甚相宜。健康人食用更能防病强身。

●**冰糖湘莲** 莲子 120 克,冰糖 180 克,鲜菠萝 30 克,罐头青豆 15 克,罐头樱桃 15 克,桂圆肉 15 克。莲肉放入碗内加温水 90 克,蒸至软烂。鲜菠萝切丁。锅内放入清水 500 克,入冰糖烧沸、溶化,去渣,加青豆、樱桃、桂圆肉、菠萝,上火煮开,倒入大汤碗,莲子浮在上面即成,随时食用。适宜于遗精、遗尿、失眠等患者食用。健康人食用能防病强身。

●**黄精炖瘦猪肉** 黄精 50 克,猪瘦肉 200 克,葱、生姜、料酒、食盐、味精适量。将黄精、瘦猪肉分别切成小块,放入沙锅内,加水适量,放入葱、生姜、食盐、料酒,隔水炖熟,食用时,加味精少许,吃肉喝汤。适用于心脾阴血不足的食少、失眠等症。

●**莲子百合煨瘦肉** 莲子、百合各 50 克,瘦猪肉 250 克,葱、生姜、盐、料酒、味精各适量。将莲子去心,猪肉切块。将莲子、百合、猪肉放入沙锅内,加水适量,再加入葱、生姜、食盐、料酒煮熟。适用于心脾不足的心悸、失眠,以及肺阴虚的低热干咳等症。

哮　喘

　　每当春暖花开之时，哮喘病人又要紧张，因为春季是哮喘的高发期。哮喘属于一种慢性非特异炎症性疾病。病人对各种激发因素，具有气道高反应，引起气管广泛缩窄。每当发病，病人会感到发作性胸闷、喘息、气促或咳嗽，常于夜间和清晨发作、加剧，可听到呼气性哮鸣音。简言之，病人明显地感到呼气困难。形象地说，你觉得好像有一只大象正坐在自己的胸腔上，你的心脏开始努力地工作着，脉搏也跟着比赛似地想要补足氧气的不足。忽然之间你觉得透不过气来，使劲地呼吸，于是就喘了起来。哮喘长期反复发作，最终会并发肺气肿。

你有必要正确了解下列名词

◆组织胺：一种由身体细胞释放出的，容易引
起过敏反应的活性物质
◆亚硫酸盐：常被作为食品填加剂，有些哮喘
病人会因此发生过敏反应

哮喘的发病原因并不十分明确，大概可分为遗传因素和激发因素两大类。由于其发病机制复杂，迄今医学上尚无根治的办法。不过易感者如果能避免各种激发因素，合理或坚持气雾吸入；根据病情和发作的严重程度，进行规范化的阶梯治疗，则可以预防、控制或减轻哮喘的发作，提高生活质量。

的确，哮喘发作令人疲于应付，心急火燎。那么与其坐等发病，喘急之时再手忙脚乱地补救，为什么不采取一些措施，防喘于未发呢？我们这里想和大家说的就是，在生活和饮食中如何预防哮喘发作，尽量在饮食与日常起居中使喘销声匿迹，与健康人一样过平静的日子。

❖ 容易诱发的因素 ❖

➡饮食因素

饮食对哮喘的发作究竟有多大关系至今并不十分明确，但食物过敏肯定是有的。一定数量的患者确实是在进食一些不恰

当的食品后,导致哮喘发作。一般哮喘病人对饮食的敏感度因人而异,但总的来说婴幼儿对异性蛋白类食物比较敏感;老年人对宜生痰的食物比较敏感,如鸡蛋、肥肉、花生和油腻不易消化食物。

一般来说,鱼腥虾蟹尤其是带鱼、梭子蟹、黄鱼以及雪里红、芹菜、酒酿等所谓"发"物,与哮喘关系密切。另外根据疾病性质,也应格外注意自己的饮食宜忌,如属中医分类的热喘就不应吃热性食物,如羊肉、鹅肉、韭菜、姜、桂、椒等食物;另外生冷食物也是哮喘病人不宜多食的食品,如冷饮、冰西瓜等。也有的病人在长期的疾病过程中,发现非常明确的过敏食物,这自然是绝对禁食的食品。

➡其他原因

●**过敏物** 过敏物是引起哮喘发作的重要原因之一,多为吸入物,又可分为特异性和非特异性两种,特异性以花粉、尘螨、真菌、面粉、动物毛屑、吸入性药物、工业粉尘及气体等为主;非特异性的与居住环境、工作接触物有关。油漆味、新家具、新地毯、新塑料制品以及其他一些工业气体挥发出的甲醛、甲苯等气体可污染空气,病人接触上述激发因素后,易引起气道炎症,导致气道高反应性,致使哮喘反复发作。必须找到和避免这些激发因素,否则哮喘难以控制。

●**精神因素** 精神因素导致的哮喘大多是在哮喘长期发作的基础上发生。患者对外界的刺激异常敏感,例如某些对花草过敏者,看到纸做的花草也会引起哮喘,而强烈的情绪可促发或抑制哮喘发作。很多有经验的哮喘病人,初感有胸闷气憋时,即刻放松静坐,使情绪平稳,从而避免发作。

●**气候** 气候是由气温、湿度、气压及空气离子等因素构成,其中每一因素对哮喘的发病都可能有关系。哮喘者尤其是过敏的儿童,其血管神经舒张性极不稳定,可偶因气候变化导致哮喘发作。

●**感染、药物、内分泌及运动**　这些都可成为诱发哮喘的因素。上呼吸道疾病能影响下呼吸道功能,过敏性鼻炎、鼻息肉、鼻窦炎均可诱发哮喘,有些病人对某些药物过敏,也可诱发哮喘。

❖　生活建议　❖

➡ 生活调理

●**避免各种激发因素**　避免激发因素是哮喘病人必须做到的。前面讨论过过敏源是哮喘发作的主要因素,而这些过敏源大多存在于我们的生活和工作环境中,这些过敏源均可以作为激发因素而导致哮喘发作,如接触花粉、尘螨、皮毛等过敏物质,以及工业上的一些特异性气体,患者本人一定要根据自己的发病规律,努力寻找到与自己发病有关的因素,在生活中应该绝对避免接触。

●**重视医疗体育锻炼**　由于哮喘的经常发作,使许多患者对体育锻炼避而远之,孰不知这种做法更使患者体质渐弱,更易感寒复发。其实适当参加一些医疗体育活动,对患者只有好处。例如,从夏天开始用冷水洗脸或洗冷水澡,可逐渐适应天气的变化;每天坚持跑步、打太极拳或气功疗法,可增强体质,提高抗寒、抗过敏能力。特别是气功疗法,可调节迷走神经紧张度,使支气管平滑肌松弛,提高呼吸道黏膜纤毛的清除能力,增加横膈膜活动幅度,改善肾上腺皮质功能。

●**患者加强自我管理** 这是控制哮喘发作的基础条件。在明确了哮喘发作的各种激发因素后,要有效地避免其发作,要依靠患者自身及家属坚持不懈的努力,首先在患者生活的环境中必须戒除吸烟。掌握一定量的哮喘防治知识,制订防止哮喘复发、保持疗效长期稳定的方案。在未发作时的"扶正固本"治疗是非常重要的。中医的理论叫做"正气存内,邪不可干"。只有平时将体质搞好,才有可能减少发作,即或发作也容易控制。在高发期到来前两周至一个月,提前预防性用药。最后,介绍一种有助于扶助正气的自我疗法:用大拇指按摩尺泽(主治咳嗽气喘)、丰隆(主治咳嗽痰多)、足三里(为保健要穴,有强壮作用),以有酸胀感为度。每个穴位按摩 3~5 分钟,每日 1~2 次。

➡饮食建议

●**基本饮食原则** 遵循"附录"中的基本饮食原则,以保证你生命活动的足够营养。

●**避免敏感食物** 在基本饮食原则的前提下,避免那些会引发气喘的食物。你个人究竟对哪些食物过敏,这需要你自己在生活中逐渐摸索,切不可因噎废食,因为怕诱发哮喘,长期无原则地戒食许多有营养的食物,这样你的体内会因禁食而导致营养的缺乏,使得体质下降,反倒使哮喘容易发作,发作后也不容易控制。一般饮食规律正如我们前面所说,婴幼儿应对异性蛋白类食物加以警惕,老人宜少吃生痰的食物,如鸡蛋、肥肉、花生和油腻不易消化食物。哮喘发作时应少吃易胀气或不消化的食物,如豆类、芋头、甘薯等,避免腹部胀气向上压迫原已憋气的胸腔而加重气急症状。

至于鱼虾类食物,凡是哮喘的病人都知道须忌食鱼虾。因为这类病人大多数是过敏体质，他们或多或少均有些外源性致敏源，所以对鱼虾类食物也敬而远之。其实哮喘病人未必均需忌食鱼虾，这里也有个体差异问题，哮喘病人应根据自己情况鉴别之后再决定是否需要忌食鱼虾，不然盲目地忌食，会缩窄你的食谱。尤其是少儿，正在身体生长发育阶段，不应该盲目地过大范围地忌口。一般在你哮喘易发期不要食用鱼虾，在非发作期你可以尝试着食用一些。另外鱼虾分为海鱼、海虾、河鱼、河虾，一般吃海鱼、海虾容易引起过敏，吃河鱼、河虾却可安然无恙，你不妨试试。总之，哮喘病人，忌食什么食物，还要根据个人情况来定，除了对你肯定过敏的食物，一般不必忌口。

●**少食盐** 这是哮喘病人应该遵守的另一原则。不论你的哮喘是否因过敏引起，都应该尽量少食盐。因为哮喘的发作是由于细胞释放出组织胺，组织胺会引起过敏反应。有研究发现食盐愈多，支气管对组织胺的反应愈强烈。

●**多吃新鲜蔬菜** 多吃蔬菜如萝卜、刀豆、丝瓜等。这些食品不仅能补充多种维生素和无机盐，而且具有祛风、下气、化痰的功效。

●**选择性地定量食用水果** 选择性地吃些水果及核果等食物，如梨、柑橘、枇杷、核桃、香蕉、芝麻、蜜糖，有助于大便通畅，腹压下降，能减轻哮喘。

➡**你应该了解的营养素**

维生素

●**维生素 B_6** 有研究表明，哮喘病人体内维生素 B_6 含量比正常人低。给 50 位发作期哮喘病人服用稍大剂量的维生素 B_6

后,症状有所改善,每日所需的支气管扩张剂及类固醇的用量均减少。还有观察发现,给缓解期哮喘病人每日以常量服用维生素 B_6 后,其哮喘发作频率、持续时间以及严重程度都明显减少了。不过你若用时最好请教医生后再决定用量,因为维生素 B_6 服后,有人会出现手足神经损害,服用期间须注意观察。

●维生素 B_{12}　最近有研究报道,维生素 B_{12} 可能对因食用添加亚硫酸盐的食物而引发哮喘的病人特别有效。如果这些病人在食用这些食物之前就接受维生素 B_{12} 治疗,其效果比预防哮喘的药物要好,而且持续时间更长久。还有一项研究表明,给50 位十岁以下的哮喘儿童肌肉注射高剂量的维生素 B_{12} 时,也可以减轻哮喘症状。连续注射一段时间后,约 60% 的患儿哮喘不再发作,只有 10% 的患儿无明显改善。

●维生素 C　为什么维生素 C 会对哮喘有效,其道理并不十分清楚,可能是因为它可降低血中组织胺的缘故。有研究表明哮喘病人体内组织胺与维生素 C 的含量是呈反比关系的,且哮喘患者体内维生素 C 的含量偏低,如果给这些患者补充维生素 C 后,组织胺含量就会下降。事实上,即使维生素 C 含量不低,补充维生素 C 还是可以降低组织胺含量的。有临床观察发现血中维生素 C 含量愈低,发生哮喘的几率就愈大,所以你日常不妨多进食些维生素 C 含量高的食物,如果你选择维生素 C 制剂,那么正常每日用量是 600 毫克,你的量不妨较此稍大些。

矿物质

●镁　镁对哮喘病人而言,效果是神奇的。大约有 25% 的哮喘病人体内镁含量偏低,在哮喘发作期的患者镁含量低的比例更高,有试验表明,在哮喘发作期,无论是吸入或是注射镁制剂,均可使哮喘缓解。

其他

●**胃酸** 早在半个世纪前,就有人发现哮喘病人胃酸分泌量不足的现象比较普遍,当使这些患者胃酸分泌情况改善后,同时持续控制敏感食物的摄入,其情况便有明显的改善,哮喘发作的频率及严重性都减轻了。

营养素

◆维生素 B_6,可按常量服用
◆维生素 C,可按常量服用
◆服用镁制剂须请教你的主治医生

➡**营养治疗药膳**

药草

●**桑白皮** 其性甘寒,是一味传统的治疗肺热咳喘的佳品,还可以利水消肿。现代研究证明其所含多种黄酮衍生物,如桑皮素、桑根皮素类,伞形花酯、东莨菪素,从而也就解释了桑白皮平喘、消肿的功效。若日常入药膳服用,则可在吃饭的过程中达到防病治病的目的。

●**白果** 现在更被人们熟悉的名称为银杏,是银杏的成熟种子,除去外壳后的果仁呈白色,故名白果。白果含蛋白质、脂肪、淀粉、氰甙、维生素 B_2 及多种氨基酸,可敛肺定喘,止带缩尿,还有化痰之功,常用于喘咳之症,白果过食可致中毒,一般用量在 5~10 克。现代对银杏的开发已经很盛行,银杏叶还含有黄酮,有降低胆固醇作用。常用于高血脂、高血压、冠心病、心绞痛及脑血管痉挛等病的治疗,还用于治疗肺虚咳喘,日常药膳掌握适量以防病治病。

●杏仁　即杏的种仁,是一味传统的止咳平喘药,还有润肠通便作用,含苦杏仁甙、脂肪油、蛋白质、各种游离氨基酸,也就是这些成分使得杏仁有很好的平喘、通便、抑菌杀虫作用,常被用来治疗咳喘、便秘等症。但其杏仁甙分解后会产生氢氰酸,既能抑制咳嗽中枢起到镇咳平喘作用,过量又会中毒,一般用量应在 3~10 克左右。一般药膳应选用甜杏仁。

●枇杷叶　它含有挥发油、皂甙、熊果酸、齐敦果酸、苦杏仁甙、B 族维生素、维生素 C、山梨醇等成分,是一味常用的清肺热、化痰止喘的药,动物实验证实其有止咳平喘作用。

药膳

●白果糯米粥　白果 8 枚,糯米 50 克,加适量的水煮粥服。分早晚两次服完,15 天为一疗程,可连服 3 个疗程。适用于儿童、老年哮喘间歇期。

●白果蜜汁　白果仁 10 克,炒后加水煮,再加适量糖或蜂蜜,晨起服,14 天为一疗程。适用于咳嗽气喘之症。

●核桃杏仁蜜　核桃仁 250 克,甜杏仁 250 克,蜂蜜 500 克。先将杏仁放入锅中煮 1 小时,再将核桃仁放入收汁,将开时,加蜂蜜 500 克,拌匀至沸即可。每天取适量食用。适用于老年肺肾不足、咳嗽痰多、肠枯便燥之症。

●猪肺萝卜汤 猪肺 300 克,大白萝卜 250 克,加盐、姜炖熟,分两次服,隔天食用,连服 14 天为一疗程。适用于肺虚久喘、咳嗽痰多之症。

●地骨桑白汤 瘦猪肉 100 克,地骨皮 20 克,桑白皮 20 克,入沙锅内煲 2 小时,冰糖调味,吃肉喝汤,每年冬至日开始,每隔九天吃一副,一直吃到九九,连服三年,多数病可根治。

避免哮喘发作须知

◆ 积极寻找并避免过敏源
◆ 不必盲目忌口
◆ 少吃盐,食宜淡
◆ 避免可能引起过敏的食物
◆ 吃低糖食物、新鲜水果
◆ 尽量少用药物以免引起药物过敏
◆ 适当体育活动
◆ 定期清理家庭卫生
◆ 尽量少用化学制品
◆ 不要穿用带羽毛的衣物及卧具
◆ 哮喘发作期治疗与缓解期治疗配合

●胡椒蛙 青蛙 1 只(不分雌雄),不去皮和内脏,将成粒的白胡椒 7 克塞入青蛙口中,然后用针线缝其唇,使胡椒不致漏

出。随后将青蛙放在有盖的口盅或小缸内,加水一匙(约 10 毫升),放入锅中隔水炖,连续炖 12 个小时,趁温食胡椒、汤和部分青蛙肉,不吃内脏,不加盐、油、糖,隔 3～5 天吃 1 次,5 次为一疗程。需间隔 10 天才能进行第二个疗程。因胡椒里含有胡椒碱、胡椒酯和挥发油,食用时会刺激哮喘症状,一小时才渐感舒适。服药期间忌烟、酒、茶、酸辣品、油腻生冷食物。

●**蛤蚧人参汤** 蛤蚧一对约 20 克(以尾巴粗大者为好),生晒参或白参一支(约 10 克),冰糖 30 克,黄酒 20 毫升。将蛤蚧去头和脚爪,放在一只大碗内,加入清水 250 毫升浸 2 小时左右。浇上黄酒,放生晒参和冰糖,将碗放入锅内,中火隔水蒸半小时以上即可。此为一剂,分四份,每次半只蛤蚧,四分之一参,早晨空腹及晚上睡前各一次,共两天服完。每年立春后至冬至各服一次。证属虚寒而哮喘已趋缓解者,皆可及时服用本方。

10

贫血症

所谓贫血是指外周血液在单位体积中的红细胞计数,血红蛋白浓度低于正常,尤其是血红蛋白浓度低更是诊断中的重要指标。贫血常常是一种症状,而不是一种独立的疾病,各种疾病均可以引起贫血,如慢性肾病、慢性肝病、各种慢性感染、癌症、各种原因造成的出血。因此诊断贫血时,首先应考虑其发生原因。我们这里主要介绍的是各种造血原料缺乏而造成的贫血,以及多种原因导致的造血干细胞的数量减少或功能异常,从而引起的"再生障碍性贫血"。

贫血时常常出现面色苍白,口唇色淡,心悸,气短,头晕,头痛,甚至晕厥,失眠,记忆力衰退,耳鸣,眼前发黑,畏寒,身倦乏力,易疲劳等症;也有的患者出现恶心,腹胀;妇女可出现月经紊乱、经量减少,男子可出现性功能减退等情况。发现这些症状时,首先要去医院进行检查,以确定是何原因引起贫血,而不要自己服些铁剂了事。

你应该了解的名词

◆造血干细胞:主要蕴藏于骨髓中,它可以复制并分化成红细胞的祖细胞,再逐步生成红细胞。因此我们都知道,骨髓有造血功能

❖ 容易诱发的因素 ❖

➡饮食因素

红细胞的生成,除需要糖、脂肪、蛋白质以外,还需铁、铜、钴、维生素 B_{12}、维生素 C、维生素 B_6、维生素 B_1、维生素 E、叶酸、烟酸、维生素 B_2 和泛酸等,凡缺乏这些物质,均有可能造成贫血。最常见的就是缺铁、缺乏维生素 B_{12} 和叶酸引起的贫血,而这些全部要靠食物摄取来补充。

●铁的摄入不足　在生理情况下,人体外源性铁来自食物,其中瘦肉、蛋类、动物肝脏、豆类、海带、木耳、香菇等富含铁,而奶类含铁量最低。所以不进食肉、蛋、豆类等食品,单靠哺乳的婴幼儿,最容易出现缺铁性贫血。尤其是靠喝牛奶的婴幼儿,因

牛奶中含铁量比人乳中更少,谷物淀粉中含铁量也很少,所以如果以乳类和淀粉类喂养,就会造成婴幼儿缺铁性贫血。再者妊娠、哺乳妇女,铁的需要量显著增加,胎儿每千克体重需要母体供给 80 毫克的铁,特别是多次和多胎妊娠,此时若不给母体补充富含铁的食物,势必造成母体缺铁,并导致新生儿先天性缺铁。

●**铁的吸收不良** 正常人每天食物中含铁量约为 10～15 毫克,每天吸收铁约为 1～1.5 毫克。而铁的吸收是有条件的。通常肉类中的铁有利于吸收,吸收率也较高。而茶、咖啡、蛋类、牛奶、植物纤维中的铁不利于吸收,茶和菠菜内含有鞣酸,与铁形成难吸收的物质随粪便排出,经常过量吃植物纤维、喝茶吃菠菜的人,容易造成贫血。另外铁的吸收必须要一个酸性环境。食物中的铁以三价铁为主,在酸性环境下,或者有还原剂如维生素 C 存在时还原成二价铁才便于吸收,如果胃酸缺乏,或食物中维生素 C 缺乏,都能造成铁的吸收不良而导致贫血。

●**叶酸的摄入不足** 人体内不能合成叶酸,机体所需只能从食物中供给。富含叶酸的食物主要有绿色蔬菜、水果、动物肝肾。经常不食蔬菜水果、也不吃动物内脏的人,容易造成叶酸摄入不足。但是叶酸的缺乏,更多是由于食物加工不当造成的。叶酸属于水溶性 B 族维生素,性质极不稳定,光照及煮沸即被分解破坏。叶酸的摄入量不足,也多出现在婴幼儿时期,哺养不当,未按时增加辅食,或食品加工不当造成叶酸的摄入不足。

●**维生素 B_{12}摄入不足** 人体的维生素 B_{12}也主要由食物供给,动物性食品中富含维生素 B_{12},如肝、肉类、肾。蛋类、奶类次之,蔬菜中含量甚小,所以不吃动物类食品,只食蔬菜,也会造成维生素 B_{12}缺乏而出现贫血。

➡️**其他原因**

●**药物及化学物质** 抗癌药、氯霉素、磺胺药、保泰松、抗癫痫药、某些抗甲亢药、抗糖尿病药、杀虫剂(六六六、有机磷农药)等都能损害骨髓的造血功能,引起"再生障碍性贫血",特别是氯霉素有很高的危险性。

●**物理因素** 接触X射线、γ射线,实验室过量接触、原子反应堆事故,都能损害造血功能,造成骨髓永久性造血功能低下。

●**某些疾病** 能够引起贫血的疾病实在是太多了,比如慢性肾病、烧伤、脾功能亢进、系统性红斑狼疮、恶性肿瘤及妇女月经量多,甚至痔疮出血等都能引起贫血。

容易引起贫血的因素

◆饮食中营养不足

◆饮食中摄入铁不足,牛奶喂养的婴幼儿及妊娠哺乳期妇女多见

◆铁的吸收不良:过量喝茶,喝咖啡;过量吃菠菜和胃酸缺乏者

◆叶酸摄入不足

◆维生素 B_{12} 摄入不足

◆服用、接触某些药物和化学物质,特别是氯霉素

◆物理因素,接触X射线、γ射线等

◆各种急慢性失血

◆某些疾病,如肾病、肿瘤、脾功能亢进等

❖ 生活建议 ❖

➡生活调理

●**尽量避免接触有害射线** 有时人患病在去医院检查身体时,难免做 X 线检查,作为陪伴人一定要远离摄影室,以免接触不必要的 X 线,这也是对自己的保护。至于医院的放射科、伽马刀、电子加速器科室的工作人员,一定要有严密的保护措施才行。

●**不可滥用药品** 很多人在患病后,凭借自己很少的一点医药知识,滥服药品,岂不知有很多药品是可以造成骨髓损害而导致贫血的。因此,最好是在医生的指导下用药。

●**积极治疗相关病** 如果是由其他疾病消耗或失血引起的贫血,无疑地,积极治疗相关疾病、减少消耗、制止出血是最根本的方法。

➡饮食建议

●**合理喂养婴幼儿** 缺铁性贫血和维生素 B_{12} 及叶酸缺乏等贫血,都容易出现在婴幼儿时期,这主要是由于婴幼儿喂养不当引起的。特别是靠牛奶喂养的婴幼儿,因为牛奶中所含营养不全面,特别是铁剂含量最低,又不加蔬菜水果,以致叶酸也摄入不足,不加瘦肉汤容易导致维生素 B_{12} 缺乏。这些都能造成贫血,所以对多次妊娠、多胎婴儿、早产儿、以乳类喂养者,应在辅食上深下功夫。最好加一些瘦肉汤、绿色蔬菜汁、水果泥一类辅食以防贫血。已患贫血者,可在医生指导下加一些铁剂。

●**合理照顾孕产妇** 孕妇和产妇也是最易出现贫血的群

体,合理的饮食也是很重要的。在怀孕期间,多吃一些富含铁的食物和富含叶酸、维生素 B_{12} 的食物就完全可以预防,比如瘦肉、蛋类、木耳、香菇、绿色蔬菜等。对产妇,某些地区有一些不良习惯,只给喝一些小米粥,而不给其他有营养食品,这很容易造成缺铁性贫血。我们建议,产妇饮食,除了给易消化的小米粥以外,可在米粥中加入红枣(富含铁),也可以给一些瘦肉汤,如鸡汤等。另外鸡蛋适量,绿色蔬菜也不能少。特别注意的是这些绿色蔬菜的加工方法,不要一味地煮或炒得过度,适当可生用,如黄瓜、生菜等,因为蔬菜中所含叶酸往往在加热煮沸时被破坏。

●**含铁及维生素 C 丰富的食品**　铁是造血不可缺少的物质,铁缺乏又是缺铁性贫血形成的主要原因,维生素 C 能使三价铁还原成二价铁而利于吸收,所以应多食含铁及维生素 C 丰富的食品。

●**高蛋白质高维生素食品**　对于再生障碍性贫血者,则应注意多食入高蛋白质及高维生素类食品。

●**平时忌食辛辣油腻食物**

●**忌茶,咖啡,少食菠菜**　前面我们已经提到,喝茶、牛奶、咖啡,吃菠菜、蛋类、植物纤维含量高的食物,不利于铁的吸收。特别是茶和菠菜内含鞣酸,与铁形成难吸收的物质,所以缺铁性贫血患者,尽量少用茶和菠菜等饮品和食品。

➡**你应该了解的营养素**

维生素

●**维生素 B_{12}**　维生素 B_{12} 是合成 DNA 的主要辅酶,其缺乏可造成细胞分裂迟缓,造成贫血。除婴幼儿、孕妇外,许多 50 岁以上的人都缺乏这种维生素。维生素 B_{12} 缺乏会造成典型的贫血症状,疲劳、神志不清、很难专心。维生素 B_{12} 主要存在于动物食品中,包括肉类和乳制品,因此,应当吃一些肉类和乳制品,你才能取得足够的维生素 B_{12}。

●**维生素 C** 虽然从蔬菜、水果和谷类中所得到的铁难吸收,但维生素 C 可改进吸收这些食物的程度达 85%,服用维生素 C 营养补品能提高你每天从食物中取得的铁。

●**叶酸** 叶酸已被证实也参与 DNA 合成,其缺乏同样可造成红细胞分裂迟缓而发生贫血。在孕期适当服用可防止生育缺陷。绿叶蔬菜和谷类中含有叶酸。贫血患者可在医生指导下补充叶酸制剂。

矿物质

●**铁** 铁与红细胞关系至关密切,缺铁则血红蛋白减少,就会形成小细胞低色素性贫血。现在许多人为了降低脂肪的摄取,减少或不吃瘦肉和肝脏等食物,这样一来无意中减少了铁的摄取。对许多人而言,尤其是有大量月经的妇女,服用铁的营养补品来防止贫血症是非常必要的。

➡ **营养治疗药膳**

药 草

●**当归** 当归内含丰富的维生素、矿物质,包括维生素 B_{12}、维生素 B_2、维生素 E、维生素 A 和铁及多种人体必需的元素,有养血作用,能促进血红蛋白及红细胞的生成,可治疗各种原因引起的贫血。药膳食法,可蒸鸡、泡酒、煮粥等。每次用量 5～15克。

预防贫血症的生活饮食建议

◆尽量避免接触有害射线

◆不可滥用药品

◆积极治疗相关疾病

◆合理喂养婴幼儿

◆合理照顾孕产妇

◆合理饮茶和咖啡,合理进食菠菜

◆适当补充富含维生素 B_{12} 的食品,如肉类、乳制品

◆适当补充维生素 C,增加铁的吸收

◆适当补充叶酸,其主要富含在绿色蔬菜中

◆适当补充铁剂补充品

●**阿胶**　阿胶是驴皮熬制而成,含有多种氨基酸并含钙、硫。它有加速红细胞、血红蛋白生成的作用,有显著的补血止血作用,是治疗贫血的良药。

●**猪蹄**　猪蹄内含蛋白质、脂肪、维生素 B_1 和丰富的胶原纤维,有补血、增乳作用。

●**番茄**　番茄内含维生素 C 和多种维生素、纤维素,有健

脾开胃、生津养血作用。

●**大枣** 大枣即红枣,内含蛋白质、糖类、维生素 A、维生素 B₂、维生素 C、磷、钙、铁、钾、镁、碘等营养物质,有天然维生素丸之称。大枣具有补脾和胃、益气生津等作用,可治疗脾胃气虚的贫血以及血小板减少性紫癜、食欲不振、心悸等。

药 膳

●**当归生姜羊肉汤** 当归 25 克,生姜适量,羊肉 500 克,适量的味精、盐、料酒。将羊肉放在铁锅内,再放入当归、生姜、调味品加水适量,置武火上烧沸,再用文火煨炖,直至羊肉烂熟即成。吃肉、喝汤,可治各种贫血。

●**葱炖猪蹄** 猪蹄 4 个,葱 50 克,盐适量。将猪蹄划口放入锅中,将葱切段,放入锅中,加盐适量,先用武火烧沸,后用文火炖熬,直至熟烂即成,吃蹄喝汤可补血。

●**驴皮胶** 阿胶 10 克,捣碎用开水化开,成液态状,服下。有良好补血作用。

●**糯米小麦粥** 糯米 50 克,小麦米 50 克。上两料共煮粥,加适量红糖或白糖,当饭服用,常食。其中糯米和小麦米含铁量丰富,同用能补脾胃、益心肾、增力气、安心神,可用于缺铁性贫血患者。

●**黑芝麻** 将黑芝麻洗净炒熟研末,加蜂蜜或白糖少量,每次服 2 匙,每日 2 次。本方具有补肝肾、润五脏功用。适用于肝肾精血不足的贫血眩晕、须发早白、腰膝酸软等症。

●**山药大枣饮** 山药 50 克,紫荆皮 15 克,大枣 20 枚,水煎服,每日 1 次,可长期服用。用于表现为头晕目眩、心悸气短、四肢无力、声音低微、唇色淡红、舌质淡红、脉弱无力、妇女经少色淡的气血两虚型的贫血症。

●**牛髓山药蜜** 牛骨髓250克,生山药250克,冬虫夏草30克,胎盘粉30克,蜂蜜250克。共捣匀,入瓷罐,放锅中隔水炖30分钟。每次服2汤匙,每天2次,连服数剂。适用于临床表现见头晕、耳鸣、午后发热、手足烦热、遗精盗汗等肝肾阴虚型之贫血症。

●**杞枣骨头汤** 生猪骨(或羊骨)250克,枸杞子15克,黑枣30克,大枣20枚。同放沙锅内加水炖至烂熟,调味服食。隔天一次,可长期服。适应病症同上款。

●**阿胶冰糖羹** 阿胶250克,黄酒半杯,冰糖200克。阿胶放大碗内,加水半杯及黄酒,放锅内隔水炖,待溶化时加入冰糖,用筷子搅拌,使冰糖和阿胶充分混合溶化。冷却后分成20份,每天早晚空腹各吃一份。治疗各种贫血。

11

便　秘

　　通俗地讲,便秘是指大便秘结不通,排便时间延长(隔两日以上排便一次),或虽无时间延长而粪质干燥坚硬排便困难。在发达的国家便秘的患病率相对要高,年龄越大此病患病率越高。在我国,生活在城市里的老年人,几乎有 50%抱怨便秘的痛楚,而农村相对较少。

　　便秘虽是小毛病,但若长期存在,还会伴发其他疾病,如痔疮、肛裂、胀气、失眠、口臭、肥胖、消化不良、肠癌等,因此,对便秘还是应积极治疗。

　　一些便秘是由于某些疾病引起,如糖尿病后期、直肠结肠肿瘤等疾病,都可有便秘的表现,对于这一类继发性便秘,主要应在治疗原发病的基础上对症处理。而对于那些原发性便秘,更应该多注意生活、饮食起居的调理,而且在克服掉不良生活习惯后,便秘症状会有较满意的改善。

你有必要正确了解下列名词

◆食物纤维:是指食物中一种无法被人体消化吸收的物质。具有吸收水分软化大便的作用,也是构成粪便的主体。能促使肠道肌肉蠕动,将粪便快速推下。这些食物纤维主要在粗粮中含量较多

◆肠蠕动:肠蠕动是指肠道肌肉的运动,正常人肠道肌肉每分钟向下蠕动4~5次,能促使食物残渣、粪便尽快向下排出。过快的蠕动使肠道来不及吸收粪便内多余的水分,形成腹泻。过缓的蠕动则使粪便在肠道停留时间过长,吸收水分过多,形成便秘

❖ 容易诱发的因素 ❖

形成便秘的原因有很多,有的与饮食有关,有的与运动有关,有的与人体肠道疾病有关。

➡饮食因素

便秘的形成与饮食的结构或偏食有密切关系。

●粮食加工过细 粗粮进食太少会造成肠道内食物纤维残渣较少,粪便减少,肠道有效刺激太少,肠蠕动减缓,粪便在肠道停留时间太长,水分被肠道过度吸收,而致大便干燥,秘结。

●摄食蔬菜水果等偏少 蔬菜、水果等富含食物纤维、维生素、矿物质的食品摄食不足,使体内缺乏这些必要的营养物质,也使大肠缺乏有效的蠕动,也会形成便秘。

●嗜食辛辣食物 辣椒、葱、蒜等辛辣食物有助火伤津液的副作用,容易使肠道内津液缺乏而生便秘。

●经常饮酒的人 饮酒也能助火伤津,导致便秘。

●饮水过少的人 肠道水分缺乏,也致便秘。

便秘的饮食诱因

◆不食粗粮　◆摄入蔬菜等过少

◆饮水过少　◆嗜食辛辣　◆经常饮酒

➡其他原因

●缺乏良好的排便习惯 工作压力过重,生活起居、饮食无规律,不能定时排便均会引起单纯性便秘。

●年老体弱、肠蠕动减缓 上年龄和久病大病体弱的人,肠蠕动较缓慢,最易形成便秘,对因年老而形成的便秘,称为"老年习惯性便秘"。

●**妇女产后、腹肌张力松弛** 妇女产后,由于妊娠及分娩过程中,均使腹肌过于弛张,产后不能马上恢复,对肠道形成的腹压过小,而使肠蠕动无力,也能形成便秘。

●**肠道疾病** 肠道神经官能症、肠道炎症恢复期、直肠炎等,都会引起便秘。

●**肛门疾病** 肛裂、痔疮与便秘互为因果,造成恶性循环。

●**服用某些药物** 某些药物可使肠道菌群失调,也可引起便秘,例如嗜酸菌过少,即可出现便秘。

●**运动过少** 长久卧床,肠蠕动减缓,也可发生便秘。例如,中风后半身不遂的患者及截瘫的患者,多伴有便秘。不爱运动的老年人,更易患便秘。

●**滥用泻药** 因缺乏卫生常识、违背治疗原则,为图一时性排便通畅滥用泻药,甚至将番泻叶一类泻药当茶叶一样长期泡茶饮用。孰不知,在峻泻之后由于肠黏膜应激性减退,可再出现便秘,为此再用泻药,如此形成对泻药的依赖性,用量越来越大,也仅暂时通便而已,反而导致顽固性便秘,造成恶性循环。

❖ 生活建议 ❖

➡**生活调理**

●**避免久卧久坐,多做运动** 能活动的人应尽量做一些运动,比如散步、打太极拳。不能活动的患者,如瘫痪患者,可试做腹肌收缩和提肛运动,产后妇女,也可尽早做腹肌收缩运动。具体方法是,深吸气,同时放松腹肌,使腹部隆起,呼气时,收缩腹肌,使腹部凹陷。

●**保持定时登厕**　有些人因为有肛裂或痔疮,害怕大便,而隐忍不厕,结果使大便更加干燥,也有的人,因工作、饮食无规律造成大便不规律,有便意时,不能及时停止手头工作,而是隐忍不便,长此以往不按时登厕,不及时将大便排出,势必造成便秘日益加重。最好能养成早晨起床后排便的习惯,有规律的排便,对防治便秘非常有益。

●**不可乱服久服抗生素**　有些人无论什么部位的炎症,都喜欢自作主张服抗生素如新诺明、氟哌酸等等,不知道这样乱用抗生素,能杀灭肠道内的一些有用菌群,如嗜酸杆菌,结果使菌群失调而便秘。

●**不可常服泻药**　泻药的长期使用,最终可能造成大肠的依赖性,所以最好不要持续使用泻药,而断断续续使用会好得多。如果你有长期习惯性的便秘,最好请医生帮你找出原因,有针对性地用药,彻底解决问题,如果长期靠泻药应付,便秘只能越来越严重。

➡**饮食建议**

●**多摄入食物纤维**　定期吃些粗粮,如玉米、高粱、燕麦、小米、麦麸都含有大量的食物纤维,特别是麦麸内含有的食物纤维更多,定期吃一些上述食物,有利于大便的通畅。最好是一两日能进食一顿这样的食物。如果已患有便秘,也可以单纯食用大量的玉米麸和麦麸,起通便作用。现在市场上有许多燕麦食品,便秘者买来食用,对便秘的改善将大有益处。燕麦通便,主要是由于其中含有丰富的可溶性膳食纤维,可增加粪便体积和重量,促进肠蠕动,使大便松软,易于排出。

●**多食蔬菜、水果**　很多蔬菜、水果都有通便作用,在蔬菜中,菠菜、包心菜,内含有大量叶酸,具有良好通便作用;在水果中,香蕉含有多量的镁,具有良好的通便作用。

●多食水果干果的种仁 这些种仁含有大量的油脂,多具有滑利肠道、通便的作用,比如核桃仁、松子仁、各种瓜子仁、杏仁、桃仁等均可食用以通便。

●避免辛辣食物 少食或禁食辣椒、葱、蒜,对预防便秘是必要的,而对已患便秘的患者来说,更是必须遵守的食物原则。因为这些食物都有助火伤津的偏性容易引起便秘。再者,便秘患者多伴有痔疮、肛裂,这些食物对痔疮和肛裂也有加重作用。

●少饮酒,多饮水 饮酒与食辣椒一样,容易引起便秘,所以少饮或不饮为佳。而饮水多可直接增加肠道内水分,有利于大便的软化。

➡你应该了解的营养素

维生素

●叶酸 叶酸缺乏症是最常见的营养缺乏症,如果便秘由叶酸缺乏引起,通常还会有其他神经方面的症状,医生的神经方面检查及实验室检查都可帮助你证实是否有叶酸缺乏现象。一旦证实便秘是叶酸缺乏引起,就需大剂量补充叶酸,但这必须在医生指导下进行。而我们自己不妨在饮食中增加含叶酸丰富的食物,例如水果中的香瓜,蔬菜中的菠菜、包心菜等。

矿物质

●镁、钾、钠的盐类 这些盐类能够刺激大肠蠕动,推进排便,大约在6~8小时内即可使粪便软化。氢氧化镁最为常用。

具体方法是,15～30毫升的氢氧化镁,在空腹时用一杯温开水送服。

 其　他

●**嗜酸性乳酸杆菌**　嗜酸菌是大肠中非常重要的菌群,若能让其在肠道中成功地生存,将可免除由各种原因造成的便秘。现在市场常见的金双歧口服液便是这类制剂。它和缓泻剂不同的是,见效慢,往往要数周或数月才能见到效果,当便秘情况去除时,表示嗜酸菌已经成功地繁殖,所以即使停止食用,也不会再出现便秘。

●**食物纤维**　食物纤维缺乏是造成便秘的最普遍的原因。最理想的方法是进食高纤维饮食,如玉米、高粱、麦麸、莜面等。也可以用麦麸疗法代替,具体方法是,每天食物中添加半杯麦麸(约含 9 克纤维),以后可逐渐加量,直到每天两杯为止。

➡营养治疗药膳

药　草

●**种仁类药物**　松子仁、柏子仁、桃仁、杏仁、郁李仁、决明子、麻子仁,均含大量油脂,能润肠通便。

●**当归**　当归内含挥发性叶酸、烟酸、蔗糖、β 谷固醇、维生素 B_{12}、维生素 B_2、维生素 E、维生素 A 等营养成分,当归质地油润,是中医常用的补血药物,能养血活血、润肠通便,适用于产后肠燥、血枯便秘等症。

便秘患者的生活饮食调理

◆避免久卧久坐,多做运动

◆不可乱服久服抗生素

◆保持定时登厕

◆定期吃些粗粮

◆多食干果的种仁

◆少饮酒

◆不可常服泻药

◆多食蔬菜、水果

◆避免辛辣食物

◆多喝水

◆叶酸缺乏者,在医生指导下补充叶酸,并多食菠菜、包心菜等

◆每天15~30毫升镁乳,在空腹服时温开水送服

◆让嗜酸杆菌在肠道生存,可根治便秘

●肉苁蓉 肉苁蓉内含多种维生素、矿物质,现代研究还发现肉苁蓉含通便有效物质无机盐类和亲水性胶质多糖,所以能显著提高小肠推进度,缩短通便时间,同时对大肠的水分吸收有明显的抑制作用。在中药里肉苁蓉属温补肾阳类药物,对于肾阳虚衰所致诸症是一味常用的良药。同时其肉质油润,因此不但是一补肾益精的佳品,还有很好的润肠通便作用,是治疗便秘

的常用药物,对老年人肾阳不足、精血亏虚的便秘尤为适宜。现代研究对其成分的分析,证实了其通便作用的原理所在。药膳食用,可蒸鱼、煮粥、煮汤等,也可泡酒。常用量为每次 5～15克。

●**蜂蜜** 蜂蜜内含葡萄糖、果糖、蔗糖、多种氨基酸、多种维生素、矿物质、酵母、酶类等成分,具有补中益气,润肠通便的作用,主治老年人肠燥便秘。

●**菠菜** 菠菜的营养很丰富,它含有比较多的蛋白质,多种维生素如维生素 A、维生素 B$_1$、维生素 B$_2$、维生素 C、维生素 D、维生素 K、维生素 P 和矿物质如铁与钙;另外它还含有大量的胡萝卜素、草酸及大量食物纤维。现代医学认为,菠菜营养丰富,能促进胰腺分泌,帮助消化,可用于习惯性便秘和久病大便燥结。中医认为,菠菜有滋阴润燥、补血止血、泻火下气、通利肠胃的功效,适用于贫血、便血、津液不足、口渴思饮、肠燥便秘等症的预防和治疗。

药 膳

●**蜂蜜** 蜂蜜 30 克,凉开水泡服,适用于习惯性便秘。
●**菠菜汁** 菠菜取自然汁饮之,每日 20 毫升。
●**决明水** 决明子研末,每次 5～10 克,开水送服。
●**苁归蜜饮** 肉苁蓉 20 克,当归 20 克,生白术 60 克,水煎成 100 毫升,兑蜂蜜 30 克,每日一次。
●**五仁丸** 桃仁、杏仁、松子仁、柏子仁、郁李仁各 100 克,研末存罐中,每日用蜂蜜一勺拌上药面 10 克服两次,可治肠燥便秘。
●**番泻叶茶** 番泻叶 3～10 克,开水浸泡,代茶饮,少服则缓泻,多服则急泻。只可临时应急应用,不可久服。

●**五皮茶** 大豆皮、麦麸皮、谷糠皮、玉米皮、高粱皮,各取30克,炒后,煎汤取汁代茶饮,可治习惯性便秘。

●**皮蛋瘦肉燕麦粥** 燕麦片50克,瘦肉少许,皮蛋半只,香菜1棵。将瘦肉粒放入清水中煮沸,倒入燕麦片,边搅拌,边放入皮蛋粒。起锅前,按喜好加入香菜末、盐、麻油或胡椒粉等调料。

●**鱼片燕麦粥** 燕麦片50克,去刺鱼片少许,姜丝、葱花适量。将燕麦片倒入清水中煮沸,边搅拌,边放入鱼片、姜丝、葱花。起锅前,加入盐、麻油等调料。

●**果粒燕麦粥** 燕麦片50克,熟花生仁、葡萄干少许,香蕉半根,果酱一匙。将燕麦片倒入清水中煮沸,边搅拌,边放入果酱、香蕉片。起锅后,撒入熟花生仁、葡萄干或其他果粒。

●**牛奶蛋花燕麦粥** 燕麦片50克,牛奶1瓶或用适量奶粉冲调,鸡蛋1个。将燕麦片倒入清水中煮沸,边搅拌边倒入牛奶。起锅前,打入蛋花,酌加白糖。

●**猪血菠菜汤** 菠菜500克,猪血250克。菠菜洗净切段,猪血切块,加水适量,煮汤,调味后,吃饭时当菜。每日或隔日一次。用于治疗大便秘结、痔疮便秘、习惯性便秘、老年人肠燥便秘。

12

慢性腹泻

　　慢性腹泻是临床上十分常见的症状,一般来说,腹泻持续或反复发作超过两个月则称为慢性腹泻。有人可数年至十余年不愈。其临床表现为排便次数增加,粪便稀薄,时发时止,时轻时重;发作时可伴腹痛,也可无腹痛,粪便有时会伴有黏液或脓血,有时还会为稀水样便;还可以伴有腹胀、肠鸣、矢气、嗳气、反酸、里急后重等症状。

　　慢性腹泻实际上只是一个笼统的名词,可以由多种病因引起,它只是诸多疾病中的一个症状,常见腹泻的疾病有肠道感染及肠炎、肿瘤、慢性胰腺炎、尿毒症、功能性腹泻,如情绪性腹泻、肠道易激综合征、慢性结肠炎,所以当你患有持续不愈的腹泻时,首先应找到引发腹泻的原因,重要的是积极治疗原发病,然后才是针对腹泻的治疗,此时你可以参考此书给你的建议。我们本节中所讨论的方法更适合的是肠道易激综合征、情绪性腹泻、菌群失调性腹泻、慢性结肠炎和结肠功能紊乱等疾病所引起的慢性腹泻。

　　对于腹泻,中医认为主要病变在于脾胃和大小肠,关键是脾胃功能障碍,治疗应以健脾利湿为主,而日常的饮食调理则更为重要。

你有必要正确了解下列名词

◆菌群失调:肠道内生存着一些互相制约的有益菌群,由于特殊原因破坏了制约关系,即为菌群失调,此时腹泻会加重

❖　容易诱发的因素　❖

➥饮食因素

　　●滑肠类食品　滑肠类食品如牛奶、蜂蜜等,大多数慢性结肠炎患者不宜饮用,有些敏感者饮用后,很快就引起肠鸣、腹泻。究其原因就是因为有润滑大肠的作用,中医古籍中特别指出"脾胃虚寒作泻"者慎服牛奶。

　　●瓜果　主要指各类新鲜瓜果,如西瓜、甜瓜、黄瓜、香蕉、

桃、柿子、枇杷、梨等,虽然这些瓜果都含有丰富的营养,但对大多数慢性腹泻患者来说,食后多会引起腹泻发作。因其性大都属寒凉,有损及脾阳之弊;又易滋生湿邪,困阻脾胃运化功能,有的还直接有滑肠作用,从而导致腹泻发作。

●油腻 油腻主要指荤油类食物。慢性腹泻患者在食用动物性脂肪后,会引起胃结肠反射,而出现肠鸣、腹痛及腹泻。

➡其他原因

●情绪波动 对于肠易激综合征和情绪性腹泻,往往会由于精神紧张、焦虑不安而使病情加重或促使疾病反复发作。

●劳累、受凉 劳累及受凉对于慢性腹泻病人往往都是诱发因素。

❖ **生活建议** ❖

➡生活调理

●避免诱发因素 腹泻病人在生活中主要应注意避免诱发因素,如受凉、劳累及情绪波动等。

●勿长期使用抗生素 无论是因为什么原因长期服用抗生素,均会造成肠道菌群失调,而使腹泻加重,甚至会引起假膜性肠炎。

●简易方法 慢性腹泻病人,其发病常会无规律,而使人措手不及,尤其在旅途中,腹泻发作,一时无药可服,你可以用点燃的香烟对准梁丘穴(髌骨外上缘2寸凹陷处)作灸法。香烟距离穴位的距离以感到烫,但又能忍受为度。或忽远忽近,或在穴位周围旋转。一支香烟燃尽,可连续燃第二支。一般用此法帮你度过车船上的数小时是没问题的。

➡饮食建议

●**少渣、低脂、清淡**　这些是腹泻病人的饮食原则,而且食物宜软而好消化,避免生冷、油炸、高纤维素和一切易致腹泻复发的食品。

●**忌肥肉**　多用瘦肉、蛋类、鱼虾类及豆制品,因这些食物的脂肪含量低,且含有蛋白质,既可避免诱发腹泻也可满足机体营养需要。烹调时要少用油或不用,以蒸、炖、烧、卤、炒等方式为宜。

●**补充维生素**　少渣食物往往缺乏维生素,特别是维生素C,可选用些过滤菜汤、果汁、番茄汁等,以防止腹泻伴有出血现象和加强组织修复。

●**禁忌烟、酒、辛辣刺激性食物**　以免引起胃肠道功能紊乱。

●**禁食**　急性发作期需暂时禁食,并补液。此时你也许需要到医院,听候医生指导。

➡你应该了解的营养素

维生素

●**维生素E**　维生素E会对一个人的免疫系统功能有所影响,所以补充维生素E后可能会有助于肠道细胞对抗发炎过程,一些统计资料显示,补充维生素E可能会减少肠道发炎的机会,但这个说法尚未经科研资料证明。

慢性腹泻的合理治疗

◆腹泻病人70%无须用抗生素

◆慢性腹泻主要由于肠黏膜功能异常

◆滥用抗生素会加剧肠道菌群紊乱,加重腹泻

◆生活调理至关重要

◆必要时可用肠黏膜保护剂

◆腹泻严重时可酌情补液,必要时可禁食

矿物质

●**某些矿物质**　长期的腹泻极易造成许多矿物质的吸收不良,如钙、铁、镁、锌,尤其腹泻伴有出血时,可能会导致铁的含量低,你可以请医生帮你判断一下,必要时可补充一些。

关于营养素与腹泻的关系,科研较少,所以这方面治疗法还很不成熟,以上仅供参考。

➡**营养治疗药膳**

药草

●**薏苡仁**　薏苡仁又名薏米,含有蛋白质、脂肪、碳水化合

物、少量维生素 B_1、氨基酸、薏苡素等成分,有健脾补肺、清热利湿的功效,常用来治疗湿性病症,在泄泻方面也常配合健脾益气的药物应用于临床。药膳中煮粥、炖猪蹄等,也有现成的制品,如薏米饼干等。每次用量 30 ~ 50 克。

●**白术** 白术含有维生素 A、挥发油,也是一味健脾益气、燥湿和胃的中药,临床常用于脾胃虚弱、不思饮食、倦怠少力、虚胀、泄泻、痰饮、水肿等症。制作药膳可煎汤、煮粥等。每次用量 5 ~ 15 克。

●**山药** 山药即我们所食用的淮山药。其中含有皂甙、黏液质、胆碱、淀粉、糖蛋白和氨基酸、维生素 C 等成分。其性甘温,常用于脾虚泄泻、久痢、虚劳咳嗽、消渴等,同时也是我们日常菜肴佳品。药膳做法,有制糕点、饼干、煮粥、做菜等。每次用量 15 ~ 30 克。

●**茯苓** 茯苓含有蛋白质、脂肪、卵磷脂、葡萄糖、脂肪酸、蛋白酶等成分。具有健脾渗湿利水作用,常用于脾虚泄泻、小便不利、水肿等气虚水停等病症,市场有茯苓饼、糕点等现成制品销售,我们日常可以用茯苓煮粥等应用。每次用量 15 ~ 25 克。

●**其他** 常用于治疗慢性腹泻同时又可以入膳食的药物很多,如莲子、白扁豆、葛根、木瓜、麦芽、内金等,具体用法你可以从后面的药膳中了解到。

药膳

●**莲子扁豆粥** 莲子 12 克,白扁豆 9 克,薏苡仁 12 克,大枣 10 个,糯米 30 克。加水适量,煮粥服食,每日 1 次,14 天为一疗程。该方具有健脾和中、化湿止泻的作用,适用于脾虚湿困引起的泄泻。

●**葛根糊** 葛根、白糖各 30 克。加水适量,煮糊吃,每日 1 次,连服 7 天。有鼓舞脾胃阳气升发、健脾止泻的功效。适用于脾阳不足引起的泄泻。

●**锅巴莲子肉粥** 米饭锅巴适量,莲子肉 120 克,白糖 120 克。将锅巴、莲子肉研末,与糖和匀。每日服 3 次,每次 2~3 汤匙。有益肾固涩、健脾止泻的作用,适用于脾肾两虚引起的泄泻。

●**茶叶(红茶、绿茶均可)** 茶叶 6 克,柚子皮 10 克、生姜 3 片,加水适量,煎汤服。具有温中解毒、消食健胃之功。适用于饮食不洁引起的泄泻。

●**蜜糖木瓜片** 蜜糖或白糖适量,木瓜去皮后切片,拌糖或蜜糖服用。有和胃化湿的功用,适用于饮食不洁引起的呕吐泄泻。

●**杨梅酒** 取熟杨梅(不论黑白均可)若干,晾干,浸入高粱酒内,酒量以浸没杨梅为宜,一周后可用。泄泻时可吃数个杨梅,或喝适量的酒。具有祛寒消食止痛的作用,适用于虚寒型的泄泻。

●**栗子白糖糊** 栗子 3~5 枚,去壳捣烂,加水适量,煮成糊状,再加白糖适量调味,日服 2~3 次,连服 7 天。有温中止泻的作用,适用于虚寒型的泄泻。

●**麦芽鸡内金** 大麦芽 30 克,鸡内金 30 克,两味均用文火炒黄后研末,再加少许白糖。用温开水化服,每次 6~9 克,日服 2~3 次。具有健脾和胃、助消化、调整胃肠功能的作用,适用于脾胃虚弱、消化失调引起的泄泻。

●**莲子芡实汤** 莲子 10 克,芡实 10 克,山药 10 克,白扁豆适量,加水适量,煮熟。待温喝汤吃药,每日一次,14 天为一疗程。具有温肾健脾的功用,适用于脾肾不足引起的泄泻。

●**鲜胡萝卜汤** 鲜胡萝卜 250 克,带皮切成块,放入锅中。加水适量并放食盐 3 克,煎烂,去渣取汁,温服,每日一次,连服数天。具有健脾消化的作用,适用于脾虚型的泄泻。

●**马齿苋汤** 马齿苋 60～90 克(鲜品加倍),扁豆花 10～12 克,加水煎煮,适量红糖。每日 1 剂,分 2 次饮服。如便血明显,以鲜马齿苋绞汁加等量藕汁,每次半杯,以粥汤冲服。亦可用马齿苋 60～90 克,切碎和粳米 25 克煮粥食用。适用于慢性菌痢。

●**乌梅姜汤** 乌梅肉 30 克,生姜 10 克,洗净切末,茶 5 克。沸水冲泡,加少量红糖,趁热顿服,每日三次。适用于慢性腹泻。

●**人参大枣粥** 人参 3 克研粉,大枣 10 枚,粳米 100 克,冰糖适量。大枣、粳米洗净放入沙锅内,加水 2000 毫升,慢火煮至米开粥稠即可。再放入人参粉和冰糖,每日晨起空腹服用,适用于气血不足的慢性腹泻。

●**八宝粥** 莲肉、山药、芡实、茯苓、白术、党参、薏苡仁、白扁豆各 6 克,粳米 150 克。先将诸药加水适量,煎 30 分钟,捞去党参、白术药渣,加入粳米,继续煎煮至成粥食用。有助消化、消胀止泻功效。

●**豆蔻粥** 肉豆蔻 5～10 克,生姜 2 片,粳米 30 克。粳米如常法煮粥,沸后加入捣碎的肉豆蔻细末和生姜,继续煮成粥,早晚温服。可开胃消食,温中下气,用于脘腹隐痛、嗳气、呕吐、泄泻等症。

●**醋煮老豆腐** 老豆腐(卤汁豆腐)250 克,切成小块,加水煮。水沸时加入食醋 20 毫升,与豆腐拌匀,加食盐少许。煮 1～2 分钟后即可食用。一次服完。在晚上睡前或下午空腹时服,10 天为一疗程。若有效连用 2～3 疗程,以巩固疗效。

13

消化不良

对于消化不良,大家再熟悉不过了,几乎每个人一生中都不同程度地遭遇过它。俗话说四十岁前人养胃,四十岁后胃养人,胃的重要性是不言而喻的。所有摄入的食物必须先经过胃的"搅拌"、"研磨",然后被消化吸收,成为人体正常生理活动的动力。当胃缺乏"搅拌"、"研磨"的动力时,消化不良就要来与我们为伍,大部分消化不良都是动力不足所致的,医学上称其为功能性消化不良。病人常见上腹部不适、厌食、腹胀、嗳气、烧心、反酸、恶心、呕吐等症状,也可有上腹部疼痛,一般以心窝部为主,也可表现为弥漫性疼痛,患者不能明确指出疼痛的部位,由于缺乏胃动力,胃中的食物排空延缓,进食后会出现症状加重。

要想了解消化不良,还得先从"消化"两字谈起。人体内完整的消化过程犹如一个高度自动化工厂的传送带,食物首先在口腔内进行咀嚼,经食管传递至胃,并在胃内初步消化,然后靠胃窦的蠕动,将其磨碎后输送到小肠。在这过程中,胆、胰分泌的胆汁、胰液中的消化酶可进一步将食物消化,其营养成分被小肠吸收,水分被大肠吸收,其糟粕变为粪便排出。因而要完成食物消化,必须要有两个过程:一是食物的传送,二是食物在肠道内的消化,两者缺一不可。由于疾病(如消化性溃疡、胆囊疾患、胰腺炎及腹泻等)所致的消化不良,称为"器质性"消化不良,而由"传送"障碍引起的消化不良,称为"功能性"消化不良,通俗地讲是胃犯了"懒"病。

你有必要正确了解下列名词

◆**胃窦**:是胃中连接胃的出口(幽门)的那部分

◆**消化酶**:胃肠系统具有消化脂肪、碳水化合物、蛋白质功能的酶的总称

◆**迷走神经**:称副交感神经,与交感神经共同完成一些脏器的功能,如肠蠕动、汗腺调节、心率快慢调节等

— 108 —

❖ 容易诱发的因素 ❖

➡饮食因素

●**暴饮暴食、生活无规律** 生活无规律是引起消化不良的第一因素。俗话说"人是铁,饭是钢,一顿不吃饿得慌",表明肠胃是极讲规律的,进餐需按时。当我们进餐后,胃就像磨石一样,将吃进去的食物磨碎,只有直径小于2毫米的食物才允许从幽门进入小肠,吃饭细嚼慢咽就是这个道理。胃内食物排空后,胃还需要休息一段时间,并为下次进餐做好准备。如果能遵循胃的这一固有规律则会相安无事。

而现代生活内容丰富,节奏快,这就使一部分人顾不得胃的固有节律和它的能力,饥一顿,饱一顿,盲目地满足自己的食欲,暴饮暴食;或者经常性地过量进食高脂肪、高热量食物,这些食物日常被人称为不易消化品。因为这些食物会影响胃的排空,从而造成胃肠运动功能障碍,产生腹胀、腹痛、腹部不适等消化不良症状,甚至会引起一系列疾病。

●**饮酒过量** 饮酒同样也会对胃的消化功能有较大影响。有些人经常在一起聚餐,而且饮酒是重点内容,并且每次饮酒均是在开餐后的起始阶段,此时胃内没有食物,大量的乙醇会直接损害胃黏膜,使胃黏膜充血、水肿和出血等,这样轻者引起消化不良,重者会发生一系列的消化道疾病。

●**不良饮食习惯** 饮食习惯不良也是损伤胃黏膜的一个因素,进而影响胃的正常功能。有些人在生活中不自觉地养成一些不良的饮食习惯,如有的人喜欢滚烫的食物入口,似乎这样才能享受到进食的乐趣;有的人喜欢冰镇食物,尤其在炎夏季节,似乎只有吃冰镇食物才能达到消暑解热的目的。殊不知,过冷过热食物进入胃后,对胃黏膜都是不良刺激,进而可影响胃的消化功能。细胞受到这些刺激后,胃的消化腺体及胃壁肌肉均会受到抑制,因而会逐渐产生消化不良。

➡其他原因

●**精神因素** 精神因素也是造成功能性消化不良的不可忽视的原因之一。大脑中枢神经系统、脊髓及肠管神经丛均参与支配消化道肌肉的蠕动,如果患者工作过分紧张,压力大,或具有焦虑、抑郁等心理障碍,他们的迷走神经张力明显降低,导致胃的容受能力和排空功能降低,因而会产生消化不良的一系列症状。我们每个人可能都有过这样的经历:当你遇到一件非常不愉快的事,或者工作上有巨大压力时,往往会不思茶饭,这就是精神因素影响消化的典型例子。

●**吸烟过度** 吸烟会使胃受害。也许,大家会认为抽烟与胃风马牛不相及,其实不然,抽烟对消化系统的运动、吸收和分泌功能均有不利影响。

●**餐后即卧床** 吃饭后就上床也会造成消化不良。你可能有过这样的经历,当你饱餐之后,倒头便睡,再起床后就会感到上腹部胀满不适、嗳气,甚至还伴有食物不消化的味道从喉口返出。“饭后百步走,能活九十九”,这是句民语,但也讲出了胃消化食物的需要。进食后正是胃紧张工作的时间,需要自身动力的充分发挥,如果你能适当活动,可以促进胃的蠕动,而你立即进入睡眠状态,这时胃不但借助不上其他动力,它自身也会趁机懒一回,蠕动减慢,跟你一起享受休息的“乐趣”,随之你就得饱受腹胀、嗳气、烧心、反酸之苦了。

❖ 生活建议 ❖

消化不良可以说胃犯了"懒"病,对付胃的懒病从医疗角度,是给懒胃加油,使其奋起工作,而在生活中每个胃的主人最主要的任务是不要伤害它,尊重它的习惯和规律,只有你善待它,它才会与你和平共处。

➡生活调理

●**保持心情舒畅** 心情舒畅对于消化不良的治疗会收到事半功倍的效果,形象地说,如果主人快乐,胃也会有一个快乐的工作情绪,自然动力就强。

●**生活规律** 不要干扰胃的工作程序,是帮助胃处于一个良好工作状态的必要条件。

●**戒烟** 尽量减少对胃的不良刺激。

●**饭后适当活动** 饭后活动可以适当给胃帮点忙,同时也可使胃有工作热情,不至于"偷懒"。

➡饮食建议

●**基本饮食原则** 基本饮食原则是每个人饮食中必须遵守的,而你如果已经是一位消化不良患者,那么在这个饮食平衡的基础上,还应该做到尽量饮食清淡,少食油腻及煎炸等不易消化的食品,多吃蔬菜、水果;避免吃容易刺激胃酸产生的食物,如咖啡、巧克力和可乐饮料;而且要少食多餐,或有规律地定时进餐,不可一餐吃得太多,也不要过长时间不进食。

●**戒酒** 避免乙醇对胃黏膜的刺激。

— 111 —

●**避免产气食物** 如豆类食品,胃肠功能不好的人要少吃。

●**保持良好的饮食习惯** 我们前面讲过摄入的食物,首先要经过胃壁肌肉的机械作用和胃液的化学消化,得到初步分解,混合成粥样食糜,才能进入小肠继续消化。为了使胃的初步消化负担不致过重,我们在咽下食物之前应该尽量细嚼慢咽,使食物在口腔中先得到充分咀嚼,这样既可以减轻胃的负担,又可以避免过硬过大块食物在咽下过程中,创伤食道及胃黏膜,同时还可以在咀嚼过程中使唾液充分分泌,充分发挥唾液中消化酶的消化作用。

➡ **你应了解的营养素**

●**凤梨酶** 又名菠萝蛋白酶,菠萝含有这种酶,这是一种消化蛋白质酶群,能促进良好的消化,而且协助吸收食物和补品的营养,所以我们建议你,餐后享受一片新鲜菠萝。

➡ **营养治疗药膳**

药 草

●**木瓜** 中医认为其有化湿和胃以及消食止渴作用,常用来治疗夏伤暑湿、吐泻并作,以及食积、口渴。加勒比海的印第安人发现在木瓜里最重要的消化酶是木瓜蛋白酶,它和人体的胃蛋白酶相似,还含有其他能分解牛奶蛋白和帮助消化淀粉的酶。他们很早就用这种水果做成多种医药和消化强化物。

●**芝麻** 芝麻是我们日常生活熟悉的调味品,中医认为它性平味甘,不寒不热,是益脾胃、补肝肾、润五脏之佳品。其成分中含脂肪高达 60%,多为不饱和脂肪酸,还有叶酸、卵磷脂、蛋白质和较多的钙,对人体有很好的营养保健作用。

●**蜂蜜** 蜂蜜也属味甘性平之品,入脾肺经,功能补中(即脾胃)润燥,止痛解毒。它营养丰富,现代医学还认为有杀菌作用。用蜂蜜治疗胃病,国内外皆有成功报道。

●**薏苡仁** 薏苡仁是中医常用的利水渗湿药,且芳香又理气,既可渗湿又能健脾,常用于脾虚湿困之症,据现代药理研究,有促进消化液分泌和排气消胀作用。

●**陈皮** 陈皮即我们所食橘子之皮。具有健脾理气、和中消滞的作用,是治疗脾胃气滞、脘腹胀满、恶心呕吐、消化不良的常用药,现代研究证实其能促进胃肠蠕动。

●**木香、枳实** 木香、枳实均为中医治疗饮食不消、肠胃积滞、脘腹胀痛等症的常用药,现代研究发现它们具有增强胃排空和小肠推进的作用。

药膳

●**五香槟榔** 槟榔 200 克,陈皮 20 克,丁香 10 克,豆蔻 10克,砂仁 10 克,食盐适量。将诸药放入锅内,加食盐,再加水适量,先用武火烧沸,然后用文火煎煮,使药液涸干,停火待凉。用刀将槟榔剁成大豆大小碎块即成。食用时,在饭后含槟榔少许,然后吃下。适用于消化不良、胃肠停食出现腹痛呕酸、膨闷胀饱等症。

●**萝卜饼** 白萝卜 250 克,面粉 250 克,猪瘦肉 100 克,生姜适量,食盐、菜油适量。将白萝卜切成细丝,用食油煸炒至五成熟时,待用。将肉剁细,加生姜、葱、食盐调成白萝卜馅。将面团擀成薄片,将白萝卜馅填入,制成夹心小饼,放入油锅,烙熟即成。适用于消化不良、食后腹胀、咳喘多痰等症。

●**豆蔻馒头** 白蔻 15 克,面粉 1000 克,酵面 50 克。将白蔻研成细末,将面粉和水发酵,待发好后,适时加入碱水适量,撒入白蔻粉末,用力揉面,直至碱液、药粉均匀后,制成馒头。适用于胸腹胀满、食欲不振等症。

●**羊肉萝卜汤** 草果 5 克,羊肉 500 克,豌豆 100 克,萝卜 300 克,生姜 10 克,香菜、胡椒、食盐、醋适量。将草果、羊肉块、豌豆、生姜放入铝锅内,加水适量,置武火上烧开,即移文火上煎熬 1 小时,再放入萝卜块煮熟。放入香菜、胡椒、盐,装碗即成。食用时加少许醋,用粳米饭佐食。适用于脘腹冷痛、食滞胃脘消化不良等症。

●**消食茶膏糖** 红茶 50 克,白糖 500 克。红茶加入适量水,煎熬 20 分钟,滗出茶液,如此煎熬四次,将四次茶液合并,倒入沙锅内煎熬,待浓稠时,加入白糖,搅拌均匀,继续煎熬至起丝状时停火。将茶膏糖倾入涂有熟油的搪瓷盘内,摊平,晾凉,用刀划成小块,装入糖盒内。食用时,每天早晚各服一次,每次 3 块。适用于饮食积滞、胃痛不舒等症。

●**香砂糖** 香橼粉 10 克,砂仁粉 12 克,白糖 500 克。将白糖放入铝锅内,加水适量,煎熬至浓稠时,放入香橼粉、砂仁粉,搅拌均匀,继续煎熬至起丝状时停火。将香砂糖倒入涂有熟油的搪瓷盘内,摊平,晾凉,用刀划成小块,装入糖盒内。食用时,每天早晚各吃一次,每次 3 块。适用于脾虚胃弱所致的食后腹胀、食欲不振等症。

●**砂仁鲫鱼汤** 砂仁 3 克,鲜鲫鱼 1 尾(150 克左右),生姜、葱、食盐适量。将鲜鲫鱼去鳞、腮,剖腹去内脏,洗净;将砂仁放入鱼腹中;将鱼放到锅内,加水适量,用武火烧开,放入生姜、葱、食盐,即可吃鱼饮汤。适用于恶心呕吐、不思饮食、病后食欲不振之症。

●**芝麻拌蜜糖**　芝麻适量,炒熟;蜂蜜适量,煮沸后保存备用。取芝麻两汤匙,蜂蜜一汤匙,拌匀后,细嚼慢咽,一日数次。若芝麻放久回潮,可回锅重炒。适用于腹胀、厌食。

消化不良患者的生活调理

◆生活节律,勿暴饮暴食

◆就餐时充分咀嚼,勿狼吞虎咽

◆饭后百步走,给胃帮个忙

◆饮酒吸烟影响胃消化,请戒掉

◆你快乐,胃(也快乐)有动力

◆饮食清淡莫忘掉

◆避免多食产气食物

◆饭后吃一片菠萝

◆巧制膳食,解馋又益胃

14

消化性溃疡

"脾胃为后天之本,水谷精微生化之源",这句精辟的语言,恰当地描述了上消化道的生理功能及对人类健康的重要性。消化性溃疡所指即胃溃疡及十二指肠溃疡。正常情况下胃及十二指肠内层有一层黏膜起着对器官的屏障保护作用,人们食入的食品,通过胃的蠕动及胃液的消化作用,营养被消化吸收,供应人体生命活动的需要。胃酸是胃液中的主要成分,在人体消化过程中起着重要作用,可谓劳苦功高。然而,物极必反,胃酸分泌过多,会破坏人体正常的胃黏膜屏障,还会使胃液中的另一成分——胃蛋白酶过分活跃,两者相加,对胃及十二指肠黏膜起侵蚀作用,再加上其他损害因素,胃及十二指肠黏膜发生自身消化,形成消化性溃疡。不难看出,消化性溃疡是被自身胃液"消化"而形成的,胃酸成为这一灾难的主要"元凶"。胃酸的角色大转换的原因,除自身的一些功能上的异常外,更主要的是人们在生活中对胃太不爱护所致,殊不知一旦形成溃疡后,除要承受种种痛苦外,而且溃疡还非常难缠,很容易复发,治疗起来真是需要有万分的耐心。

你有必要正确了解下列名词

◆**胃液**:胃黏膜组织分泌的消化液,呈酸性
◆**胃酸**:即胃液,在食物消化过程中起重要作用
◆**胃蛋白酶**:胃液中消化蛋白类食物的成分
◆**幽门螺旋杆菌**:寄生在溃疡病人胃内的与溃疡病胃炎有关的细菌

溃疡病患者主要表现为上腹疼痛。一般有以下三个特征:慢性、周期性、节律性。还有明显的季节性,如春节前后或炎夏季节;一天之中也有规律性疼痛,如凌晨或半夜空腹时,或在进餐后半小时或1~2小时之后发生,还有半夜发作,病人甚至会痛醒。有些患者,疼痛比较模糊、不规则,多伴有腹胀、纳差、嗳气等消化不良症状。尤其老年溃疡病患者,症状常缺乏典型的表现,有时会以食欲不振、厌食、体重减轻、恶心、呕吐等为主要表现,又由于其部位多靠近贲门及胃体,易与食管疾病及冠心病心绞痛相混淆。

一旦患了消化性溃疡,就应该积极及早治疗,而且必须持之

以恒,不然多次反复后,极易出现并发症,如呕血、便血、胃穿孔等,而且长期反复发作,溃疡病中有 2%～6% 可以癌变。那么溃疡病的治疗,除适当得法地用药外,生活中的调理及饮食调理也是非常重要的。

溃疡病是这样与你结伴的

◆胃酸分泌过多→胃黏膜自身消化→溃疡病

◆恶性饮食刺激→溃疡病

◆精神刺激→溃疡病

◆药物刺激→溃疡病

❖ 容易诱发的因素 ❖

➡饮食因素

●**饮食习惯** 饮食习惯是衣食住行中,与溃疡病的发生及治疗效果关系最密切的因素。前面说过溃疡病是由于胃酸分泌过多而造成胃黏膜自身"消化"所致。我们有些人平时饮食无规律,暴饮暴食;或进食太快,不能充分咀嚼;或喜欢进食太热、太冷的食物,对胃黏膜形成劣性刺激;或习惯饮用咖啡、浓茶、烈酒及其他过分刺激性食物,这些不良习惯均易对胃黏膜造成创伤性刺激及胃酸分泌过度,而使胃黏膜发生溃疡。这看似是个简单问题,其实饮食习惯不光涉及到胃病的发生与预后,许多疾病的发生均与不良的饮食习惯有关。许多人为了满足一时的快感，不能保持良好的习惯，终酿恶果；其实生活中只要稍加注意，就可以省去许多麻烦。

●**精制糖**　食糖越多，得消化性溃疡的机会也就越大，我们平时也许有过类似的体会，一次性进食过多的糖类食物，既会产生过多胃酸或者感到胃中有烧灼感，这种现象的原因也许是因为糖也会刺激胃酸分泌。

➡其他原因

●**精神因素**　临床上，因焦虑、忧伤、怨恨、紧张等持续而强烈的精神刺激导致溃疡病的发生及复发屡有所见。因为这些不良的心态都可引起体内一系列内分泌、免疫功能、神经生理的变化，导致胃酸分泌过多，对胃及十二指肠壁引起自身消化而形成溃疡。

●**药物所致**　因风湿及关节炎等病，过多地服用阿司匹林、炎痛喜康、消炎痛等解热镇痛药，会降低胃黏膜的抗酸能力，导致溃疡，其他如肾上腺皮质激素、利血平等药物均有致溃疡作用。如果你因病需长期服用这些药物，又没有适当地服用胃黏膜保护剂，那么就很有可能患上胃溃疡，或使原已平稳的溃疡病再次复发。

◈　生活建议　◈

如果你尚未患有溃疡病，那么只要遵循这里给你提示的生活建议，溃疡病将会离你远去，恐怕很少有机会来找你的麻烦；

如果你已经是一名溃疡病的患者,那么你采纳了这些建议,将对你的康复大有好处,当然前提是一定要规律地、正确地用药治疗。

●**情绪稳定、劳逸结合** 情绪波动,生活无规律,对身体是有百害而无一利。前面说过,过度持续的精神刺激是导致溃疡病发生的因素之一,也可使本已稳定的溃疡病复发。因此应该解除生活中的一切紧张因素,尽量在你的生活环境中创造一些宽松的气氛,以使精神放松,这样对溃疡病的恢复有一定好处,而且溃疡病的患者工作也不适宜过度劳累。工作节奏过快,工作安排紊乱,劳累过度,精神高度紧张的人也会引发胃出血,如高考前夕的学生胃出血是常有的事。

●**避免长期服用刺激性药物** 避免长期服用刺激性药物是溃疡病患者必须注意的一点。前面讲过,一些药物有致溃疡的作用,因此溃疡病人应尽量避免服用这些药物,如因患病必须服用,也应该配合保护胃黏膜的药物同时服用。

●**注意保暖** 穿衣有则,秋冬季节溃疡病容易发作,季节转换之时容易感寒受凉而引发溃疡病,因此溃疡病患者一定要注意衣着保暖;溃疡病人的衣着以宽松为宜,衣着过紧(如女性的纹胸及修饰体型的紧绷型内衣),会阻碍胃肠道血液循环,影响胃肠道黏膜细胞的营养,所以还是穿得宽松些为好。

➡**饮食建议**

●**基本饮食原则** 你应该遵守基本的饮食原则,这是每个健康人都应该遵守的原则,按照这个饮食原则进食,可以保证人体一天活动的正常热量及营养平衡。而溃疡病患者只要做到了这点,再避免不良饮食习惯,就为你的疾病治愈打下了基础。

●**饮食规律、细嚼慢咽** 饮食有规律是溃疡病患者在饮食方面必须坚持的准则。我们已经讨论过,饮食无规律,暴饮暴食,饮食过硬、过冷、过热,狼吞虎咽,均是诱发溃疡病的不良习惯。那么建立一个良好的饮食习惯就成为至关重要的了。首先要有规律的饮食习惯,而且要进食有度,不要过饱过饥。曾经有人建议溃疡病的患者少食多餐,且食物宜细软,但也有人建议还是一日三餐正规饮食为好,而且并不主张过软过烂的食物。理由是食物不但可以中和胃酸,又可刺激胃酸分泌,一日之内不断进食,不断刺激胃酸分泌,使胃酸始终处于高浓度状态,形成了对胃黏膜的威胁。从饮食规律的角度看,综合两个观点,还是一日三餐,细嚼慢咽为好,少食多餐,除在必要情况下,否则既是一个不容易做到的、又是不可能规律的做法,相比之下,还是一日三餐更容易做得好。细嚼慢咽,其作用不光是使食物得到充分的咀嚼,而且通过这咀嚼过程,增加唾液分泌,使唾液中的淀粉酶充分发挥作用,中和胃酸,而且有提高胃黏膜屏障作用的效果。所以食物无论做得是否稀软,只要能做到细嚼慢咽便是良好的习惯,而稀粥类的软性食物往往容易不加咀嚼,直接吞咽,反倒不利消化和利用唾液中淀粉酶。

●**避免刺激性食物**　避免刺激性食物是溃疡病患者必须遵循的又一原则,烟酒、咖啡、浓茶、烈酒、辛辣食物,菜过冷、过烫等,对胃黏膜都是劣性刺激,所以一定要谨慎控制,最好戒除。

●**避免食入对你敏感的食物**　也许这类食物是上面所提内容中之物,但你只要意识到这些食物对你更危险,那么你就必须坚决地戒除。

●**提早晚餐时间**　提早晚餐时间是避免溃疡病患者在凌晨一两点发生胃痛的方法,经研究发现,提早食用晚餐可以让夜晚的胃酸分泌减少,因而可以减少夜间腹痛发作的机会,也是使溃疡病痊愈的措施之一。

➡你应该了解的营养素

维生素

目前在我国尚未见到维生素在治疗溃疡病方面的确切资料和应用报道,但国外的一些资料中确有这样的提法,不妨向你介绍一下。

●**维生素 A** 维生素 A 似乎兼具防止消化性溃疡的发生与帮助溃疡愈合的功能。在以动物为对象的研究中发现,补充维生素 A 能预防由胃酸过多所引起的十二指肠溃疡。在一项研究中,让慢性胃溃疡患者分别接受单纯制酸剂或制酸剂加维生素 A 的不同治疗,四周之后,加维生素 A 的治疗效果,是单纯服用制酸剂的两倍。

●**维生素 C** 有测定表明体内维生素 C 含量越低,得消化性溃疡的可能也就越高。同样发生出血性消化溃疡的几率也越高。有动物实验表明,在喂食缺乏维生素 C 的食物之后,小老鼠出现了消化性溃疡。

在法国和日本均有使用维生素 C 或用维生素 C 配合硫酸亚铁治疗消化性溃疡有效的实验报道。不过这仅是针对缺乏维生素 C 患者的方法。对于体内不缺乏维生素 C 的溃疡病患者,维生素 C 有无治疗作用,还未见报道。

●**维生素 E** 维生素 E 是细胞膜上最主要的抗氧化剂。在俄罗斯的一项研究指出,消化性溃疡可能与油脂过氧化物的增加和维生素 E 的缺乏有关。在动物与人类的研究中都发现,补充维生素 E 有助于防止溃疡的发生和治疗,不过即使在国外这些也都还需要进一步证实,现在所见到的都还是一些实验报道。

矿物质

●**氢氧化铝** 氢氧化铝是一种铝盐,用于治疗消化性溃疡已有很久的历史,确实能够增加消化性溃疡治疗的效果。但有人提出质疑,长期使用铝剂是否会增加老年痴呆症的危险,是否妨碍磷的吸收,产生磷缺乏,导致软骨症。然而实际上氢氧化铝是不被身体吸收的,因此这种担忧是否有必要,还是值得考虑的。

●**铋、钙、镁、锌** 均有报道证实它们对消化性溃疡有某些方面的益处,然而又都有不确定的报道,因而在临床使用中并不十分广泛。

其中铋剂是能够防止幽门螺旋杆菌生长的制剂,其功效与最新的一类药物相同,且再发率较低。但服用铋剂可能会造成神经系统损害。

➡营养治疗药膳

药草

●**蜂蜜** 蜂蜜是我们大家所熟悉的,其含有果糖、葡萄糖、蔗糖、麦芽糖、糊精、树胶、氮化物、有机酸、挥发油、蛋白质、色素、酵母、酶类等成分,常被用来治疗肺燥咳嗽、肠燥便秘,以及胃脘疼痛、口疮、烫火伤等。现代药理研究蜂蜜有抑菌、解毒、保护肝脏,促进创伤愈合等作用;有一定的降压、扩冠、降低血糖作用。

●**良姜** 良姜是一味温胃祛寒药,常用来治疗胃寒疼痛等,现代报道说其含有挥发油、高良姜黄酮甙、高良姜素等成分,能刺激胃壁神经,使消化机能增强。平时可常做药膳配合治疗。一般用量3～10克。

●白芨　白芨本是一味止血药,其成分含有黏液质、淀粉、挥发油等,所以白芨其性非常黏着,其药理研究证实对局部出血有良好的治疗作用,日常主要用于治疗肺胃出血,效果颇好,也用其治疗疮疡溃疡久不收口者。对于胃肠溃疡病人,熬粥常服,可促进溃疡愈合。

药　膳

●**马铃薯熬汁**　马铃薯250克,加水适量捣烂绞汁,煮沸后停火,饮服时需温热。早晚各1杯(约180毫升),连服1个月。本方具有补气、健脾、消炎功效。对胃、十二指肠溃疡引起的腹痛有一定治疗功效。

●**蜂蜜马铃薯汁**　鲜马铃薯1000克,切丝捣烂,以净纱布绞汁,取汁放在锅中,先以文火烧开,然后以小火煎熬浓缩至稠黏时,加入蜂蜜一倍量,再煎至稠黏停火,然后装瓶备用。每日早晚各服一匙,空腹时饮,2～3周为一疗程。此方有和胃、温中、健脾、益气功效,对表现为脾胃虚寒的胃、十二指肠溃疡及习惯性便秘者有辅助治疗功效。

●**糖蜜红茶饮**　将红茶5克,放入保温杯中,以沸水冲泡,加盖泡10分钟,再调入适量蜂蜜与红糖,宜空腹时温热频频饮用,每日2～3剂。此方有温中健胃、助消化的功效。适宜胃及十二指肠溃疡患者。

●**陈皮蜜膏**　陈皮100克,甘草100克,加水浸泡透发,再加热煎煮,每20分钟取煎液一次,其渣加适量水再煎,共取煎液3次,合并煎煮液,再以文火煎熬成稠膏时加蜂蜜一倍,至沸停火,待冷却后装瓶备用。每日 2 次,每次 1 匙,口服。此方有补中益气、行气健脾功效。适于胃及十二指肠溃疡患者。

●良姜炖鸡块 公鸡一只,切块放入沙锅内,加入良姜、苹果各 6 克,陈皮、胡椒各 3 克,葱、酱、食盐适量,醋少许,加水以文火煨炖至熟透。一日三餐当菜肴适量食用。此方有温中散寒的功效。适应虚寒型胃、十二指肠溃疡和胃脘痛患者。

●羊肉粳米粥 新鲜精瘦羊肉 250 克,切小块先炖烂,再合粳米同煮粥食之,每日早晚各 1 次。羊肉辛甘大热,补中益气,温中定痛。适用于虚寒型溃疡病患者,尤以秋冬食用最佳。

●玫瑰花代茶饮 干玫瑰花 6～10 克,冲入沸水,代茶饮。本方能舒肝理气和血,对肝气郁结、胁痛的溃疡病患者有良效。

●蜜枣白芨粥 糯米 100 克,大枣 5 枚,蜂蜜 25 克,加水煮粥,将熟时投入白芨粉 15 克,改文火稍煮片刻,待粥汤稠黏即可食。每日 2 次,10 天为一疗程。具有甘缓和中、收敛止血、消肿生肌功效。对溃疡病疼痛伴少量出血患者有良好疗效。

你一定要这样做

◆生活规律、情绪稳定　◆莫食刺激性食物
◆饮食规律、细嚼慢咽　◆晚餐莫太晚
◆找找你的敏感食物　　◆酌情选用药膳
◆咨询医生加服维生素

15

胆结石

"胆绞痛,要人命",此话毫不夸张,胆绞痛发作起来,疼痛剧烈,实在难忍。凡患过这种病的人,都知道它的厉害,究其原因,是胆结石在作怪。

胆囊是位于肝脏下方的梨形小囊,由肝脏分泌的胆汁在这里贮存和浓缩。当人们进食时,贮存在胆囊中的胆汁随着胆囊的收缩,经过胆囊管、胆总管而进入肠道,参与食物的消化。

胆汁的主要成分有胆固醇、胆酸、胆色素、卵磷脂、黏蛋白、脂酸盐、无机盐等。如果胆汁中某些成分比例过高,沉积下来,再与纤维蛋白、脱落的上皮细胞、细菌,甚至进入胆道的蛔虫卵等为核心聚集起来,可形成形形色色的结石;如果胆汁中胆固醇浓度过高,或与胆酸、卵磷脂的比例失调,均可引起胆固醇析出,形成胆固醇结石。

胆结石其病

◆胆汁中某些成分过高

◆与核心物聚集形成结石

◆胆汁淤积,结石损伤胆囊内壁,形成胆囊炎

◆结石移至狭窄处,诱发胆绞痛

◆胆囊炎严重时会导致胆囊穿孔

◆长期炎性刺激可能诱发胆囊癌

随着我国人民生活水平的不断提高,胆结石的发病率也在逐渐上升,而且各种胆结石的比例中,胆固醇结石的比例逐渐增大。我国胆石症的发病率已上升到 10%以上,也就是说目前我国的胆石症患者已逾 1 亿,这是一个非常惊人的数字。不过有时胆结石无症状或症状并不明显:只有轻微的消化道症状,如食后腹胀、消化不良、腹泻等,这些症状往往在进食后加剧,因此常常会被误诊为胃病或消化不良,长期以胃病治疗,药不对症,自然疗效甚微。然而胆结石也不会老老实实与患者相安无事,由于它的存在,导致胆汁淤积,以及结石在胆囊内移动磨擦,可以使胆囊壁损伤,引起慢性胆囊炎。只有当炎症发展到胆囊外层时,并涉及到腹膜时才会有较剧烈的疼痛,而真正的胆绞痛多为结石从胆囊移到胆囊管或胆总管时才产生。病人对疾病的重视态度往往取决于症状的轻重,如对胆结石,恐怕只有多次发生胆绞痛之后,才会想到要认真治疗,不然,要么不加理睬,要么吃些

助消化药对付了事,孰不知就这样任结石自由存在,不但会不断增大、增多,还会不断滋生闹事。胆囊炎严重,会导致胆囊穿孔,引起腹膜炎,威胁生命,甚至引起急慢性胰腺炎,更有甚者,由于长期的炎性刺激,诱发胆囊癌的可能性也不是没有。虽然医学界对两者的关系,至今尚不十分清楚,但据统计有胆囊癌的患者,绝大部分都并发有胆结石或胆囊炎,由此可见及早防治胆结石的意义并不仅在于防止胆绞痛的发生。当然对胆结石的治疗,人们更熟悉的是手术治疗,不过也有部分病人不愿意或暂时不能接受手术治疗,我们在本节所叙述内容的中心目的是要大家知道胆结石是怎样形成的,以手术之外的措施,尽量把胆结石拒之体外。

如果有这些情况请联想患胆结石的可能

◆胆绞痛:上腹部剧烈疼痛,并放散到后背
◆长期消化不良:腹痛、腹胀、腹泻、恶心、嗳气反复发作,久治不愈

❖ 容易诱发的因素 ❖

➡**饮食因素**

●**高脂、高蛋白质饮食** 高脂、高蛋白质饮食为胆石症的一个重要危险因素。据以往统计,我国胆结石多为胆红素结石和混合性结石。但由于近年来人民生活水平的提高,大多数家庭

的饮食结构发生了变化,以往粗茶淡饭的饮食减少了,而代之以肉、蛋和禽类等富有胆固醇的食物,结果胆结石的化学组成也发生了相应的变化。十年前就有文章披露,我国胆固醇结石已高于胆红素结石,在北京、上海、天津胆石外科治疗的病例中,胆固醇结石占 70%～75%,西方国家的情况也大致如此。还有调查表明,以高脂、高蛋白质饮食为主的人群,其胆石症的发病率几乎是以蔬菜、糖类饮食为主的人群的 5 倍。可见食物的种类与结石的形成有着密切的关系。

另外高脂、高蛋白质饮食有很强的排胆作用,而碳水化合物饮食则较弱。当人们在食用高脂、高蛋白食物时,胆囊发生强烈收缩,迫使胆汁急速排出。如果胆管内有胆结石,胆汁排出不畅或完全受阻,就会发生胆绞痛,甚至出现黄疸或其他并发症。所以对胆石症病人来说,荤食较易引起胆绞痛发作,尤其在暴饮暴食以后更易发生。

●**经常不进早餐** 不吃早餐也可作为胆结石形成的一个统计学原因。据美国医学杂志报道,20～25 岁的女性胆石症患者,多有不进早餐的习惯,空腹时间比同龄女子明显增多。英国医学家初步研究认为,可能是由于空腹使胆汁分泌减少,胆汁中胆酸含量降低,而胆固醇含量不变,以致形成一种高胆固醇的胆汁,如果空腹时间过久而且是经常性的,使胆汁中胆固醇呈过饱和状态,在胆囊中沉积形成结晶,产生结石。

●**饮酒** 在胆绞痛的发作病例中,除大量荤食是一个明显原因外,许多胆绞痛的发作与饮酒也有着密切的关系。

➡**其他原因**

●**女性** 女性较男性的胆结石发病率要高。一组全国性调查资料表明,我国胆石症患者男女比例为 1∶2.57,可见胆石症十分偏爱女性。这与女性体内雌激素水平较高,体内脂类代谢有利于脂肪的沉积有关,而且女性怀孕时,胆汁中胆固醇含量上升,加上此时胆道运动功能不良,使胆汁中的胆固醇容易沉淀下来,这也是容易形成结石的原因。

●**年龄** 随着年龄的增长,胆石症的发病率呈上升趋势,这是因为随着年龄的增长,胆道运动功能逐渐降低。因此,年龄越大,胆汁中的胆固醇越容易从胆汁中沉积,在胆道系统中"安居乐业"而形成结石。

●**肥胖** 肥胖的人往往有高脂血症,其胆汁中胆固醇含量也比较高,加上肥胖的人往往缺乏运动,胆道运动功能也比较差,因此肥胖也是胆结石形成的重要危险因素之一。

●**情绪波动和劳累** 情绪波动和劳累后均会诱使胆绞痛发作,这在胆结石患者中也成为一条规律。

●**遗传倾向** 遗传是影响胆石症发生的又一因素。直系家属中如有患胆石症的人,其胆石症的发病率为一般人群的4.5倍。

❖ 生活建议 ❖

➡ **生活调理**

保持规律有序的生活原则,是每一个人都应遵循的,对于胆石症患者当然也如此。劳逸结合,情绪稳定,适当运动,避免肥胖,你最好这样去做。

➡ **饮食建议**

●**基本饮食原则**　基本饮食原则是你首先应该遵循的。具体内容你可以从"附录"中查到,在这个基础上你还应该注意高植物纤维饮食的摄入,这样可以阻止胆固醇的吸收,促进胆汁酸的排泄,保持大便通畅,起到利胆的作用,减少胆固醇结石的形成。如果你血脂高,或者在胆绞痛易发期及胆囊炎发作期,应该采用素食原则(见"附录"),有观点认为胆石症患者应该只摄入素食,而绝对禁止荤食,尤其一些长期受病痛折磨的胆石症病人,更是谈荤色变,对肉类、蛋类食物敬而远之,惟恐避之不及。其实除高脂肪、高蛋白饮食以及暴饮暴食易发生胆结石和胆绞痛外(对此应该绝对避免),适当进食些荤食能对胆石症病人起积极作用。因为荤食的排胆作用强,胆管下段的胆砂或小的胆石,可随胆汁而排出,减少胆管内胆石的沉积,对疏通胆道有利,而且胆囊内胆汁因经常排出而不至于过度浓缩,对防止胆囊内胆石的增长也有利。另外荤食中含有大量人体必需的氨基酸和多种脂溶性维生素,这对维持人体健康是不可缺少的。如果胆石症病人长期不进荤食,则对荤食的耐受力更降低,偶尔吃少量荤食就会引起不适或急性发作。因此长期严格禁荤食是不可取的。仅仅是为了防止胆绞痛的发作,原则上应禁荤为好,但从全面考虑你还是应该遵循基本饮食原则,应经常有节制地适量地摄入荤食。具体掌握还得靠你自己在生活中逐步摸索,但对患有胆总管内大结石或胆囊颈部结石的病人来说,进荤食极易引起胆绞痛,还是不吃荤食,以素食为好。

●**对于超重胆石症病人**　请你调整饮食以逐渐减至标准体重,这点你可参考"肥胖症"一节来掌握。

●**坚持每日进早餐**　吃早餐也是你必须遵循的原则。前面已经谈过,长期不进早餐,易产生胆结石,那么对于已经患了胆结石的病人也一样,长期不进早餐,仍会促使结石加速增长,所以建议你坚持每天进早餐。同时也提示你平时也应按时进食，不要过饥过饱，应保持一定的饮食规律。

●避免你敏感的食物　虽然高脂饮食是诱发胆绞痛的明确原因，而对于每一个人，具体的食物品种又不尽相同，所以请你注意哪些食物对你威胁更大，请严禁摄食这些敏感食物。

●戒酒　戒酒是你应做的另外一件事，虽然不像荤食那么敏感，但饮酒确实常常是诱发胆绞痛的一个原因。

➡你应该了解的营养素

维生素

●维生素C　维生素C有多种重要功能，它是机体内生理氧化还原过程的主要递氢体之一，对新陈代谢有着至关重要的作用。若给予动物高胆固醇饮食，动物就会有维生素C缺乏现象，并较易产生胆结石，这大概是由于胆酸减少及血液和胆囊中的胆固醇增加双重因素影响所造成的结果。而维生素C在人体不能合成，必须由食物提供，正常成人每日需要量约2000毫克，患疾病时需要量增加。目前认为较大剂量有益于健康，但过大剂量又会有不良后果。

●维生素E　同维生素C一样，动物如果缺乏维生素E也会促使胆结石的形成。当给予动物大量的胆固醇或脂肪时，足够的维生素E就能防止胆结石的形成；而缺乏维生素E时，即使食用不含胆固醇和脂肪的饮食，也会发生胆结石。这表明，饮食中的维生素E含量比脂肪或胆固醇含量对胆结石的影响还大。

如果不想受胆结石之苦,请你正确选择

◆高脂饮食:高脂饮食是胆结石形成的重要因素,请你避免
◆经常不进早餐:容易使胆汁浓缩,使胆结石形成,请你坚持进早餐
◆饮酒:饮酒容易诱发胆绞痛,请你避免
◆减肥:肥胖人群也是胆石症高发人群,请你减肥
◆平衡饮食:荤素搭配的饮食,有利于健康及营养平衡
◆适当素食:当疾病发作时,请你选择素食

●**维生素 A** 科学家发现一个有趣的现象,爱斯基摩人生活在冰天雪地之中,平时以高脂、高蛋白质的动物性饮食为主,但他们几乎不生胆石症。这是为什么呢? 原来,爱斯基摩人喜食深海中的鱼,这种鱼富含不饱和脂肪酸和维生素 A,它可以有效地预防胆石症的发生。

其　他

●**氨基乙磺酸** 氨基乙磺酸通常与胆酸键结合在一起,增加胆酸的合成,于是降低了胆固醇的含量。国外有动物试验证明给予动物会促使胆固醇结石形成的饮食时,补充氨基乙磺酸可以抑制结石的形成。

●**卵磷脂**　卵磷脂是胆汁中的成分之一,从前面的叙述中大家知道如果胆汁中胆固醇的含量过高及与胆汁中胆酸、卵磷脂的比例失调,均会沉积而发生胆结石。我们知道卵磷脂是人体内的重要物质之一,在人体各种代谢中起着重要作用,降低过高的胆固醇是其功能之一。防止胆结石的形成,主要靠的是卵磷脂对胆固醇的分解、消化和吸收作用,所以卵磷脂所针对的是胆固醇结石。《世界医讯》曾报道过卵磷脂在使胆汁中胆固醇保持液体状态时具有重要作用。有研究小组发现:狗的胆汁中含有高浓度的卵磷脂,而狗几乎从不产生胆结石。将人的胆结石放到狗的胆囊中,结石会自动被溶解。同时他们还发现凡胆结石患者,其胆汁中卵磷脂含量一定不足。

所幸的是,我们日常食品中就有许多富含卵磷脂,而且在我国市场上也开始有卵磷脂制剂出售,你可以根据自己的情况,多选择富含卵磷脂的食品食用,或买市售卵磷脂食用。如果你能坚持的话,不光能帮你预防胆结石,对你身体多方面都会有好处。不过你要想使已经生成的结石完全溶解,则需较长时间,希望你能有信心。

给你的营养建议

◆维生素 C:1000 毫克/日
◆维生素 E:2000 毫克/日
◆卵磷脂:2 粒/日

➡**营养治疗药膳**

药　草

●**金钱草**　金钱草有利尿通淋和排石作用。在中医界经常用金钱草与其他药配伍治疗胆、肾结石。据现代药理研究,本品含酚性成分和鞣质等多种成分,能促进肝、胆细胞分泌,促进胆汁从胆管排出,煎剂使尿变酸性,促使结石溶解。对于轻症还可以金钱草一味药泡茶饮。

●**蒲公英**　蒲公英作为清热解毒药,经常在治疗痈、疖等处方中出现,也常用于治疗黄疸。令人感兴趣的是,蒲公英里富含卵磷脂,你不妨在日常饮食中将其做菜或做粥吃。

●**大蓟**　在中药的传统用法中大蓟是一味止血药,常用于由于血热引起的各种出血症。现代医学研究其成分含有生物碱、挥发油等,还含有一种抗氧化剂,能保护肝脏免受自由基氧化的损害。它还能刺激肝脏新细胞的生长,以替换老而受损的细胞,且大蓟能增进胆囊分泌出的胆汁的溶解力,可以预防或治疗胆结石。

药　膳

●**荸荠煎**　荸荠 120 克,切成小块,煎汤代茶,日内饮完。治疗湿热黄疸,小便不利。适用于胆囊炎、胆石症。

●**蒲公英粥**　蒲公英 30～50 克,水煎,去渣取汁,加粳米 50 克煮成粥,空腹食。具有清热解毒、消炎健胃利胆之功。

●**山楂制品**　山楂糕、山楂片等,平常可常吃,以利胆汁排泄。

16

糖尿病

通俗地说糖尿病的特征就是血液中的糖分(葡萄糖)升高,甚或尿液中都会检测出糖分。糖尿病最初的表现为多饮、多尿、多食及消瘦、头晕、疲乏等,有些患者还可能无任何表现。糖尿病是一种慢性疾病,虽然血糖升高本身不会引起什么危险,但是由于血液中糖分长期过高,会引起许多严重并发症,包括血管、神经和重要器官的损害,对糖尿病患者来说并发症的有无或其严重程度,对其生命及其预后起着决定性作用。

为了控制并发症的发生,必须严格控制血糖,在糖尿病的一系列治疗措施中,除了必要的糖尿病教育、体育锻炼、药物治疗外,糖尿病的饮食治疗是始终要坚持的,包括总热量的控制和合理的饮食比例,且一些患者经过饮食控制,就可将血糖控制在正常范围内。在这里想和大家谈的是如何从营养角度理想地控制糖尿病。也许大家都知道,糖尿病是终身疾病,但如果控制得好,可以推迟或减轻并发症的发生,糖尿病病人可以与正常人一样参加工作及其他社会活动,既然能够在日常生活中控制糖尿病,我们又何乐而不为呢?

请警惕糖尿病

◆多饮、多尿、多食是典型的糖尿病表现

◆无上述症状,但长期头晕、疲乏、明显消瘦或仅有其中一种表现

◆肥胖者

◆以上表现都没有,但常有不易治愈的感染

◆家族中有糖尿病患者

❖ 容易诱发的因素 ❖

糖尿病的发病原因至今不十分明确,但绝大多数有遗传因素,再加上生活中的不合理因素作为诱因,如肥胖、过度饮食、运动不足、感染等就会导致糖尿病的发生。因此,如果你具有糖尿病遗传基因,就必须时刻注意避免这些诱发因素的出现;当然你如果已经是糖尿病患者,这更是你必须避免的因素。而这些诱发因素中人自身能够主动控制的,当首推饮食的合理节制及调

节和避免肥胖。

你有必要正确了解下列名词

◆葡萄糖:在血流中糖分所存在的形式

◆葡萄糖耐量:在摄食糖分或淀粉后,身体自动调
　　　　　节血糖浓度的能力

◆胰岛素:胰腺所分泌的一种激素,用以调节血液
　　　　　中葡萄糖的含量及身体组织利用葡萄
　　　　　糖的机能

◆胰岛素敏感度:身体组织对胰岛素的反应力

◆胰岛素依赖型糖尿病:大多是在幼年突然发病,
　　　　　必须注射胰岛素方能控制血糖

◆非胰岛素依赖型糖尿病:发病缓慢,随着年龄增
　　　　　加,发病率也增加,一般不需注射胰岛
　　　　　素,同时和肥胖症有关联性

➡饮食因素

　　糖尿病是由于胰岛素不足或胰岛素的细胞代谢作用的缺陷引起的葡萄糖、蛋白质及脂肪代谢紊乱的综合征。因此饮食的营养平衡,不过度摄入热量是糖尿病患者首先应遵守的原则,实际这也是健康人所应遵循的饮食原则,所不同的是健康人有自身调节血糖的能力,而糖尿病或糖尿病易发人群则没有这种能力。所以像过度的甜食、过量的饮食、高脂饮食、过度的精细粮食饮食,都是诱发糖尿病和糖尿病控制不良的重要原因,尤其肥

胖人群更易诱发糖尿病。正是这种不合理饮食习惯,使许多必要的营养素摄入不足或脂肪代谢紊乱,造成体内胰岛素的代谢过程不充分。国外有资料报道说有糖尿病患者在由既往的高脂肪饮食改为高蛋白、低脂肪、高纤维的饮食方式后,其糖尿病得到很大程度的控制,甚至Ⅰ型糖尿病患者可减少胰岛素的用量。还有资料表明多食富含亚油酸及其衍生物食物的糖尿病患者,其小血管及心脑血管合并症和发作几率要减少许多。因为在长期多食这类食物后,其血液中胆固醇及低密度脂蛋白的含量都明显降低。

如下情况可能会诱发糖尿病

◆长期精神压力,加重胰岛细胞负担
◆长期应用某些药物,导致电解质紊乱
◆妊娠
◆手术、重大创伤等应激状态

➡**其他原因**

●**长期的精神压力**　现代社会生活的高节奏性及世事的变化不定、过度的学习及工作压力,均可造成人的紧张情绪,长期处于精神紧张及高压力状态下,会使你的糖尿病加重。因为精神紧张时肾上腺素及肾上腺皮质激素分泌增多,交感神经的兴奋性增高,会使血糖升高,脂肪分解加速,增加胰岛素的需要量,加重胰岛细胞负担而使你发病或病情加重。

●**服用副肾皮质激素和降压利尿剂** 如上所说人体内过多副肾皮质激素会诱发或加重糖尿病,而降压药和利尿剂会导致体内电解质紊乱加重糖尿病。

●**妊娠** 妊娠期拮抗胰岛素的激素如泌乳素、生长激素、雌激素、孕激素、肾上腺皮质激素分泌增加,另外,胎盘可产生胰岛素酶,加速胰岛素的降解。同时近年有报道80%的孕妇的组织对胰岛素的敏感性降低。以上均说明妊娠期有致糖尿病作用。

●**手术及重大创伤** 手术、麻醉以及病人受到重大创伤时,对机体都是应激因素,均可使肾上腺素及糖类皮质类固醇分泌增多,使血糖升高,如果是糖尿病易发人群即可诱发糖尿病,正常人群应激状态过后血糖便可恢复正常。

❖ 生活建议 ❖

➡ **生活调理**

●**搞好自身糖尿病教育** 糖尿病教育是控制糖尿病的首要条件,近年来对糖尿病的治疗措施由原来的饮食、运动、药物三结合治疗法,改为糖尿病教育、饮食、运动、药物四结合治疗法。糖尿病能否有效控制好,最重要的是要糖尿病患者本人及其家属掌握糖尿病方面基本常识,才有可能自觉地配合治疗,自觉地执行饮食及各种治疗方案。

●**保持情绪稳定、心情愉快** 保持情绪稳定、心情愉快也是控制糖尿病的不可缺少的因素。前面讲过情绪紧张可使肾上腺素等激素增高,进而使血糖升高,因此有一份良好的心境,也是控制糖尿病或避免其发生的重要因素。

●**保持适当的运动量**　保持适当的运动量能促进新陈代谢,降低血糖、血脂,并可增加人体对胰岛素的敏感性,因此糖尿病患者一定要根据自己的情况选择适当的方式,坚持锻炼,要持之以恒,除有急性并发症,否则不可中断。

➡饮食建议

●**糖尿病饮食原则**　糖尿病饮食原则(见"附录")是每一个糖尿病患者应该遵循的饮食原则,尤其总热量摄入的标准更是糖尿病人不可逾越的限度,对糖尿病人来说只有在按糖尿病饮食原则控制饮食后,才可根据你的血糖情况进一步考虑是否用降糖药。许多糖尿病病人经过饮食控制之后,血糖即可恢复到正常,就不需用药了。有病不用药即可得到控制,还使你避免了遭受药物副作用的伤害,岂不是一件乐事!

➡你应了解的营养素

维生素

●**烟酸**　烟酸是葡萄糖耐量因子(GTF)的组成物,在身体中是可以增强胰岛素作用的营养素,因此其有影响身体调节血糖高低的能力,即使烟酸含量正常,额外补充一些,有助于血糖的调节,同时烟酸也可协助糖类、脂肪、蛋白质的代谢。

●**维生素 B_1**　糖尿病患者血中维生素 B_1 含量较正常人低,如果严重缺乏即会引起神经性疾病,尤其对伴有知觉性神经病的糖尿病患者,给予一定量的维生素 B_1,80%患者病情都会改善。

●**维生素 B_6**　维生素 B_6 是涉及身体功能最多的一种营养

素。一个非糖尿病患者如果饮食中缺乏维生素 B_6，即会出现血糖升高的现象，当维生素 B_6 缺乏，改善后血糖则恢复正常。这个现象说明维生素 B_6 对血糖的控制有一定作用。如果你是糖尿病患者，一定要查一下体内是否缺乏维生素 B_6。维生素 B_6 在糖尿病治疗方面的另一个意义是可以减轻神经疾病的症状。

●**维生素 B_{12}** 维生素 B_{12} 对糖尿病的主要作用是治疗糖尿病并发神经性疾病。

●**维生素 C** 维生素 C 在人体中的作用较广，但对糖尿病来说，它的主要作用表现在能够降低胆固醇及高血压，还能预防动脉硬化。更重要的是维生素 C 缺乏会影响到葡萄糖耐量，有研究表明，当血糖升高时，维生素 C 很难进入血管壁发挥其保护血管壁的作用。由此看来糖尿病患者避免出现维生素 C 缺乏，是预防血管疾病的重要因素。

●**维生素 E** 糖尿病病人似乎对维生素 E 的需求量会增加，特别是胰岛素依赖型糖尿病病人，在补充维生素 E 后可以减少胰岛素用量，另外补充维生素 E 还有助于预防一些并发症的发生，如视网膜病变及心脏病等。

矿物质

●**铬** 铬是葡萄糖耐量因子不可缺少的必要成分，血清中铬的含量也同时反映出血清中胰岛素的含量。

●**铜** 血糖浓度调节失调与铜的缺乏有很密切的关系，如果体内缺乏铜，那么从葡萄糖转变来的山梨醇会累积在组织中，从而加速白内障、视网膜病变，以及神经病变和其他并发症的发生。

●**镁** 镁在胰岛素上的作用和在血糖调节上扮演着极重要

的角色,对非胰岛素依赖型糖尿病患者而言,补充镁可同时改善进食糖分后胰岛素的分泌量及胰岛素对调节血糖的作用。糖尿病患者特别是同时患冠心病或视网膜病的人,其镁含量通常都偏低。

●**锰**　锰缺乏时其胰岛素的活性也会降低,对于胰岛素依赖型糖尿病患者,如同时有锰缺乏现象,在补充锰之后,对胰岛素的需求量也会降低。

●**磷**　如果一个人体内缺乏磷,胰岛素就无法发挥作用,有实验证明,让未并发肾脏疾病的胰岛素依赖型糖尿病患者服用无机磷酸盐,结果他们的疲劳感有明显减退,病情也较易控制,有些糖尿病患者甚至对胰岛素的需求量也稍微降低了。

其　他

●**肌醇**　Omega－6脂肪酸和肌醇均可改善糖尿病患者神经及微血管病等情况,啤酒酵母富含葡萄糖耐量因子(GTF),可以增加患者对胰岛素的反应,降低血脂含量,并可改善非胰岛素依赖型糖尿病患者的葡萄糖耐量。

综合上述各营养素对糖尿病的作用,我们建议糖尿病患者在不同情况下,根据下列方案来搭配你的饮食,我们在“第二部分”中为你详细地列出了各营养素的主要食物来源,你可根据个人情况进行选择,当然有些有现成制剂的营养素在必需的时候服用起来更方便些,但你一定要向医生征询适当用量。

➡ 营养素的选择方案

```
┌─────────────────────────────────────────┐
│              防治并发症                    │
│                                          │
│  ◆ 烟酸(维生素 B₃)     ◆ 维生素 B₁       │
│                                          │
│  ◆ 维生素 B₆          ◆ 维生素 B₁₂      │
│                                          │
│  ◆ 维生素 C           ◆ 维生素 E        │
│                                          │
│  ◆ 铬(当缺乏时)       ◆ 铜(当缺乏时)    │
│                                          │
│  ◆ 镁(当缺乏时)       ◆ 磷(胰岛素依赖型) │
│                                          │
│  ◆ 肌醇               ◆ 类生物黄碱素     │
└─────────────────────────────────────────┘
```

```
┌─────────────────────────────────────────┐
│         胰岛素依赖型糖尿病患者              │
│                                          │
│  ◆ 烟酸(维生素 B₃)     ◆ 维生素 E        │
│                                          │
│  ◆ 锰(当缺乏时)        ◆ 磷             │
└─────────────────────────────────────────┘
```

```
┌─────────────────────────────────────────┐
│        非胰岛素依赖型糖尿病患者             │
│                                          │
│  ◆ 维生素 C            ◆ 铬             │
│  ◆ 镁                  ◆ 啤酒酵母       │
└─────────────────────────────────────────┘
```

```
┌─────────────────────────────────────────┐
│            妊娠糖尿病患者                  │
│                                          │
│  ◆ 维生素 B₆(当缺乏时)                   │
└─────────────────────────────────────────┘
```

➡**营养治疗药膳**

药 草

●**黄芪** 黄芪属中药补气药类,常用于神疲倦怠、食少便溏、多汗等气虚症,药理研究具有增强机体免疫功能,利尿、抗衰老、保肝、降压作用和调节血糖含量、降低血糖等作用,临床常与滋阴药生地、元参、麦冬等配合治疗糖尿病。在我国的药膳食谱中也常用其以食补的方式治疗气虚病症。

●**生地、熟地** 它们分别属中药清热凉血、生津和补血之剂,药理研究此两药具有降低血糖作用,并能抑制实验性高血糖,其降糖成分为地黄素,常出现在治疗糖尿病的方剂中。

●**枸杞子、黄精** 这两味药均有降低血糖、降压及抗脂肪肝作用。

●**葛根、天花粉** 它们都有降血糖作用,其中天花粉具有清热生津止渴作用,被历代称之为治疗消渴病的"神药"。葛根中的成分能增加脑及冠状动脉血流量,使血管阻力降低,具有降压作用,同时又有作用持久的降糖作用。

●**苦瓜** 作为日常蔬菜人们常用苦瓜来败火,据药理研究表明,苦瓜粗提取物具有显著的降低血糖作用,放射免疫法测定苦瓜提取物与胰岛素受体、胰岛素抗体均有明显的结合反应,表明它与胰岛素有共同的抗原性和生物活性。苦瓜粗提取物有类似胰岛素作用。

●**其他** 临床治疗糖尿病的中草药很多,这里仅给大家介绍了一些习惯于用来做药膳的药物,其他如桑白皮、桑椹、五倍子、山药、玄参、知母均具有良好的降血糖作用。

药 膳

●**葛根粉粥** 葛根 30 克,粳米 50 克。将葛根切片,水磨澄取淀粉,粳米泡一宿,与葛根同入沙锅内,加水 500 毫升,文火煮至粥稠服用。有清热除烦、生津止渴的功能。

●**生地黄粥** 鲜生地 150 克,洗净捣烂,用纱布挤汁。先用粳米 50 克,加水 500 毫升。煮成稠粥后,将生地黄汁冲入,文火再煮一沸,即可食用,每日 1~2 次。适用于阴虚热盛型糖尿病患者。

●**枸杞粥** 枸杞叶 30 克,枸杞子 30 克,粳米 50 克,杞叶洗净后略泡,杞子去杂质泡发。先以粳米和杞叶加水常法煮粥,半熟时再加入杞子,熟后加少许白糖调匀,早晚服食。适用于肝肾阴虚型糖尿病患者。

●**天花粉粥** 天花粉 30 克,大麦糁子 60 克或粳米 60 克。温水浸泡天花粉 2 小时,后加水 200 毫升,煎至 100 毫升,去渣留汁,入大麦糁子或粳米,再加水 400 毫升,煮至米熟粥稠即可食用。有清热生津止渴的功能。

●**炒洋葱** 洋葱头 1~2 个,葱、盐、味精、植物油适量。常法炒食,以嫩脆为佳,不可过烂。洋葱所含挥发油具有较好的降低血糖作用,糖尿病患者可经常食用洋葱。

●**炒苦瓜** 苦瓜 100 克,葱、植物油、盐、味精各适量。常法炒食。有清热泻火、除烦止渴、降低血糖作用。脾胃虚寒的糖尿病患者不宜服用。

17

胰腺炎

　　说起肝、胆、脾、胃,大家或许都知道它们是人体的重要消化器官,但却很少有人知道在胃的后端,有个一端钝圆、另一端尖长的长条形器官,它就是胰腺。别看胰腺的重量不过 100 克,知名度不高,却是我们人体的第二大消化腺,能分泌各种消化酶和胰岛素,掌握着消化与调节血糖的两大特权。其在人体内的重要性大有秤砣虽小压千斤之势,不得不让人刮目相看。

　　"胰腺炎"是胰腺较为常发的疾病。一般有急性和慢性之分,其发生原因虽较多,但在我国与胆道疾病的长期存在有着重要关系,另外饮食不节也是非常重要的致病因素。

　　腹痛是胰腺炎的主要表现。疼痛较为剧烈,大多在中上腹,可放射至腰背及左肩,常于半夜痛醒,俯坐位可减轻,或伴有恶心、呕吐。对于急性胰腺炎,还可能会有发热、黄疸,以及休克和心、肺、肾的衰竭等更严重的情况发生,所以一旦患了急性胰腺炎,无异于经历一场生与死的较量。至于慢性胰腺炎,如果急性发作期可有类于急性胰腺炎的表现;也有部分慢性胰腺炎由于慢性炎症持续存在,使腺体广泛损害,而致胰腺内、外分泌障碍;在后期可出现消化不良、食欲减退、厌食油腻、体重减轻、脂肪泻等;还可由于脂溶性维生素 A、维生素 D、维生素 E 和维生素 K 缺乏而引起夜盲、皮肤粗糙、手足抽搐、肌肉无力和出血倾向等吸收不良综合征表现。同时还可能出现糖尿病或糖耐量减低。

由此可见,无论是急、慢性胰腺炎,都将给我们的生活与健康带来很大麻烦,因而在此不惜笔墨,使大家能有所了解,还请君能多多关爱你的"胰腺"。

请君多关照

◆胰腺虽小任务重　　◆胆道疾病及早治
◆暴饮暴食要不得　　◆大油大肉不堪负
◆大量酗酒引暴命　　◆长期酒癖应戒除

❖ 容易诱发的因素 ❖

➡饮食因素

●**暴饮暴食和酗酒**　我们摄入的食物主要靠胰腺分泌的消化酶进入十二指肠,被胆汁和十二指肠液激活后来消化,而胰腺中搜集、运输胰液的胰管在进入十二指肠前与胆管汇合成一个共同管道进入十二指肠，共同开口于十二指肠乳头，由奥狄氏括约肌来掌管管口的开合。当人们一次性过量摄入脂肪、蛋白质后，或者大量饮酒后，胆囊及胰腺反射性地分泌大量胆汁和胰液，须通过它们的共同管道涌入十二指肠来完成它们的消化任务。此时，若再加上酒精刺激使十二指肠乳头水肿、奥狄氏括约肌痉挛，这些消化液流出不畅造成胆道内压力增高，易使胆汁返流入胰管，激活胰酶对胰腺自身消化，形成急性炎症发生。长期酗酒和经常性的饮食不节，也可导致胰腺损害或反复发炎，最终形成慢性胰腺炎。慢性胰腺炎常常表现为持续性上腹部疼痛，而且常因饱餐、高脂肪饮食或饮酒而诱发。

➡其他原因

●**胆道疾病**　有资料报道我国有 70% 的胰腺炎是由于胆道疾患所致。有 50% 的急性胰腺炎是由于胆结石、胆道炎症或胆道蛔虫，尤其胆石症，造成出口阻塞，胆道内压力增高，胆汁返流到胰腺中，增加胰管的压力，并激活胰酶，发生自我消化，这称为"胆源性胰腺炎"，可见结石和胰腺炎的关系是十分密切的。有研究发现胆石症伴急性胰腺炎患者中，94% 可在粪便中找出小结石，而胆石症不伴发急性胰腺炎者，仅 8% 在粪便中找出结石；又有报道讲非酒精性急性胰腺炎患者，60% 有胆石症。如果胆道疾病长期存在，炎症反复发作，而成慢性炎症，最终导致慢性胰腺炎。

●**其他**　还有一些原因如手术或外伤、内分泌中代谢紊乱、急性传染病及某些药物可使胰液分泌或黏稠度增加等因素，均有诱发胰腺炎的可能。

以上诸原因或引起胰腺分泌过度旺盛，或胰液排泄障碍，或使胰腺血循环紊乱等,虽然致病途径不同,但却有共同的发病过程,即胰腺各种消化酶被激活所致的自身消化。

胰腺炎的临床表现

急性:
◆腹痛剧烈,以上腹为多　◆俯坐位可减轻
◆或恶心、呕吐　◆或发热、黄疸
◆或休克

慢性:
◆消化不良　◆食欲减退
◆厌食油腻　◆脂肪泻
◆体重减轻　◆吸收不良综合征

❖　生活建议　❖

➡ 生活调理

●积极治疗胆道疾病　前面已经说过胆道疾病是引起胰腺炎的主要罪魁祸首,尤其有胆结石的存在,随时都有造成出口阻塞引发胰腺炎的危险。所以奉告胆结石患者一定要积极地尽早治疗,如有泥沙样或绿豆样结石,要尽快手术治疗,预防胰腺炎发生;胆囊炎患者也同样应该抓紧时间治疗,长期的炎性刺激同样容易诱发胰腺炎;对于已经发生了胰腺炎的患者,积极治疗胆道疾病同样重要。

➡饮食建议

●**高蛋白、高热量、低脂肪饮食** 对于胰腺炎患者首先应遵守的原则是高蛋白、高热量、低脂肪饮食。无论是急性胰腺炎愈后,还是慢性胰腺炎静止期都应该以清淡饮食为主,且饮食应易消化,每日脂肪不可超过 20 克。蛋白质每日可达 70 克,碳水化合物的摄食量应根据是否并发糖尿病及其严重程度决定,并多食绿叶蔬菜和水果。

●**忌暴饮暴食** "饮食有节"是每个人都应遵守的健康原则。对于胰腺炎患者更应注意饮食要有规律,饭有定时,食有定量,一餐不可过饱,以九分饱为度,必要时还应少食多餐,避免给胰腺造成过重负担;细嚼慢咽,不狼吞虎咽。

●**戒酒** 酗酒是引发胰腺炎的一大诱因,会引起胰腺分泌过度旺盛,还可引起十二指肠乳头水肿与奥狄氏括约肌痉挛。对于慢性酒癖者常有胰液蛋白沉淀,形成蛋白栓子堵塞胰管,致胰液排泄障碍。

●**忌食刺激性食物** 应尽量避免刺激性食物,以减少胃酸和胰液的分泌,以防急性发作或病情加重。

●**禁食** 急性胰腺炎发作期和慢性胰腺炎急性发作时,均应禁食,因为食糜及胃酸进入十二指肠后,可刺激十二指肠分泌胰腺素,使胰酶分泌增加,不利于胰腺炎的恢复,甚至加重病情。一般应禁食到疼痛停止,体温恢复正常。此后可根据情况逐步进食低脂流食、低脂半流食,逐渐过渡到含一定量蛋白质的饮食,并且随时观察病情变化,调整饮食结构。

胰腺炎患者的饮食原则

◆高蛋白、高热量、低脂肪饮食

◆戒酒要坚决

◆饮食有节,定时定量不可过饱

◆忌食辛辣刺激性食物

◆发作期应做必要的禁食

◆注意补充维生素

➡ 你应该了解的营养素

维生素

●**维生素 C**　维生素 C 是一种强抗氧化剂,胰腺炎患者应适当补充。

●**B 族维生素**　B 族维生素主要在产生能量的反应中充当辅酶,其中烟酸可以帮助糖类、脂肪、蛋白质的代谢。泛酸在这方面也有相近的功能。

●**维生素 E**　维生素 E 作为一种强力抗氧化剂及氧的携带者,可以帮助组织修复。

●**脂溶性维生素**　慢性胰腺炎,一般在病变持续 5 年以上时,胰腺的萎缩及纤维病变已比较显著,往往会出现胰腺的内、外分泌功能不全的表现。其外分泌功能不全时,由于脂肪酶和蛋白酶的分泌功能丧失,患者会出现脂肪泻、消瘦、营养不良、浮肿,同时还会出现脂溶性维生素缺乏现象,如维生素 A、维生素

D、维生素 E、维生素 K 等的缺乏,所以慢性胰腺炎患者应注意补充,以弥补上述维生素的缺乏。

其 他

●**卵磷脂** 卵磷脂是脂肪乳化剂,可以帮助脂肪乳化。

➡营养治疗药膳

药 草

●**山楂** 山楂含有脂肪酶、山楂酸、柠檬酸、维生素 C、糖和蛋白质等成分。其中脂肪酶可促进脂肪分解,促进肉类脂肪食物消化,也可促进脂溶性食物吸收,山楂酶能提高蛋白酶活性,能加强对肉类蛋白质的消化,所以传统中医一直把山楂作为消除食积的药物使用,尤其在消除肉食积滞方面疗效甚佳。慢性胰腺炎患者往往出现脂肪酶和蛋白酶分泌不足现象,适当食用山楂会有一定益处。药膳用法可煮汤、制饮料、泡茶饮、煮粥等,每次用量 10~20 克。

●**荷叶** 为莲之叶片,既能清热解暑,又有升发脾阳,所以对脾虚气陷、大便泄泻者,可适当配合培补脾胃药的应用。

●**高良姜、砂仁等** 胰腺炎到后期往往出现一些脾胃虚寒、脾胃气滞、脾虚湿停等症状。高良姜、砂仁一类药物均有理气和胃、温中止痛、健脾祛湿作用,现代药理研究认为这类药大多具有兴奋肠胃功能作用,因此可适当根据病情,适当选择入日常饮食应用,如良姜、砂仁、干姜、佛手等。

●**猪胰** 即猪之胰腺,中医历来有"以脏补脏"之说,这是因为动物界相同脏器功能有相近之处,其所含成分有相近之处,故而用其治病,以取补之不足的效果。猪胰内含多种胰酶,用于慢性胰腺炎,可起替代疗法作用,对于有消化不良和脂肪泻表现的患者有一定治疗效果。

药　膳

●**瓜果汁**　白萝卜汁、西瓜汁、番茄汁、雪梨汁、荸荠汁、绿豆芽汁等,均可饮服。有清热解毒功效,并可补充维生素。适用于禁食后刚允许低脂流食阶段的急性胰腺炎患者。

●**黄花马齿饮**　黄花菜 30 克,马齿苋 30 克。将两者洗净,放入锅内,加清水适量,武火烧沸,改文火煮 30 分钟,晾凉后装罐存。代茶饮,有清热解毒消炎功效。适用于胰腺炎刚开始进食流质阶段。

●**佛手粥**　佛手 15 克,粳米 50 克。佛手煎汁去渣,加粳米及水适量共煮粥,将熟时加入冰糖适量,粥成后食之。有理气、止痛、健脾养胃之功。

●**桂甘白芍**　桂枝 20 克,白芍 40 克,甘草 12 克,生姜 20 克,大枣 12 枚,加水煎汁,去渣后加粳米 100 克,煮成粥,分次食之,可健脾安胃。

●**豆蔻粥**　肉豆蔻 10 克,生姜 10 克,粳米 50 克。先将粳米煮粥,待煮沸后,加入肉豆蔻末及生姜,熬成粥后服。可理气止痛,散寒,治疗急性胰腺炎有寒象者。

●**猪胰散**　猪胰微火焙干研成末,用胶囊分装,每日分次服用。内含多种胰酶,可起替代疗法的作用,对消化不良和脂肪泻患者有效。

●**山楂荷叶茶**　山楂 30 克,荷叶 12 克。上两药加清水 2

碗,煎至1碗,去渣分服。能升清消导,助消化,可治疗慢性胰腺炎消化不良。

●**草决海带汤** 海带20克,草决明10克。上两料加水2碗,煎至1碗,顿服,每日2次。有利于慢性胰腺炎的缓解。

●**干姜粥** 干姜3克,高良姜3克,粳米50克,先将干姜、高良姜用水煎,去渣取汁,再加入洗净的粳米同煮成粥,分次食之。有健脾温胃作用。

●**吴茱萸粥** 吴茱萸2克,生姜2片,葱白2根,粳米50克。粳米加水煮粥,待米将熟时,将吴茱萸、生姜研细粉,葱白切碎放入同煮成粥,每日分次食之。有和胃止呕、理气止痛功效。

●**鲫鱼羹** 砂仁10克,荜菝10克,陈皮10克,鲫鱼一条,胡椒10克,泡辣椒10克,葱、蒜、盐适量。将鲫鱼刮洗干净,将上药物及调料纳入腹中,按常法炖煮成鱼羹,分次服之。具有散寒、理气、止痛作用,用于慢性胰腺炎。

18

腕管综合征

看到标题你也许立即会想到这是手腕部的疾病,确实,腕管综合征正是腕部不舒适的疾病,是由于腕正中神经受压迫而造成,其特征是食指和中指疼痛麻木,拇指无力;手指也可能会僵硬难以弯曲以及手指尖、手掌部的皮肤感觉差。手腕、手掌甚至前臂感到疼痛,有时在身体其他部位也会出现一些症状,如脚、踝部肿胀,夜间手足抽搐,或者肘、肩、膝感到疼痛。严重者甚至会造成掌部肌肉萎缩,如果你到医院做肌电图检查,你会被告之腕正中神经受损伤。腕管综合征的表现如及早引起你的注意,只要生活中避免损害因素的存在即可得到解决,如果你等到疾病发展到肌肉萎缩或者是手、腕部的症状影响到了你的工作和生活的严重程度,恐怕就需要动手术来进行治疗了,然而手术除了费用高,痛苦多外,更麻烦的是不一定会成功,或者复发。比较之下,及早保守治疗更简便,更安全。

❖ 容易诱发的因素 ❖

腕管综合征的形成主要是由于手的不合理使用而致。

➡饮食因素

没有更多的资料显示腕管综合征的形成与饮食有着什么样的关系,然而有资料表明患有腕管综合征的患者,血液分析显示其维生素 B_6 有临界缺乏的现象,在补充了维生素 B_6 后,疼痛以及其他一些症状就可以消失,而且肌电图检查也显示腕正中神经压迫现象消除。还有资料表明,给这样的患者同时补充维生素 B_2 会取得更好的效果。这间接说明腕管综合征的发生与维生素 B_6、维生素 B_2 的缺乏有着重要关系,同时进一步提示或许这样的患者饮食中维生素 B_6 及维生素 B_2 的含量不足。

➡其他原因

●**双手的过度重复使用** 这是造成腕管综合征的最直接诱因。典型的患者大部分是作家、编辑、商店收款员、每天做相同重复手部动作的工厂工人、习惯长时间手工织毛衣的妇女,还有整天从事电脑键盘工作的员工。从事这类工作的人,一直维持同样的坐姿,使用相同的手指动作,有时一干就是 12 小时,使得局部肌肉过度疲劳而致发病。

●**激素的不平衡** 激素不平衡所致腕管综合征的患者以女

性偏多,而且以 40~60 岁的更为普遍,这导致一些专家推测,激素的不平衡可能是造成此病的原因之一,但激素在这里究竟起着什么作用,还一直不明白。

❖ 生活建议 ❖

➡ 生活调理

●**保持合理坐姿** 长时间从事一种姿势、动作工作的人,容易造成肌肉的劳累及扭伤,因此在你进入工作状态前选择一个合理的姿势是至关重要的。如果是坐着工作的人,座椅应该稍微向前倾,使膝关节的姿势轻松舒适,保持脊背挺直或者稍微向前倾,而且应该保持腰部的自然弧度,这要求你首先要选择一把合适的座椅。从事键盘工作的人员,应保持手指微微弯曲,手腕伸直而不要弯曲,键盘应放在手腕部适当的部位,最好恰在肘水平线之下,保持双脚平放在地上。

●**避免持续过长时间的重复动作** 腕管综合征的又一个名称叫"重复性压力伤害",这个名称本身就告诉我们此症的发生是因为持续长时间地做相同的工作而致,长时间单一动作会使肌肉过度使用而处于极度疲劳状态,因此容易受到损伤。那么唯一避免的方法就是定时变换一下姿势,停止一下你单一的动作,或者站起来伸展四肢活动活动。这样可以让你的肌肉得到休息,使它有机会复原,而不至于造成损伤。

●**按摩** 可向按摩师请教,采用恰当的手法进行局部按摩,这样可帮助肩、颈和手、腕的血液循环,可以预防或帮助腕管综合征的恢复。

➡饮食建议

●**基本饮食原则** 对于腕管综合征的患者,在饮食方面没有太特殊的要求,你最好遵循"附录"的基本饮食原则。

●**含 B 族维生素的食物** 多进食一些富含 B 族维生素的食物,吃菜要喝汤,因为汤中溶有丰富的维生素 B_2 及维生素 B_6。具体食物种类你可从"第二部分"中查到。

➡你应该了解的营养素

维生素

●**维生素 B_6** 为了维持正常的生理功能,每个人需要 40~50 种必不可少的营养物质,以维生素为例,人体需要的维生素有 13 种之多,它们存在于天然食物中。其中除维生素 D 外,其余均不能在体内贮存和自动合成。因此必须不断地由食物进行补充。正常情况下,人们只要每天做到平衡饮食,就能获得人体所需的足够量的必需营养素和维生素。但是对许多人来说,却难以做到维生素摄入足够、适当、不断。难免会造成维生素缺乏,尤其是维生素 B_6 为水溶性维生素,人们在不恰当的烹调过程中就已丢失不少维生素 B_6——对神经、皮肤及血液的活动极为重要。当维生素 B_6 缺乏时,临床上可发生皮炎、肢痛症、末梢神经炎等,我们本节所讨论的腕管综合征即属于肢痛和末梢神经炎的范畴。虽然没有更进一步的资料来说明维生素 B_6 缺乏在腕管综合征发生的机理,然而有足够的临床资料证实,腕管综合征的患者血液维生素 B_6 浓度处于临界缺乏状态,而治疗过程中补充维生素 B_6 改变了其缺乏状态后,腕部诸症也随之而愈。这提示我们对腕管综合征的患者,要注意其体内维生素 B_6 的情况,并可补充适当的维生素 B_6,而作为患者本身亦应注意饮食中维生素 B_6 的摄入。

●维生素 B_2　维生素 B_2 缺乏时细胞代谢发生障碍,便会产生一系列的皮肤和黏膜病变。这似乎与腕管综合征并无关系,但有资料表明,在用维生素 B_6 治疗腕管综合征时,如果合用维生素 B_2 可提高疗效。也有初步的证据提示,维生素 B_2 缺乏时可能会促使腕小管综合征的发生,但机理并不明确,只是根据临床资料推测。不过这已有充分理由要求我们保证足量的维生素 B_2 的摄入。维生素 B_2 也属水溶性类,其缺乏最常见的原因为烹调方法不当,食物单调或偏食,进食时不喝菜汤,淘米时过度搓洗,以及各种原因导致肠胃吸收功能不良。因此,改变不良的饮食及烹调习惯,是避免维生素 B_2 缺乏的最基本方法。

其他

●锂　锂在一些治疗狂躁症的药物中存在,在应用这些药物治疗狂躁症时,腕小管综合征即成为其副作用。提出这个问题不是要你停止服药,而是让你考虑到其中的关联,去和医生商量如何避免这个副作用。

➡营养治疗药膳

药膳

●粟子鸡丁　鲜粟子 100 克,鸡胸肉 400 克,加适量调料,按常法烹制,常食有益。具有补肾气、健脾胃功效,可改善维生素 B_2 缺乏症。

160

●**茶蛋** 每日 2~3 个,可补充维生素 B_2。

●**素三样** 鲜蘑菇、鲜笋、香菇各适量,如常法炒制,此方含维生素 B_2 颇丰,也含维生素 B_6,可常食用。

●**燕麦粥** 燕麦适量,加水熬制即成。

●**其他** 另可常选食玉米、豌豆、肝、肾、瘦肉、乳汁等。

几点建议

◆避免双手过度使用

◆定时休息,定时变换姿势

◆适当局部按摩及进行放松性锻炼

◆注意饮食要平衡,不可偏食

◆吃菜要喝汤

◆蔬菜清洗莫久泡,烹调莫久炒

◆可选择含维生素 B_6 及维生素 B_2 丰富的食品

◆复合维生素 B(含维生素 B_6)6 片/日

19

痛　风

痛风,是一种特别疼痛的关节炎,顾名思义,就能体会到其疼痛之苦。而"风"字则形容其发作和缓解来去匆匆,真有发作时惊涛骇浪,缓解时风平浪静之势,所以有"痛风来去如风"之说。

既然痛风是以关节疼痛为典型表现,因此特别容易混淆于风湿性、类风湿性关节炎,以及其他关节疼痛。其实痛风是由于体内嘌呤代谢紊乱,使血中的尿酸浓度升高,过多的尿酸形成结晶体,驻留在关节内,导致关节炎型的肿胀与疼痛。如果你掌握了以下痛风的特点,要想和其他疼痛性关节病区别并不难:①痛风的关节疼痛是反复发作性。往往于夜间或凌晨呈关节被刀割样剧痛而发病,第一跖趾及拇趾关节为好发部位,也可发生于踝、膝、腕、指和肘关节,局部有红肿热痛,持续 3～5 天,不经任何处理可自行缓解,消失得无影无踪,真是来去如风。初次发作后患者可无任何不适,多数在半年后又会复发,以后越发作越频繁。多次发作后可引起关节肥大、畸形及僵硬。②形成痛风石,约有半数患者在耳轮周围可找到痛风石。③抓住其疼痛突然发作又消失得快的特点,在发作时多次查血中尿酸浓度大于正常值(417 微摩/升)即可定论。④还有一个特点,痛风以男子多发(男：女为 20:1)。⑤用秋水仙碱治疗有特效。有以上特点确诊痛风可以说是无误的。

痛风给人体带来的危害,除了关节疼痛和关节畸形外,还可以诱发痛风性肾病,尿酸结晶可沉积在肾小球、肾小管处,引起炎症。患者开始无症状,继而夜尿增多,尿中有蛋白,最后引起肾功能衰竭而威胁病人的生命。有少数患者(20%)可在肾盂、输尿管中形成结石,表现有血尿和肾绞痛。

❖ 容易诱发的因素 ❖

➡饮食因素

●高嘌呤食物的摄入是痛风的绝对诱发因素 前面说过,痛风多属体内先天嘌呤代谢紊乱所致,并且其中一部分与酶的缺陷有关。目前虽然秋水仙碱对缓解痛风急性发作症状有特效,但尚缺乏针对病因的治疗方法。而嘌呤除体内自身可以合成外,一大部分是来源于食物,所以摄入过多的含高嘌呤的食物,或不适当的饮料均可诱发痛风的发作,北京协和医院针对痛风营养治疗,从嘌呤含量角度将食物分为三类:第一类为含嘌呤较高的食物,此类食物估计每 100 克食物含有 100～1000 毫克嘌呤,无论是急性期还是缓解期的痛风病人均应禁止食用,包括动物脑、心、肾、肝及鹅肉、鹧鸪、鲭鱼、沙丁鱼、鱼子、海参、干贝、蚝、蚧贝、酵母等。因为食入这些食品后等于摄入了大量的嘌呤,体内嘌呤分解产生的尿酸也过多,如果你的肾脏排出尿酸的功能再有障碍的话,即可造成尿酸在体内堆积,使血中的尿酸浓度升高,导致高尿酸血症,这就很容易诱发痛风发作。第二类食品为含中等量嘌呤的食品,每 100 克食品约含嘌呤 9～100 毫克,包括动物性食品中的鱼、肉、禽、贝类(除第一类食物中者)等;植物性食品有干豆类、扁豆、龙须菜、菠菜、蘑菇等,对于缓解期的病人,可从中选一种动物性食品和一种蔬菜,但不可食用过多,食用过多也容易诱发痛风,你也可以注意一下,在这些食品中,哪些更容易使你的痛风发作,那么这更是应该绝对禁止的,总之你如能不触犯禁令,避免吃不适当的食物,就能很好地防止痛风发作。第三类食品为含低量或不含嘌呤的食品,你可以选择食用。

你有必要了解下列名词

◆嘌呤:主要存在于动物性食物中,进入人体后可代谢为尿酸的一种物质,而过多的尿酸沉积于关节可损坏关节

●**过多食入碳水化合物** 过多碳水化合物会导致人发胖,而体重过重会增加痛风的发病率,在成年期初始就已增胖的人,

患痛风的几率比那些维持体重正常者高出很多,因此防止肥胖对痛风病人是十分重要的。多吃碳水化合物,特别是果糖,会加速尿酸合成。因此过多地食入碳水化合物也是痛风病人应该避免的。

●**高蛋白质食物**　蛋白质摄入过多,体内产生的尿酸也会增加。

●**饮酒及含酒精饮料**　尤其是空腹饮用时,会引起痛风发作。

➡**其他原因**

●**体重超重**　身体超重会增加痛风的发作,这在前面已经说过。

●**其他因素**　受寒、感染、劳累、创伤、手术、精神因素及有些药也可导致痛风发作。

请判断你的关节疼痛是痛风吗

◆突然发作的关节剧痛

◆几天后却安然无恙

◆痛风石形成,在耳廓或是拇趾处可触到小结节

◆如果你有如上表现,请到医院检查一下血尿酸,这可能是痛风,可别当成普通关节炎错治

— 165 —

❖ 生活建议 ❖

➡ 生活调理

●**保持正常体重** 前面谈到过重的体重也会增加痛风的发病率,所以请你尽量使体重保持在正常范围内。如果你已超重,最好减减肥,但要注意一定要适度,因为减肥太快,可能会增加尿酸量,运动是减肥的良好措施之一。

●**避免受寒、感染和过度劳累** 避免一切容易诱发痛风的因素。

➡ 饮食建议

●**低嘌呤饮食的摄入** 这类食品每 100 克中嘌呤的含量应在 9 毫克以下,痛风病人可随意选用,不必严格控制,包括大麦、小麦、面包、面条、粳米、玉米面、淀粉、蛋糕、饼干、黄油小点心、水果、鸡蛋、豆浆、果酱、豆腐、黄油、奶油、干酪、冰淇淋、杏仁、核桃、蜂蜜、植物油、咖啡、茶、可可、苏打水、汽水、动物胶或琼脂制作的调味品。

●**多食碱性食物** 这样可使尿液碱性化,尽量使肾脏免遭损害。这类食物如奶类、蔬菜、水果等,你可以酌情选择。

●**蛋白质食物** 每天摄入的食物中,蛋白质的含量应限制在 0.8 克/千克(体重)。

●**多饮水** 每日喝 10～12 大杯开水,使每日尿量达 2000 毫升以上,通过这样大量的饮水及排尿,尽量使尿酸随尿液排出体外,最大程度地避免尿酸结晶在肾小球及肾小管沉积,也可使血尿酸浓度下降,减少尿酸结晶在关节等部位的沉积,这样就可以减少对人体的损害,避免慢性肾功能衰竭的发生。而且多饮水,稀释了尿液,还可以防止肾结石的发生。

●**完全戒酒**　饮酒及含酒精饮料会引起痛风发作,戒酒对于痛风病人是必需的,没有任何商量的余地。因此,如果你不想使你的痛风发作的话,最好接受我们的这条建议。

如果医生诊断你患了痛风,那么请你注意

◆**肝**:不要再吃肝及其他动物内脏,因为它们含太多的嘌呤,而你的身体不能正常地代谢嘌呤

◆**酒**:酒是绝对要戒掉的

◆**奶**:多摄入些碱性食品,如奶食品

◆**水**:多喝水吧,最好每天能排尿 2000 毫升以上,把太多的尿酸都排出去

◆**体重**:保持正常体重,减少痛风发作

◆**其他**:避免受寒冷刺激,也不要过度劳累

➡**你应该了解的营养素**

维生素

关于营养素在痛风治疗中的作用,没有资料阐述,但有资料建议每天和食物一起服用复合维生素 B 2~3 片。也有资料建

议每天服用维生素 B_6 3次,每次可以比常用量略大些,同时还建议服用多种抗氧化剂。在美国有一种含有 α 和 β 胡萝卜素、超氧化物歧化酶、维生素 C、维生素 E 和硒组合的抗氧化剂,其建议用量为每天 2～3 颗。这种制剂,在我们国内目前尚没有,但其中所含的成分,基本是我们大家所熟悉的,可以在医生的建议下选用其组成部分。

➡营养治疗药膳

药 膳

主要避免进食高嘌呤含量的食物。

●**土豆萝卜蜜** 马铃薯300克,胡萝卜300克,黄瓜300克,苹果300克,蜂蜜适量。上料切块榨汁,加蜂蜜适量饮用,可治痛风。

●**芦笋萝卜蜜** 绿芦笋80克,胡萝卜300克,柠檬60克,芹菜100克,苹果400克。上料切块入榨汁机中,酌加冷开水制成汁,然后用蜂蜜调味饮用,适用于痛风,有利尿和降低血尿酸作用。

●**芦笋橘子汁** 绿芦笋60克,胡萝卜300克,橘子200克,苹果400克。如上款制作及饮用,适用于痛风,可利尿降低血尿酸。

●**百合粳米粥** 新鲜百合50～100克,粳米适量。上两料煮粥,可长期服用。也可单味百合煎汁长期用。因百合中含一定量的秋水仙碱,对痛风性关节炎的防治有效。

20

肥胖症

　　肥胖症是指脂肪不正常地囤积在人体组织,使体重超过理想体重的 20% 以上的情形。在工业化社会里,肥胖已成为常见的问题,在我国几乎有五分之一肥胖症患者,其中重度肥胖占 10%,值得注意的是儿童中间,肥胖症者在日趋增多。据近期资料统计,儿童中有肥胖现象者达 51%,所以这已经成为必须引起足够重视的问题了。过去对于胖人常有这样的说法:"你那么胖,肯定没病。"因而人们对于肥胖最大的疑虑,是怕影响体型,不美观,岂不知肥胖对人体的真正含义是一个潜在影响健康的危险因素。肥胖症者更容易得各种疾病,如心脏血管疾病、各种癌症、糖尿病和关节炎,而且很可能缩短寿命,对生活方式也有很大的负面影响。还有些肥胖症患者是由于某些疾病所引起,如"肾上腺瘤"的临床症状之一就是肥胖。所以当你已经是一个肥胖患者,首先要请医生根据综合情况判断是否有原发病存在以便及早治疗。如果属单纯性肥胖,你可以选择合理的减肥方案,以预防肥胖引发某些疾病,本章节中就向你介绍一些防治肥胖的原则和方法。

如何判断自己是否肥胖,这里有一个健康体重的算法:

$$体重(千克) = 身高(米)^2 \times 22$$

这里的"22"为体重指数,转换上面公式:

$$体重指数 = \frac{体重(千克)}{身高(米)^2}$$

如果体重指数超过 23,就属于肥胖行列,这是现在国际统一指标,与过去的超过正常体重的 20% 基本相符。

给你几点提示

◆基本饮食原则平衡膳食仍然是你应坚持的,在此基础上适当减少总热量及脂肪的摄入量,才是科学的节食减肥方法

◆科学减肥贵在坚持,持之以恒打持久战,减肥速度应掌握在:轻度肥胖者每月减 1～1.5 千克体重,重度肥胖者每月减 1.5～2 千克体重

◆绝对饥饿、快速减肥,减去的往往是水分,不是脂肪,这样既会影响健康,又不能保持你的减肥成果,此法切不可取

❖ 容易诱发的因素 ❖

➡饮食因素

●**饮食量太大,摄取的热量大于消耗** 这是很简单的一个问题,人们一方面摄取热量,一方面又在消耗热量,如果摄取大于消耗,体重就要增加,反之体重就会减轻。当你摄取热量太多,也就是说食量太大,而又不能把它及时消耗掉时,多余的热量就会变成脂肪,积存于体内,久而久之你就会发胖,就有患肥胖症的可能。

●**饮食结构不均衡** 热量主要来源于三大类营养素:糖类、蛋白质和脂肪。若以相同的重量来计算热量,则糖类和蛋白质所含的热量相同,脂肪则含有高于它们两倍以上的热量,所以食脂肪含量高的食物,热量最多,也最容易肥胖。

➡其他原因

●**热量消耗太少** 热量可以转化成能量,而能量是活动的燃料。假如燃料不按照自然预期地被使用完,它就会转化成脂肪,堆积起来,增加额外的体重,所以不爱运动的人,每天不能消耗摄取的热量,也会肥胖。有资料介绍,现在世界有些地区的人就比较注重合理化生活,每日根据自己工作生活的活动量,对应摄入多少热量的食物都有一个大概计算,如果晚饭后发现当天摄入的热量超过了允许的范围,那么就要特意增加运动量把多余的热量消耗掉。

●**有一定的遗传因素** 我们可以看到,肥胖症也是有一定家族性的。事实上,大约有三分之一的肥胖症患者,都与遗传相关。

❖ 生活建议 ❖

减肥，无非是要有一个适当的体重，健康体魄，提高生活质量，避免因肥胖引发其他病。

从肥胖的原因中，基本可总结出四个字"馋嘴、懒腿"，所以减肥的最好方法也可以归纳为"管好嘴，迈开腿"六字原则，如果合理地做到了六字原则，一般不难还你一个适当的体重。但在实际行动中，人们往往不肯迈开腿，而对"管好嘴"颇有青睐，然而仅此一项也难做得合理。纵观减肥队伍中，占比例最大的要数爱美的少男少女们，而他们所采取的方式多是绝对限制进食，意在靠饥饿来达到减肥目的，岂不知这样不仅不能如愿以偿，反而会影响健康，导致营养不良或招来他病。其实当你的体重刚刚超标，而且精力充沛，你所需要做的并不是刻意地将体重减下来，而是从各方面认真地审视一下自己的生活，是否合理，是否存在致胖因素，有针对性地去克服。下面我们要说的就是肥胖症患者应该遵守的生活原则。当然对那些尚未发福的人，你如果能遵守下面的原则，也免去了你发胖后再刻意减肥的麻烦。

➡ 生活调理

●**运动减肥** 运动是最好的减肥措施之一，但运动要有选择性、规律性和持久性。选择运动，最好是有氧运动和无氧运动相结合，比如慢跑、快走、爬楼梯都是很好的减肥方法，尤其腹型肥胖症患者爬楼梯是最好的减肥方式。所以对于那些腹部初见发福的肥胖症患者，最好少坐电梯，每日上下班步行上楼、下楼，把减肥运动自然地融合到工作生活中去，以免继续发福，那时再想爬楼梯减肥就非常辛苦了。另外打网球、举重都是很好的减肥方法。不过无论做什么运动都要坚持下去,每天至少一个半小时,这样持之以恒才有好的效果。只有运动才是控制体重的最佳选择,同时通过运动又可以维持肌肉和骨骼的健康,如此一举两得的方法,我们又何乐而不为呢?

➡饮食建议

●**低脂肪、低热量饮食原则**　我们对于正常人的饮食要求是控制总热量及营养均衡、搭配合理,我们的饮食脂肪所占热量比例应不超过总热量的 30%,也就是"附录"所介绍的基本饮食原则。对于肥胖者则要限制总热量的摄入,应适当低于正常摄入量,尤其脂肪的摄入量要严加限制,尽量选择低热量、低脂肪饮食,以增加体脂肪的消耗,这是减肥的根本措施。当然人体还是需要脂肪的,因为细胞膜的构成不可缺少脂肪,这里所说的少,是要求你不要超过身体需要过度摄入脂肪。一般一星期吃两顿鱼,其他可吃荤素共炒的菜,大约所需的脂肪就足够了。

这并不是说只要不吃或少吃脂肪就能减肥,同样,大量的碳水化合物的摄入也能增加热量而增加体重,比如饼干、马铃薯充满热量,因此碳水化合物不能随意食用。尤其不吃零食,少吃主食,这一点很重要。

脂肪和碳水化合物都限量,必然会有饥饿感,这时可多吃一些高纤维的营养丰富的食物,像蔬菜、水果、谷类食物。这些食物会填饱肚子,却不会让你长胖,而且能补充身体所需要的维生素和矿物质,保证身体营养平衡。

●**慢慢进食**　细嚼慢咽是我们一贯的主张,从任何角度讲,这都是一个有利于健康的进食原则。对于肥胖者我们同样建议你细嚼慢咽——这样做有利于你减肥。

"吃饱了"是人们停止进食的信号和标准,此时人人都会自觉地放下碗筷,离开餐桌。但这"饱"的感觉,是要由胃传导到大脑,再由大脑做出反应,整个过程是需要时间的,有些人进食速度太快,没等大脑将"饱"的感觉反馈出来,就已经将过量的食物倒进了胃中,此时大脑反馈出来的信息恐怕是"吃撑了",经常这样"吃撑"的人岂有不发胖的道理。事实上,胖人的进食速度往往是偏快的,所以应该养成细嚼慢咽的习惯。这样,一来可以对食物充分咀嚼,有利于消化吸收;二来可以给大脑留下充分的时间,能够及时地告诉你应该停止进食了。同时你在细嚼慢咽的时候,还能充分品尝美味佳肴。

●**多喝水**　每天喝 8～10 大杯水,而且试着在饭前至少喝一杯水,它会给你一种觉得饱的感觉,可以帮你少吃一点儿。

减肥的饮食方法

◆将饮食热量降低

◆增加膳食纤维的食物量如多吃蔬菜水果谷类

◆减少脂肪摄取　　　◆减少糖的摄取

◆饿了才吃　　　　　◆多喝水

◆慢慢进食　　　　　◆低脂肪也能调出美味

●**饿了才吃**　"管好嘴"是减肥的原则之一,那么管好嘴的内容包含:不要想吃就吃,而要饿了才吃,即不感觉饿的时候,千万别吃东西,这时候吃东西,往往也会吃得很多。不随时随意进

食,也是限制摄食总热量的方法之一。当然,也不能让你自己太饿,否则就会倾向于大吃大喝。有人尝试早晨不吃早点减肥,可事实上,早晨不吃而中午因为太饿往往吃得更多,对减肥反而不利。

●**不用脂肪也能使食物美味** 很多人抱怨低脂肪食物吃起来淡而无味,其实只要在食物中多加调味品,比如辣椒、大蒜、洋葱、小茴香、肉桂、胡椒、醋、料酒等,就能在清淡中享受美味。

➡ **你应该了解的营养素**

维生素

●**维生素C** 只有在饮食减肥基础上加一些营养素,减肥的效果才能更好,维生素C即为其中一例。在研究中人们发现,维生素C可以帮助那些屡次减肥失败的女性。因此我们建议,肥胖者可每天3次,每次1000毫克维生素C口服。

矿物质

●**吡啶甲酸铬** 吡啶甲酸铬是含铬的最有效的一型,不但能帮助你减轻体重,而且假如你在进行健身锻炼的话,它也有助于增强肌肉,使你的体形更美。

铬能稳定血糖,这样就能预防因血糖下降产生饥饿感并随之大吃大喝。对有糖尿病的肥胖患者更为适宜。为了减轻体重,建议每天服用200~600微克的铬。

其他

●**辅酵 Q$_{10}$** 在早期的一些研究中发现，一种类似维生素的物质——辅酵 Q$_{10}$在血液中的含量和肥胖有关。肥胖者血液中辅酵 Q$_{10}$含量偏低，其中一些人采用低热量饮食，并补充辅酵 Q$_{10}$，减肥效果比单纯采用低热量饮食的减肥者要明显。建议肥胖者每天服两次，每次 50 毫克辅酵 Q$_{10}$。

➡营养治疗药膳

药草

中医认为，"肥胖乃多湿多痰之体"，因此减肥的草药，大多数都有利湿、化痰的作用。另外现代发现的一些活血降脂的药物也有减肥作用。

●**山楂** 山楂内含山楂酸、柠檬质、鞣质、皂甙、果糖、脂肪酶、维生素 C 等成分。具有活血化淤、消食化积等作用，是中医治疗肉食积滞、泻痢腹痛、疝气疼痛的常用药。现代研究证实其所含脂肪酶能促进脂肪分解，所以能降血脂，并且还有收缩子宫、抗心律失常、降低血压等作用，因此现代常用其减肥，治疗冠心病、高脂血症、细菌性痢疾均有较好疗效。

●**橘皮** 橘皮内含陈皮素、维生素 B$_1$ 等成分，能行气化痰、健脾，能降脂。减肥时也多用之。

●**茯苓** 茯苓内含茯苓酸、蛋白质、脂肪、卵磷脂、胆碱、组氨酸等物质。能健脾渗湿、利水消肿，现代医学研究认为其能降血脂，有减肥作用。

●**赤小豆** 赤小豆能利水渗湿，内含蛋白质、维生素 B$_1$、维

生素 B_2、烟酸、钙、铁等物质,具有减肥作用。

药 膳

●**赤小豆鲤鱼** 将活鲤鱼去内脏等杂物,把赤小豆 50 克、陈皮 6 克、辣椒 6 克、葱姜蒜适量,塞入鱼腹内,外洒适量盐,上笼蒸熟后,即可食用,有减肥、利水作用。

●**减肥茶** 生山楂、生苡米各 10 克,橘皮 5 克,荷叶 60 克。荷叶晒干,上药共研细末,混合,每天早上放入热水瓶内用开水冲泡,当日喝完,每日一剂,连续服用 100 天。

●**桑枝茶** 嫩桑枝 20 克,将其切成薄片放入茶杯,沸水冲泡,代茶饮,连服 2~3 月。久服可令人瘦。

21

高脂血症

近年来"高脂血症"逐渐成为大家所熟悉的医学名词之一。血脂过高是一种代谢异常的表现,其形成的原因很多,有的是先天性的遗传基因缺陷,某些人体内脂肪代射机制不健全,会导致高脂血症;有的是继发于某些疾病,如糖尿病、甲状腺功能减退、痛风、肝肾疾病等。有的干脆就是吃出来的,健康人连续进食含脂量高的饮食,血脂会持续增高。过多进食糖类可使血脂升高,过量蛋白质通过肝脏分解也会使血脂升高。

从化验单看,人类的血脂包含高密度脂蛋白、低密度脂蛋白、胆固醇和甘油三酯,其中一种或多种成分的含量超过正常值时称为高脂血症(除高密度脂蛋白外)。人体中 70% ~ 80% 的胆固醇是在肝脏合成的,其余 20% ~ 30% 则来自食物,而肝脏合成的原料是来自于食物的。血脂是人体必需的成分,其中胆固醇是合成某些重要激素、维生素的主要成分,甘油三酯则是能量的贮存仓库,如果过高则会对人体产生危害。高脂血症早期往往无任何不适,而血脂过多,主要是胆固醇会沉积在血管壁上,引起管壁增厚,管腔变窄,导致动脉粥样硬化,进而发展到堵塞重要脏器的血液供应,使机体出现组织、功能损害,此时才会出现明显不适。如果发生于心脏的冠状动脉,会导致心肌供血不足,引起局部心肌发生缺血或坏死,临床上简称为冠心病。如果发生在脑血管,还会出现脑血管意外而引起脑中风。另外还有高血压病等均与血脂长期升高有着直接关系。如果出现上述病症时治疗为时已晚。可以说高脂血症是一个"潜在杀手",所以及早地控制血脂是至关重要的。正所谓未雨绸缪,此为动脉硬化疾病的一级预防。其实很多高脂血症是吃出来的,所以我们在它的治疗方面,还要首推改变膳食结构,注意营养平衡,有针对性地把血脂"吃下来"。

❖ 容易诱发的因素 ❖

要说高脂血症是吃出来的,虽不完全正确,但饮食失衡确实是诱发高脂血症的主要原因。

从前面的叙述可知,无论是高脂饮食、高糖饮食或过高蛋白质饮食,均会引起高脂血症。因此看来高热量饮食是高脂血症的原因。而其中最主要的是高胆固醇和高饱和脂肪酸的食物,如动物脂肪、内脏、动物脑、蛋黄、鱼子、对虾、奶油、脊髓等胆固醇和饱和脂肪酸含量均较高。

近年来西式快餐风行国内大中城市,实际上该类食品中胆固醇含量均较高,如一块炸鸡腿的热能为 1550 焦耳,胆固醇为 121 毫克;一大份牛肉三明治的热能为 1553 焦耳,胆固醇为 103 毫克,因此,经常过多地食用这些食品,也会导致体内胆固醇增加。

你有必要正确了解下列名词

◆动脉粥样硬化:脂肪不正常地沉积在动脉血管内壁,使动脉发生硬化现象

◆胆固醇:动物组织中含量最丰富的一种类固醇,尤其以胆汁中含量最多,是动脉粥样硬化斑块中最主要的成分

◆低密度脂蛋白:其血清中含量越高,动脉粥样硬化的危险愈大,被称为"坏胆固醇"

◆高密度脂蛋白:能把动脉壁中的胆固醇运走,含量越高,动脉粥样硬化的危险愈低,被称为"好胆固醇"

◆甘油三酯:在动脉粥样硬化过程中起着重要作用

◆◇ 生活建议 ◇◆

➡ 生活调理

●体育锻炼　劳动和体育锻炼可以提高身体的新陈代谢,提

高体质,增强抗御疾病的能力,从而推迟各个器官的衰老退化。体力活动能消耗多余的脂肪,使血脂代谢酶活力增高,降低血脂,减少和防止脂类物质在血管壁的沉积,改善心肌及大脑供氧量,提高神经系统的功能。体育锻炼对降低血脂和抗动脉硬化作用是任何药物都无法代替的。可根据个人体力情况和爱好选择。

●**防止精神波动及其他因素** 长期精神紧张、忧虑、失眠、时间紧迫感等情绪波动,可使体内儿茶酚胺分泌增多,产生心功能和脂质代谢紊乱、血小板聚积等各种不良影响,临床经常遇到有的青年人在受到强烈精神刺激时,发生暂时性胆固醇升高,当精神因素消除后,胆固醇也随之下降。因此,应缓解大脑的紧张状态,保持情绪稳定。

➡**饮食建议**

●**限制饮食总热量** 不仅是高脂血症患者,即使正常人,长期高热量饮食也会使血脂升高,基本饮食原则是每一个人都应该坚持的原则。

对于高甘油三酯血症患者,更应严格限制热能的供给,控制碳水化合物的摄入,忌食砂糖、水果糖、蜜糖,以及含糖较多的糕点、罐头、中草药糖浆等。适当补充蛋白质,多吃蔬菜瓜果。

●**少吃高胆固醇食物** 在基本饮食原则的基础上,你应该尽量少吃高胆固醇食物。平时应少吃或不吃动物脂肪和肥肉,适当增加植物油的食用量,植物油一般含不饱和脂肪酸比较多,能降低胆固醇,所以高胆固醇血症者,更应注意这点。

尤其晚餐更不宜进食过分油腻的食物。晚餐吃肥腻食物,会助长胆固醇在动脉壁上沉积,促进动脉硬化的发生。另外一次性进食过多,多余的热量可在胰岛素的作用下合成脂肪贮存起来,所以如可能,每天进食的次数不妨略多些。

●**提倡杂食** 纠正偏食习惯,使各种维生素及微量元素不致缺乏。有些食物如酸牛奶、蘑菇、苜蓿、木耳、洋葱、海藻、豆荚、茶叶、玉米油、葵花子油、蜂王浆、蜂蜜、山楂、大枣、芹菜等,都有一定的降脂作用。

●**多吃水果蔬菜** 绿叶蔬菜和水果中含有较多的维生素C,可以降低胆固醇,减轻或防止动脉硬化。蔬菜中的纤维素含量高,可以使体内胆酸含量增高,胆固醇的含量降低。另多吃水果和蔬菜还可以产生饱腹感,避免因过食而肥胖。

●**戒烟酒** 长期大量饮酒,可以诱发甘油三酯升高。长期吸烟者,会影响血中高密度脂蛋白的合成。

在证实有高脂血症后

◆先调整饮食结构

◆加强体力活动

◆控制糖尿病和肥胖

◆观察数日如血脂仍高你可加服降脂药

◆高脂血症是一种长期的代谢异常

◆须长期不懈地控制血脂

➡ **你应该了解的营养素**

维生素

●**烟酸** 烟酸是促进血液循环及皮肤健康所必需的。它也协助糖类、脂肪、蛋白质的代谢。烟酸还可以降低胆固醇并改善血液循环。

●**维生素 B_6** 维生素 B_6 所涉及的身体的功能非常多,在血脂方面的作用在于它能抑制一种称为高半胱氨酸的有毒化合物形成,因此可以减少胆固醇在心肌附近沉积。

●**维生素 B_1** 维生素 B_1 能促进血液循环及糖类代谢,对能量代谢有影响。

●**维生素 C** 又叫抗坏血酸,是人体必需的抗氧化剂。它也可以降低胆固醇及治疗高血压,还可以预防动脉硬化。

●**维生素 E** 维生素 E 是一种预防癌症及心脏血管疾病的抗氧化剂。它可改善血液循环、修复组织、降低血压,抑制脂质过氧化及形成自由基。

●**肌醇** 肌醇有助于预防动脉硬化,且对卵磷脂的形成及脂肪、胆固醇的代谢都很重要。也可帮助清除肝脏的脂肪。

矿物质

●**硒** 硒是相当重要的抗氧化剂,尤其与维生素 E 合用更能发挥作用。癌症和心脏病均和缺乏硒有关,同时硒还有降低血脂的作用,我们日常所食用的大蒜及洋葱中就含有硒元素。你可以在"第二部分"中了解到还可以在哪些食品中获得硒。我国现在还没有现成的硒制剂。

其 他

●**卵磷脂** 人体内每一个活细胞均需要卵磷脂,调节营养进出细胞的细胞膜,有一大部分是由卵磷脂构成的。卵磷脂含有亚油酸及肌醇。它虽然是一种酯类,但有乳剂的作用。卵磷脂能预防动脉硬化及心脏血管疾病。

餐前服用一粒卵磷脂胶囊,有助于脂肪的消化及脂溶性维生素的吸收。口服烟酸降血脂时应配合以卵磷脂同用。卵磷脂使胆固醇与其他脂类物质在水中分解,并排出体外。如果日常饮食加入卵磷脂,可以避免脂类物质在重要脏器及动脉内堆积。

大部分卵磷脂来自大豆,近年来也有用新鲜蛋黄提取卵磷脂,现在我国某些城市也有现成卵磷脂制剂出售,建议大家有计划地食用些卵磷脂。

给你制定一份饮食搭配单

◆米(面)	300克	◆精肉(鱼)	125克
◆牛奶	250毫升	◆豆制品	100克
◆蔬菜	500克	◆豆油	30克

以上是身高160厘米,体重65千克,单纯性高甘油三酯血症患者一天的饮食量,每周还可吃3枚鸡蛋

➡**营养治疗药膳**

药章

●**藏红花** 藏红花又名番红花,味甘平而寒,是一味大名鼎鼎的活血祛淤药。临床经常用于淤血病痛,如血滞经闭、痛经、

症瘕积聚、跌打损伤、关节疼痛等,对藏红花这方面的功效,恐国人无不知晓。藏红花经现代医学研究发现,该药含有多种胡萝卜素类化合物以及维生素 B_1、维生素 B_{12} 等。动物实验中发现该药能降低犬、猫的血压,对血液凝固有明显的抑制作用,并对其心脏的收缩和舒张有调控作用。临床观察中也证实该药能降低患者血压、血胆固醇、血甘油三酯及血黏度,有调节免疫功能的作用,尤其对甘油三酯的影响更为明显。过去因藏红花靠进口,药源紧张,价格较贵,多以草红花代替,现上海引进成功栽培沪产藏红花取名西红花,其药效颇佳,具备如上所述各种功能,且能有效地减轻多种慢性病的常见症状,如乏力、眩晕、胸闷、头痛、心绞痛等。现有红花注射液在临床广泛用于心脏血管疾病,对这类患者,可于平时自服,西红花 0.5~1 克,沸水冲泡代茶饮。孕妇忌服。

●**何首乌**　其性苦涩而微温,是中医界常用的养血药,如血虚萎黄、眩晕、失眠、头发早白、腰膝酸软等症。现代药理研究发现何首乌含有卵磷脂、蒽醌衍生物及大黄酚等多种物质,能抑制胆固醇的升高,减少胆固醇在肠道吸收,可防止胆固醇在组织中沉积,因而能缓解动脉粥样硬化的形成,临床研究证实其降胆固醇及甘油三酯总有效率达 80% 以上。

●**泽泻**　其性甘寒,本是一味利水渗湿药,常用于小便不利、水肿泄泻等症。现代研究认为其含有萜类化合物,可干扰体内胆固醇合成,并能改善肝对脂肪的代谢,影响脂肪的分解,减少合成胆固醇的原料——乙酰辅酶 A 的生成,还有抗脂肪肝的作用。

●**胡麻子**　其性甘而微温,本是一味通便药,经研究发现胡麻子油中含有某种不饱和脂肪酸,经初步临床研究发现其具有良好的调整血脂代谢的作用。

●**山楂** 山楂性酸甘微温,本是一味消食药,中医常用它来治疗食积停滞,尤其对治疗油腻肉食积聚更有效。现代药理研究其含脂肪酶、枸橼酸、山楂酸、苹果酸、维生素 C 和蛋白质等。能扩张血管、降低血压、降低胆固醇,有增加胃液消化酶作用,从而帮助消化。用于降脂可煎汤频服,也可生食其果。

●**海带** 海带本也是一味中药,用于治疗甲状腺肿大等病。现代研究其含大量粗纤维和微量元素,能减少脂肪在体内蓄积,可使血中胆固醇含量降低,同时还有一定抗癌作用。日常可做菜常食。

●**荷叶** 即荷花之叶,有清热化浊之功,常被用来治疗夏季暑热之头胀胸闷、口渴等症。有一定减肥消脂作用,常服可使血脂下降。

●**冬瓜** 冬瓜是瓜蔬中唯一不含脂肪的,所含丙醇二酸可抑制糖类转化为脂肪,有防止体内脂肪堆积、血脂增高作用,常食可减轻体重、降低血脂。

●**绿茶** 饮茶在我国的历史源远流长,在茶叶家族中,绿茶可谓一枝独秀,它所含的营养成分是其他种类所不能比拟的。除了富含抗衰老作用的维生素 E 及维生素 A 外,最值得一提的是茶多酚,且茶叶中只有绿茶含茶多酚。经研究发现茶多酚可以降低血液中胆固醇和甘油三酯的含量,减少脂质在血管壁上的沉积,具有预防动脉粥样硬化、降低血压和血脂、防治血栓等保健作用。另外茶多酚还有防癌抗癌、增强机体免疫力、延缓衰老、抗辐射损伤的作用。但是茶多酚不耐高温,不可用沸水冲泡,饮用时用温水冲泡,便可尽可能地保留其保健功能。

药　膳

●**山楂降脂汤**　生山楂 15~20 克,水煎两次,分两次服,每日一剂,连服3~6 星期,可明显降低血脂。胃酸过多者或有嘈杂症者忌用。

●**冬瓜汤**　冬瓜肉连皮,每次 30~60 克,煎汤当茶饮服,连服 1~3 个月。

●**海带粉**　海带洗净,晒干,研成粉末。每次服 5 克,一日3 次,连服 1~3 个月。也可煎汤饮服,或与绿豆同煮粥服食。

●**葫芦茶**　陈葫芦壳 15 克,茶叶 3 克,共捣粗末,开水泡茶饮服,连服 3~6 个月。

●**荷叶粥**　荷叶 2 张,粳米 50 克。荷叶煎汤,用汤煮粳米成粥,每日食一次。也可烘干研末,每次服 6 克,一日 2 次,连续3~6 周。

饮食建议

◆保持饮食平衡,荤素搭配

◆少食动物性食物

◆胆固醇摄入量:血脂高者300 毫克/日
　　　　　　　　血脂正常者500 毫克/日

◆牛奶可抑制胆固醇的体内合成

◆大豆可增加胆固醇排泄

◆注意加服维生素

●**洋葱炒肉片**　洋葱 200 克,瘦肉 100 克,食油适量,油熟倒入瘦肉,炒至九成熟加入洋葱,洋葱炒至五六成熟出锅,即可食用。洋葱可以抑制摄食中的胆固醇进入血液,从而起到预防动脉粥样硬化的作用。

●**豆腐汤**　大豆不仅营养丰富,而且还有降低血胆固醇含量作用。香菇、木耳亦有降低血胆固醇含量的作用,因此以豆腐加香菇、木耳做汤常食可获益。

22

中　风

　　中风又称脑血管意外,是脑血管疾病的总称,主要包括脑血管梗塞和脑血管破裂出血两大类。此病在世界上40个国家的各类疾病致死率中排前三位,因中风死亡的人数,占每年总死亡人数的22.26%。至于因中风导致的残废率那就更高了。

　　显而易见,脑血管硬化、破裂出血、脑血管狭窄以及栓子阻塞脑血管——形成脑梗塞,是导致中风的罪魁祸首,因此一切容易形成脑血管硬化以及脑血管狭窄和血栓形成的疾病均是中风的前兆疾病,有效地防治这类疾病便是对中风的最好的预防,如高血压、糖尿病、高脂血症、肥胖、心脏病等。

　　这些疾病的共同特性就是血脂含量过高,血液黏稠度过大,容易沉积在血管壁上使血管硬化,形成脂肪斑块,使血管管腔变窄,血黏稠度过高又容易形成栓子,这些均可使血管堵塞、脑供血不好,形成脑梗塞;而硬化的血管失去弹性,容易破裂形成脑溢血。

在这些疾病中高血压和脑动脉硬化是一对孪生姐妹,这个双孪因素是造成中风的最主要元凶。大约有85%的中风患者患有动脉硬化和高血压病。由于长期的血管高压力刺激,会使血管硬化加重,血管硬化又会使血压不易控制,而硬化的血管,在高压力状况下以及血压波动时容易破裂而形成脑溢血;同时长期的血管高压力刺激,使血管内壁损伤、变厚变硬,脂肪斑块容易形成,使管腔狭窄,造成血流阻塞,而致脑梗塞;糖尿病中脂代谢紊乱为动脉硬化发病机理中的重要因素,糖尿病患者血糖升高,血液黏稠度增高,血液容易凝结形成栓子,且血流不畅,形成梗塞,所以糖尿病也是一个容易合并动脉硬化、引起中风的疾病,日常生活中必须对其给予高度重视。至于高脂血症、肥胖、心脏病与中风的关系,已无须在此多叙。

中风的预警症状是:半侧身体或脸部麻木或无力;语言含糊不清;头晕、头痛;行走不稳、肢体运动力弱或麻木、短暂视物不清等。这些症状有时呈一过性发作,在发作后几小时或几天后发生脑梗。如不及时引起注意,一旦中风发作,轻者半身瘫痪,手足不遂,失语或语言不流利,头晕头痛;重者神志不清,直至死亡。

中风一旦发生,治疗恢复是相当困难的,所以一定要严格控制易引发疾病,认清先兆症状,提前治疗,这是很重要的。

中风先兆

◆头晕、头痛

◆行走不稳,莫名其妙摔倒

◆经常出现半侧脸部或半身肢体麻木或无力

◆语言不如以前流利

❖ 容易诱发的因素 ❖

➡与饮食有关的原因

●**高脂肪饮食** 高脂肪饮食会导致高血脂症、脑动脉硬化、高血压和肥胖,这些无疑都会使脑动脉狭窄,容易阻塞,也使脑动脉变脆容易破裂而出血。

●**摄入大量的盐** 口味过重的人,摄入氯化钠过多,而钠离子的增多,会使水液潴留,血容量增高,直接升高血压,易诱发中风。

●**喜欢甜食** 这类人由于摄入过多的糖而会诱发糖尿病,或导致肥胖,而这两种情况都容易患中风。

●**饮酒过度** 饮酒过度会引起高血压,如果在已患高血压基础上,又饮酒过度,会使血压骤然升高,引起脑血管破裂,导致中风。饮酒经常是脑出血的诱因。

➡其他原因

●**吸烟** 吸烟对人体有害,已是老生常谈的话题,在此主要强调一下,香烟中的尼古丁能促使血脂代谢紊乱,以及导致血管痉挛,促进动脉硬化发生;另外吸烟者经常有一氧化碳进入体内,使脑细胞一时性缺氧现象频频发生,从而损伤大脑及脑血管。

●**精神紧张** 精神紧张会导致血管收缩,容易形成凝块阻塞血管。另外精神紧张,突然的情绪波动,造成血管急剧地收缩以致破裂,也是引起脑出血的重要原因。

●**运动不足和剧烈运动** 人体运动量不足,血液循环差,也被列为动脉硬化和高血压的诱因之一。相反,当已形成高血压和动脉硬化时,如做剧烈运动,往往使血压骤然升高,出现中风。

中风的危险因素

◆高血压和动脉硬化　　◆饮酒

◆高血脂症　　　　　　◆吸烟

◆心脏病　　　　　　　◆高脂肪饮食

◆肥胖　　　　　　　　◆高盐饮食

◆糖尿病　　　　　　　◆过度甜食

◆精神紧张

❖ 生活建议 ❖

➡生活调理

疾病的治疗,本应是医生的事,但是治疗方案确定后,对治疗方案的执行,主要靠患者本人对疾病的认识程度和治疗的自觉性,尤其对一些长期、慢性疾病,其控制程度和预后很大程度决定于患者执行治疗方案的自觉性,因此在这部分内容中把疾病的控制作为主要内容,进行讨论。

●**积极控制血压** 中风的最大危险成因是高血压,积极控制好血压是预防中风最主要的手段。当你患有高血压时,一定要从生活、饮食以及药物等方面积极控制血压,使血压维持在正常或稍偏高的程度,一般来说,使收缩压维持在 18.7～21kPa(140～160mmHg),舒张压维持在 12～13.3kPa(90～100mmHg)为好。不能通过服药使血压降得太低,否则很容易导致脑血栓形成。切忌血压忽高忽低,这样更容易诱发中风。因此服药要遵医嘱,不能想起来服一顿,忘记了就不服了。为了稳定血压,有必要家庭自备一台血压计,以便能天天测定。至于生活饮食方面的注意事项,详见“高血压”一节。

●**积极治疗糖尿病** 糖尿病患者易患中风,前面已经讲到,所以糖尿病患者一定要通过生活调理、饮食调理、服药治疗等多种手段,使血糖控制在正常稍高的程度。通常空腹血糖应维持在 6～7mmol/l 为佳。也不能使血糖降得太低,以防引起低血糖反应。因此也应该每天有所监测。但如果不具备每天测血糖的条件,可以每天用试纸来测尿糖,以间接了解血糖情况。大体上,尿糖值应在“＋－”至“＋”或“－”为好,但如果尿糖“－”,你

— 193 —

则要注意,是否有低血糖反应,及时调整降糖药用量。具体生活饮食的调理,详见"糖尿病"一节。

●**积极减肥** 肥胖症也是诱发中风的重要危险因素。如果你是一位肥胖的高血压患者,那么除了控制血压升高外,有必要实施减肥计划,包括控制饮食热量,控制脂肪和糖的摄入,增加膳食纤维,增加运动量和服用一些有效的营养素和药物。详见"肥胖症"一节。

●**积极防治动脉硬化** 动脉硬化是诱发中风的基础病之一,但动脉硬化是一个老化病,几乎每一个人随着年龄的增加动脉都会逐渐出现硬化现象,大体上,年龄超过 40 岁时,动脉就开始老化。在这时多食一些素食,增加维生素 E 的摄入,可以起到一定减缓硬化的作用。值得注意的是,高血压和高血脂是加快动脉硬化的主要原因,所以有这两者之中其一者,都要积极控制,不可掉以轻心。

●**控制血脂** 体内血脂增高,就会导致动脉硬化。因此,凡是高血压、肥胖者、年龄在 40 岁以上者、心脏病患者、糖尿病患者,均有必要检查血脂全项。通常甘油三酯要低于 1.8mmol/l,总胆固醇要低于 5.8mmol/l,超过这个正常值的话,就应该降血脂了,当然降血脂主要是控制脂肪摄入,增加纤维素摄入量,除此之外,也可服用一些降血脂的药物。具体可以参考"高脂血症"一节。

●**监测与控制血液黏度** 血液黏稠度,就是指有关血液黏度的各项指标,总共有 20 项之多,凡患有上述疾病者,血液黏度大多增高,那么形成血栓、引起中风的可能性就大,相反这种危险性较小。同样高血压、高血脂、心脏病、糖尿病、肥胖的人,血液黏度也可能增高,因此以上的患者,都应该监测血液黏度,一旦黏度增高,就要服一些抗凝药物来对抗,目前多用小剂量阿司匹林,每日 50 毫克。

●**多做运动**　多做运动,有利于消耗脂肪,有利于糖的降解利用,有利于增加血管弹性,可以降血脂、降血糖、辅助控制血压,从而达到预防中风的目的。

●**消除精神紧张**　精神紧张是诱发中风的原因之一,要学会克服精神紧张,心胸开阔,乐观大度,减少烦杂事情,以减少紧张的出现。一旦出现精神紧张,又要学会控制情绪,具体办法,详见"高血压"一节。切忌喜怒过度。

●**戒烟**　戒烟,可减少尼古丁对血管的刺激,降低中风的发病率,据统计,吸烟者中风发病率是不吸烟者的两倍。

➡饮食建议

●**低盐低脂肪饮食**　如前所说过量食盐不利于血压的控制,所以你必须遵循低盐饮食原则。这样有利于血压的控制,从而减少中风发生的几率。低脂饮食也是中风患者必须遵循的原则,其道理已在前面及各章节详述,在此就不多费笔墨了。

●**戒酒**　饮酒会使血压骤然升高而诱发中风,同时酗酒后神志不清及步态不稳,容易跌倒摔伤,造成脑部震动,引发中风。故而对于中风及存在脑血管硬化等中风潜在因素的患者,为预防中风的发生,应避酒而远之。

●**远离动物脂肪**　所有的营养素都是维持正常人体功能所必需的,所以我们一再强调大家要平衡饮食。脂肪也一样,在人体正常的生命活动中,它是不可缺少的营养素,是人体最重要的三大营养素之一,然而体内脂肪含量过多确实对人体是有害无益的。这在"高血压"及"高脂血症"两节中已做过详尽的交待。但是在脂肪中又有饱和脂肪和不饱和脂肪之分,一般来说动物性脂肪多为饱和脂肪,不易被人体吸收,进食过多,体内含量过高,会沉积于血管壁内而形成脂肪斑块,加速动脉硬化,引发中风,而植物性脂肪容易被人体利用,无此弊端,且还可协助降低血脂,故而平时应尽量少食动物脂肪,对于中风和高血压等患者则应尽量不吃动物脂肪为好。

●多吃胡萝卜和菠菜　有一项研究表明吃大量的胡萝卜及菠菜能大大地降低中风的发病率。胡萝卜及菠菜富含抗氧化剂,其中包括胡萝卜素,有助于预防胆固醇的形成和血液凝固。

●多食柑橘属水果　柑橘属水果含有香豆素(是天然的血液稀释剂),能预防血液凝积。

●多食海鱼类　食海鱼多的一些民族和国家中,中风发病率明显降低。鱼含不饱和脂肪酸,能增加高密度脂蛋白,而不增加甘油三酯,这对防止动脉硬化有极大好处。

●多食大蒜　有人发现大蒜中含有一种名为 Ajoene 的化合物质,是一种天然的血液稀释剂。

➡你应该了解的营养素

维生素

●维生素 E　维生素 E 能软化血管,增强动脉弹性,有利于预防中风。这仅是一方面,新的研究表明,维生素 E 与阿司匹林合用,能增强阿司匹林的抗血液凝积效果,从而能预防脑血栓形成引起的中风。因此血液黏度高者,或已有血栓形成者,应每日使用阿司匹林 50 毫克,加上维生素 E300 毫克,可预防或治疗中风。

●维生素 A　比利时的一项研究证实,维生素 A 能解除在中风病人身上造成的神经损害,而且维生素 A(血浆内)多的人,即使中风,受到的神经损害也小,恢复也快。因此有中风倾向或已中风的患者,每日应补充一些维生素 A。

预防治疗中风的生活饮食调理

◆积极控制血压　　　　◆积极治疗糖尿病

◆积极减肥　　　　　　◆积极防治动脉硬化

◆积极控制高血脂症　　◆监测与控制血液黏度

◆多做运动　　　　　　◆消除精神紧张

◆戒烟　　　　　　　　◆戒酒

◆吃低盐饮食　　　　　◆远离动物脂肪

◆多吃胡萝卜、菠菜和柑橘

◆多吃海鱼类食品

◆多吃大蒜　　　　　　◆补充钙、硒、钾

◆补充维生素 E、维生素 A 和维生素 D

矿物质

●**钙和维生素 D**　中风与摄取的钙和维生素 D 过少有关。据调查,中风患者和健康者相比,其饮食中所含维生素 D 低38％以上,钙低 17％以上。钙能降低血压,这或许是主要原因。因此预防中风,可适量加服钙剂,或添加富含钙的食物,如牛奶、鸡蛋、海产品等。

●**硒**　这种矿物质也与中风发病率有关。比起富含硒地区的人,住在含硒少的地区的人(当地生长的食物以及水里也缺硒)有较高的中风发病率。硒的良好食物来源,包括蒜、全麦、洋葱、甲壳类动物、鸡和红萝卜等。

●**钾** 在美国的一项研究显示,低钾的饮食可能是高血压的一个原因,吃一些富含钾的食物如香蕉、番茄、橙子、干杏、桃、马铃薯,有降血压、预防中风的作用。

➡营养治疗药膳

药 草

●**银杏** 银杏能改善大脑血液循环,预防血液凝积,预防和治疗中风。

●**川芎** 川芎属活血止痛类中药。具有行气活血、祛风止痛作用。中医界习惯于用其治疗气滞血淤型的痛经、经闭和产后血滞腹痛及头痛、肢体疼痛等病症,故有川芎能上行头目、下行血海之说。现代研究证明川芎含生物碱、酚类物质,以及内脂素、维生素 A、叶酸、固醇、蔗糖、脂肪油等。能增加脑及肢体血流量,能降低血小板表面活性,抑制血小板聚集,可预防血栓的形成。对于发生暂时性局部脑缺血的病人,川芎有助于溶解血凝块,改善大脑供血,是治疗大脑疾患包括中风的必用之品。治疗中风的专用方剂——补阳还五汤中,就有川芎。

●**姜** 姜是一味药食两用品。作为大家熟知的调味品,姜能使我们的菜肴味美无比。作为中药它常常被用来治疗风寒盛胃、中寒呕吐、腹中冷痛等。现代研究发现其有降低血液黏稠度的作用,所以对预防血栓有一定好处。

●**桑寄生** 在中药里桑寄生属于补肝肾、强筋骨一类的药物,经常用来治疗营血亏虚、肝肾不足之风湿痹痛、腰膝酸痛、筋骨痿软等症,因此它也常作为一味重要的组成部分出现于治疗中风后遗症的方剂中。现代研究证实它含寄生甙、齐墩果酸、β–香树脂醇等,还含有肌醇等化合物,临床观察其具有利尿、降压、降血脂等作用,用于治疗原发性高血压、血管硬化性高血压及肾炎均有效,进而从客观实验的角度解释了桑寄生的功能。

药膳

●**甘寒蔬菜** 白菜、菠菜、芹菜、冬瓜、黄瓜的菜汁加姜汁适用于中风急性期。

●**水蛭粉** 水蛭粉每日三次,每次1克,开水送服。适用于中风恢复期。

●**川芎灰菜茶** 将川芎10克,水煎取汁,另将灰条菜18克阴干,水煎取汁,混合后代茶饮,10天为一个疗程,可治疗中风。

●**香蕉花茶** 香蕉花5克,水煎取汁,代茶常饮,可预防中风。

●**粳米山楂粥** 粳米50克,山楂15克。将粳米加水煮粥,米熟时加入山楂至黏稠成粥,适用于中风急性期。

●**绿豆山楂汤** 绿豆50克,山楂15克。将绿豆加水煎煮,绿豆将熟时加入山楂,至绿豆煮熟开花后,饮汤食绿豆山楂,适用于中风急性期。

●**赤豆薏米粥** 赤小豆30克,薏米80克。如常法煮粥,适用于中风恢复期。

●**寄生煎** 桑寄生15~30克,水煎服,每日1~2次,连服28天为一个疗程。能益肝肾、舒筋通络。治疗高血压及半身不遂。

●**姜矾饮** 生姜汁一杯,白矾6克。用开水将白矾冲化后兑入姜汁服用,一天可服数次,能祛痰。治中风不省人事。

23

冠心病

　　所谓冠心病,就是指冠状动脉粥样硬化,导致心脏血管狭窄,甚至阻塞,从而形成的以心肌缺血缺氧为特点的心脏病。

　　冠心病是严重危害人类健康的疾病,在发达国家中极为常见,在美国,每年因本病死亡约 50 余万人,占人口年死亡数的 33%～50%,占心脏病死亡数的 50%～75%。在我国发病率也在逐年增加。本病多发生在 40 岁以后,男性多于女性,脑力劳动者多见。

　　冠心病的发生往往有一定的家族性,这可能与家族遗传基因缺陷有关。另外高脂血症、高血压病、糖尿病均易导致动脉硬化、冠状动脉狭窄而发生冠心病,因此患有上述疾病,必须积极治疗,以免诱发更严重的病症。

冠心病,轻者在临床上无症状,只在体检心电图时发现。最常见的是心绞痛型冠心病,临床表现为阵发性的心前区憋闷疼痛,可向左肩臂或后背放射,或胸骨后的烧灼感、刀割感。还有部分患者常表现为剑下(心口窝)疼痛不适,而被以胃病误治。一般在舌下含硝酸甘油几分钟内可缓解。数天或数星期发作一次,也可一日内多次发作。

心绞痛的典型症状

◆心前区的憋闷感、紧缩感、烧灼感、疼痛感

◆胸骨后的烧灼、钝痛、压迫感

◆疼痛向左肩背、左臂、左臂无名指、小指放射

◆舌下含硝酸甘油数分钟可缓解

心肌梗塞的典型症状

◆心前区或胸骨后剧痛,有恐惧濒死感

◆发烧,38℃~39℃

◆心律失常、头晕、昏厥

◆休克、烦躁、面色苍白、冷汗淋漓、手足冰凉

◆胃肠道反应:恶心、呕吐、打嗝

◆心力衰竭、呼吸困难、咳嗽、口唇发绀

如果冠状动脉因严重狭窄或阻塞,心肌严重而持久缺血,就会出现心肌梗塞。临床上则可出现心前区或胸骨后剧烈疼痛,伴有面色苍白、冷汗淋漓、手足冰凉;气短、心悸、昏厥、发热、恶心、呕吐、打嗝。

❖ 容易诱发的因素 ❖

冠心病的形成,主要建立在动脉粥样硬化的基础上,而动脉粥样硬化的形成,则与饮食、年龄、遗传因素、职业、肥胖以及血脂升高和血压升高有关。

➡饮食因素

●**摄入动物脂肪较多** 摄入动物脂肪较多直接导致血脂升高,而血脂进一步沉积于动脉管壁,就会形成动脉粥样硬化,如果这种粥样硬化发生于冠状动脉,则会造成冠状动脉狭窄而引发冠心病。

●**摄入盐过多** 口味重的人,喜欢摄入过多的盐,而盐的主要成分是氯化钠,钠离子能引起水潴留,增多血容量,升高血压,而高血压无疑又加重了动脉硬化,容易引起冠心病。

●**经常吃甜食** 经常吃甜食容易诱发糖尿病(详见"糖尿病"一节),而糖尿病患者,又容易引起动脉硬化,诱发冠心病。

●**过度饱食** 过度饱食经常作为冠心病心绞痛和心肌梗塞发作的诱因。吃得太饱,膈肌上抬,对心脏的压力增大,加重心脏负担,从而诱发心绞痛或心肌梗塞。

心绞痛、心肌梗塞的诱发因素

◆劳累　　　　◆情绪激动
◆吸烟　　　　◆饱食
◆受寒　　　　◆阴雨天

➡**其他原因**

●**年龄**　年龄超过40岁时，开始出现动脉硬化，超过49岁则进展加快，因此，超过40岁特别是49岁以后就成为冠心病的高发病期。

●**肥胖**　超标体重的肥胖者，易患本病。体重迅速增加者，尤其如此。这主要是由于体重增加，使全身的供血量增加，心脏负担加重，相对来说，心脏肌肉对血液、氧气的需求量也就大大增加，而肥胖患者大多血脂高，冠状动脉狭窄，供给心脏血量不足，出现供需矛盾，因此易发作冠心病。

●**职业**　从事体力活动过少而脑力活动紧张、经常有紧迫感的工作，较易患冠心病。

●**性格**　性格急躁，进取心强的A型性格的人；工作专心，不会安排休息，压力过大的人，都易患冠心病。

●**劳累**　在冠状动脉硬化狭窄的前提下，劳累必然加重心脏负担，使心肌耗血、耗氧量增加，导致心绞痛和心肌梗塞发作。

●**情绪激动**　冠状动脉狭窄时，再加上情绪激动(大怒、大喜、大悲)，可使心率增快，血压增高，心脏负荷加重，诱发心绞痛及心肌梗塞。

●**吸烟**　有人统计，吸烟者与不吸烟者相比，本病的发病率、死亡率增高 2～6 倍。主要是因为吸烟可诱发冠状动脉痉挛,血流量突降,诱发心绞痛。

●受寒和阴雨天 在受寒后,血管痉挛,血压增高,冠状动脉痉挛,心肌缺血加重,易诱发冠心病心绞痛和心肌梗塞。阴雨天,气压低,心脏负担相对要重一些,也易发作心绞痛和心肌梗塞。

引起冠心病原因

◆喜欢吃动物脂肪　　◆喜欢甜食

◆摄入盐过多　　　　◆年龄超过 40 岁

◆有遗传因素　　　　◆性格急躁、进取心强

◆活动过少和脑力劳动过重

◆形体肥胖

◆患有高血脂、高血压、糖尿病

❖　生活建议　❖

➡生活调理

●适当的体力劳动和运动 参加一定的体力劳动和体育锻炼,对于预防肥胖、锻炼心脏功能和调整血脂代谢是有好处的,从而也能达到预防本病的目的。但体力活动应根据自身体力和心脏状况来决定,应以不过多增加心脏负担、不引起不适感为原

则。不宜剧烈活动,对老年人提倡散步(每日 1 小时)、做保健操、打太极拳等。

●**合理安排工作生活** 生活要有规律,保持乐观愉快的情绪,避免过度劳累和情绪激动,注意劳逸结合,保证充分睡眠。这对于预防冠心病,或防止心绞痛、心肌梗塞的发作都有重要作用。

●**提倡不吸烟,不饮烈酒** 这可预防心绞痛、心肌梗塞的发作。但少量饮低度酒,可提高高密度脂蛋白,有利于预防冠心病。

●**积极治疗相关疾病** 如患有高血压或高血脂症或肥胖症、糖尿病等病,则应积极治疗,以预防由这些疾病加重或导致冠心病(详细情况见各节)。

●**避免骤然受寒** 冬季尽量少出户外,夏季不要置身空调风扇之下,以免诱发心绞痛。

➡**饮食建议**

●**低脂肪饮食是你遵守的原则** 年龄超过 40 岁,即使血脂正常,也应遵守这一原则,少食肥肉、动物内脏、蛋黄、奶油、牡蛎、蟹黄、鱿鱼等含胆固醇、动物脂肪过多的食物,而应食用低胆固醇、低动物脂肪、高蛋白的食物,如鱼肉、鸡肉、各种瘦肉、蛋白、豆制品等。

●**限制高糖食物,限制食盐** 含糖量高的食物,如马铃薯、甜点、糖果等有助于肥胖或诱发糖尿病,这些都是引起冠心病的元凶。盐的摄入过多,容易引起高血压,加重冠心病。

●**提倡饮食清淡,多食素食** 多食富含维生素 C(新鲜蔬菜、瓜果)和植物性蛋白(如豆类及其制品)的食物。可能条件下,尽量以豆油、菜子油、麻油、玉米油等植物油为食用油。

```
┌─────────────────────────────────────────┐
│           冠心病的生活饮食调理            │
│                                          │
│     ◆适当的体力劳动和运动                 │
│     ◆合理安排工作生活                     │
│     ◆提倡不吸烟        ◆积极治疗相关疾病  │
│     ◆避免骤然受寒      ◆低脂肪饮食        │
│     ◆限制高糖食物      ◆限制食盐量        │
│     ◆提倡饮食清淡、多食素食               │
└─────────────────────────────────────────┘
```

➡你应该了解的营养素

维生素

●**维生素C**　维生素C在脂肪代谢中,可刺激分解三酸甘油脂;在胆固醇代谢中,可刺激将胆固醇转变为胆酸。另外它还能保持动脉血管壁的完整。因此补充维生素C,完全有利于防治冠心病,患者至少每日摄取3克维生素C。

●**维生素E**　维生素E可以保护组织细胞免受脂肪过氧化的伤害,另外维生素E也参与动脉血管壁内膜的生长与修补。有研究者发现一群中年男子中,其体内维生素E含量越高,其冠心病的发病率和死亡率就越低。因此建议冠心病患者每日补充维生素E300毫克。

●**烟酸**　烟酸有降低胆固醇的作用。因而当饮食改善无效时,往往考虑用它。但烟酸也有一定副作用,如皮肤发红、发痒等。一般每日可服用300毫克。

●维生素 B_6　维生素 B_6 可降低类半胱氨酸的含量,有助于防范动脉栓塞造成的心脏病突发,且能调节血脂。每日可服用维生素 B_6 40 毫克。

●叶酸　叶酸可以让不好的类半胱氨酸转变成甲硫氨酸,如此便会减轻对血管造成伤害。每天服用叶酸不超过 5 毫克为宜。

●泛酸　乏酸属于 B 族维生素,它的活化形态可以使升高的胆固醇及甘油三酯下降。为了维持血脂正常可服用 900 毫克/日。

矿物质

●钙　钙能降低血脂,防止动脉粥样硬化。西式饮食中,含钙量往往不足,所以有西式饮食习惯者冠心病发病几率也高。冠心病患者,每日应补充 500 毫克的柠檬酸钙。

●铬　饮食中铬的含量通常都处于临界不足边缘,然而铬的缺乏却会增加动脉粥样硬化的危险。补充铬有利于预防动脉硬化和维持正常血脂。

●镁　镁是另一种饮食中易缺乏的矿物质。许多心脏病的突发,都与镁缺乏有关。镁能防止动脉硬化,减少冠状动脉痉挛所引起的心率不齐和心绞痛,减少因心脏病带来的死亡。每日应摄入 400 毫克的镁。

●硒　和钙、铬、镁情况相同,饮食中硒的含量也经常不足。体内的硒含量低时,会增加心脏病突发的危险。补充硒,每日200 微克,可以降低这种危险性。

其他

●**胡萝卜素**　胡萝卜素是胡萝卜、哈密瓜、南瓜、甜薯、菠菜中含量较丰富的物质,能有效防止、减缓动脉粥样硬化。另外胡萝卜素可被转化成身体需要的维生素 A,是一种有效的抗氧化剂。

●**抗氧化剂**　生物类黄酮给柑橘类水果和蔬菜提供了颜色。某些生物类黄酮是有力的抗氧化剂,它们能保持血液里胆固醇不遭氧化,也可避免血液太浓,使之不易结块。与维生素 C 一起使用,能改善血管和微血管的强度。因此是一种防治冠心病的良好营养素。

营养素菜单

◆每日补充 3 克维生素 C

◆每日补充维生素 E 300 毫克

◆每日补充烟酸(维生素 B_3)300 毫克

◆每日补充维生素 B_6 40 毫克

◆每日补充叶酸 5 毫克

◆每日补充泛酸 900 毫克

◆注意必要矿物质的摄取

◆每日补充一定量的胡萝卜素

◆每日补充一定量的抗氧化剂

◆每日补充一定量的必需脂肪酸

●**亚油酸、亚麻酸**　这些是人体不能制造,必须从食品中取

得的非饱和脂肪酸,在大豆、各种果核类、种子和绿叶蔬菜里含量丰富。亚油酸是一种 Omega－6 脂肪酸,在红花油、玉米油、棉籽油和豆油里含量尤其显著。亚麻酸在大豆油、亚麻籽油、棉籽油、玉米油里含量显著。它们是前列腺素的前期物质,而前列腺素及其前期物质都能使上升的胆固醇降低,并减缓动脉栓塞,降低动脉粥样硬化的危险。因此,每日摄取一定量的富含这些物质的食物是非常必要的。

➡营养治疗药膳

对于冠心病,营养药膳只适用于平时调养,预防发作,不适用于心绞痛发作和心肌梗塞之际。平素经常选用补气、活血药膳,可减少心绞痛的发作。

药草

●**丹参** 丹参能活血养血安神。内含丹参酮、丹参素及维生素 E 等成分。能扩张冠状动脉,增加冠脉流量,改善心肌缺血、梗塞和心动能,调整心律,能扩张外周血管,改善微循环,能降血脂。所以丹参是临床治疗和预防冠心病、心绞痛及高脂血症的常用药,现代临床应用的许多治疗冠心病的药物都是用丹参作原料制成。

●**红花** 红花能活血化淤止痛。内含红花黄素、红花油、花生酸、亚油酸等成分。药理研究证实,红花水提取物有轻度兴奋心脏、增加冠脉流量的作用,可用于治疗和预防冠心病、心绞痛发作。现已有红花注射液应用于临床。

●**瓜蒌** 瓜蒌能宽胸利气化痰,是一味治疗胸痹(胸痛)的传统药。近代用其治疗冠心病,根据病情不同可配伍不同药物。

动物试验证实,瓜蒌对动物离体心脏有显著的增加冠脉流量的作用,为瓜蒌治疗冠心病提供了客观依据。

●**薤白** 薤白能温中通阳、行气导滞,是一味治疗胸痹的常用药。含大蒜氨酸、大蒜糖等成分。现代药理研究证实薤白能降低动脉脂质斑块、血脂、血清过氧化脂质及抑制动脉平滑肌细胞增生等作用。

●**鸡蛋黄** 鸡蛋黄有养心安神的功效,可治疗心脏搏动无力、气短、心悸。

●**苦参** 苦参含苦参碱、苦参黄酮等物质。具有抗心率失常作用,能增加冠脉流量、保护心肌缺血及降血脂。可治疗心动过速、频发早搏等心脏疾病。

●**西洋参** 西洋参是一味常用的补气中药,具有补气、益阴、清火生津的功效,因主产于美国和加拿大,所以又有花旗参之称。内含12种以上的皂甙及挥发油、淀粉、氨基酸等成分。现代药理学研究证明,西洋参有明显的抑制心肌缺血的作用,抑制心肌梗死后高凝状态发展,增加心肌血流量,降低冠状动脉阻力,减少心肌耗氧量等,同时还有一定的抗心律失常作用。现市场上有制备好的西洋饮片出售。日常每日取 2~3 片,水泡饮食,可有一定保健作用。

●**三七** 又名参三七。具有化淤止血、消肿镇痛的功效。近年来也是治疗冠心病的常用药物之一。现代药理研究三七含三七皂甙甲、乙,有强心作用,三七能扩张冠脉,增加冠脉流量,降低血压,还有降低胆固醇的作用。

药膳

●**丹参酒** 丹参 30 克,泡入白酒 500 克中,约七天后便可

服用,每次约 10 克左右,饭前服,每日 2～3 次。可治疗并预防
冠心病发作。

●**红花酒**　红花 30 克,泡入白酒 500 克中,七天后即成,一
次 10 克,每天 2～3 次。

●**蛋黄油**　将鸡蛋煮熟,取出蛋黄,捏碎放热锅内煎出油,
用小勺不断舀出,放入容器中,每次服用一茶匙,连服一周。可
治疗心悸气短、心搏无力。

●**瓜蒌薤白白酒汤**　瓜蒌 30 克,薤白 15 克,白酒 15 毫升,
水煎服,每日一剂。可治疗冠心病心绞痛频发。

●**羊心红花汤**　羊心 1 个,红花 6 克。将红花加水 1 杯浸
泡,放盐少许,徐徐洒在羊心上,炙熟食用。可治疗预防冠心病。

●**菊决茶**　菊花 3 克,生山楂片、草决明各 15 克,开水浸
泡,焖 30 分钟后,即可代茶频饮。可降脂、降压,防止心绞痛发
作。

●**桑椹芝麻首乌丸**　桑椹 300 克,黑芝麻 300 克,首乌 300
克。共研细末装瓶,每次 9 次,每日 3 次,以蜂蜜调服。连服两
个月,血脂降低率 86%。可治疗动脉硬化。

●**丹参粥**　丹参 30 克,红枣 5 枚,粳米 50 克。丹参水煎去
渣留汁,加红枣、粳米一起熬粥,加冰糖适量,即可食用。有活血
化淤功效,主治高血压、动脉硬化和冠心病。

●**西洋参炖猪心**　西洋参 5 克,猪心一只(约 250 克),三七
1 克。将西洋参及三七放在猪心里,用棉线扎紧,放到杯子里加
盖隔水炖,45 分钟后取出杯子,待杯子冷却到温热时再开盖,晚
上睡前喝汤,次日晨起后吃猪心适量和参渣。每三天一次。三
个月后改为西洋参 10 克,三七 2 克,每七天吃一次。长期服用
对冠心病的控制可有一定好处。

24

高血压病

　　成年人收缩压(高压)超过 140mmHg(18.7kPa)，舒张压超过 95mmHg(12.7kPa)时，就称为高血压。高血压分为两类情况，一类是因为由其他疾病引起血压升高，叫继发性高血压，例如肾脏疾病、某些内分泌疾病、血管的疾病、颅脑病变，都可以有血压升高的表现，这类高血压又称作症状性高血压。另一类是原因不明的高血压，叫原发性高血压，又叫高血压病。我们日常所说的高血压一般多指此病。对于前者，其主要根源在于原发病，对高血压的治疗，是在治疗原发病过程中的伴随治疗。我们这里所讨论的主要是后者——原发性高血压。

　　正常人的血压在不同生理状态下会有一定的波动幅度，焦虑、紧张、应激状态、体力活动以及摄盐过多，其血压都可以升高,若长期持续处在这种状态,则是高血压病形成的重要因素。高血压病不仅患病率高且可引起严重的心、脑、肾并发症,是脑卒中、冠心病的主要危险因素。可见防治高血压病,对人的一生有多么重要的意义。

患高血压时,通常会出现头晕、头胀、头痛、心烦、急躁、易发脾气,双下肢疲软无力如踩棉花,面红目赤,也有的因为长时间的习惯,无任何症状。但测血压均高出正常值范围,收缩压大于140mmHg(18.7kPa),舒张压大于95mmHg(12.7kPa)。

你应当了解的名词

◆收缩压:是指心脏收缩时,射出的血液对血管的压力,也就是我们所说的高压。它的形成与心脏功能、血管情况和血容量有关

◆舒张压:是指心脏舒张时,血管内的血液对血管壁的压力,也就是我们常说的低压。它的形成主要与血管情况和血容量有关

高血压的典型表现

◆头晕、头痛、头胀　　◆心烦、急躁易怒
◆面红目赤　◆腰酸腿软　◆血压高出正常

❖ 容易诱发的因素 ❖

虽然高血压的发病原因还不十分清楚,但根据大量的实验、临床观察及流行病学的资料统计,高血压的发生还是与以下因素有着直接的、重要的关系的。

➡饮食因素

●**含盐多的饮食** 喜欢食盐的人,往往易患高血压。这主要是因为盐中含有大量的钠离子,而钠离子具有吸附水液,使血容量增加,从而升高血压的作用。根据大量的实验、临床资料统计,证明在食盐摄入高的人群中高血压患病率高;而食盐摄入量低的人群,如在阿拉斯加的爱斯基摩人中,则几乎不发生高血压。

●**含饱和脂肪酸多的食物** 这类食物,主要是动物油、肥肉、鸡蛋黄等。经常吃这些食物,会使血液中的甘油三酯、胆固醇浓度增高,过高浓度的血脂会沉积于血管壁的内膜,使动脉血管硬化、狭窄,最终使血压升高。

●**经常饮酒的人,容易患高血压** 饮酒后,心跳加快,心脏搏出血量增多,血容量增多,故可使血压升高。

➡其他原因

●**长时间的精神紧张** 经常处于某种压力下,或从事注意力高度集中的工作,或者紧张、焦虑等情绪,都会影响神经系统的调节功能,体内分泌出过多的使血管阻力增加的激素,从而促使血压升高。

●**遗传因素** 家庭中如有高血压患者,那么他(她)本人患高血压的可能性就会增大。我们所见的高血压患者,很多人都有家族性高血压。有实验及临床资料表明,我们所叙述的其他高血压促发因素,对有家族高血压病史的人,威胁更大。

●**肥胖** 几乎所有的人都知道高血压者多肥胖,这使得一些并不肥胖的高血压患者,不能理解自己为什么会得高血压病。根据资料统计发现,肥胖引起高血压的机制可能与血容量及心排量增加、升血压激素的活性增高及离子转运功能缺陷有关。

```
┌─────────────────────────────────────┐
│            高血压病的诱因              │
│                                     │
│    ◆食盐多          ◆喜欢吃肥肉       │
│    ◆常饮酒          ◆肥胖            │
│    ◆精神紧张        ◆遗传因素         │
└─────────────────────────────────────┘
```

❖ 生活建议 ❖

➡ 生活调理

●**适当做一些有氧运动** 所谓有氧运动就是通过运动可消耗氧气,加快呼吸,比如骑自行车、跑步、打球等运动项目,有规律的有氧运动还有一定的降压作用。但高血压患者,不可做剧烈的运动,剧烈运动会增加心脏负担,对健康有害。所谓无氧运动是指运动在短期完成,不消耗氧气,比如举重,这类运动对高血压患者是不适当的。

●**放松精神、舒缓压力** 前面我们讲过,高血压与精神紧张关系密切。因此我们建议,精神上一定要放松,从事脑力劳动者,不要"开夜车",适当参加一些轻松的娱乐活动,比如打扑克、下棋、散步、聊天、旅游。类似打麻将、上网时间过长,均不利于高血压。如果你处于焦虑之中,则要尽快摆脱焦虑,调整心态,也可以跟知心朋友讲讲,发泄出来,总之不要闷在心里每天去想。

➡饮食建议

●**低脂饮食是你必须遵守的原则** 喜食动物油脂的人,不仅可以患肥胖症,而且可以加快动脉硬化,增高血压,因此,降压和减肥共同的课题是少食动物油脂。具体做法是,不用猪牛羊的脂肪炒菜;少食荤菜,想吃肉时,可用鱼来代替,因鱼肉内所含的脂肪是不饱和脂肪酸,不会引起肥胖和高血压;吃鸡蛋不要吃鸡蛋黄,因鸡蛋黄内含有大量脂肪。你可以参考"附录"来选择你的食物类别。

●**饮食要清淡** 前面讲过,过量食盐会增高血压,那么毫无疑问,高血压患者均宜淡食。每一个医生都会建议高血压病人少吃盐——淡食,而且凡高血压病人,可能会有这样的经历,在你血压高不容易控制时,医生会给你用些利尿剂,利尿剂的作用主要是减少体内钠而产生降压效应。既然这样,那我们为什么不少吃些盐进去,而减少使血压升高的因素呢?淡食是一种良好习惯,但要真正做到还需有一个适应过程,否则你会觉得饮食无味,难以下咽。具体方法是吃菜不要喝菜汤,因为大部分盐都溶在菜汤里;多用其他调料,如姜、蒜、醋,代替盐的不足;早晨进食早点多是无盐的,可饱食,那么自然中午、晚上进食就减少,所进盐分减少;做菜时放盐要用小勺,边尝边放,切忌用大勺一次

— 216 —

放足,容易过量;不食熟肉制品,此类食品含盐量大。

●**规律地饮用牛奶** 最好用脱脂牛奶,因为牛奶中含有丰富的钙,因而有助于降低血压。

●**增加膳食纤维摄取量** 这有助于降低血压。

●**多吃素食** 在低脂饮食的前提下,希望你能尽量做到素食,素食中含有丰富的纤维、钾、镁及少量的脂肪和胆固醇,这样的特性除了让素食本身不易引起高血压外,嗜肉的患者在转换为素食时,血压通常也能降低,所以是一种有助于控制血压的饮食方式。

➡你应该了解的营养素

维生素

●**维生素 E** 高血压患者大多合并有动脉硬化,而维生素 E 能够软化血管,防止动脉硬化。因此服用维生素 E 是有益的。

●**维生素 C** 维生素 C 具有保护血管、防止出血的作用。毫无疑问,服用维生素 C,对高血压患者也是有好处的。

矿物质

●**氯化钠(食盐)** 无论是预防还是治疗高血压,医生都要建议限制食盐的摄取量,这是最基本的要求。有三分之一至二分之一的患者限制食盐后,血压有所下降。这对嗜盐的患者是很为难的事情,但最低要求每日也要限制在 10 克以下。

●**钾** 对高血压而言,钠的摄取量要限制,而钾的摄取量则应增加。事实上减少钠所看到的优点,很多都是因为增加钾带来的。因为当我们以天然食品代替加工食品来降低钠的摄取量时，钾的摄取量自然就会增加，所以要达到低钠高钾的目标，最可行的方法就是以低钠高钾的天然食品，替代高钠低钾的加工食品。选择含钾高的食物参照"第二部分"。

●**钙**　钙对高血压的影响也是明显的。饮食中钙量降低，容易引起高血压。高血压患者中约有三分之一至二分之一属于钙敏感者，医生可以检测出血液中钙的浓度，当含量过低时补充钙可能会对高血压有所帮助。选择含钙高的食物参照"第二部分"。

●**镁**　镁具有使血管扩张的功效。在一项探讨饮食因子的研究中发现，从一个人饮食中的镁的含量是否过低，即可以预测是否会患高血压。缺镁的人中，有二分之一患高血压，一旦镁补充足够，血压也就恢复正常了。

除非真的缺镁，否则补充镁对高血压并无帮助，有必要的话，请医生检查，是否缺乏镁。为了防止镁缺乏，每日饮食就应摄取含镁丰富的食物，请参照"第二部分"选择。

其　他

●**氨基乙碘酸**　在所有氨基酸中，氨基乙碘酸似乎对高血压最有效；饮食中此类氨基酸的含量越高，血压就越低。

●**色氨酸**　至目前为止，饮食中色氨酸含量低并未显示与高血压有何关系，但经双盲研究证实，将它加入饮食中后，可降低血压。

●**脂肪酸类**　饱和脂肪的摄取量虽然需要限制，但是如果在总脂肪摄取量低的状况下，增加某些脂肪酸的摄取，对高血压患者是有益的。经某些实验研究发现，补充亚油酸（一种脂肪酸)或油酸(存在于橄榄油中的一种脂肪酸),可能可以预防或治疗高血压。而鱼类食品中,可以提供此类脂肪酸,每周食用两次鱼,就可达到目的。

高血压患者的生活饮食调理

◆放松精神、舒缓压力

◆低盐饮食是最主要的

◆有规律地饮用牛奶　◆增加膳食纤维摄取量

◆多吃素食　　　　　◆补充维生素 E

◆补充维生素 C　　　◆补充钾

◆补充钙　　　　　　◆缺镁时,可补充镁

◆补充氨基乙碘酸　　◆补充色氨酸

◆补充不饱和脂肪酸,如亚油酸、油酸

◆适当做一些有氧运动,如骑自行车、跑步、打球等

◆低脂肪饮食是你必须遵守的原则

➡营养治疗药膳

药　草

●葛根　葛根主要含黄酮类物质葛根素、葛根黄甙等,还含有大量淀粉。现代药理研究发现,葛根能扩张冠脉血管和脑血

管,增加冠脉血流量和脑血流量;葛根能直接扩张血管,使外周阻力下降,而有明显降压作用,并且能较好缓解病人肩颈部挛紧不舒的症状。

●**黄芩** 黄芩主要含黄芩甙元、黄芩甙等成分,具有清热泻火作用。现代药理研究发现黄芩有降压利尿、解热、镇静、利胆等作用。可用于高血压病。

●**决明子** 决明子含大黄素、大黄酚等成分,还含有胡萝卜素,能清肝热、通大便。近年来常用其治疗高血压病呈现肝阳上扰,见头晕目眩、大便秘结等症者。同时决明子还能降低血清胆固醇。

●**杜仲** 杜仲内含杜仲胶、果酸、有机酸等成分,能减少胆固醇吸收,能补肝肾、降血压,对老年人高血压腰酸腿软者较佳。

●**夏枯草** 夏枯草含生物碱、咖啡酸及水溶性无机盐,其中68%为氯化钾。能清肝泻火,主要用于治疗目赤肿痛、头痛眩晕等症。现代临床研究发现夏枯草有降血压作用,并且能减轻其伴随症状,它的这一作用可能与含有大量的氯化钾以及其扩张血管作用有关。

●**其他** 菊花、罗布麻等多种中药,也具有降血压的作用。

药膳

●**菊花茶** 白菊花适量,用开水浸泡,常服,有降血压和降血脂功效。

●**葛根面** 葛根粉250克研成细粉末,把荆芥50克和淡豆豉150克用水煮沸,去渣取汁,再将葛根粉做面条放入淡豆豉汁中煮熟,空腹食用。能降血压,预防中风。

●**罗布麻速溶饮** 罗布麻叶500克,放入锅中,加水适量,煎煮 20 分钟取药液一次,再加水煎煮,如此共取药液三次,然后去渣,合并煎液,继续以文火煎煮浓缩到将要干锅时停火。待浓缩液晾冷后,拌入白糖 500 克,把药液吸净,混合均匀晒干、压碎,装入玻璃瓶内备用。服用时,每次取药 10 克,用开水冲化,即可饮用。能平肝降压,可治疗高血压。

●**芹菜粥** 将芹菜连根 120 克,切段,放入锅内,把粳米 250 克放入锅内,加水适量,熬成粥,再加入味精、食盐少量,可当饭吃。有降血压、清肝热作用。用于肝阳上亢型高血压。

●**决明子茶** 决明子 15 克,夏枯草 9 克,将决明子炒香,打碎,夏枯草切碎,开水泡茶,每日一剂。可治高血压。

●**菊藤菜** 菊花、夏枯草、钩藤各 10 克,上三味,共为粗末,煎水取汁。代茶饮,每日一剂。可治高血压。

●**芹菜汁** 鲜芹菜 250 克,洗净,沸水烫 2～5 分钟,切细后捣汁,日服一小杯,每日 2 次。芹菜有平肝清热功能,是高血压有效食疗验方。

●**菠菜** 鲜菠菜用沸水烫 2～3 分钟,麻油拌食。

●**双耳羹** 黑白木耳各 3 克,浸泡 12 小时,加适量冰糖,共蒸 1～2 小时,睡前服用。本方有滋阴补肺肾降血压作用。

●**枸杞子茶** 枸杞子 15 克,煎汤代茶常服,或同粳米煮粥食用。对高血压头晕目昏、视物不清有一定治疗作用。

25

肾结石

　　所谓肾结石就是指在肾脏内形成类似"石头"的结晶体。肾脏是一个勤劳的器官,它不断地将血液里过多的废物排出体外。目前肾结石的患病率也很高,男性约有 10%,女性约有 3%。

　　由于种种原因患有肾结石时,结石就成为一个障碍物,它阻碍排尿,形成发炎损害。

　　疼痛和血尿是肾结石两个重要病象。疼痛一般发生在发生肾结石的同侧腰部,有时会向上背部和下腹部放射。如果结石较大在肾盂中移动较小时,一般表现为钝痛或者隐痛,此时之血尿往往肉眼不能看出,只有在显微镜下才可发现尿中有红细胞。当结石较小或病人做较多的活动时,结石在肾盂中活动较多或发生梗阻时,会出现剧烈的阵发性的肾绞痛,甚至使病人面色苍白、出汗呈虚脱状态,此时之疼痛可以从腰部沿输尿管向下放射,可持续数分钟至数十分钟,也可数小时,同时伴有恶心、呕吐。此时尿中红细胞较多,甚至可为肉眼看出来的血尿,肾结石的诊断需做 B 超,或拍 X 片。

有这样一个结石长期存在,还会使肾脏发炎,出现炎症征象——尿频、尿急、尿痛和发热,有一些较大的、静止的结石,平时并无症状,只有在发生感染,进一步追究原因时,在 X 线下或做 B 超时才发现肾脏有结石。

肾结石至今尚无理想的可靠的治疗方法,所以预防在肾结石一病中,便显得尤为重要。

肾结石的表现和诊断

◆突然出现剧烈腰痛　　◆或有尿血
◆肾脏 B 超显示有结石
◆有时小便会突然中断
◆经常出现尿频、尿急、尿痛

❖　容易诱发的因素　❖

➡饮食因素

●**与饮食的偏嗜有关**　肾结石的构成,大约主要是两种成分,一是钙,一是草酸盐。而这两种物质里,真正的元凶是草酸盐。平素摄入过量的含草酸盐的食物,就会使多余的草酸盐通过肾脏时因一部分不能排出而沉积,然后吸引大量的钙而形成肾结石。含草酸盐量高的食物主要有草莓、巧克力、坚果类、茶、菠菜。因此,过度偏食这些食物的人,患肾结石的几率高。

●**饮水量太少** 有些人不喜欢喝水,这样从肾脏滤过的尿液太少,肾脏得不到冲洗,会使草酸盐和钙沉积形成结石。

●**高蛋白饮食** 含蛋白高的饮食会增加肾结石的发病率,比如鸡蛋、瘦肉等。过多地摄取这类饮食的人,容易患肾结石。

❖ 生活建议 ❖

➡饮食建议

●**低草酸盐食物** 这是你应遵守的饮食原则。

●**多饮水** 增加饮水量,可以降低尿内盐类的浓度,减少沉淀的机会,另外饮水量增加排尿量,也会增加促使一些盐类物质不断随着尿液被排出体外。所以请你每天喝 8 杯至 10 杯水冲洗肾脏,每天的排尿量达 2000 毫升以上,就不容易形成肾结石了。实际调查发现,饮水多的人,基本不患肾结石,但你要注意,喝茶太多又会增加草酸盐,易引起肾结石。

●**少食含草酸盐的食物** 完全避开茶、草莓、巧克力、菠菜、坚果类食物没有必要,只是不要过分摄入,就可以避免草酸盐的沉积。

●**注意蛋白质的摄取量** 前面已提到高蛋白饮食与肾结石发病率高有关,因此要注意自己的蛋白质摄取量。据调查蒙古族患肾结石的几率要比其他民族大。

●**多食水果、蔬菜** 多食水果蔬菜的人,患肾结石的几率小。这是因为水果及蔬菜内含有丰富的钾,而钾在肾结石的形成上,扮演着阻碍性角色。

➡你应该了解的营养素

维生素

●**维生素 B_6** 维生素 B_6 可治疗和预防肾结石,这是因为维生素 B_6 有两个作用,一是能利尿,促进排尿是冲洗肾脏的最好方法,能防止结石形成;二是能溶解结石,可用以治疗肾结石。因此我们提倡肾结石患者,每天最多可 3 次服用维生素 B_6 60 毫克。

矿物质

●**钙** 肾结石的主要成分是钙和草酸盐。前一阶段,有的医生提出限制钙和草酸盐的摄取来预防肾结石,这起码有一半是错误的。研究人员研究了 5 万个中年男性饮食,使人们大为吃惊的是,那些饮食含丰富钙质的人,比起那些吃低钙饮食的人,形成肾结石的可能性减少了 34%。换句话说,和一般人想法相反,高钙的饮食能明显对抗肾结石。这是因为草酸盐在正常情况下应该和钙结合,然后在肠道里被吸收。当钙不够时,草酸盐则会从尿道排出,必须通过肾脏,这就容易形成肾结石了。因此肾结石患者应每天服用 1000 毫克钙。

●**钾** 钾实际上能预防肾结石,这也有大量的事实。大量摄取水果和蔬菜的男人,比少吃这些食物的男人,形成肾结石的危险少一半。而水果蔬菜里含量很多的矿物质就是钾,所以人们推断钾有预防肾结石的机能。患肾结石的人,每天至少口服一片至两片钾片。

●镁 这种矿物质有助于在小的肾结石成为大问题前就把它们溶解。因此肾结石患者每天至少服用 500 毫克的镁。

肾结石患者的饮食生活调理

◆每天 8 杯水

◆少食含草酸盐的食物,如草莓、巧克力、菠菜等

◆适量控制蛋白质的摄取量,少食肉、蛋

◆多食水果、蔬菜

◆补充钙剂

◆每日服一片至两片钾片

◆每日用 500 毫克的镁剂

❧每日分三次服用维生素 B_6 60 毫克

➡**营养治疗药膳**

药 草

●金钱草 金钱草是利水渗湿类中药,含氨基酸、鞣质、挥发油、胆碱、钾盐及酚性成分等。具有利水通淋化石的作用,常

用于治疗热淋、石淋等,如肾结石、输尿管结石、膀胱结石等。现代研究证实,其煎剂有显著利尿作用,还有排石作用,并且能使小便变为酸性,而促使存在于碱性条件下的结石溶解。可以单独大量煎汤饮,也可以日常泡茶常饮,还可以与其他化坚消石药配方应用,治泌尿系结石方剂三金汤,就是以金钱草为主药组成的。

●**鸡内金** 即鸡的砂囊内膜(即鸡胃的内膜),俗称鸡肫,内含胃激素、角蛋白、氨基酸以及微量胃蛋白酶、淀粉酶等。传统用鸡内金治疗饮食积滞,有运脾之功,消食积作用较强。现代研究发现,口服鸡内金粉后,胃液的分泌量、酸度和消化力均增高,胃运动加强,排空加快。同时鸡内金还有化坚消石的作用,常用于治疗胆结石和尿路结石。

●**石苇** 石苇含皂甙、蒽酚类、黄酮类、鞣质等成分。能清热利尿通淋化石,善治尿路结石。

●**鱼脑石** 在鱼脑两侧有两块坚硬洁白的骨头,即鱼脑石,俗名鱼枕骨。具有利尿通淋的作用,主要用于治疗泌尿系结石、小便淋痛等症。

药 膳

●**鸡内金散** 鸡内金研面,每次1.5~3克口服,每天2次,适用于各种肾结石。

●**核桃茶** 核桃肉、白糖各90克。先将核桃肉磨成粉,越细腻越好,放在容器中,加入适量水调成浆状。铝锅内放水1大碗,加入白糖,置火上烧至糖溶于水,放入核桃肉浆拌匀,烧至微滚即成。代茶饮,每日1次。可排出结石,用于治疗各种尿路结石。

●**石苇茶**　石苇、车前子各 60 克,栀子 30 克,甘草 15 克。将上药共捣粗末,每日一剂,水煎代茶饮。可治疗肾结石、尿路结石、肾盂肾炎,小便短赤者为佳。

●**核桃糖酥**　核桃仁 120 克,冰糖 120 克。将冰糖溶化浸入核桃仁肉,以香油炸酥,装于密封容器内,每次食用 30～60克,每日 3～4 次。也可用市售翡翠胡桃,服法同上。本品温补肺肾,润肠通便,对于无泌尿道梗阻的状如绿豆大或大豆(黄豆)大的结石,有促使其排出的作用,对于结构疏松的结石可帮助其分解后排出。阴虚火旺者忌服本方。

●**鱼脑石散**　鱼脑石 120 克,焙干研成细末,每次 1～2 克,温水送服,一日 2 次。具有清热解毒、化石通淋之功。

●**鸡内金汤**　鸡内金 1～2 只,煮汤食用。有帮助排石和防止尿盐沉着的作用。

26

膀胱炎

所谓膀胱炎是指膀胱由于细菌感染造成炎症。导致膀胱感染的主要细菌是大肠杆菌，通常这种细菌存在于大肠内，维持肠道的弹性，但是一旦通过尿道进入膀胱时，将是一种致病菌。

与男性相比，女性患膀胱炎的几率更高，这主要由生理结构不同所致，因为女性的尿道较短，所以细菌容易到达膀胱。

患膀胱炎时，一般会出现小便次数增多，小便冲动强烈，排尿时尿道有烧灼感或疼痛，即所谓尿频、尿急、尿痛，且小便颜色深黄，个别情况会出现尿中带血，及全身发烧、寒战等症状。

❖ 容易诱发的因素 ❖

➡饮食因素

●**饮水量不足** 饮水量不足时,小便减少,不能够及时冲洗尿道及膀胱壁上的微生物,使其有在膀胱繁殖的机会。

●**喜欢食辛辣食物** 食用辛辣食物,如辣椒、白酒等,都能引起膀胱炎复发。

➡其他原因

●**尿道口不卫生** 尿道口的不清洁、不卫生是造成本病的关键所在。具体的情况又有很多。有的是因为内裤不经常换洗;有的是因为外阴不经常清洁;有的是行房前没有清洁双方性器官;有的是因为在月经期间,卫生巾没有通过很好消毒等等,都可使大肠杆菌沿着尿道上行感染致膀胱炎。

●**行房习惯不当** 某些人在憋尿情况下行房,而在性交后又不清理外阴,很容易造成膀胱炎。而有些人行房事时用避孕套,又没有适当装好,会使其压迫尿道,往往造成反复感染。

●**洗澡和游泳方式不当** 有些人喜欢盆浴,很容易造成污水灌入阴道及尿道(特别是女性),还有人在洗澡时,用淋浴液或洗泡沫浴,或在阴部周围使用一些特殊的香水或其他化学制品,结果对尿道及阴道造成不良刺激。另有些人在游泳时穿化纤游泳衣,游泳后又没有尽快换上干燥衣裤,没有使阴部尽快干燥,很容易造成细菌生长。

●**化纤内裤** 化纤内裤会妨碍适当的空气流通,促进细菌生长。

诱发膀胱炎的因素

◆尿道口不卫生　　　　◆行房习惯不当

◆洗澡游泳方式不当　　◆常穿化纤内裤

◆饮水量不足　　　　　◆饮酒和食用辣椒

❖ 生活建议 ❖

➡生活调理

●**保持尿道口清洁**　内裤要经常换洗,保持清洁,以免因内裤不洁而感染;经常清洁外阴,特别是在房事前,更要清洁双方性器官;女性在月经期间,选用质量好、消毒严格的卫生巾,以免造成经期感染。

●**纠正房事不良习惯**　房事前后一定要排尿,性交后要清洁外阴。避孕套要选择适当,最好不要进行肛交行为,以免把大肠杆菌直接带到尿道口。

●**穿棉制内裤**　纯棉内裤有两个好处,一是不刺激性器和外阴;二是透气好,不利于细菌生长,因此最好穿纯棉内裤。

●**洗淋浴和不乱用清洁剂**　最好洗淋浴,以免污水灌入阴道、尿道,洗浴时不要乱用化学清洗剂、泡沫剂或香水等涂抹阴部,以免刺激阴部和尿道出现不良反应。

●**游泳后一定换上干燥内裤**　游泳以后,尽快让外阴干燥,换上干净干燥的纯棉内裤,不使细菌生长。

➡️ 饮食建议

●**水**　经常大量地喝水,大约每天 1500~2000 毫升以上,能把附着在膀胱、尿道的微生物冲洗掉,能够预防膀胱炎。对于已患膀胱炎者,多喝水也有助于痊愈。

●**禁酒和忌食辣椒**　在患膀胱炎期间,宜食清淡、富含水分的食物,禁止饮酒和食用辣椒,以防加重或诱发膀胱炎症状。

●**新鲜果蔬**　多食新鲜蔬菜、水果,尤其富含维生素 C、维生素 A 的品种,有利于炎症消退和泌尿道上皮细胞的修复。

●**宜凉性忌温热性食物**　尿路感染期间适宜选择有清热解毒、利尿通淋的食物,如菊花茶、荠菜、冬瓜、绿豆等。

➡️ 你应该了解的营养素

矿物质

●**钾**　在治疗膀胱炎时,有时需使用利尿剂,而利尿的同时,必然会造成钾的流失,因而此时应补充富含钾的食物,如橘子。

其他

●**嗜酸菌**　假如你因膀胱炎而服用抗生素,你就应该服一些嗜酸菌营养补品。因为抗生素能够杀死正常的菌群,容易引起菌群失调,并且易患阴道酵母菌感染。嗜酸菌培养帮助身体维持正常菌群的平衡,帮助驱除酵母菌感染,所以服几个星期嗜酸菌可预防菌群失调的出现。

膀胱炎患者的生活饮食调理

◆保持尿道口清洁　◆纠正房事不良习惯

◆穿棉制内裤

◆洗淋浴,且不乱用外阴清洁剂

◆禁酒,禁食辣椒　◆经常大量喝水

◆游泳后,马上换上干燥内裤

◆补充一定的钾,用富含钾的食物即可

◆如服用抗生素的话,有必要补充嗜酸菌

➡营养治疗药膳

药　草

●**大蒜**　大蒜内含蛋白质、脂肪、糖、B族维生素、维生素C、蒜素等成分。大蒜具有把细菌和病毒置于死地的作用。不仅能杀死膀胱内细菌,而且对打击造成酵母菌感染的微生物特别有效。

●**冬瓜皮**　即我们所食蔬菜冬瓜之皮晒干而成。具有清热、利尿、通淋的功用,用于治疗水肿、小便不利、肾炎、慢性胃炎、中暑高热、昏迷等症。药膳可煮汤加蜂蜜同服。

●**玉米须**　即我们所食用玉米的须子。具有清热利湿通淋及消肿退黄疸作用。现代研究证实,玉米须含脂肪油、挥发油、树胶样物质、树脂、苦味糖甙、皂甙、生物碱等成分。有较强的利尿作用,适用于小便不通、膀胱炎、膀胱结石、高血压、肝炎等。日常可水煎取汁饮用,或用热水泡茶饮。

●**车前子** 车前子是中医治疗膀胱炎等泌尿系感染的常用药。现代药理研究证实其含黏液质、琥珀酸、车前烯醇、腺嘌呤、胆碱、车前子碱、脂肪油、维生素 A 和 B 族维生素等成分。对各种杆菌和葡萄球菌有抑制作用,有很强的利尿作用,从而临床多用其治疗水肿、膀胱炎及咳嗽、咳痰、目赤肿痛等症。日常可水泡代茶饮。

●**蒲公英** 蒲公英是一味清热解毒中药,临床常用其治疗痈肿疮毒、各种感染疮疡。现代医学研究证实,蒲公英含蒲公英固醇、蒲公英素、蒲公英苦素等成分。对多种细菌均有一定的抑制作用,此外尚有利胆、消肿、利尿、健胃及轻泻作用。煎剂还有激发机体免疫功能的作用,所以临床对其应用较广,对膀胱炎也有较好的治疗作用,日常可单一味或配合车前子等泡茶饮。

●**芥菜** 芥菜可清热解毒、通利小便。适用于慢性尿路感染急性发作。

药膳

●**蒲公英汤** 蒲公英 60 克,煎水取汁代茶饮。

●**车前子茶** 车前子 10 克,用开水冲泡 15 分钟,每日一次,代茶饮。

●**芥菜茶** 芥菜 1000 克,冬瓜皮 50 克,加水煮汤,当茶频饮。

●**玉米须茶** 玉米须 250 克,水煎服,治膀胱炎、尿路结石、膀胱结石、高血压黄疸,一日服完。也可每次 30 克,开水浸泡代茶饮。

●**黑芝麻羹** 黑芝麻 200 克,研面,每次取 15 克,开水冲服。用于慢性尿路感染所致的肝肾不足者。

●**玉车煎** 玉米须 30 克,车前草 30 克。水煎服,能利尿、消肿。

●**素炒绿豆芽** 绿豆芽 250 克,常法炒熟食用。可利尿通淋,用于治疗尿路感染。

●**赤豆内金粥** 赤小豆 50 克,鸡内金 15 克,加适量粳米,煮粥食之,可利尿消肿。

前列腺肥大

前列腺是一个核桃状的腺体,包绕着膀胱正下方尿道。只有男性有这一腺体,射精时,前列腺肌肉收缩,将前列腺液挤入尿道,成为精液的组成部分。前列腺又是男性生殖泌尿系统中最常出现问题的部位,发生率最高的当推前列腺炎和前列腺肥大(前列腺增生)。随着男性年纪增大,前列腺有一种扩大或肿大的倾向,大约三分之一年过 50 岁的男性有前列腺肥大,到 60 岁时,大多数男性的前列腺都已肥大,此即良性前列腺肥大。当前列腺增大到一定程度,会压迫尿道,妨碍排尿,所以排尿不畅及尿潴留是大多数前列腺肥大患者的第一征兆。

通常前列腺肥大的患者最常见的症状是小便尿线细,余滴不尽,排尿时间较长,或者经常出现尿急、尿道灼热,甚至尿痛,这是尿液淤积导致尿道及膀胱发炎而致。前列腺肿大严重时，还可以出现尿潴留，小便不出，甚至还会殃及肾脏。

实际上当前列腺增生到一定程度，常常选择手术来治疗，我们这里所要谈的是在生活中怎样注意，尽量不使其发展到一定要手术治疗的程度。

❖　容易诱发的因素　❖

➡饮食因素

●辛辣食物　辛辣的食物最易刺激，导致前列腺炎症加重，肿胀加重，而使排尿困难加重，如辣椒、饮酒等。

●鱼虾类食物　鱼虾类食物也能诱发前列腺肿大、发炎，导致症状加重。

使前列腺肿大加重的诱因

◆局部不良刺激　　　　◆炎症刺激

◆辛辣食物　　　　　　◆鱼虾类食物

➡其他原因

●炎症刺激　肿大的前列腺经常会并发前列腺炎症，而这些炎症的刺激，会使肥大的前列腺更加肿胀，导致临床症状，如尿频、尿急、尿痛、小便不通、尿潴留。

●**局部刺激** 受凉、劳累、长途骑车和未能及时排尿等因素,均能引起前列腺和膀胱颈部突然充血肿大,甚至出现急性尿潴留,经常性的如此充血刺激是助长前列腺增生的因素之一。

❖ 生活建议 ❖

➡ 生活调理

●**减轻体重** 肥胖超重的男性患前列腺肿大的几率要高,年龄段要提前。一般男性前列腺肿大发生在 60 岁以后,而肥胖型的男性可提前 10 年,所以前列腺增生的肥胖患者应在生活和饮食中注意减肥。

●**温水坐浴** 温水坐浴可使前列腺内血管扩张,改善前列腺血液循环,有助于减少发炎及炎症恢复,舒缓被刺激的前列腺。

●**运动** 运动也很重要,走路是很好的运动,这样可促进局部的血液循环以及肌肉运动,有利于排尿。

➡ 饮食建议

●**水** 多喝水多排尿会冲走造成尿道感染的细菌,这样可大大减少前列腺感染的机会。因为尿道感染是造成前列腺感染,促进前列腺肥大的重要原因。

●**药膳** 适当服用补气和增强体质的药膳,帮助疾病恢复。

●**禁食辛辣食物** 辛辣食物如前所述,不利于控制前列腺的炎症和肥大,所以患有此病的老年男性,最好不要吃辣椒等辛辣调味品。

●**少食鱼虾** 鱼虾类食物也诱发前列腺发炎,老年患者,尽量少食鱼虾,特别是海鱼及海产品中动物食品。

●**富含锌的食品** 锌在男性生殖系统扮演了很重要的角色,在前列腺增生中也一样,所以此类患者应尽量吃一些富含锌的食物,如南瓜子、牡蛎、腰果、酵母、牛排、脱脂奶粉等。

●**清热解毒食品** 多食具有清热利湿解毒功能的食品和药膳,使排尿保持通畅,避免出血和感染的发生。

前列肥大患者的生活饮食

◆减轻体重　　　　◆温水坐浴

◆多饮水　　　　　◆禁食辛辣

◆少食鱼虾

➡**你应该了解的营养素**

矿物质

●**锌** 在前列腺中,锌的含量比其他任何器官中都要高,可能是因为前列腺中雄性激素的新陈代谢需要锌这种矿物质参与的缘故。当前列腺肿大时,前列腺细胞与锌的结合会少,因此,即使前列腺的锌含量不足,而血液中锌的含量也显示正常,但前列腺细胞中实际上锌的含量却仍然可能不足。在一些实验研究中发现,补充锌能够有效地减少大部分男性前列腺肥大的情形以及相关的一些症状。因此前列腺肥大患者,应每天补充锌50

毫克。

其 他

●**氨基酸** 在多项研究中发现,结合三种氨基酸(L－麸氨酸、L－丙氨酸及甘氨酸)可有效治疗前列腺肿大。研究报告中指出,它们对于前列腺的缩小和症状的改善都有帮助。

●**必需脂肪酸** 当睾丸脂酮(雄性激素的一种)进入前列腺细胞时,会刺激腺体成长,同时,它也会刺激类似激素的化学物质前列腺素释放,前列腺素又会抑制睾丸酮与前列腺的结合,以避免前列腺无限制成长。随着年龄增大,前列腺素合成减退,睾丸酮与前列腺的结合增加,造成前列腺细胞无限制成长,这时,前列腺素的前身物质——必需脂肪酸的补充就可以让此情况不再继续发展下去。因此前列腺肥大者,应每日补充混合的亚油酸、亚麻酸和花生油酸。数周以后,则前列腺可缩小,排尿力增加。

前列腺肥大者每日应补充的营养素

◆每日补充锌50毫克

◆每日补充氨基酸(L－麸氨酸、L－丙氨酸及甘氨酸各250毫克)

◆每日补充亚油酸、亚麻酸、花生油酸适量

➡ **营养治疗药膳**

药草

治疗前列腺肥大和预防其合并炎症,如尿频、尿急、尿痛或小便不通症状的出现,关键在于保护小便通畅。

● **赤小豆**　赤小豆内含蛋白质、脂肪、粗纤维、维生素 B_1 和维生素 B_2、维生素 C、烟酸、钙、磷、铁、皂甙等成分。能清热利尿,保持小便通畅,预防尿路感染及尿潴留,有利于前列腺肥大的治疗。药膳食法可煮粥,或单一味煎汤饮,每次用量 15～50克。

● **白茅根**　白茅根内含白茅素、钾等成分。能清热凉血,有显著的利尿作用,且利尿而不丢钾,可能与含多量的钾有关。可预防尿路感染,治疗前列腺肥大。

● **莴苣**　莴苣又名莴笋,内含钙、磷、铁和多种维生素,有通血脉、利小便之功。可做菜食用。

● **玉米须**　详见"膀胱炎"一节。

药膳

● **鲜拌莴苣**　莴苣 250 克,切成细丝,加盐少许,拌匀后去汁,再将调料放入碗内,拌匀即成,可作为佐餐食用。有利尿之功效。

● **赤小豆粥**　将赤小豆、粳米放入锅内加水适量,用武火烧开,文火熬成粥。在粥内放少量食盐、味精。可当饭吃。

● **茅根甘蔗茶**　白茅根 100 克,甘蔗 100 克。共煎汤,代茶饮。有利尿之功。

●**冬瓜汤** 冬瓜 500 克,煮汤三大碗,分 3 次服。此方可治前列腺肥大导致的癃闭。

●**海蜇汤** 海蜇 200 克,荸荠 10 克,水 5 碗,煮至 2 碗,分两次服用。可治前列腺肥大导致的癃闭。

●**胡桃粥** 核桃肉 30～50 克,粳米 50 克。粳米加水以常法煮粥,核桃肉去皮捣烂,粥熟后加入,调匀。浮起粥油时即可食用。早晚各 1 次。核桃肉性味甘温,有壮腰补肾、润肠通便之功效。此款可用于伴有大便硬结压迫前列腺造成的尿潴留。

●**山药车前子粥** 生山药 30 克研细末,生车前子 12 克。先将山药粉用凉水调成稀糊,再放入车前子同煮成稠粥,不拘时食之。具有健脾固肠、益肾利尿之功,可用于兼有肾气虚之前列腺增生小便不利者。

●**高粱蛸粥** 高粱米 100 克,桑螵蛸 20 克。先加水煮桑螵蛸,取药汁与高粱米煮成粥食用。有清利湿热作用。

28

阳 痿

　　所谓阳痿是指男性在青壮年时期,阴茎不能勃起或无法维持一个适当的勃起状态以满足性行为的疾病。阳痿在青年时期,发病率较低,但到中年时期,发病率日渐增高,40岁左右大约有5%的男性患阳痿,50岁至60岁,则阳痿的发病率依次为10%至15%。阳痿是最伤男性自尊的疾病,他们到处求医问药,身心疲惫,夫妻之间心存芥蒂,有的甚至导致家庭破裂。这是一种值得重视的疾病。

❖ 容易诱发的因素 ❖

绝大多数阳痿是功能性的,另外一些相关疾病也能导致阳痿。

➡饮食因素

●**饮酒** 饮酒大概是对性影响最不良的习惯了。大量饮酒能刺激男性的性交欲望,但却抑制男性阴茎的正常勃起和射精,长期酗酒会损害阴茎的神经,使男性患上阳痿。

➡其他原因

●**男性老化** 随着年龄增长,男性体内分泌的一些雄性激素降低。首先当年龄增大时,肾上腺素下降,进一步导致脱氢表雄甾酮的量下降。40 岁时脱氢表雄甾酮只是 20 岁时的一半,对于某些人来说,脱氢表雄甾酮甚至急速下降。为什么低量的脱氢表雄甾酮是形成阳痿的因素呢? 有几个原因,首先脱氢表雄甾酮在身体内被转化成睾酮,而睾酮控制男性和女性两者的性冲动,因此,脱氢表雄甾酮增强性的效果;其次男性低量的脱氢表雄甾酮和患心脏病危险性增高有关联,而心脏病会大大增加男性阳痿的可能性。

●**精神压力** 很多事实表明,精神压力大的男性,最容易患阳痿,而阳痿又导致精神压力更大,造成恶性循环。许多男性反映精神压力减除之后,性功能也有所恢复。这可能与精神压力导致体内的分泌失常和循环不良有关。

●**性生活过度和少年误犯手淫** 性生活在正常情况下,应是有节制的,青年时,25 岁以下两天一次,25 岁以上每周两次,40 岁以上则一周一次为适当,如果性生活过度,必然使这一反射机制疲劳而出现阳痿。少年时手淫过度同样也能导致反射机制疲劳而出现阳痿。

●**吸烟** 吸烟的男性更有可能产生阳痿,这可能与吸烟造成动脉的痉挛有关。

●**疾病的影响** 在疾病当中,能引发阳痿的疾病,主要有心脏病、糖尿病、高血压和前列腺肿大。

心脏病、高血压及糖尿病都会引起循环失常,大大增加了发生阳痿的可能性。原因很简单,为了维持正常勃起,血液必须很顺畅地流向阴茎,假如有动脉硬化,使得动脉输送血液到阴茎变得困难,那就不可能维持勃起状态。而以上三种疾病都与动脉硬化有关。同时高血压患者服用降压药,亦会阻碍阴茎正常勃起。糖尿病的血糖升高,尤其能造成神经损害,以致妨碍勃起。前列腺肿大等疾患,则更能直接影响性功能,导致阳痿。

引起阳痿的常见原因

◆男性老化　　　　◆精神压力

◆性生活过度　　　◆少年手淫

◆吸烟　　　　　　◆心脏病

◆高血压　　　　　◆糖尿病

◆前列腺肥大　　　◆酗酒

❖ 生活建议 ❖

➡生活调理

●**消除精神压力** 对精神压力的危害性,我们已多次提到,所以要想使身体健康,必须学会自我调整,消除精神压力,这对维持正常的性功能也不例外。这就要求合理安排工作和学习,不致身心疲惫,遇上烦心的事情;要学会排遣,保持乐观,这对延长性生活年龄也是有帮助的,是预防阳痿的有效措施。

●**性生活适度** 性生活适度有利于健康,更能预防阳痿。在下列情况下不宜进行性生活:①饮酒后不宜性交,此时性机能受到抑制,勉强为之,有损身体,更易使反射机制疲劳。②大风、大雨、打雷天不宜性交,以免受惊致阳痿。③饱食后不宜性交。④不安静的环境下不宜性交。

●**杜绝手淫恶习** 有手淫恶习,一定要杜绝,因为手淫对将来的性生活,无论从生理、心理上都有不良影响。

●**不酗酒** 少量饮酒对性生活可能还有一定益处,但酗酒却相反,因此千万不可经常酗酒。

●**忌烟** 已患阳痿者,一定要忌烟,未患阳痿者,也要注意减少吸烟量,以防造成血管痉挛引发阳痿。

●**积极治疗相关疾病,预防动脉硬化** 如果患有心脏病、高血压、糖尿病、前列腺肥大等易引起阳痿的疾病时,一定要高度警惕,积极治疗相关疾病。最好能从预防这些疾病出发,进行生活饮食调理,实际上也就起到预防动脉硬化出现、预防阳痿的作用。这就要求在饮食上要遵循低盐、低脂肪、低糖、高蛋白的饮食原则,多摄取纤维,营养上多摄入富含维生素 E、维生素 C 及锌、钙、镁等物质的食物。还要采取适量运动、避免肥胖等一系列措施来预防阳痿。

➡你应该了解的营养素

维生素

●**维生素 E** 这种维生素不仅改进全身循环,而且是一种有力的抗氧化剂,能够减低血胆固醇和预防动脉硬化。每个男人都应该服用维生素 E,不论是从含量丰富的食物中,还是专门补充。

●**胡萝卜素** 胡萝卜素在身体需要的时候被转换成维生素A。维生素 A 提供制造性激素的原料。因此为了使性激素不缺乏,就最好补充胡萝卜素。富含胡萝卜素的食物在"第二部分"中可查到。

矿物质

●**锌** 锌是形成睾酮的要素。男性的体内含锌量低,可导致阳痿,也可导致男性不育。因此有必要补充锌,且锌有助于前列腺肥大恢复。

●**镁** 这种矿物质有促进脑部产生两种使性冲动的主要化学品,即多巴胺和乙酰胆碱。

其他

在前面我们已提到脱氢表雄甾酮,随着年龄老化,此激素在男性体内减少是导致阳痿的重要原因。因此 40 岁以后补充一些脱氢表雄甾酮,可以预防阳痿的发生。这类营养素,可经医生处方得到。

阳痿患者的生活饮食调理

◆消除精神压力　　　　◆性生活适度

◆杜绝手淫恶习　　　　◆忌烟

◆不酗酒　　　　　　　◆积极治疗相关疾病

◆补充维生素 E　　　　◆补充胡萝卜素

◆补充一些脱氢表雄甾酮

◆补充一定的矿物质,如锌、镁

➡ **营养治疗药膳**

药　草

●**淫羊藿**　淫羊藿属补阳类中药,常被用来治疗阳痿,且与其他补阳药相比药性比较温和,不易出现口干舌燥等"上火"表现。现代研究证实,淫羊藿含淫羊藿黄酮、淫羊藿甙及多糖等成分。此外尚含生物碱、固醇、卅一烷及维生素 E 等。能促进阳痿动物的核酸、蛋白质合成,并具有雄性激素样作用,能促进精液分泌,提高性欲和兴奋性机能;能提高机体免疫功能,特别是对肾虚病人免疫功能低下有改善作用;实验还证明动物在食用它以后,会提高性欲。如上研究均为中医界用淫羊藿治疗阳痿找到了理论依据。临床一般将淫羊藿用于肾阳虚的阳痿,有温肾壮阳、益精起痿之效。可单味浸酒服用。

●**牛鞭** 牛鞭和驴鞭、鹿鞭及其这些动物的睾丸、肾脏都含有刺激雄性激素产生的物质,对兴奋性欲、提高性机能和生殖功能有良好的作用。可用于防治阳痿。但这些药物最好用于治疗,而不要用于预防。

●**韭子** 即我们日常所食韭菜之成熟种子,内含硫化物、甙类物质、蛋白质、维生素 C 等物质。具有温补肝肾、壮阳固精的作用,对肾阳虚衰引起的阳痿、遗精、腰膝酸软、小便频数、遗尿等症为常用品,单用本品可研面做散剂冲服。有古方"秘精丸"就是以韭子为主药制成丸剂,治疗肾气不固、滑精频作的方剂。日常饮食也可多食韭菜代之。

●**当归** 当归内含挥发油、不饱和油酸,能扩张血管,使血液流畅地到达阴茎,是防治阳痿的主要药物。事实上所有活血、扩血管的药物都有此作用,如丹参、银杏、川芎等。

●**肉苁蓉** 肉苁蓉是一味常用的补阳药,其成分含有微量生物碱和结晶性中性物质,肉质油润,具有补肾、益精、润燥、滑肠的功效,是补肾益精的佳品。其药性更为柔润,补阳还能益阴。适用于男子阳痿、女子不孕、带下、血崩、腰膝冷痛、血枯便秘等症。药膳食法可蒸鱼、煮粥、煮汤等。每次用量10~15克。

●**虾** 虾内含蛋白质、脂肪、碳水化合物、钙、磷、铁、维生素 A、维生素 B_1、维生素 B_2 等营养成分。具有壮阳托疮、益肾强精的功效。适用于肾阳亏虚阳痿、畏寒、体倦、腰膝酸软及乳痈溃烂、寒性脓疡久不收口等。日常做菜可常食用虾及虾米等,既可饱享口福,又可防治阳痿。

药膳

●**虾米茶** 虾米 500 克,拌少量盐,待水烧开,把虾放入煮熟,捞出晒干,去壳,然后装入瓦罐密封。泡茶时,杯内放入虾米,加适量白糖,闷泡 5 分钟后即可服用。每次 10 克,1 日 2 次,边喝边品杯中虾米。

●**壮阳散** 牛鞭一根,韭子 25 克,淫羊藿 15 克,菟丝子 15 克。将牛鞭烤干磨细,其他药炒黄磨细,将上药混和拌匀,每晚用黄酒冲服一匙。

●**羊肾粥** 羊肾 100 克,粳米 200 克。将羊肾去皮筋洗净,加水煮成汤;将粳米放入羊肾汤中煮熟,即可食用。能治阳痿。

●**狗肉粥** 狗肉 100 克,粳米 150 克。将狗肉切碎调味备用;将粳米加水煮粥,待半熟时,加入狗肉搅匀,煮烂即可食用。能防治阳痿。

●**肉苁蓉羊肉粥** 肉苁蓉 15 克,精羊肉 100 克,粳米 50 克。肉苁蓉加水煎煮,煮烂后去渣留汁;羊肉切片后入药汁中,加水煮烂;粳米加水,如常法煮粥,待半熟时,加入如上肉及药汁,煮至米开汤稠加入少许葱、姜,熟后温热服用。此款补肾益精作用很强,适用于肾虚阳痿、遗精早泄、腰膝冷痛、筋骨赢弱、阳虚便秘、性机能减退等症。

●**鲜奶玉露** 粳米 60 克,炸核桃肉 80 克,生核桃肉 45 克,牛奶 2000 克,白糖 12 克。将粳米淘净后用水浸泡 1 小时捞起,沥干水分,粳米、生核桃肉、炸核桃肉、牛奶、清水放在一起拌匀,用小石磨磨细,再用细筛滤出细茸待用;锅内加清水,武火烧沸,加白糖,烧至糖溶化滤去渣,再烧沸,然后将核桃茸慢慢倒入锅内,待熟后装碗即成。有壮阳滋补作用。

●**人参枸杞酒** 人参 20 克,枸杞子 350 克,熟地 100 克,冰糖 400 克,白酒 10 千克。人参去芦头,用湿布润软后切成片,枸杞除去杂质,一同装入纱布袋内,扎紧袋口;冰糖放入锅内,加适量清水,用文火烧至冰糖溶化,呈黄色时,趁热用纱布过滤,去渣留汁。将冰糖汁、纱布袋及熟地放入酒内,封严酒坛口,浸泡10~15 天,每日翻动搅拌 1 次,泡至人参、枸杞颜色变淡,用纱布滤去渣,再静置到澄清即成。本品具有大补元气、安神固脱,滋肝明目的作用。适应于治疗阳痿、腰膝酸痛、劳伤虚损等症。

29

痛　经

　　这里所要谈的是原发性痛经——指盆腔不伴有任何器质性病变者。很多妇女回忆起自己的年轻时代，都曾有过痛经。这种痛经在未婚女子中较多见，多数在月经初潮或初潮后不久发病，下腹痛是痛经的主要症状，疼痛常于经前数小时开始，大多数妇女患的是轻度痛经，表现为月经时下腹部轻度疼痛、坠胀，伴有疲乏，但不影响工作、学习及睡眠；重者下腹部疼痛剧烈，痛感放射到外阴、肛门、腰骶部、耻骨联合处并扩散到大腿内侧，有的还伴有头痛、恶心、呕吐、腹泻、烦躁、四肢厥冷、面色苍白、冷汗，甚至会出现一过性晕厥，不过这样的痛经只占极少数。本病的发生可能与子宫发育欠佳、子宫肌痉挛、经血流出不畅及受寒饮冷、情绪紧张以及全身健康状况欠佳等因素有关。这类病人往往查不出有什么明显盆腔病变,随着发育、健康改善或结婚、生育后会自行减轻或消失。

痛经轻者往往不求治疗,只是抱着每月忍几天的态度度日,痛经重者也多以止痛药解一时之难,而不求坚持治疗。其实痛经者只要生活中注意调理,避免诱发因素,再配合以中医辨证用药,还是能够及早治好的。对于少数痛经剧烈而屡治不愈的患者,必须进行全面的检查,寻找原因,及时治疗。

你知道吗

◆大多数女性不适宜贪吃冷饮
◆任何寒凉都是对痛经者的极大威胁

❖ 容易诱发的因素 ❖

我们前面讲到过,痛经的发生,其原因并不十分清楚,但认真寻找一下,其发作还是有一定规律的。

➡饮食因素

我国传统饮食文化一向强调"热无灼灼,寒无苍苍",即热食忌滚烫,寒食忌冰凉。冷饮是一种舶来品,不少人,尤其女孩子非常爱吃冷饮。近20年来冷饮更加普及,花色翻新,人们除了吃冰糕、冰淇淋外,各色饮料也要加冰,喝酒也要加冰,吃冰及冰镇食品已经成为一种时髦。岂不知在这盲目地陷入时髦之时，已经给身体带来了潜在的危害，痛经的发生即为一例。有专家与岳美中老教授探讨城市女青年的妇科病何以比农村的多时？岳老意味深长地答了三个字："冰糕么！"可见冷饮已成为城市女青年妇科病的一大隐患，对此有这样一类例子，曾有多少演员及运动员为演出或比赛与月经期撞车而苦恼，于是有人献"良策"曰：月经来时大量吃冰淇淋。此法果然生效，但随之而来的往往是闭经、痛经及种种月经不调的表现。

　　不知我们的读者是否有过同样的经历。不过美国科学家曾经做过一个实验，将人的大脚趾浸入4℃的冷水中，半分钟后即发现其鼻黏膜血管强烈收缩，而且分泌物中的抗体量急剧降低，这就是脚部受凉后容易感冒的病理学根据。推而想之，胃黏膜的面积比一个足趾大几十倍，0℃以下的雪糕比4℃的水要冷得多。显然吃冷饮引起的全身反应也要强烈得多，子宫内膜血管的强烈收缩而致月经量锐减是可以理解的，经血不畅，发展为痛经，这是一个多么浅显的道理，可见贪图一时痛快，实在是遗害不浅。

　　有研究者将人类的体质分为六大类型，除一种正常质外，其他五型为介于健康与疾病之间的病理体质，分别为倦㿠质、迟冷质、腻滞质、晦涩质、燥红质。燥红质以口干舌燥、内热很重为特征，属可以吃冷饮之类，正常质也应少吃，那么其余四类均不能吃冷饮。你可以判断一下是否属于燥红质，如果不为燥红质之类，最好慎食冷饮，因为在一时痛快之后，便是难忍的痛苦。

　　我国有多少人体质属燥红质和正常质？有研究者对上海育龄妇女做了多年观察发现，正常质仅占15％，燥红质也占15％。那么70％的妇女是不适合吃冷饮的，所以希望你能认真分析一下，你的痛经与冷饮究竟有多大关系？

➡其他原因

●**寒凉** 寒冷往往是诱发痛经加剧的重要因素,前面在饮食原因中已做过说明,冷食冷饮可以造成子宫内膜的强烈收缩而致痛经发作,实际上生活中任何寒凉因素都可成为痛经发作和加重的原因。因为过强的冷刺激可使子宫及盆腔内血管挛缩,引起腹痛或月经骤停,还会加重腰酸、下腹坠胀、头痛等经期反应,甚至出现恶心、呕吐、腹泻等胃肠功能紊乱的症状。根据长期临床观察发现,母亲与痛经的女儿一样对经期涉水、游泳、淋雨、凉水洗浴、冷食冷饮表示漠然,而从这些痛经的年轻女子的症状看,大多表现出寒凝经脉的征象。在中医界有这样的理论曰"寒主收引"、"不通则痛",其意即为感受寒凉,使血脉挛缩,血液循环不通畅,则会引起疼痛。在生活中还有虚寒体质者感受寒凉后发生胃痛的现象,也是这个道理。所以对于痛经女子,应绝对避免任何寒凉因素。

●**精神、神经因素** 精神紧张、恐惧、忧虑、过度敏感,均可导致痛经。

●**生理、内分泌因素** 一些痛经的发生是由于患者本人子宫的位置与发育造成经血外流不畅,有时也与体内的前列腺素含量过高导致子宫强烈收缩有关,这些因素都是造成痛经的原因之一。还有因其他疾病所造成的继发性痛经,不在我们讨论范围之内。

●**劳累** 经期前过度劳累也会造成痛经。

❖ 生活建议 ❖

➡ 生活调理

●**避免寒凉、注意保温** 这是痛经者以及所有妇女首先应做到的,尤其月经前后应绝对避免接触寒凉,如用凉水洗衣洗菜、淋雨、洗脸、洗脚,这都是不应该发生的,而且应该衣着适合时令尽量保暖,特别是下半身及两足的保暖更为重要。同时在月经来潮时用暖水袋热敷下腹部,可以减轻痛经的程度。

●**劳逸结合、精神愉快** 这也是痛经妇女的生活准则,因为过度劳累及情绪波动都可加重痛经程度。

●**注意经期卫生** 勤换洗内裤,保持卫生是很重要的。

●**简易止痛** 这里推荐一些患者自己在家可自行操作的有效治疗方法。

塞耳法 以 75% 酒精棉球(湿润即可)塞于耳孔,一侧或两侧均可,可缓解疼痛。

敷脐法 肉桂 10 克,吴茱萸 20 克,茴香 15 克,元胡 15 克,共研为细末,用黄酒适量炒热敷于脐部,并用胶布固定。冷后可再炒热熨敷,以不烫伤皮肤为度。适合于寒湿凝滞所致之痛经,拒按喜暖、经血色暗、四肢不温者效佳。

➡ 饮食建议

●**基本饮食原则** 这同样是痛经患者所需要遵循的原则。另外慎食过于辛辣之品也是应该遵循的原则之一。

●**禁食寒凉之品** 忌食寒冷饮食是痛经者绝对应该做到的。我们说过不论你是因为什么原因引起痛经,接触寒凉绝对是加重痛经或引起痛经的又一原因。前面所讲的是生活中其他方式的冷接触应该避免,那么饮食方面的寒凉因素更应完全拒绝,尤其经期前及经期,平时根据气候稍做选择尚可,但也要根据个人反应,必要时应完全避免冷饮雪糕。这对贪嘴的少女也许不太容易做到,那你想想,你愿意每月都有几天痛得死去活来吗?

➡️ **你应该了解的营养素**

维生素

●**烟酸** 1950年霍金斯医生对他的80位严重痛经的患者使用了烟酸之后,痛经获得了缓解,但是尚无证实烟酸治疗痛经原理的资料,但至少烟酸的疗效使它成为一种可选用的方法。不过烟酸会产生发热的副作用。

●**维生素E** 1955年曾有人对100位痛经患者做了维生素E与安慰剂的对照研究,维生素·E组的妇女于经前10天开始服用,共服用14天,两个月经周期后,有68%的痛经得到改善,而安慰剂组则无改善。

最近俄罗斯有研究发现维生素E能刺激体内产生安多芬而使痛经得到缓解;维生素E对痛经有作用的另一原因在于,它除了能刺激安多芬产生外,还能调节前列腺素,这就是为什么要在月经来潮前10天开始服用的原因,因为在注射维生素E后的15分钟,体内就会产生安多芬,而对前列腺素含量的调节则需早些。

矿物质

●**镁** 有研究提示,补充镁可能对轻度的痛经有效,因为镁能缓解子宫平滑肌和血管的痉挛,并可减少前列腺素的合成量。

●**铁** 有资料表明,对于患有缺铁性贫血的痛经患者,补充铁之后可缓解或减轻痛经。但是未经过医生诊断你体内缺铁,不可随便服用铁剂,你完全可以用别的方法来减轻痛苦。因为铁会加重肝的负担,或引起胃肠道的副作用,所以必须在医生指导下服用。

➡ **营养治疗药膳**

药草

●**覆盆子** 在中药中覆盆子本属一味益肾摄尿的良药,善于滋养肝肾,又可明目,常用于遗精、早泄、多尿、遗尿及眼目模糊。据现代报道其成分含有枸橼酸、苹果酸、水杨酸、挥发酸油、果胶、葡萄糖及少量抗坏血酸,维生素 A 类物质。还有资料报道覆盆子萃取物,有使平滑肌松弛的效果,在意大利给痛经患者服用后疗效颇佳。

●**益母草** 益母草是一味很有名的妇科药,药理研究报道益母草剂对家兔子宫有兴奋作用,可使子宫紧张与收缩率增强,频率加速。常用于月经不调、痛经等症,有其代表方益母丸专治月经不调;亦可用益母草一味煎服或加糖熬成益母草膏服用。益母草膏有现成制剂。

●**川芎** 原名芎䓖,是一味活血止痛药,其内含生物碱、酚性物质、内脂素、维生素 A、叶酸、固醇、蔗糖、脂肪油等,药理实验证明其使孕兔离体子宫收缩加强。传统常用川芎治疗由于淤血阻滞所导致的月经不调、经闭、痛经、产后淤滞腹痛以及跌打损伤等,还常用其治疗头痛,但月经过多时不宜使用。

●**当归** 其性甘辛温。现代医学研究表明当归含有挥发油、叶酸、烟酸、维生素 B_2、维生素 B_{12}、维生素 E 等成分。认为它有抗贫血作用,还能改善血液循环,增加冠状动脉血流量,可防治冠心病。清朝皇帝乾隆的长寿方中,当归是最为常用的药。中医传统上认为当归既能活血又能养血,擅长调经,是妇科疾病的常用药。凡是月经不调、血虚经闭、痛经、崩漏、胎产诸症以及血虚头痛、眩晕等症均有效。药膳用法可蒸鸡、泡酒、熬粥等。

●**韭菜** 韭菜是我们经常食用的蔬菜。中医认为其性辛甘温,具有温补肾阳、健胃、增强食欲的作用。现代医学研究其含挥发油、粗纤维素等成分,适用于肾阳不足所引起的痛经、腰膝冷痛、小儿遗尿、产后出血、胃中虚热等症。

●**姜** 即我们日常做调味品的鲜姜或干姜,其性辛温。含有姜油萜、小茴香萜、樟脑萜、姜酚、桉叶油精、淀粉、黏液等成分。具有温中散寒、健胃进食、止呕等作用,常用于治疗中寒呕吐、腹中冷气、胃纳不佳、寒凝痛经等症。

药 膳

实证型痛经多因气滞血淤、寒湿凝滞所致。表现为经前或经期下腹部胀痛或冷痛(用热敷可以缓解),月经量少,滴沥不畅,颜色黯紫,或有淤血块(排出后往往疼痛减轻),乳房胀痛,怕冷畏寒,面色苍白。可选用如下三款药膳或同类药膳服用。

●**姜糖饮** 生姜 3 片,赤砂糖(或红糖)30 克,煎汤热服,如加艾叶 9 克共煎,止痛效果更好。

●**川芎煮鸡蛋** 鸡蛋2只,川芎9克,黄酒适量,加水300毫升同煮。鸡蛋熟后去壳,再入汤内煮5分钟。吃蛋喝汤,日服一次,5剂为一疗程。适用于有淤血者。

●**姜枣花椒汤** 干姜30克,大枣去核30克。加水400毫升煮沸,然后投入花椒9克,改用文火煎汤。一日一料,分两次温服。5剂为一疗程。月经来潮前3日开始服。适用于畏寒怕冷者。

虚证型痛经多由气血虚弱和脾肾亏损所致。表现为经期或经净后下腹持续隐隐作痛(按压局部可缓解),伴有腰酸、头晕、耳鸣、乏力;经量较少,色淡质稀薄;面色少华,精神不振等症。可选用下类药膳。

●**黄芪乌骨鸡** 乌鸡一只,黄芪100克,切段,放鸡腹中,置沙锅内加水蒸熟。食时加调料,吃肉饮汤。于经前3天开始服用,5天服完。

痛经患者生活饮食调养

◆避免一切寒凉因素

◆忌食冷饮及冰镇食品

◆劳逸结合、精神愉快

◆注意经期卫生

◆经期前开始服用维生素E

◆有针对性地选用药膳

●**韭菜炒羊肝** 韭菜150克,羊肝200克,如常法炒制。每

日一料,连食一周为一疗程。经前5天开始服用。

●**当归核桃酒** 当归50克,核桃肉500克(打碎),以好黄酒1000毫升浸泡2周,滤去渣,酒中加红糖250克,煮沸,装瓶备用。每次饮20毫升,一日2次。经前5天开始服用,7天为一疗程。

●**韭菜粥** 新鲜韭菜50克,先煮粳米成粥,待煮沸后加入准备好的韭菜及少许油盐,同煮成粥即可食用。治疗肾阳虚不足所引起的痛经,在月经前期尚未痛经时随意服用。但阳虚内热或身患疖肿及眼疾者不宜食用。

30

经前期综合征

经前期综合征又称为"经前期紧张综合征",是一些妇女在月经来潮前出现的一组症状。虽然这个病名自 1931 年就由福雪克提出,并逐步受到临床心理学家、精神病学家和妇产科医生们的关注,但至今绝大多数患有经前期综合征的妇女没有求医问药,其原因除了因为症状较轻,未影响到其生理功能外,仍有许多患者不能认识到这是一种疾病,只是日久天长地默默忍受着这种如期而至的病痛。

经前期综合征大多发生在生育年龄的妇女。发病时间与月经周期密切相关,一般在月经前一星期至两个星期内发生,月经来潮前 2~3 天加重,月经来潮便会自动消退。主要有两类表现,一类为精神症状,患者于月经来潮前会出现精神紧张、情绪不稳定、注意力不集中、烦躁易怒或抑郁焦虑,甚至失眠、全身乏力、易疲劳、头痛等;另一类表现为手足颜面浮肿、腹部胀满、腹泻或软便,下腹坠胀或疼痛,乳房胀痛等水钠潴留的症状,症状多少及轻重因人而异,不尽相同。

现代医学认为经前期综合征的发病原因主要是因为在月经周期性的变化中,雌激素与孕激素之间的比例不平衡。这种周期性的身体内部的变化,引起了神经系统间的功能失调,因而出现一系列精神症状;周期性激素变化作用于血管紧张素——醛固酮系统,发生醛固酮增多,而致水钠潴留、机体毛细血管漏出增加,导致浮肿发生。

经前期综合征临床表现有时虽然很轻,不一定影响正常生活,但还是应该及时治疗,及时纠正神经—内分泌系统间的不平衡状态。而且最好在症状较轻时就用饮食、运动、营养补品及药草来将其控制,等到疾病严重时则必须由医生来为你治疗了。

❖ 容易诱发的因素 ❖

➡饮食因素

●**糖的摄取量增加** 经前期综合征的发生在某种程度上与糖的摄取量增加有关,因为在某种程度上糖类能够增加神经讯息某种传递物质的合成,可以在一定程度上改善心情,所以有忧虑症的妇女可能会不自主地过量增加糖类饮食的摄取量,企图能使心情有所好转。但是大量的糖类会造成经前体内的水钠潴留,形成水肿;另外饮食中糖类的增加会促使体内的镁从尿中流失,而镁的临界缺乏似乎与经前期综合征的发生有关。

●**盐的摄取量偏高**　钠盐摄取过多也是造成体内水钠潴留的主要原因。

●**饮酒**　酒精刺激会增加胰岛素的分泌量,形成低血糖。

●**咖啡**　咖啡因会增加神经性紧张,并且有研究经反复试验发现,摄取多量的咖啡会诱发经前期综合征。

➡其他原因

●**精神因素**　有些经前期综合征的患者精神症状比较突出,有学者研究发现,经前期综合征的情绪变化,既有生理因素,也有心理因素。妇女在月经前体内雌激素量增高,而雌激素与脑中决定情绪变化的神经递质有着密切关系,雌激素通过神经机制使月经发生周期性变化的同时,使妇女的心理活动和行为也有一定的变化,引起一系列情绪波动。那么同样某些精神因素也能影响雌激素的变化,进而反馈性地引起情绪不稳定。在生活中也常见到有些妇女因行经前工作、学习紧张,或工作生活环境的突然变化而引起精神紧张,导致月经失调、情绪波动、烦躁、抑郁等表现,而且精神紧张时,也可引起继发性醛固酮分泌,产生水钠潴留。

❖　生活建议　❖

➡生活调理

●**自我放松**　情绪不稳定、急躁易怒、抑郁等均是经前期综合征的精神症状,这些症状随着月经周期的变化,周而复始反复出现,并且还可能伴随其他经前不适症状,这样会将患者的情绪搞得很糟。如果不能正确认识问题所在,只会推波助澜,使情况更严重。所以对于经前期综合征患者来说应该学会自我放松,每当那按月而至的不适即将来临时,就应主动调整情绪,转移注意力,并且在此期间也不要为自己定过高的工作目标。这样经前不适的症状会轻许多,也可以有意识地做一些放松训练:选择安静、温度适中的环境,患者静坐或卧于床上,从头皮、眼睛、口唇、面部、颈部肌肉开始,一直到四肢,逐渐向下放松,放松的标准,关键是自我感觉放松了,不用力了。一次训练1~2分钟。开始可由心理医生或家人用口语引导,渐可由录音代替,经过一段时间的训练,会自然如意地获得不同程度的放松感。一般每天训练一次。月经来潮前一周起,可以加至一天两次。月经期后恢复一天一次。

●**有益的活动**　在发病期间尽量多做些轻微活动,看些轻松幽默的读物,家人应尽量注意把生活气氛调节得轻松愉快些。也可经常做广播操、散步,借此来使自己放松,尤其症状较轻的患者,如此这般,就可能已经完全解决问题了。

●**生活规律**　对于极大多数症状较轻的患者,重视经期的生活规律,注意适当的休息和充足的睡眠时间,便可恢复正常。

➡饮食建议

●**基本饮食原则**　对于经前期综合征的妇女,基本饮食原则仍然是你应遵循的,并且更多进食容易消化的食物,保持大便通畅,根据自己的情况还可酌情做以下选择。

●**低糖饮食**　对于经前喜食高糖食物并伴有浮肿和镁缺乏现象者,应尝试着食用低糖饮食。

●**低盐饮食**　浮肿最终的形成,无疑是水钠潴留所致,所以对于有浮肿的患者来说,应注意掌握低盐饮食。

●**高纤维饮食** 经前期焦虑是由于激素水平失衡所致,膳食纤维能够与雌激素结合,增加其排出量,以减少引起焦虑,故而对于这一类妇女来说应注意进食高纤维食物。

●**避免饮酒及咖啡** 酒精与咖啡因均能加重或诱发经前期综合征的症状,所以在经前一周开始,就应避免饮酒与咖啡。

●**低脂肪饮食** 少吃高脂肪食物,特别是富含饱和脂肪酸的动物性食物。

●**富含维生素的食物** B族维生素、维生素 A、维生素 E 等对缓解急躁情绪有好处,所以在此期间你应注意尽量多吃一些含上述成分丰富的食物。

➡ **你应了解的营养素**

维生素

●**维生素 B_6** 经前期综合征严重者常表现缺乏维生素 B_6,而维生素 B_6 可以促进过多的雌激素的廓清,对于调节植物神经系统与下丘脑—垂体—卵巢的关系有一定效果;维生素 B_6 还可抑制催乳素,因此补充维生素 B_6 可以减少雌激素的蓄积。另外补充维生素 B_6,可以使镁缺乏的情况得以改善,从而改善经前期紧张症候群的症状。因此建议从月经第 10 天开始,口服维生素 B_6,每次 20～40 毫克,每日 3 次。

●**维生素 E** 维生素 E 可以减轻经前期综合征的症状,如精神紧张、头痛、疲倦和失眠等,所以无论是否有维生素 E 的缺乏,适当地补充维生素 E 都是有一定好处的。每日剂量可掌握在 300 毫克。

●**维生素 A** 大剂量的维生素 A 对经前期综合征的症状有

减轻作用,可于经期后半段适量补充。不过选用胡萝卜素可能会更好,在体内需要时胡萝卜素会转化为维生素 A,并且可以避免维生素 A 过量中毒的副作用。维生素 A 含量高的食物包含杏、桃、甜薯、绿花椰菜、甜瓜、南瓜、胡萝卜、芒果和菠菜等。

●**维生素 B$_1$** 有调查资料表明,经前期综合征患者除缺乏维生素 B$_6$ 外,还缺维生素 B$_1$ 和维生素 B$_2$,这表示妇女应该多吃些粗粮。

矿物质

●**钙与镁** 有经前期焦虑的患者毛发中钙含量有偏高的倾向,显示这类妇女钙的调节不正常,而且钙与镁的比率也比非焦虑型患者高,而钙会干扰镁的吸收,所以钙、镁的补充应掌握一个适当的比率。

●**锌** 有测试表明,某些经前期综合征患者,在排卵期体内锌含量偏低。

➡ **营养治疗药膳**

药草

●**当归** 当归含有挥发油、叶酸、烟酸、维生素 B$_2$、维生素 B$_{12}$、维生素 E、多种氨基酸及人体必需的多种元素等,具有活血养血、调经止痛和抗贫血作用。同时当归还含有抑制子宫平滑肌收缩和使子宫平滑肌兴奋的不同成分,所以当归针对子宫的机能状态对子宫有双向调节的作用。在临床当归不仅是补血的佳品,又是妇科疾病的一味良药,广泛应用于妇科疾病,它对女性生殖系统有滋补作用,而且有助于使月经周期变得规律,还能缓解一些经前期综合征的症状,被称为是大自然赐给女性的礼物。

●**银杏叶**　在一项有 165 位 18～45 岁的患有经前期综合征的妇女参加的双盲试验中,分别在其月经周期的第 16 天开始到下次月经的第 5 天,给予安慰剂或银杏叶制品。结果证明银杏叶提取物能够解除经前期综合征的诸多症状,如浮肿、胸闷、烦躁等。

●**甘草**　甘草是一味大家所熟悉的中药,主要含甘草素及还原糖、淀粉、胶质等成分,具有益气补中、祛痰止咳、缓急止痛等作用,常用来治疗脾胃虚弱、食少、腹痛、便溏、咳嗽、心悸等症。近期研究甘草素能够稳定雌激素含量,可以增加雌激素和孕酮的比率,因而对经前期综合征有缓解作用。事实上在许多妇科的中药方剂中都包含有甘草。甘草用于日常药膳可煎汤、煮粥、制糕点等。每次用量 3～15 克。但甘草有升血压作用,有高血压趋向的人不可长期使用。

●**蒲公英**　蒲公英本是一味外科用药,常被用来治疗乳疮、痈肿,也被用来治疗一些内科热性疾病,如热疾咳嗽、咽喉肿痛、目赤肿痛等。现代医学研究其含有蒲公英苦素、肌醇、皂甙,还含有高量的钾。有一定的保钾利尿的作用,可用于经前期综合征有浮肿表现者。

药膳

●**黑木耳炖豆腐**　木耳 30 克,豆腐 3 块,核桃(去皮)7 个。三味加水共炖汤服之。于经前期易怒、烦躁时服用。

●**朱砂心**　猪心一个,朱砂 2 克。将猪心洗净控干血水,将朱砂放入猪心内,用线捆紧,加水炖熟吃肉喝汤,分 2 次吃完。有镇静、安神、定志的功效,用于经前烦躁、易怒、情绪激动等精神症状。

给你几点建议

◆症状虽轻及早调治

◆注意情绪调整,保持轻松愉快

◆经期的生活要规律

◆注意休息,睡眠要充足

◆遵循基本饮食原则

◆经前多做轻微活动,如散步、体操

◆避免饮酒及咖啡

◆请选择低糖、低盐、低脂饮食

◆适当选用维生素

◆请进食富含维生素饮食

◆几款药膳供选择

◆高纤维饮食对你有益

●百合枣仁汁 鲜百合 50 克,生熟枣仁各 15 克。百合用清水浸泡一夜,枣仁用水煎去渣取汁,用枣仁汁将百合煮熟,饮汁吃百合。有宁心安神的功效。可治经前期失眠、烦躁、易怒等症。

●大枣甘草汤 大枣 10 枚,甘草 4 克,浮小麦 30 克。上药加水三大碗,煮至一碗,去渣取汁顿服。有养阴、润燥、生津的功效。用于经前期精神症状者。

●**银耳参**　银耳15克,太子参25克,冰糖适量。水煮饮用。每日一次,用于经前期表现心烦不寐、心悸不宁、头晕目眩等症者。

●**白果桂圆汤**　白果仁3枚,桂圆肉7枚,加水同煮汤,每日空腹炖服。治头痛失眠症。(注:中医的白果仁即银杏。)

●**荔枝核香附酒**　荔枝核、香附各等份。将上两味研末,黄酒调服6克,每日早晚各一次。有散寒祛湿、理气散结、调经止痛的功效,治妇女经前小腹疼痛。

31

更年期综合征

更年期是指女性自然绝经前后的一段时期,是每个妇女从中年到老年过渡必经的一个生理过程,只是人生的一个阶段。

妇女自 40 岁左右,卵巢内分泌功能逐渐减退,雌激素分泌减少,尤其到 50 岁前后身体会出现一系列的生理变化,最明显的也是特有的标志是从月经失调到闭经,同时还会伴随有乳房皱缩、阴道干燥、生殖器萎缩、骨质疏松和由于植物神经功能紊乱而导致的潮红、多汗等一系列症状,均为更年期所特有的表现。

每个妇女更年期的长短和反应大小因人而异,有所不同。有的人这种变化轻微且短暂,几乎不能察觉;有些人变化则比较明显。引起身体多种不适和心理烦躁等明显的性格情绪变化者为更年期综合征。

你有必要正确了解下列名词

◆雌激素：一种由妇女卵巢所分泌的激素，对性器官、第二性征及卵巢周期性发育和功能维持都很重要

更年期综合征是否出现及其程度，除与此期间生理变化情况有关外，与妇女本人的性格、胸怀、文化修养以及生活、社会和家庭的压力有着一定的关系，还与妇女本人对更年期的认识和态度有一定的关系。临床症状明显的可有被称为假性心绞痛的心前区不适感及心情不愉快、忧虑、多愁、多疑、心悸、头晕、头痛、易激动、失眠、多虑、抑郁等，有时甚至喜怒无常，状似精神异常，被邻居或同事误认为是精神病。

大多数妇女能够正确对待更年期的各种变化，泰然处之；部分妇女会产生"步入黄昏，倍感凄凉"的消极想法，这无疑会使各种症状加重。对此在日本还有一个专门名词叫"悲秋综合征"。实际上步入更年期的妇女，大可不必如此悲观，有言道"莫道桑榆晚，彩霞尚满天"，人生的自然规律不可违，晚年自有晚年的幸福。此时除必要地配合医生做一些药物治疗外，如补充雌激素和对症用药，饮食和生活、精神的调养对从根本上调治妇女更年期不适症状有很好的作用。对于多数妇女来说，只要正确认识更年期，并注意饮食，再加上适当的体育锻炼，保持心情舒畅，就会顺利度过更年期，轻轻松松地步入健康欢愉的晚年。

更年期——每个妇女必经的生理过程

◆你有心慌、胸闷、头晕、出汗、潮热、烦躁、失眠等症状吗

◆你月经开始紊乱了吗

◆针对上述症状,医院检查是否发现异常

◆你是否已过 40 岁

◆以上这些告诉你:更年期开始了

◆并不是每个更年期妇女必会有更年期症状

◆有更年期症状者不等于就是更年期综合征

◆当更年期症状明显引起身体不适和心理情绪变化时,称为更年期综合征

◆症状明显者,可请医生帮忙

◆请教妇科医生你是否需要补充雌激素

❖　生活建议　❖

➡生活调理

●**正确对待,自我调节**　这是顺利度过更年期的基础。前面说过更年期是不可逃避的生理变化,此期间出现的一些症状的多少及轻重,往往是可调节的,尤其是精神、情绪的变化,像烦躁易怒、情绪抑郁等喜怒哀乐诸多不恰当的表现。只要你能正确认识更年期实质,保持良好心态,培养广泛的兴趣,如养花种

草,练习琴棋书画、运动、舞蹈、气功等,根据自己情况适当选择,你便会相对轻松地度过更年期阶段。当然家庭及社会的亲朋好友、同事们也应该尽量理解更年期妇女特殊变化,帮助她们调适情绪,顺利地度过这一关。

●**适当体育锻炼** 体育锻炼不仅可以使生活多一项内容,分散注意力,更重要的是跟踪更年期而至的一些疾病(如骨质疏松等)会通过体育锻炼减缓发生或减轻其严重程度。你可根据自己的情况选择,如散步、骑车、做操或选择气功的静功锻炼,也可打太极拳、舞太极剑,通过这些活动还可促进脾胃消化。

●**劳逸结合、注意保暖** 人到四五十岁时,体力渐减,不耐疲劳,但这个年龄段的妇女,来自各方面的压力也正处于顶峰阶段,所以更年期妇女不要勉强自己做力所不及的事情,过度疲劳会损伤健康,当然对于有条件者也不可过度庸懒,不要随意改变过去的良好的习惯,还是应该保持积极向上的心态。体力下降的另一方面表现是御寒能力的下降,冷暖的稍微不适都会引发病况,所以一定要衣着适时,尤其脚部和腹部受凉容易造成胃肠病变,所以更要特别保护这两个部位,必要时还可做背部脾俞穴和胃俞穴的按摩。

●**生活规律** 规律而有节奏的生活有利于人的情绪、健康的调节,而有序的生活容易使人精神饱满,情绪乐观。

➡ **饮食建议**

●**饮食要平衡** 不要等到更年期才开始照顾自己,在人生旅途上,你应及早建立良好的健康习惯,保持平衡饮食原则,而且要尽量多吃高钙低脂的食物。到了更年期更应如此,具体食物品种你可以在"第二部分"中找到,也可以参照"骨质疏松症"一节的饮食原则,因为骨质疏松是更年期后妇女最普遍的病变。

●**多食补血食物** 月经出血量增多是更年期妇女常见的。月经来得频繁,经血量增多,出血时间延长,这样可引起贫血,此时应注意饮食调养,多吃一些含优质蛋白质的食物,如肝、鸡蛋、牛奶和瘦肉等。这些食物不仅供给人体必需氨基酸,而且还含有维生素 A、维生素 D、维生素 B_1、维生素 B_2、维生素 B_{12};猪肝中还含有丰富的铁和叶酸。同时还要多吃含铁、铜丰富的绿叶菜和水果,如菠菜、芹菜、油菜、萝卜缨、苋菜、荠菜、番茄、柑橘、桃、李、杏、菠萝和红枣等。这些食物含有叶酸、维生素 C、维生素 A 等成分,叶酸和维生素 B_{12} 配合能增强治疗贫血的效果,维生素 C 和维生素 A 能促进铁的吸收和利用。你如能注意这方面的饮食调节,对避免产生或减缓贫血的程度,会有很大的帮助。

帮你顺利度过更年期

◆胸怀豁达,正确认识更年期

◆睡眠充足,适当体育活动

◆生活规律,营养均衡

◆多吃含钙高的食物

◆多吃含维生素 B_1 和烟酸丰富的食物

◆忌烟、酒、辛辣刺激性食品

◆护胃保暖

◆将人参、当归放在饭菜中食用

◆试着每天饮杯人参茶

●**多吃含维生素 B_1 和烟酸丰富的食物**　由于内分泌失调，造成植物神经紊乱，有些妇女会出现潮红、高血压、耳鸣、失眠及情绪波动等情况，此时在饮食上应多吃些含维生素 B_1 和烟酸丰富的食物，如粗面、糙米、麦麸、马铃薯、豌豆和其他荚豆类食物。

●**低盐饮食**　低盐饮食对于有高血压改变者是有必要的。另外还应该忌烟、酒，不食用刺激性食物和咖啡、浓茶等。也可以适当选吃一些有安神降压作用的食物如莲子、百合、山楂、西瓜等，对控制这一类症状有一定好处。

➡ **你应该了解的营养素**

维生素

●**维生素 E**　维生素 E 是一种强有力的抗氧化剂。很久以前就用它来治疗更年期的潮热及预防更年期后心脏病的发生，同时对于更年期综合征的其他症状，如出汗、沮丧、焦虑、眩晕、心悸、呼吸困难和疲劳等情况，在补充维生素 E 之后皆可获得改善。在 20 世纪 50 年代初，国外就有刊物做过此类报道。另外还有报道指出，给绝经后患老年性阴道炎的患者，补充维生素 E 后，其症状可得到缓解，持续补充四周后，活体组织检查显示在阴道壁上有新的血管增生。

●**B 族维生素**　B 族维生素，尤其是泛酸和维生素 B_6 对更年期尤其重要，主要可帮助控制紧张，在注射 B 族维生素之后，能显著地缓解皮肤发热及神经问题。

●**维生素 C**　维生素 C 有助于强化微血管和减轻血管舒缩神经障碍，这样可以减轻潮热的发生。

矿物质

●**钙** 钙是人体最丰富的矿物质。人体大约90％的钙存在于牙齿和骨骼里。更年期后由于内分泌的衰减,机体最大的伤害是骨质流失,从而导致骨质疏松,由此还会带来骨折、脊柱弯曲和牙齿脱落等情况。因此建议妇女在进入更年期时更要注意补充钙,当然同时要配合维生素D,以利钙的吸收。关于这一点可参考"骨质疏松症"一节。

请你酌情选择

◆维生素E,每天200毫克

◆维生素C,每天1000毫克

◆复合维生素B,每天6片

◆钙和维生素D,如钙尔奇D

◆人参每天1～3克,泡饮

◆当归片,每天5片

其他

●**卵磷脂** 人体内每一个细胞都需要卵磷脂,对老年人尤其重要,它可预防动脉硬化及心脏血管疾病。卵磷脂可以乳化维生素E,利于吸收。

●**柠檬黄素及色氨酸** 它们都对缓解更年期综合征的一些症状有效,但目前尚无现成制剂,读者可多摄食一些此类物质含量高的食品。

➡营养治疗药膳

药 草

●**人参** 大家都知道,人参可大补元气,补五脏之虚,安精神、止惊悸、生津液、止烦渴,现代医学认为人参富含植物性雌激素,可以协助减轻更年期的症状。人参还含有多种皂甙和挥发油、多糖类、维生素 B_1、维生素 B_2、维生素 C、多种氨基酸、烟酸、泛酸等成分,它对神经系统有良好的调节作用,有强心作用。中医传统用它治疗各种气虚之症,如劳伤虚损、心衰气短、自汗肢冷、心悸怔忡、久病体虚、神经衰弱等症。临床可根据情况做不同选择,如以气虚为主,表现体质虚弱、神疲乏力、胃纳欠佳者,应选白参;偏阳虚表现为体弱怕冷、大便溏薄、夜尿增多者,可选用红参;兼有阴液亏虚有内热、见潮热、手足心热、口干便秘者,可选西洋参。药膳食法,可泡酒、煮粥、煎汤等,每次用量 3～15 克,也可每日 1～3 克,以开水泡之代茶饮,然后将参一同吃下。

●**当归** 当归在中药里属补血之类,同时也是一味妇科良药,广泛用于各种妇科疾病。现代医学认为当归富含矿物质和多种维生素,包括叶酸、烟酸、维生素 B_2、维生素 B_{12}、维生素 A 和维生素 E 等。另外当归除了传统的补血和妇科疾病外,还可治疗失眠,可防止因激素分泌的减少带来的各种更年期症状的出现和减轻其程度。药膳食法,可蒸鸡、泡酒、煮粥等,每次用量 5～15 克。

药膳

●**天麻蒸鱼头** 天麻25克,川芎10克,茯苓10克,鲜鲤鱼1尾(1500克),酱油、料酒、食盐、味精、白糖、胡椒粉、香油、生姜、葱、水淀粉适量。将川芎、茯苓切成大片,用第二次米泔水泡上,再将天麻放入泡过川芎、茯苓的米泔水中浸泡4～6小时,捞出天麻置米饭上蒸透,切成片待用。将天麻片放入鱼头和鱼腹内,置盆内,然后放入葱、生姜,加入适量清水后,上笼蒸约30分钟。将鱼蒸好后,拣去葱和生姜。另用水淀粉、清汤、白糖、食盐、味精、胡椒粉、鱼油烧开勾芡,浇在天麻鱼上即成。适用于虚火头疼、眼黑肢麻、神经衰弱、高血压头昏等症。

●**人参粥** 人参粉3克,粳米100克,冰糖适量。将粳米、人参粉或片放入锅内,加水适量,置武火上烧开,文火上煎熬至熟。将冰糖加水熬汁,待粥熟后,徐徐加入冰糖汁,搅拌均匀即成。食用时,当饭吃,吃饱,常服有效。适用于久病羸瘦、气短乏力、神疲肢倦等症。

●**归芪蒸鸡** 当归20克,炙黄芪100克,子母鸡1只,料酒、胡椒粉、生姜、葱、味精、食盐适量。将当归、黄芪装入鸡腹中,然后放入盆内(腹部向上),摆上葱等调料放入盆内封严,上笼蒸约2小时取出。拣去调料加味精,调好味即成。适用于血虚所致的各种病症,更年期妇女酌情选用。

●**当归羊肉羹** 当归25克,黄芪25克,党参25克,羊肉500克,葱、生姜、料酒、味精适量。羊肉放入沙锅内,将当归、黄芪、党参装入纱布袋,扎好口,放入锅内。将葱、生姜、食盐、料酒放沙锅内,加水适量。用文火煨炖,直至羊肉熟烂即成。食用时加入味精,吃肉喝汤。适用于血虚及病后气血不足和各种贫血。

●**归参炖母鸡** 当归15克,党参15克,母鸡1只(约1500

克),葱、生姜、料酒、食盐适量。将当归、党参放入鸡腹内,置沙锅内将上述调味品也放锅内,加清水炖熟。吃鸡喝汤。

●**归参山药猪腰** 当归 10 克,党参 10 克,山药 10 克,猪腰子 500 克,酱油、醋、姜丝、蒜末、香油适量。将猪腰子切开放入沙锅内。将党参、当归、山药装入纱布袋内,扎紧口,放入沙锅内,加水适量,清炖至猪腰子熟透,捞出猪腰子,冷却后切成薄片,放在盘子里。将酱油、醋、姜丝、蒜末、香油等与猪腰子片拌匀即成。适用于血损肾亏所致的心悸、气短、腰酸痛、失眠、自汗等症。更年期妇女可对症选用,也可平时保健选用。

●**何首乌煨鸡** 制首乌 30 克,母鸡 1 只,食盐、生姜、料酒适量。将何首乌研成细末;用布包首乌粉,纳入鸡腹内,放入瓦锅内,加水适量,煨熟。从鸡腹内取出首乌袋,加食盐、生姜、料酒适量即成。食用时吃肉、喝汤,每天服 2 次。适用于血虚、肝肾阴虚所引起的头昏眼花、失眠、脱肛、子宫脱垂等症。

●**菠菜粥** 菠菜 250 克,粳米 250 克,食盐、味精适量。将菠菜洗净,在沸水中烫一下,切段;粳米淘净,置铝锅内,加水适量,煎熬至粳米熟时,将菠菜放入粥中,继续煎熬至成粥时,停火。放入食盐,味精即成。食用时,当饭吃,吃饱。适用于大便秘结及高血压等症。

●**赤小豆粥** 赤小豆 100 克,粳米 1500 克。先将赤小豆放入锅中,添水适量,用慢火煮开。待赤小豆破裂时,将粳米放入,直至煮烂,即可食用。适宜于产后乳汁少、急性肾炎浮肿等患者食用。更年期妇女伴有浮肿时可选用,健康人食用能防病强身。

●**百合莲子粥** 粳米和糯米各 50 克,莲子 50 克,去皮去心,百合 100 克。加水适量,熬粥。食用时加白糖。糖尿病等忌糖者,可用甜菊糖代替。每日服 3 次,7 天一疗程。此粥有滋阴养心之功效。也可加芡实、红枣以健脾和胃。

●**猪蹄大豆煨蛋**　猪蹄两只,放入锅中煮至半熟。大豆100克,提前用温水浸泡12小时,泡胀后,再淘净,文火煮至七成熟。将半熟猪蹄、大豆相合,再放入熟蛋五只,加水加佐料,旺火烧开后转文火,直至蹄豆酥烂。分两天连汤食用。每7天至10天服用一方。本方高蛋白,含钙质高,猪蹄之胶原纤维也有益健康。

●**虾皮拌芹菜**　芹菜500克,切段,放入旺火沸水内焯一下,捞出沥净水。另取虾皮20克,植物油20克,油烧热,将虾皮略煸,即盛入芹菜中,加精盐、白糖、味精适量,拌匀。可通便降血脂,防骨质疏松,常食颇有益。

●**核桃豆浆饮**　核桃仁250克,炒熟打碎贮藏待用;熟豆浆一碗,放入核桃仁25克,白糖冲服,也可用牛奶代替豆浆。本品高蛋白,高钙质,核桃又富含不饱和脂肪酸,秋冬季可服用。更年期妇女常服可减少钙脱失。

— 281 —

32

记忆力减退

25 年前曾经相遇过的人,现在偶遇还能叫出彼此的名字吗?

美国前总统林肯在 53 岁时见到了 30 年前遇到过的军官,立即叫出了对方的姓名,令这位军官深感震惊与敬佩。然而,不是所有人都能拥有如此不衰的记忆力。常听到有些人感叹:"唉,老了,不中用了。记忆力不如以前了。"其实,人的记忆容量是惊人的,一个健康人的大脑能容纳 5 亿多本书的知识,可是记忆却会随年龄的增长而减退。有人曾对 700 多名正常成年人做了记忆测验,发现过了 30 岁记忆便开始下降,40～50 岁下降速度减慢,50 岁以后记忆力急剧下降。

可见"人老记忆差"这是个不可抗拒的自然规律,但要减缓记忆下降的速度还是能够办得到的,因为记忆力虽然与先天素质有着重要关系,但是后天的培养和锻炼,与记忆力的增强是有着密切关系的,而不合理用脑及有害因素又会加速记忆力的下降。有些人因为阶段性的身体状况下降和疾病的原因,也会导致记忆力下降,基本表现为以下几种类型:如心脾两虚型的表现为遇事善忘、精神倦怠、四肢无力、心悸失眠、纳呆气短、舌质淡;而有些人除遇事健忘外,还兼见语言迟缓、神思欠敏、表情呆钝、舌上有淤点,则属于痰淤痹阻型;有些年老神衰者,其健忘比同龄人要突出,同时还兼见形体衰惫、神志恍惚、气短乏力、腰酸腿软、纳少尿频、心悸少寐等。那么你在治疗疾病和调理身体状况的同时,有针对性地选择健脑食品及药膳,也会对你改善记忆力有一定帮助。在此,我们力求从生活、营养、饮食的角度给你提点建议。"民以食为天",那么吃什么可以挽回你的脑青春呢?希望你能从下面的内容中得到帮助。

❖ 容易诱发的因素 ❖

➡饮食因素

●**过量饮酒** 少量饮酒可引起兴奋、话多,对记忆力的影响不明显。但是长期大量饮酒将会对你的记忆造成威胁。有人做过如下试验:将受试者分为饮白酒 50 克、100 克及 200 克三组,饮后半小时测试其记忆力均见下降,而且损害程度与剂量成正比。记忆力损害重的所需恢复时间也长,长期酗酒可引起遗忘,持续时间越长,记忆力恢复越差。

●**营养不均衡** 大脑是人体最娇嫩和对营养要求最高的器

官,需要的营养是多种多样的,而且也容易受一些有害食物的侵袭,如长期进食油炸类食物,以速食为主的食谱及一些垃圾食品,容易导致大脑营养不良,因而造成记忆力下降和注意力不集中。

➡其他原因

●**中枢抑制药物** 长期服用安定,可使大脑皮层损伤后的恢复时间延长;大剂量应用,可损害动物记忆力及辨认力;临床上长期服用安定的患者,常出现思维迟钝、记忆力下降现象。故应用安定治疗焦虑时,剂量要小,且不可长期服用。

●**过度疲劳** 缺乏睡眠时记忆力也明显减退,保证充分睡眠对保持记忆力有良好的作用。

●**精神创伤** 当一个人在抑郁状态或受到严重精神创伤时常常会有很多事情想不起来。如果长期处于抑郁状态下,头脑变得迟钝,则会导致记忆力下降。

❖ 生活建议 ❖

➡生活调理

●**勤用大脑** 勤用大脑是减缓记忆力下降的最简单办法,大脑"用则进,不用则退",而且从年轻时就应该养成良好的用脑习惯,学会考虑和分析问题的方法。经常活动手足,也可减缓大脑的衰退,可总结为四个字——"勤学好动"。中年之后要坚持读书,而且要培养各种兴趣,这样才能够保持大脑的灵活性。有些人到了中年,记忆力开始下降,便开始产生懒惰思想,干脆懒得动脑,结果饱食终日,无所用心,或沉溺于看电视,这种人脑子一片空白,记忆力下降更快。

●**情绪愉快、避免抑郁** 善于把自己的情绪转入最佳状态。在情绪低落及较长时间的单调工作后,常引起脑疲劳,如果能及时调整情绪,转换工作性质,可以使大脑及时得到休息,使脑活动保持最佳状态。如果你能经常做到这些,尽量使大脑处于较佳状态,那么你的记忆力减退便会减缓许多,反之则会加速它的发展。

●**保证睡眠** 充分的睡眠,对记忆有良好的作用。

➡**饮食建议**

●**充足的营养** 只要你能保持正常的饮食标准,基本上可以满足每天必需的营养,包括维生素、蛋白质等。低血糖时,记忆力会受到损害。所以应该注意膳食的能量供应及长时间工作后补充能量。

●**合理饮食** 避免脑血管硬化对减缓记忆力减退也是非常重要的。一般地来说老化脑不能产生足够的神经递质,而使记忆力减退。而脑血管硬化,使脑部的血液供应不足,大脑营养不足,同样也是记忆力减退的直接原因,所以脑血管硬化除了容易引起脑血管疾病外(如中风),也是记忆力下降的直接元凶。日常饮食应尽量避免容易引起脑血管硬化的食物,如动物脂肪、经常性的高糖饮食等。

●**益脑食品** 瘦肉、蛋、内脏、大豆、花生、芝麻、核桃与瓜子等都含有丰富的卵磷脂和植物固醇;海产品,如墨鱼、小黄鱼、虾、鱼等,这些食物脂肪中含脑黄金的比例均较高,经常食用对人类大脑有一定益处。

```
┌ ─ ─ ─ ─ ─ ─ ─ ─ ─ ─ ─ ─ ─ ─ ─ ─ ─ ─ ┐

        预防记忆力减退的生活调理

     ◆避免长期服用中枢抑制药
     ◆保持精神愉快,避免长期抑郁
     ◆勤用脑多动手
     ◆保证充足的营养
     ◆注意补充益脑食品
     ◆避免促脑血管硬化的食品

└ ─ ─ ─ ─ ─ ─ ─ ─ ─ ─ ─ ─ ─ ─ ─ ─ ─ ─ ┘
```

➡你应该了解的营养素

在维生素中要属 B 族维生素在维持记忆力上扮演着更重要的角色。

维生素

●维生素 B_1　维生素 B_1 对能量代谢、生长障碍及学习能力均有影响。有研究表明,缺乏维生素 B_1 可使老年人的脑部产生很大的变化,而且容易导致记忆力减退,在啤酒酵母、谷类、鱼、葵花子、火腿和花生中,含有丰富的维生素 B_1。

●叶酸　叶酸被视为大脑的食物。叶酸在能量的合成过程中是非常重要的,在 DNA 的合成过程中叶酸主要作为辅酶来发挥作用。在正常的细胞发育中叶酸也起着非常重要的作用,而且叶酸能够协助体内维持高半胱氨酸的含量正常,而高半胱氨酸含量过高,容易导致记忆力减退,以至丧失。由此可见叶酸虽然更多地被用于治疗贫血及子宫发育不良,在减缓记忆力减退方面还有一定疗效。而且叶酸的食物含量是很丰富的,我们日常食用的许多食品中都含有叶酸,深绿叶蔬菜是叶酸的良好来源,其他如大麦、豆类、牛肉、羊肉、鸡肉、牛奶等都含有丰富的叶酸,你还可以在"第二部分"中找到更多的富含叶酸的食品。

●**维生素** B_{12}　维生素 B_{12} 本身可以抗贫血,参与蛋白质合成及脂肪的代谢。在这里维生素 B_{12} 之所以重要是因为它与叶酸是相互依赖的,两者对于快速分裂的细胞均十分需要,哪一个缺乏都会导致另一项的缺乏;与维生素 B_{12} 结合后,叶酸才最能发挥作用。对于老年人来说,如果缺乏维生素 B_{12},可能会出现一些神经系统的毛病,当然记忆力的下降是其中之一。维生素 B_{12} 主要存在于动物类食物中,素食者可能比较容易缺乏维生素 B_{12},因为蔬菜中不含维生素 B_{12}。一般情况下不会由于从食物中摄取的不足而导致维生素 B_{12} 缺乏。对于老年人和一些由于胃病而胃酸低的人来说,不能有效地利用维生素 B_{12},故而导致其缺乏。对于这类情况,只要补充盐酸就可以使问题迎刃而解,起到一举两得的作用。

●**胆素**　胆素被确定是记忆功能的要素,有研究推测胆素有助于减缓中年后脑老化的速度。胆素有利于卵磷脂的形成,对于记忆力,它的作用是双重的。首先与脑功能有重要关系的神经递质——乙酰胆碱的生产要依靠于胆素;再者胆素对神经细胞膜和突触的完整有着重要作用,有利于脑神经间的信息传递。不过想要有效地利用胆素还要依赖维生素 B_{12}、叶酸及L—肉碱等营养素。

●**维生素** C　维生素 C 是强力抗氧化剂,可以改善血液循环。

●**维生素** E　维生素 E 也是一个强力抗氧化剂,如果和维生素 C 共同使用,则可大大扩展两者在体内抗氧化作用的范围。而脑组织又特别容易受到氧化的损害,所以建议适当服用一些维生素 E 和维生素 C,以减缓脑氧化的过程。

其他

●**卵磷脂** 卵磷脂是人体内每一个活细胞均需要的物质,主要构成细胞膜,大脑外部围绕的保护鞘膜是由卵磷脂组成的,如果缺乏卵磷脂,细胞膜会硬化。

由于卵磷脂可以预防动脉硬化,增强大脑功能,所以对任何人而言,饮食中加一些卵磷脂是有必要的。大部分卵磷脂存在于大豆之中。近些年来市场上出售的卵磷脂有许多是由新鲜蛋黄制成的。

➡营养治疗药膳

药草

●**核桃仁** 即我们所熟悉的硬果核桃之肉,其含有脂肪油、蛋白质、糖类、磷、钙、铁、维生素 A、维生素 B_1、维生素 B_2、维生素 C、维生素 E 等营养成分。核桃中所含各种氨基酸更是组成人体蛋白的原料,对大脑组织具有良好的作用。核桃中的不饱和脂肪酸有软化血管、降低胆固醇的作用,可以防治动脉硬化和心脑血管疾病,所以常吃核桃可有益脑作用。

●**白果** 即目前备受推崇的保健果——银杏。中医习惯用其治疗哮喘咳痰、带下白浊、小便频数、遗尿等病症。现代医学认为其含有蛋白质、脂肪、淀粉、维生素 B_2 及多种氨基酸。银杏叶又是生物类黄酮的丰富来源,同时还含有多种有效成分,具有防癌、治疗心脑血管疾病的作用,还可防治动脉硬化、脑缺血、脑老化、脑萎缩、老年性痴呆、中风等血管系统疾病,并且有清除自由基的作用。有动物试验表明,银杏叶能提高多巴胺的含量,而多巴胺有促进身体信息传递能力的作用。据1992年《英国临床药物学》杂志报道,给自愿者连续4~6个星期服用银杏叶萃取物,服用者自觉注意力集中,记忆力增强。另外银杏叶还有清除自由基的作用。现在市面上银杏制品和银杏叶所制的药物较多,你可参照说明尝试着食用。对于药品制剂,你可以在医生的指导下选用银杏叶制剂。

营养素

◆叶酸、维生素 B_{12}:一对相互依赖的营养素

◆维生素 C、维生素 E:一对抗氧化剂,可减缓脑血管硬化的形成

◆卵磷脂:不可或缺的营养素

●何首乌 其性微温,味苦,是一味传统的补肝肾、益精血、健脑乌须发、润肠通便的药物,常被用来治疗肝肾阴亏之腰膝酸软、筋骨不健、健忘、须发早白、血虚头晕、遗精、崩漏等症。现代医学研究发现其含有蒽醌类、淀粉、粗脂肪、卵磷脂等成分,能降血脂,能缓解动脉硬化的形成,主要作用在于阻止类脂质在血清滞留或渗透到动脉内膜,从而减轻内膜斑块的形成和脂质沉积。

其原理可能与其所含卵磷脂的作用有关。所以现代临床上何首乌常用来治疗高血压、血管硬化、头晕等病，还有强壮神经的作用，可健脑益智，能促进血细胞的生长和发育，有显著的抗衰老作用。中年人经常使用何首乌，可防止早衰的发生和发展。

●黑芝麻　黑芝麻含有脂肪油、蛋白质、粗纤维、维生素 E、糖类、卵磷脂、钙等营养物质。据中医古籍记载，它具有补肝肾、润五脏、益气力、长肌肉、填脑髓的功效；能治"肝肾不足，病后虚弱，须发早白"，"皮燥发枯，大便燥结"，"腰膝酸痛，四肢乏力"，"言语蹇塞，步履迟缓"，"头晕耳鸣"等病症，在乌发养发方面的功效，更是有口皆碑。

●桂圆肉　桂圆是大家熟知的药食两用品。具有益心脾、补气血、安神健脑等功效，中医古籍《本经》中讲其有"主安志，厌食，久服强魂魄，聪明"的功能，高度概括了桂圆肉的作用。现代医学认为桂圆肉含葡萄糖、蔗糖、酸类、维生素 A、B 族维生素、胆碱、蛋白质、脂肪等营养成分。所以桂圆肉常被用来治疗心脾虚损的失眠健忘、心悸、怔忡、气血不足诸症。对于老弱体衰、产后、大病后气血不足者，用其加白糖蒸熟，用开水冲服，可起到补益气血的功效。

●莲子　藕是大家所熟知的南方蔬菜，莲子与藕同为莲的一部分，藕是莲的根茎，莲子是莲的种子，它们同出一物，但作用却完全不同。对莲子，《本经》有言曰："主补中、养神、益气力。"所以莲子一直被认为是益肾固精、补脾止泻、治疗白带过多和养心的佳品，现代医学研究认为莲子含蛋白质、棉籽糖、淀粉、碳水化合物、脂肪、钙、磷、铁等营养成分。在临床常被用来治疗心悸、失眠、心脾两虚的健忘、脾虚泄泻、肾虚遗精、尿频、妇女崩漏带下等症。经常食用可起到治疗作用。药膳食法可煮粥，可做菜等。

●枸杞　枸杞是一味常用的补益中药,其色鲜红,嚼之甚是香甜。现代医学研究证实其含有甜菜碱、多糖、粗脂肪、粗蛋白、胡萝卜素、维生素 C、维生素 B_1、维生素 B_2 及钙、磷、铁、锌、亚油酸等成分,对造血功能有促进作用,还能抗衰老、抗突变、抗肿瘤、保肝及降血糖等。中医常用它来治疗肝肾阴亏、腰膝酸软、头晕、目眩、目昏多泪、消渴遗精等症。正是因为它的滋肾补肝作用,也常配合治疗有肝肾不足表现的记忆力减退病症,常可获佳效。药膳食法,可炒肉丝、烧鱼、泡酒、煮粥等。每次用量 10 ~ 20 克。

药　膳

●椒味鹌鹑　鹌鹑 6 只,鸡蛋 1 枚,精盐、酱油、白糖、葱丝、湿淀粉、姜丝、生油、花椒粉、麻油各适量。每只鹌鹑切 4 块,加上述调料拌匀,腌 20 分钟,再加湿淀粉、鸡蛋和少许油拌匀,将鹌鹑块酱好,入油锅炸至金黄色,另一锅加麻油少许,加花椒粉和炸好的鹌鹑块翻均匀,出锅即可。

●金针肉丝　猪肉 250 克,水发金针菜 200 克,料酒、精盐、葱丝、姜丝、湿淀粉各适量。上料如常法炒菜食用。

●杞头猪心　猪心 100 克,枸杞头(枸杞嫩茎叶)200 克,料酒、白糖、湿淀粉、猪油各适量。将猪心切片,枸杞头洗净。炒锅放猪油烧热,入猪心片,烹入料酒煸炒,待猪心变色时放入枸杞及各调料翻炒至熟,湿淀粉勾芡即成。

●火腿牡蛎肉　牡蛎肉 50 克,火腿片 50 克,调料适量。牡蛎肉入清水,煮片刻取出。锅放生油,投葱姜煸香后,烹入料酒,放入牡蛎肉略煸,再入清水煮片刻,倒出用水洗净。沙锅入牡蛎肉、火腿片、酱油、白糖、味精、肉汤,用文火炖至牡蛎肉熟烂,捞入盘中,原汤中加味精、盐、湿淀粉勾稀芡,淋入麻油,倒在牡蛎肉上,即可食用。

上四款常食对于心脾虚损型健忘者有益。

●**核桃酿蛋** 碎核桃肉 20 克,醪糟(酒酿)20 克,加水 300 毫升,煮沸后打入 1～2 颗鸡蛋,搅匀一餐吃完。冬季每天可做早餐常吃,每月不少于 20 次。

●**杞枣粥** 枸杞 10 克,红枣 5 枚,粳米 80 克,上料加水同煮粥,稍凉即食。夏季每天最少一餐,多则两餐。

为了尽量保持你的记忆力

不宜:
- ◆不合理用脑　　　◆过量饮酒
- ◆营养不良　　　　◆服用中枢抑制药
- ◆长期精神抑郁

宜:
- ◆勤用脑——用则灵,不用则废是大脑的特性
- ◆情绪愉快避免抑郁　◆保证睡眠
- ◆营养充足平衡
- ◆避免促使脑血管硬化的食物
- ◆选择益脑食品　　◆服用益脑维生素

33

老年痴呆症

所谓"老年痴呆症"是指主要因脑细胞老化、死亡,使脑功能减退,临床以痴呆为主要表现的老年性疾病。全世界大约有4000万~6000万老年痴呆症患者,我国已开始进入人口老龄化的国家行列,老年痴呆的患者也在不断增加。

老年痴呆是一种生活能力逐渐减退,呈不可逆的进行性加重的疾病。在早期主要表现为记忆力减退,工作能力下降,学习新知识困难,而对久远的事却记忆犹新,生活中易闹矛盾。随着病情的发展逐渐出现认知力消失、判断力减弱、方向感丧失、人格改变、语言能力丧失等一系列表现,一旦病情发展到这一步,病人恐怕连自己最亲近的亲人和自己都不认识,也不懂季节变更,情绪幼稚化,生活能力从尚能自理到维持基本生活的简单功能逐日衰退,以至最后发展到除了部分本能要求外,一切最基本的生活能力都丧失殆尽。如果家中有这样一个病人,你可能就会感悟到"老小孩"是什么意思了。

既然老年痴呆是一个不可逆的逐渐加重的疾病,那么使病情发展慢些,尽量保持在较早阶段还是非常重要的。不过,到目前为止,老年痴呆在治疗上尚无良方,家人的照顾和早期的生活调理则显得尤为重要了。

❖ 容易诱发的因素 ❖

关于老年痴呆症的形成原因,医学家们提出了很多有关因素,但都尚未定论。

➡饮食因素

●**铝的过量摄入** 很多研究人员发现老年性痴呆症患者的脑中含有过量的铝。而铝的摄入与使用铝制品有一定关系,如铝壶、铝锅、铝勺、牙膏袋等。生活中避免不必要的铝接触是很必要的。另外茶叶中发现有铝,但茶叶中的铝不易被人体吸收,会很快被排出体外,但如果在茶叶中加柠檬,柠檬酸会将铝转化为易被人体吸收的铝盐,而被身体吸收。

●**锌、镁等离子缺乏** 研究者发现,此类患者脑中锌、镁等含量很低。锌可以防止铅和其他有毒金属沉淀,而这种沉淀物会形成本病;镁能帮助减缓与防止随年龄增长所发生的脑细胞退化。

➡其他原因

●**疾病** 常见的脑血管疾病在发病后,大脑一些局部供血供氧不良,而加速其退化。另外脑外伤和内分泌疾病,也是造成老年性痴呆的直接原因。

●**情绪抑郁** 长期的不良心境也能使一些人出现痴呆病症,在生活中你若仔细观察那些长期情绪抑郁的老年人,大多反应较迟钝,久而久之即会出现痴呆现象。

●**遗传因素** 据估计有 15% 的老年痴呆症可能由遗传基因导致。

●**发炎** 一些研究人员认为,发炎是形成老年痴呆症的主要因素。经常发炎而又不及时用抗炎药,患此病的可能性较大。

●**精神紧张** 长期精神紧张会增加老年痴呆症的发病可能。在紧张情况下,体内分泌出一种应激激素,这些激素会伤害记忆和认识中心的海马细胞功能。

●**疏于用脑** "用则进,废则退"是对大脑功能"荣衰"的概括。今人皆知大脑越用越"年轻",经常不用脑,大脑细胞得不到充分的刺激,会加速它的退化、萎缩而提前出现痴呆现象。

❖ 生活建议 ❖

➡生活调理

●**控制紧张** 精神紧张能促进老年痴呆症的形成,因此,控制精神紧张就成为必要的预防措施。至于具体方法,就比较多了。有效方法之一是,当处于严重的焦虑、紧张状态时,可以做腹式呼吸:下腹部用力鼓起,同时从鼻孔吸气,然后从口中缓缓吐气。另外当心情不愉快时,尽快转换大脑,把不愉快的事情丢开;保持自己的一定嗜好或好奇心,做一些自己特别喜欢的事情,比如下棋、书法;多跟朋友或家属在一起谈话;排忧也不失为一种方法,对于女性更为适宜。

●**不断学习,锻炼思维** 利用它就不会失去它——这简直是一句哲理性很强的名言。大脑的思维能力也是如此。据国内外的一些学者研究显示,受教育愈多,可以促进神经系统发育,锻炼大脑功能,人到老年后,多用脑能够减缓大脑细胞的退化,就不容易得老年痴呆症。脑部就像身体其他部分一样,愈锻炼刺激你的脑细胞,就会变得愈活跃、愈强健。因此,那些受较多教育,又有兴趣积极学习的人,较少患老年痴呆症。

➡饮食建议

●**基本饮食原则** 规律及均衡的饮食是保证营养均衡的基础,为了避免营养缺乏还可以适当补充维生素、矿物质补品。

●**远离含铝高的食物是你遵守的原则** 尽量不用铝制炊具,由于铝与形成老年痴呆有关,因此在生活中,尽量远离铝制品。

●**饮茶要少,更不能放柠檬** 茶叶中含有高量的铝,尤其是茶水中加入柠檬时,柠檬酸会把铝转化成容易被身体吸收的铝盐。

➡你应该了解的营养素

维生素

●**维生素 E、维生素 C 和维生素 B_6** 抗氧化剂保护细胞对抗自由基的损害,而自由基是我们呼吸的氧在身体中被形成过度活跃的氧分子,能摧毁健康的细胞。脑组织是最容易受到自由基攻击的部分。而维生素 E、维生素 C 以及维生素 B_6、胡萝卜素都具有抗氧化作用。所以建议,在中老年人的饮食中添加维生素 E、维生素 C、维生素 B_6 和胡萝卜素混合制成的营养补品,具有抗大脑老化、延缓老年痴呆的作用。

●**B 族维生素** B 族维生素是脑部的能量,缺乏 B 族维生素,尤其是维生素 B_{12} 会形成老年痴呆症。在老年人中维生素 B_{12} 缺乏现象是相当普遍的,任何患有老年痴呆症的人,应该每天舌下含 100 毫克维生素 B_{12}。在某种情况下,甚至可以注射维生素 B_{12}。

矿物质

●**锌** 锌的含量不足,与老年痴呆症有关,锌还能防止铝和其他有毒金属的沉淀,而这种沉淀会导致老年痴呆症。因此补充一定剂量的锌也是必要的。每天口服 15～50 毫克锌。

●**镁** 镁的不足也是形成老年痴呆症的因素之一。因此老年人每天可服 350～500 毫克的镁。

其 他

●**有益的激素——褪黑激素** 松果体产生的这种"特效的"激素,能确保其他激素的分泌量在应激状态时,维持在正常范围内,从而保护脑细胞,避免在精神紧张时,由于分泌大量的激素而受到侵害。另外褪黑激素也有助于老年痴呆症病人恢复正常的睡眠状态。入睡前取 1 毫克舌下含化即可。

●**有益的激素——孕烯醇酮** 孕烯醇酮能有效地提高记忆力。它在脑中和肾上腺皮质中产生。随着年龄的增长其分泌量减少。在 75 岁时比在 30 岁左右时,我们身体制造的孕烯醇酮减少了 60%。所以老年人每天补充一些孕烯醇酮是有必要的。每天口服 1～2 颗 50 毫克的胶囊。

老年痴呆症患者的生活饮食调理

◆控制紧张

◆不断学习,锻炼思维

◆尽量不用铝制炊具

◆饮茶要少,更不要放柠檬

◆补充维生素 E、维生素 C、维生素 B_6 及胡萝卜素

◆补充维生素 B_{12},每天 100 毫克

◆补充镁,每天 350～500 毫克

◆补充锌,每天 15～50 毫克

◆口服孕烯醇酮,每日 50 毫克

◆睡前舌下含 1 毫克褪黑激素

➡营养治疗药膳

药 草

●山芋　山芋内含没食子酸、苹果酸及维生素 A、糖分等成分。具有益肾健脑的作用,可以增强记忆力,对于治疗老年痴呆

症有一定作用。类似补肾健脑的中药有很多,如枸杞子、何首乌、熟地、桑椹子、核桃肉等都具有健脑作用。

●**银杏** 银杏可以扩血管,增加脑部血流,改善记忆力和缓解老迈迹象。

●**银耳** 银耳内含蛋白质、B族维生素,具有滋阴益气、生津、活血、益肾作用,为治疗老年痴呆的良药。日常可熬羹、制糖果、煮粥食用。

●**枸杞子** 枸杞子内含胡萝卜素、维生素 B_1、维生素 B_2、维生素 C、烟酸、钙、磷、铁、亚油酸等营养物质。久服有滋肾、明目、益脑、益寿的作用。药膳食法,可炒肉片、烧鱼、泡酒、煮粥等。每次用量 10~20 克。

●**核桃仁** 又称"胡桃肉",内含脂肪油、蛋白质、磷、钙、铁、维生素 B_1、维生素 B_2、维生素 C、维生素 E 等营养成分,有补肾健脑的作用。现代医学认为,核桃仁的健脑作用是由于所含的丰富的磷,对脑神经细胞所起的良好作用,并且认为核桃仁有抗衰老作用。

药 膳

●**山楂枸杞茶** 生山楂、枸杞子各 15 克,以开水冲泡 30 分钟后即可代茶徐饮。可辅助治疗由中风导致的老年痴呆症。

●**桑椹胡桃粥** 桑椹 50 克,粳米 250 克,核桃仁 30 克。共煮成粥或做成米饭食用。每日一次,久食能健脑。

●**双耳汤** 银耳 10 克,黑木耳 10 克,冰糖 30 克。先将银耳、木耳用温水发泡,放入碗内,将冰糖放入,加水适量。将盛木耳的碗置蒸笼中,蒸 1 小时,待木耳熟透时即成。食用时,吃木耳、喝汤,可分次或一次食用,每天两次,能滋补肾阳健脑。

34

骨质疏松症

　　骨质疏松是骨骼退化的毛病,特征是骨头变得疏松脆弱,使得骨骼容易破裂和骨折。不少人认为,骨是坚硬的,是不会改变的,怎么会像被虫蛀一样出现疏松呢? 其实,骨是活的器官,由若干种组织构成,具有一定形态、功能特点和血管、神经,能不断进行新陈代谢,有其生长发育过程,并有修复和改建的功能。也就是说,人的一生,从小孩到成人,骨骼始终处于旧的骨骼细胞不断被分解,而新的骨骼细胞不断形成的过程中。在儿童期及青少年早期处于身体发育阶段,新骨的形成要比旧骨的破坏速度快,到 30 岁左右人们的骨质量达到最高峰,此后将开始下降,35 岁以后每年大约流失 1% 的骨质。
　　骨质是骨的主要成分,由骨组织构成,表现为骨密质和骨松质两种形式。成熟的骨质除细胞外,其基质中有大量胶原纤维、黏多糖、蛋白质等有机物,此外,骨重量的三分之二是以碱性磷酸盐为主的无机盐构成,其中最重要的是钙。有机物赋予骨骼弹性和韧性,而无机盐则使骨骼坚挺,硬实。然而,发生骨质疏松时,骨矿物质大量流失,骨骼外形虽然和正常一样,但其骨质内部出现吸收、消溶、骨质变薄等现象,其间出现大小不等的孔隙,呈现中空、疏松,因而变脆,如同虫蛀后的木头一样。疏松的骨骼失去支撑功能,无力承受日常生活的重负,稍受外力磕碰即断裂、粉碎,使骨折的概率增加。

骨质疏松的发生通常与内分泌、遗传、营养及缺乏运动等因素均有一定关系,与年龄、性别亦有密切的关系,有些疾病和药物也是造成继发性骨质疏松的原因(如糖尿病、营养缺乏、长期服用激素类药物)。我国老年男女患病率均较高,尤其以老年女性更甚,这主要是妇女绝经之后雌激素的显著缺乏,由此而导致的骨矿物质的加速流失而造成的。

有骨质疏松的患者通常有骨疼痛的表现,一般为局限性,严重者可伴有全身性骨疼痛,其中以腰背痛最为常见,伴有疲乏、无力;疼痛发生时间不定,一般为间歇性发作,多为中度或重度疼痛,持续性站立或负重过度时疼痛显著,休息后可缓解;如果不注意正常体位的保持亦可以出现驼背,这些均可以作为骨质疏松的典型表现,但临床上往往不被注意,多在发生骨折后才被发现骨质疏松的存在。所以提醒大家,如果你经常有不明原因的骨疼痛,尤其是老年妇女,应该到医院检查是否有骨质疏松存在。特别容易发生骨折的部位有脊柱、髋部、肋骨、股骨、腕骨等部位。另外骨折后的合并症是对这类患者的又一大威胁,如肺炎等。因此在这里有必要提醒大家,要适宜地计划及调节生活,以预防骨质疏松的发生,如果已经发生,更要积极治疗。

```
骨质疏松时你会有如下表现

◆骨痛,如全身性骨痛,以腰背痛更为常见
◆劳累后疼痛明显,休息后减轻,一般表现为
  疲乏,站久疼痛加重;负重及走长路后疼痛
  加重
◆如不注意保持正常体位,致脊柱变形而成
  驼背
◆骨折是骨质疏松最容易发生的情况,骨折
  常发生在腰部、髋部、腕部等部位
```

❖ 容易诱发的因素 ❖

➡饮食因素

●**钙的摄入不足** 我国有关部门推荐的成人钙摄取量为每日 800 毫克,而我国传统膳食结构特点是以谷物和蔬菜为主,人们从食物中摄取的钙量往往每天只有 400～500 毫克。如不有意地改变膳食结构或额外补充钙摄取量,那么势必造成钙摄取不足。

●**高蛋白高脂肪饮食** 在当今社会中高蛋白饮食和高脂肪饮食是人们的生活通病。那么高量的蛋白质会增加体内钙的流失,而肠内的脂肪酸会和钙结合形成钙皂干扰钙的吸收。因此,应将蛋白质和脂肪的摄取量控制在适当的标准内。

●**酸性食物的影响**　食物摄入人体被分解后可分为酸性、碱性两大类。酸性食物会增加钙的流失而导致骨质疏松，像肉类和其他含高量蛋白质的食物以及大部分谷类和淀粉类食物即属酸性食物。因此，日常食谱应以尽量多地摄入碱性食物为宜，包括水果、蔬菜和乳制品，不过其中不包括橘子、李子、玉米、扁豆和乳酪。从中我们可以看出，平素人们习惯的食物正是容易造成钙流失的食物。

●**蔗糖、盐、酒精及咖啡因**　这些食品均是容易导致体内钙大量流失的因素。尽管其中机理并不十分明确，但根据统计确实是导致体钙失衡的原因之一。过多地摄入这类食品，会增加体钙从尿液或粪便中排出。含磷的可乐饮料也属此类，应尽量避免过量摄取。

➡**其他原因**

●**雌激素不足**　妇女在绝经后，其雌激素的分泌量迅减，而雌激素又是钙吸收的必要物质。这就使得妇女在绝经后体钙的流失量迅增。据统计，一般妇女在绝经后的 5 年内，每年丢失骨钙 1.5% ～ 2%；第 6 ～ 10 年，每年丢失 1% ～ 2%；第 10 ～ 20 年，每年丢失 1%，也就使得这一人群成为骨质疏松的主要患者源。

●**运动不足**　规律的负重型运动有助于强化骨骼，事实上，现代生活里缺乏体力上的运动，可能是骨质疏松发病率上升的主要原因之一。尤其是老年人，随着年龄的增长，体力的下降，运动日益减少，这也是老年人骨质疏松发病率高的又一原因。事实证明，退休后仍坚持体育活动的老年人，骨质疏松的发病率较从不参加体育活动的老年人低。此外，久卧病床的病人容易发生骨质疏松，也说明运动的强化骨骼作用。

●**日照不足**　现代人都知道补钙的同时必须补充维生素 D

方能有效。而阳光是维生素 D 的绝佳来源,因为紫外线能刺激某些皮脂制造维生素 D。对于老年人和卧床病人,室外活动少,日照不足,维生素 D 缺乏,所以容易发生钙缺失而致骨质疏松。

❖ 生活建议 ❖

➡ 生活调理

●**适当运动** 适当运动可以使骨质疏松的发生减缓,或使其程度减轻。我们前面说过,运动可以强化骨骼,而且运动之时增加了日照,使维生素 D 的来源充足,所以我们建议你做一些运动,像走步、打网球、跳舞、打太极拳等强化和支持背部的特殊运动。运动加上钙营养能提高预防效果。某大学研究人员对 30 位过了更年期的妇女做了钙及运动对骨密度影响的研究证明,运动组的脊柱矿物质密度增加了 0.5%,而不做任何运动者则下降 37%,这表明运动、饮食及生活方式在减少骨质疏松症发病率上产生了相当大的影响。

●**避免不恰当的运动** 避免不适当的运动是避免发生骨折的一个值得注意的问题。由于骨质疏松的患者最宜发生骨折,所以无论你在运动时或在生活中都要尽量避免其发生,这就要求你在运动时,尽量选择那些动作柔和的运动,而不适宜做那些动作剧烈和不好掌握平衡的运动。生活中也要尽量注意避免摔跤、负重等。

●**戒烟** 有资料统计证明抽烟者较不抽烟者患骨质疏松的几率要高,所以也建议你戒烟。

➡饮食建议

●**基本饮食原则**　你应遵循基本饮食原则,尽量做到素食疗法。

●**碱性饮食**　你还应遵循的另一条饮食原则,就是碱性灰质饮食,当然在你进行素食疗法的同时就已部分做到了碱性食物的原则,但你还是要尽量遵循这一原则。

●**高钙食物**　高钙食物是你日常生活中的重点选择,你也许苦于不了解哪些食品钙源丰富。那么这里首先可以告诉你的是,牛奶、奶制品、虾皮、虾米、鱼(特别是海鱼)、动物骨、芝麻酱、豆类及其制品、蛋类及某些蔬菜等,都是含钙丰富的食物。其中牛奶不仅含钙量高,而且奶中的乳酸又能促进钙的吸收,是最好的天然钙源。至于更详细的内容你可以参考"第二部分"中营养素的保健作用及食物来源的内容,根据你本人的情况进行饮食搭配。

随着人们的保健意识的不断加强,市场上各种各样的补品日益增多,尤其加钙补品,你可以在经过鉴别后根据自己的情况做出选择。但我们认为,如果你想依此解决钙的缺失,对于已经形成骨质疏松者,那是不可靠的。最近有研究指出,由骨粉、牡蛎贝壳或白云石所制成的某些营养补品,其铅含量可能超过安全量标准。所以建议你还是应该尽量在调整你的膳食结构的基础上,根据需要加用国家正规企业生产的钙剂为好。

●**降低咖啡因的摄取量**　如果你喜欢喝咖啡,请你将其控制在每天一杯以内。同时每天至少喝一杯牛奶,这样似乎能保护骨骼不受咖啡因的破坏。

●**戒酒**　酒精会阻碍钙质的吸收,所以你最好不要再饮酒。

防治骨质疏松症的生活饮食调养

◆多样化饮食

◆多摄入含钙量高的饮食，如乳制品

◆可选用同时含有钙和维生素 D 的制剂

◆多选用碱性食物

◆日光是维生素 D 的绝佳来源，一定要适度
　日晒

◆适当运动也是不可忽视的

◆给予钙剂时临睡前应服用一次，由此纠正
　后半夜及清晨时的低血钙状态，从而减少
　骨钙的释放

◆老年妇女不妨酌情使用雌激素，但要请教
　医生

➡你应该了解的营养素

维生素

●**维生素 C**　胶原是构成骨质的重要物质，足够的维生素 C 对胶原合成时所需的一种重要酶的活性是必要的。因此，维生素 C 不足可能会导致骨质疏松症，而且补充维生素 C 是非常安全的。虽然维生素 C 的临界缺乏对骨质疏松症有多大影响并不明确，但为了防备万一，服用一些也是值得的。

●**维生素 D**　维生素 D 是钙在肠道被吸收所必要的物质，

因此活化维生素 D 不足就是引起骨质疏松的原因。特别是老年人，维生素 D 的饮食来源应该首推乳制品，如牛奶等。我们前面讲过紫外线能刺激某些皮脂制造维生素 D，因此阳光也是维生素 D 的绝好来源。所以每天 1~2 次，每次 10 分钟处于阳光下是解决维生素 D 不足的绝好办法。当然不可在阳光最强的时候曝晒，以上午 10 点以前和下午 3 点以后为佳。阳光照射后使自身产生维生素 D 是最好的办法，因为过量服用的维生素 D 也是有害的，会增加骨质再吸收。如果在冬季或是寒冷地带日照不足时，必须在医生指导下来确定你的维生素 D 用量，一般每天 400 国际单位的用量是适宜和安全的。

矿物质

●**钙**　人体中几乎 99％ 的钙存在于骨骼中，所以钙的新陈代谢与骨质疏松间的关系是十分密切的。有实验证明当人体血液内的钙呈负平衡时，骨骼内的钙以每日 25 毫克的速度向血液释出，久而久之骨骼明显脱钙，造成骨质疏松，所以避免造成钙负平衡是防止骨质疏松的起码保证。一般认为，提高钙的摄入量，特别是对处于生长发育阶段的儿童和少年来说，保证钙的摄取量是保证其成长和防止骨质疏松的必要措施，另外在哺乳期增加钙的摄取也可减少骨钙的流失。

妇女在更年期开始，由于雌激素水平下降，骨质丢失的速度较同龄男子要快得多，在绝经后的数年内，丢失得更快。因此，骨质疏松是妇女更年期综合征的一症。这是由于雌激素的分泌减少，导致钙磷代谢障碍，此时血清钙是正常的，而 X 线片可提示骨质疏松，骨密度检查提示其密度下降。这就提示对更年期所引起的骨质疏松症，除补钙外，还必须补充雌激素，尽量减少骨质流失。

我国有关部门推荐的成人钙摄入量为每日 800 毫克,但我国传统膳食结构特点以谷物和蔬菜为主,人们从食物中摄入的钙量往往每天只有 400～500 毫克。纠正的方法除尽量食用含钙丰富的食品外,还需要膳食之外再补充一些钙。补充钙的目的不仅是要提高血钙的浓度,而且要使血液中的钙沉积在骨骼上,填补已形成的孔隙,加强骨骼的支撑功能。这也是我国近些年来一些钙制品在宣传中热烈强调沉积的原因所在。钙在消化道的吸收主要在小肠上段进行,并且受许多因素的影响。大多数钙制剂在肠内被吸收,入血的量不足 40%,近年来出现的 L－苏糖酸钙吸收率较高,且伴随吸收的苏糖酸根促进骨基质合成,有利于骨矿物质规则地排列成骨盐框架结构,促进骨骼的正常生长发育。当你选择钙剂时,一定要征询一下医生的意见,注意其成分。

●**氟化物** 氟化物是牙齿和骨骼形成时必需的一种矿物质,氟存在于海产食物、动物胶和饮用水中。有研究表明,摄取均衡的钙的同时,配合摄取一定量的缓慢释放型的氟化物,能刺激患有骨质疏松症病人的新骨头的成长。但是氟并没有每天推荐摄取量,据某些研究机构统计安全的摄取量在 1.5～4 毫克。每天的剂量超过 20 毫克会产生毒副作用。因此,我们在这里提到这一矿物质的意义,仅在于使大家知道它的作用后,尽量注意含氟化物食物的适量摄取。

●**镁与硼** 镁和硼均是维持正常骨骼健康的非常重要的矿物质,两者都可减少钙的流失,硼还可以升高血液中雌激素的含量,这些均可以避免钙流失。但两者在我国尚无推行的现成口服制剂,而且镁吸收过量还容易引起腹泻,且易损害肾功能,所以我们暂且尽量摄取含镁食物即可。镁的良好食物来源,包括香蕉、杏、桃、咖喱粉、麦糠;种子食物如谷物、坚果类和豆荚;还有海产品、干香菇和绿叶蔬菜等。

●**其他** 铜、铁、锰、磷和锌含量不足时也可能导致骨质疏松症的发生,但至今尚未证实额外补充的必要性,目前来说为了保证矿物质的来源充足,最好的方法就是让饮食多样化,并遵循本节所提供的饮食建议。抑或一定需要补充以上矿物质,一定要在专科医师的推荐和指导下进行,均不可自行乱用。

➡营养治疗药膳

祖国医学认为肾主藏精,精生髓,髓居骨中,骨赖髓以滋养。中医大多数学者认为,骨质疏松症与肾关系密切,经实验研究表明,补肾中药可影响骨骼生长和恢复。因此中医治疗骨质疏松多从补肾着手,此外肝、脾与骨质疏松也有着一定的关系,益肝补脾之法用来治疗骨质疏松的报道也有。有实例,一老中医自40岁之后坚持服用六味地黄丸,待70岁后测其骨骼结构及其骨密度,证实其骨况远远较其实际年龄年轻。因此,我们不妨将六味地黄丸作为日常保健服用成药,每晚服1～2丸即可。另外可选用一些具有补肾、益肝、健脾的中药,配合日常食物做成药膳经常食用。

药 草

●**枸杞子** 枸杞子是常用的补肝肾之品,现代常被民众选来做日常补品之用,其久服有滋肾、补肝、强筋壮骨及润肺、明目的功效,有延年益寿之功,常用来治疗头晕眼花、耳鸣、遗精、腰膝酸软、疼痛等病症,因其含有胡萝卜素、维生素 B_1、维生素 B_2、维生素 C、钙、磷、铁、亚油酸等营养物质。

●**肉苁蓉**　肉苁蓉为补肾之平剂,其性温而不热,补而不峻,暖而不燥,滑而不泄。具有补肾阳、益精血、暖腰膝的作用。日常常用来治疗腰膝酸软、筋骨无力,可与杜仲等药共用。据现代药理研究,肉苁蓉有一定的抗衰老作用,对于骨质疏松者有改善骨结构的作用。另外肉苁蓉还有润肠通便作用,所以对腹泻病人不宜使用。

●**杜仲**　杜仲具有补肝肾、强筋骨、安胎之作用。常用于肝肾不足的腰膝酸痛、下肢痿软及阳痿、尿频等症。又是一味治疗肾虚腰痛的专药。中医古籍《本经》曰,"主腰背痛……坚筋骨";《本草汇言》曰:"凡下焦之虚,非杜仲不补……足胫之酸,非杜仲不去;腰膝之痛,非杜仲不除。……补肝益肾,诚为要药。"可见自古以来补肾益肝、治腰膝疼痛,杜仲就是一味不可或缺之品。因此在这类药膳之中也是一味常用佳品。

药膳

腰背痛、下肢无力、头晕耳鸣、小便短赤、口干唇燥、舌质偏红、脉细数,此属阴虚火旺。可选用如下药膳:

●**大豆猪骨头**　猪骨头1000克,黑大豆250克。先将黑大豆加水浸泡,然后加入洗净的猪骨头,加适量水,用文火煮烂,稍加食盐、味精,适量食之。

●**龟板饮**　龟板125克,水煎60分钟,加白糖少许,日服2次。龟板中含动物胶、钙、磷等成分,有健骨功效。

●**虾皮紫菜汤**　虾皮15克,紫菜9克,加水煮,稍加味精、食盐调料即可佐餐。虾皮营养丰富,每100克虾皮中含蛋白质39.3克,钙2000毫克。

●**冰糖银耳**　银耳15克,冰糖10克。先将银耳加适量水,文火煮烧,加冰糖,待温食之。

●**枸杞肉丝** 肉丝 120 克,枸杞子 60 克。先用猪油将枸杞略炒,加少量水炖烂,出锅;再用猪油将肉丝炒熟(不可过老),倒入枸杞合炒,调味品自酌。

其余还可做枸杞炖羊肉、枸杞炖牛膜、枸杞粥等,根据自己口味制作。在制作过程中亦可加入适量杜仲或肉苁蓉。

●**杜仲腰花** 炙杜仲 12 克,猪腰子 250 克。将猪腰子如常法处理,切成腰花;炙杜仲加清水,熬成 50 毫升药液;用药液一半及其他调味品拌入腰花;如常法炒制腰花,炒制过程中将另一半药液倒入锅中。

面色㿠白、手足不温、尿频便溏、舌苔质淡体胖,脉沉数,乃阳虚火衰也,食疗拟温补肾阳,填髓充骨。可选如下药膳:

●**大豆炖猪骨** 猪骨头 1000 克,大豆 250 克,煎煮,服法参考阴虚食疗法。

●**河车龙马散** 紫河车 250 克,海龙或海马 125 克,鹿茸片 125 克,上药共研细末,每次服 2 克,日服 2 次。

●**芝麻胡桃散** 芝麻 250 克,核桃仁 250 克,韭菜 125 克。上药微炒后研末,加入白糖 250 克,混合,每日早晚空腹各服 3 克。

●**椒桃片** 芝麻 9 克,核桃仁 15 克,桂圆肉 6 克,灵芝 9 克,首乌 9 克,大豆 15 克,珍珠粉 3 克,花椒 1 克。上药轧压成片,供食者以做点心,该方有补肾壮骨的功效。

●**肉苁蓉炖(羊肉)羊肾** 肉苁蓉 20 克,羊肾一对(或羊肉 250 克切块)。将肉苁蓉蒸软切片,与羊肾一同入锅,加水适量,文火炖熟,加味精、盐、胡椒调味至可口。(此菜也可用杜仲做。)

●**苁蓉酒** 肉苁蓉 50 克,黄酒 1000 克,以酒泡苁蓉,一周后即可饮用。

●**其他**　在日常生活中,可多吃鸡蛋、豆浆、海带、花生、花椰菜、荠菜等含钙量较高的食品。

测测你的骨质疏松积分

◆年龄　男性 50 岁以上　　　　　　　　1 分

　　　　女性 40 岁以上　　　　　　　　1 分

◆缺少活动　　　　　　　　　　　　　　3 分

◆长期卧床　　　　　　　　　　　　　　4 分

◆妇女停经　2 年以内　　　　　　　　　1 分

　　　　　　2~5 年　　　　　　　　　　3 分

　　　　　　5~10 年　　　　　　　　　 4 分

　　　　　　10 年以上　　　　　　　　　5 分

◆有骨质疏松症家族史　　　　　　　　　3 分

◆骨骼短小　　　　　　　　　　　　　　3 分

◆常用甲状腺激素或肾上腺皮质激素 5 分

◆生长期钙摄取不足　　　　　　　　　　2 分

◆嗜酒吸烟　　　　　　　　　　　　　　1 分

以上是有关专家通过深入研究和大量实践,制订一套骨质疏松积分表:当累计 8~10 分时,说明已有一定程度的骨质疏松;累计达 10 分或 10 分以上,则提示已经患有骨质疏松症了。

35

痤　疮

　　容颜是每个人非常重视的部位,尤其是年轻女性,更是对此"关怀备至",若是颜面上出了问题,将带来无尽的烦恼。痤疮就是专爱"青睐"青年男女颜面的"恼人之痘"。

　　痤疮,俗称暗疮、粉刺,更多的人称它为青春痘,好发于15～30岁的青年男女。它是一种毛囊、皮脂腺慢性炎症性疾病,以粉刺(白头、黑头)、丘疹、脓疮、结节、囊肿及疤痕为特征的皮肤损害。好发于颜面部,尤其是前额、双颊和颏部,也见于胸、肩胛间背部及肩部等部位,常常伴有皮脂溢出。由于痤疮常常损坏面容,使人感到痛苦,尤其对女性患者的心理造成严重的影响。

　　现代医学研究已经证实,痤疮是患者体内雄性激素分泌过多,刺激皮脂腺分泌过多的皮脂,因此痤疮患者的皮肤都比较油腻。由于过多皮脂潴留形成粉刺,并助长细菌繁殖,使脂肪酸增多,刺激毛囊管腔角化,阻塞毛囊管,引发炎症,从而形成痤疮。严重者愈后留有疤痕。

由于"青春痘"是由内分泌系统失调所引起的,相当顽固,虽然中西医疗法很多,至今尚没有一个较为满意的办法。常常久治不愈,反复发作,使人十分苦恼。

因为"青春症"的发作与疗效和生活中的诸多因素有着密切的关系,我们在这里从生活的角度,尤其是饮食营养的角度来和你谈谈这个"恼人之痘",因为饮食调治是防治痤疮的基本方法。

❖ 容易诱发的因素 ❖

➡饮食因素

●**油腻性食物** 摄取过多油脂是痤疮发作的重要原因。从前面的叙述可知雄性激素是引起青春痘的主要因素。皮脂是点燃青春痘的导火线,而饮食中的油脂又会刺激皮脂的分泌,所以高脂饮食会增加青春痘的发作。一个有趣的观察资料指出,生活在较原始部落的人,以传统食物为生时,很少见到青春痘,一旦改为西式饮食之后,得青春痘的机会就多了。

●**高糖类食物** 高糖类食品会使人体新陈代谢旺盛,皮脂腺分泌增多,从而使青春痘接连不断。

●**腥发食物** 青春痘的成因很大一部分与过敏有关,腥发之物常可引起过敏而导致疾病加重,同时,腥发之物也常使皮脂腺的慢性炎症扩大而难以治愈。临床上常可见到进食腥发之物后原来快要消退的青春痘又"东山再起",小疙瘩变成了大疙瘩,原来光亮的皮肤也会出现许多小疙瘩。

●**辛辣刺激之品** 此类食品性热,食后易上火,痤疮者本身属内热,服食这类食品无疑是火上加油。

●**补品** 补品大多为热性之品,补后使人内热加甚,更易诱发痤疮。有些家长生怕发育期的孩子营养不够,于是拼命进补,实际上这是一种错误做法。

➡其他原因

●**精神因素** 精神因素也不可忽略。因为精神紧张、焦虑会造成内分泌紊乱,导致肾上腺分泌的雄性激素增多,同样可以诱发或加重青春痘。

●**面部皮肤清洁不良** 这也是造成青春痘加重的一个因素,面部清洁程度不好,易造成毛孔堵塞,不利于皮脂流失,引起发炎,加重青春痘的发作。

❖ 生活建议 ❖

➡生活调理

●**坚定信心、坚持治疗** 痤疮是人体青春发育过程中的"副产品",病程长,疗效慢,通常需坚持治疗半年以上,才能取得满意效果。所以你应有坚定的信心,积极配合医生,坚持治疗,会得到很好的控制,待青春期一过,大多自然痊愈。

●**避免精神紧张** 为本病焦虑、着急是不可取的。保持乐观、自信的心态对本病的治疗是至关重要的。

●**合理清洁皮肤**　痤疮患者常为油性皮肤,平时可用温水、肥皂洗脸,也可用洗面奶、收缩水等,以暂时去除皮肤上多余的油脂。每天清洗患处三次,痤疮患者宜使用水溶性液态化妆品,忌用油脂类或粉质化妆品。一般应在外用痤疮药物后 20～30 分钟再使用化妆品。

●**劳逸结合**　保证足够的睡眠。

➡**饮食建议**

●**基本饮食原则**　基本饮食原则同样也是痤疮患者应遵守的原则。这里指的主要是饮食平衡和总热量限制。

●**努力找到你的敏感食物**　对有些患者来说,本病的发作与一些食品的摄入有着明显的关系,所以请你一定要注意找出使你颜面生痘的食物品种,这些食物也许在下列共同的诱发物之列,也许是你所独有的。

●**忌高脂类食物**　中医认为痤疮的成因是由饮食肥甘而引起。高脂类食物能产生大量热能,使内热加重。因此必须忌食这类食品,如猪油、牛油、羊油、奶油、肥肉、猪脑、羊脑、牛脑、猪肝、猪肾、鸡肝、鸡蛋黄等。

●**忌腥发之物**　腥发之物会加重痤疮,因此,腥发之物必须忌食,特别是海产品,如海鳗、海虾、海蟹、象皮鱼、带鱼等。贝壳类食物也属易发之品,如蛤蜊、淡菜、河蚌等。河鲜较海鲜好一些,可试食之,确定痤疮因何物所发,即可忌食。肉类中的性热之品也是发物,如羊肉、狗肉等。

●**忌高糖食物**　摄入高糖食物后,会使皮质腺分泌增多,因此必须忌食高糖食物,如白糖、冰糖、红糖、葡萄糖、麦芽糖、巧克力、奶糖、水果糖、水果罐头、冰淇淋、果酱、炼乳以及各种高糖制品等。

●**忌辛辣刺激之品** 此类食品食后易升火,所以患者平时应忌食辛辣刺激之品,如辣椒、辣酱、辣油、桂皮、姜、京葱、韭菜、洋葱、芥末、鲜辣粉等。

●**忌补品** 补品食后易使人内热加重,所以像人参、黄芪、鹿茸、紫河车等补品一概不能应用。

●**忌酒** 酒精能加重痤疮,因此一定要禁酒,特别是白酒。

➡你应该了解的营养素

维生素

●**维生素 A** 维生素 A 能促进上皮细胞再生,并能防止毛囊过度角化,减少粉刺的发生,在有些资料里表明,维生素 A 在青春痘的试验性治疗中疗效显著,数周内即可痊愈。但这是在服用很高剂量的前提下,安全量效果则不显著。但是高剂量的维生素 A 会产生副作用,所以维生素 A 用量通常是控制很严格的,必须在医生的指导下,才可服用。针对这种情况有人以维生素 E 和维生素 A 同时使用来解决问题,因为维生素 E 可以减缓维生素 A 的分解速度。

即使这样,我也不希望读者自行服用维生素 A,哪怕是安全量,除非你身边有认可这种治疗方法的医生来指导你服用。在这里提起它,只是想向大家提供这样一个信息。你平时可以多食一些富含维生素 A 或胡萝卜素的蔬菜,如金针菜、胡萝卜、荠菜、菠菜等。“第二部分”中还会向你推荐更多品种。

●**维生素 B_6** 一些临床报道指出,补充维生素 B_6 可以减轻月经前的不适症状,包括突然冒出来的青春痘,例如,有 106 位年轻的妇女,在月经前和月经期间每日服用 50 毫克的维生素

B_6,一周后,72％的人青春痘都痊愈了。其道理在于 B 族维生素参与糖和脂肪的代谢,从而能起到皮脂腺分泌的调节作用。你平时可以多吃些富含这些维生素的食物。

矿物质

●锌 锌在治疗痤疮中的作用,国内外资料均有报道,早在1983 年《大众医学》杂志中上海第二医学院附属宝钢医院的孔祥瑞先生就已经告诉大家:锌——治疗痤疮的良药。可惜迄今为止,许多医院的医生在给痤疮病人的处方中都没有锌剂。

锌是人体必需的营养物质,查锌含量有助于很多疾病的诊断和估计预后,用锌还能治好多种疑难杂症,因此锌被誉为"生命的火花"。对于痤疮的作用在于锌对皮脂的代谢可能有直接作用,有人研究证明,缺锌可使正常人产生痤疮。因此锌能通过直接或间接途径使炎症消散,皮脂腺分泌量减少,改善机体免疫状态及新陈代谢,加速细胞新生及修补创伤的作用,使痤疮好转以至痊愈。

根据中东各国、南北美洲及欧洲进行的调查表明,人群中锌的摄入量达不到推荐标准,有普遍缺锌的倾向。故而对服用适量的锌无须顾虑重重,可以放心使用,饭后口服硫酸锌溶液疗效最佳。剂量为0.5％硫酸锌溶液,每日三次,每次 30 毫升。

●硒 痤疮感染后,会形成白色脓疱。补充硒对治疗脓疱型痤疮似乎特别有效,可能是因为硒有抗感染的作用,当然提这样建议的材料没有更进一步讲述其中原理。因为硒与维生素 E 有着密切关系,所以这份材料建议硒和维生素 E 合并使用。

生活建议

◆每天洗脸三次(患部)

◆千万不可挤压青春痘

◆莫用油质和粉质化妆品

◆忌食油腻、腥发、辛辣食物

◆多吃豆制品、新鲜蔬菜和水果

◆请服用维生素 B$_6$

◆保持大便通畅

◆0.5%硫酸锌溶液是很好的选择,每日三次,每次 30 毫升

◆药膳——用吃来治痘

◆坚持是关键

➡ **营养治疗药膳**

中医认为"痤疮"乃肺热及湿毒风邪郁滞肌肤所致,所以中医治疗痤疮多采用清肺胃之热、解湿毒之品。常用的药物如下:

●**白芷** 在许多中医古籍中都对白芷治疗痤疮有描述,如"白芷,气温力厚,通窍行表,为是阳明经祛风湿之药。故能治阳明一切头面诸疾"、"白芷上行头目,能治如疮溃糜烂,排脓长肉"。老中医治疗痤疮的验方,即是以白芷为主要药物施治,疗

效非常好。

●**川椒** 即我们做菜调味用的花椒,其性辛温有毒。含有磷、铁、川椒素、挥发油、植物固醇、不饱和脂肪酸等成分,具有温中祛寒、祛湿杀虫的功效。常用于治疗风寒湿痹、腹内冷痛等,另其还有解郁结、除湿、能逐皮肤之死肌的功效,可用于治疗痤疮。

●**薏米** 又称薏苡仁。其性甘淡微寒,是一味渗湿、清肺、排脓的常用药。含有蛋白质、脂肪、碳水化合物、维生素 B_1 等营养成分,常用来治疗湿痹、水肿、肺痈、肠痈、淋浊、白带等一类湿性病症。也可用于痤疮食疗。药膳用法可煮粥。

●**枇杷叶** 它是止咳平喘药,常用来治疗肺热咳嗽、喘急等,在此通过其清肺热之功来治疗青春痘,可取一定疗效。

●**夏枯草** 夏枯草是一味常用的散郁结、清肝火要药,所主治的都是肝经热性病症,如目赤肿痛、头晕、头痛、瘰疬结核、痤疮等。含有水溶性无机盐,主要为氯化钾,其对多种细菌有抑制作用。

●**海带** 其性咸寒,有消痰结散瘿瘤之功。其成分含有蛋白质、生物碱、氨基酸。此外还含有昆布素、碘、胡萝卜素、维生素 B_1、维生素 B_2 等物质。习惯上用其治疗粗脖子病。用于治疗痤疮可助痤疮疙瘩消散。

●**石膏** 石膏是硫酸钙的矿石,其性辛甘大寒。是中医清热要药,其成分含有硫酸钙、硫酸镁、硫酸铁等,习惯常用石膏治疗热性病症,如胃火亢盛的牙痛、头痛、牙龈痛;肺热之咳嗽气喘以及湿疹、痤疮、溃疡等。

药膳

●**薏米绿豆汤** 绿豆 20 克,薏米 50 克。两物同煮成粥,加适量冰糖调和,每日分两次服。本方有清热利湿的作用。

●**枇杷叶石膏粥** 枇杷叶 10 克,菊花 6 克,生石膏 15 克,粳米 50 克。先将前三物水煎取汁,再放入粳米煮成粥后服食,每天一剂。本方有清除肺胃积热之功。

●**海带绿豆杏仁汤** 海带 15 克,绿豆 10 克,甜杏仁 9 克,玫瑰花 6 克(用纱布包上),红糖适量。将以上诸物同煮,去玫瑰花,喝汤,食绿豆、海带、甜杏仁,每日一剂。本方有解淤散结的功效。

●**夏枯草蜜粥** 夏枯草 20 克,粳米 50 克,蜂蜜适量。先煎夏枯草取汁,然后下粳米煮成粥,加蜂蜜调服,每日一剂。本方有凉血通腑的作用。

●**双仁粥** 薏苡仁 30 克,甜杏仁、海藻、海带各 9 克。将后三味加水适量煎煮,弃渣后加薏苡仁同煮粥食用。具有清热解毒、化痰散淤之功效。

●**桃仁荷叶粥** 桃仁、山楂、贝母各 9 克,荷叶半张,加水 1000 毫升,煎至 600 毫升,去渣后入粳米 60 克煮粥服食。具有升清阳活血化淤功效。

36

牛皮癣

银屑病俗称为"牛皮癣",是一种可以泛发于全身的顽固性皮肤病,也是困扰全球皮肤科学界的一大难题,该病至今仍无法根治。

牛皮癣以皮肤出现边界清楚的红斑、丘疹,表面覆有多层干燥的银白色鳞屑为特点。好发于头皮、四肢、躯干;四季均可以发病,但多数患者冬重夏轻;任何年龄均可发病,但以青年人、壮年人发病率最高。在西方《圣经》时代,牛皮癣患者往往被放逐到麻风病区,两千年来一直困扰着成千百万的患者和医生。

牛皮癣的诊断主要根据其临床体征为依据。皮损以边界清楚的红斑、丘疹,表面覆盖有多层干燥银白色鳞屑;刮除鳞屑后有点状出血。发生在头皮则毛发呈束状。有少数患者,在红斑上有大小不等的脓疱,也有因治疗不当使红斑融连成片,以致全身皮肤潮红、水肿,大量脱屑。有不同程度的瘙痒,或有关节疼痛、发烧等。

有研究表明,牛皮癣其病变的形成是由于皮肤细胞的过度生长、脱落而造成,造成这种不正常的细胞成长的原因至今还不明了,但牛皮癣的发病是与遗传有关的,可以说该病是一种多基因遗传的疾病,在临床有着显著的家族内聚集性。

牛皮癣虽然暂时还是一个无法根治的疾病,但是通过生活调理、饮食调理,再配合医生正确治疗各种手段的综合应用,缓解病情、提高生活质量还是可行的。

牛皮癣的症状和体征

◆皮肤上有红斑或丘疹,表面覆盖有多层干燥银白色鳞屑
◆刮除鳞屑后有点状出血
◆或在红斑上有大小不等的脓疱
◆或有关节疼痛、发烧
◆大多有不同程度的瘙痒

❖ **容易诱发的因素** ❖

➡**饮食因素**

●**高糖、高脂肪饮食** 很多牛皮癣患者存在高胆固醇血症

和高三酰甘油血症,与高脂血症有关的高血压及闭塞性血管疾病的发生率也是比较高的。虽然这其中的因果关系现在还无法说清,但患者少吃高脂、高糖饮食还是应该的。

●**饮酒与进食辛辣食品或鱼虾**　饮酒以后或食用辛辣食物,如辣椒、葱、蒜、韭菜,以及鱼虾等海产品中的动物类食品,都能诱发牛皮癣或加重、复发。尤其烈性酒,饮后不仅能诱发疾病,还可加剧病理过程。在进行期间,甚至有使寻常性牛皮癣转变为严重的红皮病型、脓疱型牛皮癣的可能。

➡ 其他原因

●**遗传因素**　牛皮癣是具有遗传倾向的,大量调查表明,有牛皮癣家族史者,其发病率明显高于一般人群,并且与患者血缘关系越近,患病比例越高。调查中还经常发现一个家族连续几代发病的情况,且常表现为跳跃式、隔代或非直系亲属发病的现象,显示牛皮癣有显著的家族内聚集性。我们在治疗本病过程中也发现,一个治疗效果良好的患者,往往会领来另一位或两位有血缘关系的亲属来看同样的病,因此我们断定本病有一定遗传性,但这方面还未做更深入的研究。

●**免疫力低下**　与湿疹相同,牛皮癣也与免疫力低下有关。我们发现,患了牛皮癣之后,更容易遭受感冒或感染,而应用了一些增强免疫力的药物后,牛皮癣又会明显减轻。

●**与感染有关**　简单的喉头链球菌或念珠菌感染,就可能导致牛皮癣发生或复发。

●**精神紧张**　牛皮癣与精神紧张、心理压力大均有密切关系。长期的精神紧张,影响身体内环境,如导致内分泌功能失调,最终也会影响皮肤细胞的生长,从而诱发牛皮癣。

●**皮肤外伤**　皮肤、手臂或膝盖等处受到外伤,往往会在外伤的皮肤上发生牛皮癣,这可能与局部的血液流动不良、皮肤抵抗力低下有关。

●**吸烟** 吸烟在诱发或加重患者的免疫系统紊乱中都起着"重要作用",所以吸烟对牛皮癣患者有害无益。

牛皮癣的诱发因素

◆遗传因素　　◆免疫力低下

◆与感染有关　◆精神长期紧张

◆皮肤外伤　　◆高蛋白、高脂肪饮食

◆饮酒　　　　◆进食辛辣食物和鱼虾

◆吸烟

❖ 生活建议 ❖

牛皮癣至今尚无根治办法,但患者如果积极配合治疗,还是能够得到良好控制的,近年来"阶梯选择法"越来越被接受,也就是提倡从最简单的生活调理和皮肤护理做起,逐步寻找适宜每个患者的控制手段。

➡生活调理

●**多做安全运动,提高免疫力** 患牛皮癣后,首先是要保证自己身体情况良好。你的身体情况越好,免疫力越强,牛皮癣就越走向好的方向,否则会越来越重。但我们提倡的是一些安全运动,即不容易摔碰的运动,像滑冰之类的易受伤的运动最好不做。因为这些运动,难免皮肤某处受伤,而皮肤的损伤,正好又为牛皮癣的蔓延提供了机会。

●**积极控制感染**　即便是一个简单的咽炎,也要积极控制,因为它也能导致免疫力低下而诱发牛皮癣。

●**控制精神压力**　精神压力过大是引发牛皮癣的导火线,因此解除精神压力也是重要的事情。这就要求我们对疾病本身不要过分耿耿于怀,心情开朗,该做什么还继续做什么。一旦有精神紧张出现,可以通过找朋友谈心、看书、听音乐、练书法等方法来调节。

●**多晒太阳**　多晒太阳能产生维生素 D,而维生素 D 对治疗牛皮癣有相当价值。可是牛皮癣患者,往往不愿人们看到患处,而把患处包裹起来,从而最容易错过这一良好的治疗机会。

●**保持皮肤湿润**　牛皮癣最多见的是干燥鳞屑,保持皮肤湿润,可以减轻鳞屑和发痒。可以经常湿敷、洗浴,局部涂抹油质霜。

这其中洗浴占有不可替代的地位。对于牛皮癣患者来说,洗浴可以软化皮损,去除厚积鳞屑,改善局部血液循环,促进新陈代谢,缓解血淤症候,还可以清洁皮肤,从多方位来发挥其治疗作用。如果有条件进行药浴将会收到更佳的效果,洗浴时不可选用碱性过大的肥皂及浓度过高的药皂,同时洗浴时也不可用力搓擦,而应尽量多使浴水浸泡患处,否则会欲速而不达。介绍洗浴单方两则:①秦皮 30~60 克,加水 1~1.5 升,煎汤洗患处。②枯矾、川椒各 120 克,朴硝 500 克,野菊花 250 克,加适量水煎汤,作全身浴,适用于寻常型、红皮病型牛皮癣患者。

●**禁止吸烟**

➡**饮食建议**

●**低糖、低脂肪饮食原则** 高糖及高脂肪饮食均不利于牛皮癣患者,所以平素最好吃一些低糖和低脂肪的较清淡的食物。这些食物中富含维生素 C、维生素 B_6、维生素 E 和胡萝卜素,而这些维生素都对牛皮癣患者有利。

●**禁止饮酒和进食辛辣食物和鱼虾** 这些食物均易使牛皮癣加重、复发,一定要远离。

治疗牛皮癣的生活饮食调理

◆多做安全运动,提高免疫能力

◆积极控制感染,预防感冒发烧

◆控制压力,放松精神

◆多晒太阳

◆多洗浴,保持皮肤湿润,浴水不可过烫

◆远离高脂肪、高糖饮食,多食素食

◆禁止饮酒,禁食辛辣食品、海味、鱼虾

◆禁吸烟

◆补充维生素 D

◆补充维生素 A

◆补充矿物质,如硒

◆补充 Omega-3 脂肪酸

●**多食养血、凉血、活血食品** 中医认为,牛皮癣有"血燥、血热和血淤之象",凡有养血、凉血、活血作用的食品对牛皮癣的

减轻都大有好处,如乌梅、柚子能清热凉血、解渴生津,还可降低血脂;西柚和胡柚还具有抑制细胞有丝分裂的作用,是防治牛皮癣的天然保健食品。另如芦笋、苹果、香蕉等均对牛皮癣患者很有益处。

➡你应该了解的营养素

维生素

●**维生素 D** 维生素 D 已被证明在治疗牛皮癣上相当有价值。而维生素 D 的补充,一方面可通过晒太阳由体内产生,因此我们提倡牛皮癣患者多晒太阳;另一方面也通过口服补剂摄取,但口服维生素 D 的剂量要在医生指导下进行,以免服用过量,造成毒性反应。

●**维生素 A** 维生素 A 被认为是专治皮肤病的维生素,一般用来治疗牛皮癣和面部痤疮等多种皮肤病。维生素 A 在治疗严重牛皮癣上也发挥着重要作用,但剂量要由医生指导。

矿物质

●**硒** 这种矿物质可帮助你对抗头皮屑,而头皮屑在牛皮癣患者身上是很普遍的。每日服 200 微克的硒,对牛皮癣患者是有益的。

其 他

●**Omega－3 脂肪酸** Omega－3 脂肪酸存在于鱼油中,对于提高免疫力、减轻发炎有特殊功效。很多牛皮癣患者在补充富含 Omega-3 脂肪酸的鱼油后,症状减轻。

➡️ 营养治疗药膳

药 草

●芦笋 芦笋内含多种维生素和微量元素,能清热祛风止痒,可用于治疗牛皮癣瘙痒。

●乌梅 乌梅内含琥珀酸、谷固醇、蜡样物质、齐墩果酸等成分,能收敛、杀虫、止痒,可外洗、内服治疗牛皮癣。

药 膳

●芦笋茶 芦笋 2000 克,每次加水至药平面,重复煮沸三次,取汁三次,合并浓缩至 600 毫升。每日三次,每次服 20 毫升,一个月为一个疗程。治疗各型牛皮癣。

●乌梅茶 乌梅 2500 克,去核水煎,浓缩成膏 500 克,每日三次,每次 9 克,温开水送下。

●乌梅甘草饮 乌梅 30 克,菝葜 30~60 克,煎汤饮服。

●乌梅膏 乌梅 2500 克,水煎去核,浓缩成 500 克膏体,每日服 3 次,每次 10 克,服时可加适量白糖。

➡️ 自制外用药

●石榴皮 石榴皮与乌梅相同,味酸,有收敛、杀虫、止痒的作用,外用可治牛皮癣。

●木鳖子 又名马钱子,有毒,能解毒通络,外用可治牛皮癣。

●**石榴皮软膏** 石榴皮粉 15 克,樟脑 1 克,石炭酸 1 克,凡士林 100 克,加少量石蜡油或石榴皮油(石榴皮 1 份,炒炭研细末,麻油三份调成稀糊状备用)外擦,每日 2 次。

●**木鳖子蛋黄油** 取木鳖子 5 枚,去皮,加少许陈醋,研成汁,洗净患处,先擦蛋黄油,然后敷木鳖子汁。

●**石榴皮油糊** 石榴皮适量,香油 30 毫升,石榴皮炒炭研末,加香油调成糊状,外涂患处,每日 2 次。

●**阵醋荸荠糊** 荸荠若干,洗净去皮,切成薄片浸入适量陈醋中,放在沙锅内文火煎熬,至荸荠片变硬时(约 10 分钟)取出,捣成糯糊状,外涂皮损处后,盖上塑料纸,用纱布绑好。每晚临睡前用药一次。

37

湿　疹

　　湿疹是一种很常见的皮肤病,其发生部位不定,常此起彼伏,反复发作。其皮疹出现常有以下几个特点:①皮疹的形态多种多样,可以是红色斑点、红色丘疹、水疱、痂和苔藓样变等。②常有渗出和糜烂,显示出湿的特点。③之后皮肤会有色素沉着、粗糙、增厚而呈皮革样变。④伴有剧烈瘙痒。

　　从病变过程看,湿疹很难找到病因,因此形成一种反复迁延、难以治疗的趋势。从本质上讲,湿疹是一种过敏性疾病,患者多有过敏体质,遇到一些内在因素,如患扁桃腺炎、慢性阑尾炎、精神波动等情况后,或者受到体外因素影响,如摄入动植物蛋白质,接触化学制品、洗涤剂、动物皮毛等,都可能导致发病。

❖ 容易诱发的因素 ❖

➡饮食因素

●**易引起过敏的食物** 前面说过,湿疹本是一种过敏性疾病,大约有一半的湿疹患者与食物过敏有关,并且主要是摄入异体蛋白质后容易诱发,其中诱发率最高的要数鸡蛋和牛奶了。每个人的过敏物质不尽相同,具体到某个患者究竟对哪种食品过敏,还需认真在生活中去体会。

➡其他原因

●**免疫能力低下** 凡是湿疹患者,其免疫能力均较常人低下,因而才有易过敏、易感染的特点。这恐怕也是患湿疹的根本原因所在。

●**易过敏物的接触** 对于过敏体质的人,一些易致敏物质总是罪魁祸首,包括尘螨、特异气味、化学制品等。对于湿疹患者来说,易引起过敏反应的物质一般都是直接与皮肤接触的物品,如化学制品、洗涤剂、动物皮毛、化学纤维等均可导致湿疹发病。

❖ 生活建议 ❖

➡生活调理

●**最好不用洗涤用品** 市场上琳琅满目的洗涤用品,如洗发香波、肥皂、淋浴露、洗衣粉等,对皮肤或多或少都会有些刺激,而使病情加重,湿疹患者一般不宜使用。含消毒药物的洗涤用品,因刺激更大,湿疹患者更不宜使用。如果必须使用洗涤用品,而且病情基本控制的话,可用一些无刺激、不含香料的如婴儿用品及含燕麦的品种。

●**淋浴有讲究**　首先不应用刺激性强的洗涤用品,并且湿疹部位忌用热水洗烫,且不适宜经常淋浴,尤其洗浴后皮肤干燥或瘙痒的老年患者。

➡饮食建议

●**禁食异体蛋白是你遵守的原则**　努力找到使你过敏的食物,并且禁食那些会引发湿疹的食物,特别是牛奶、鸡蛋、鱼虾蟹等异体蛋白。对于易引起过敏的食物,你一定要认真地做剔除试验。

●**禁食辛辣刺激食物**　辣椒、葱、蒜、韭菜、饮酒都有促使湿疹加重的副作用,所以在患湿疹期间,尽量远离这类食物和调味品。

●**富含维生素 C 的食物**　平时应多吃富含维生素 C 的食物,如新鲜绿叶蔬菜,以补充维生素 C,减少渗出性反应。

➡你应该了解的营养素

维生素

●**维生素 C**　维生素 C 可以提高人体免疫能力而发挥其治疗作用。有一项双盲研究证实,一部分严重的湿疹患者,在补充维生素 C 之后,症状有了非常显著的改善,所以请湿疹患者,每日至少服用维生素 C 900 毫克。

湿疹患者的饮食生活调理

◆ 多做运动,提高免疫能力

◆ 剔除使你过敏的食品,如牛奶、鸡蛋、鱼虾蟹等异体蛋白

◆ 禁食辛辣刺激食物

◆ 每日最少服用 900 毫克维生素 C

◆ 每日补充 150 毫克锌,同时每日补充 2 毫克铜

◆ 补充富含 Omega-3 脂肪酸的鱼油

◆ 伴有胃酸缺乏时,补充一定的稀盐酸

矿物质

●锌 有很大一部分湿疹患者有锌缺乏现象。正如维生素 C 一样,锌在免疫系统正常功能中也扮演着重要角色。这就是锌缺乏的湿疹患者会反复发生皮肤感染的原因之一。某些医生让湿疹患者在接受饮食治疗同时补充锌,结果大部分患者的湿疹消失。请湿疹患者每日补充锌 150 毫克,同时每天补充 2 毫克铜(与氨基酸结合之形态)。

其 他

●Omega-3 脂肪酸 在发炎与免疫反应上,Omega-3 脂肪酸具有极佳的功效。当湿疹患者在补充富含 Omega-3 脂肪酸

的鱼油后,皮肤发痒、发生鳞片及其他的皮肤困扰,都较那些未服鱼油的人减少许多。

●**Omega – 6 脂肪酸** 与 Omega – 3 脂肪酸相同,两者在炎症调节及免疫反应上都扮演了重要的角色。有人在服用富含 Omega – 6 脂肪酸的夜婴草油后,皮损、皮痒会明显减轻。这当然还未经系统的观察。

●**盐酸** 大多数湿疹患者胃中的盐酸浓度都偏低,而且当盐酸含量愈低时,皮肤的问题愈严重,患者也常常抱怨胃肠不适。盐酸含量偏低的湿疹患者在补充盐酸之后,症状就会改善。特别是湿疹患者同时有饭后嗳气或腹部痉挛的现象,多表示胃液中盐酸的分泌可能偏低。

➡**营养治疗药膳**

药 膳

●**苦瓜** 苦瓜内含奎宁。具有清热解毒、祛湿止痒之功。可用于治疗热毒、疖疮、痱子、湿疹等病症。

●**番茄** 番茄内含丰富的维生素 A、维生素 B_1、维生素 B_2、维生素 C、烟酸、维生素 P;还含有苹果酸、柠檬酸、钙、磷、铁及番茄碱等物质。具有生津止咳、健胃消食、凉血平肝、清热解毒等功效。番茄中的果酸对维生素 C 有保护作用,故而能有效地补充维生素 C;番茄碱有抑菌消炎、降低血管通透性作用,所以外用番茄汁治疗湿疹可起到止痒收敛的作用。

●**韭菜** 韭菜内含胡萝卜素、维生素 B_2、维生素 C 及钙、磷、铁、蛋白质、纤维素等。韭菜还有解毒祛湿的功效,故韭菜汁外搽可治湿疹。

药膳

●**薏苡冬瓜车前饮** 车前草 15 克,冬瓜皮 30 克,薏苡仁 30 克。加水煎汤后,饮汤吃薏苡仁。每日一次,具有清热利湿功效。

●**桑椹百合果枣羹** 桑椹子 30 克,百合 30 克,青果 9 克,大枣 10 枚。共同煎汤饮用。每日一次,具有养血、祛风、润燥功效,适用于慢性湿疹。

●**薏苡玉须红豆粥** 玉米须 15 克,红豆 15 克,薏苡仁 30 克。玉米须加水煎煮 35 分钟后,去渣,加红豆、薏苡仁煮成稀粥食用。每日一次,具有清热解毒功效。适用于急性、亚急性湿疹。

➡ **自制外用药**

●**臭梧桐** 属中药里祛风湿类药,具有祛风、祛湿止痒的作用。新鲜者或干品均可煎汤外洗治疗湿疹。

●**白矾** 白矾为含有结晶水的硫酸钾铝,具有止血、止泻、祛痰的作用,外用燥湿止痒。可用于久泻、便血等症。经火煅失去结晶水后称枯矾,外用主要有收敛燥湿止痒之功,可治疗湿疹等湿性皮肤病。

●**苦瓜膏** 苦瓜 30 克,蛇蜕 15 克,露蜂房 15 克。共研细末,麻油调涂患处。

●**番茄汁** 番茄洗净,用酒精消毒,去外皮,用纱布挤压出浆汁,外敷患处。每 3～4 小时更换一次。

●**梧桐洗液** 臭梧桐 31 克,野菊花 31 克,地肤子 31 克,明矾 10 克。水煎,反复洗患处。

●**止痒膏** 白矾 62 克,入锅内化开后,加入全蝎 15 克(煅枯),待冷后加入冰片 3 克,共研细末外涂。用于小面积奇痒不止。

38

癌　症

　　癌症的发病率日趋上升，是第二位的致命性疾病。在谈"癌"色变的今天，许多人都知道，癌是一种发展迅速、几乎无有效治疗方法、且能在短期内夺人性命的疾病。它可发生在人体的诸多器官和组织，而无论发生在哪里，失去生命似乎是最终结局，这也是使人们谈"癌"色变的根本原因。

　　那么癌究竟为什么如此凶猛，如此不可阻挡，如此令人无奈呢？人体由许多形态、功能各异的细胞组成，这些细胞不断地成长、繁殖、转变，每天有数百万的细胞有序地死亡和再生，每个细胞都在其特定的岗位上，各尽其责，使人体各器官能够维持正常的生理功能以延续人的生命。但人体每个细胞内包含几乎所有的癌基因，癌细胞原本也是细胞家族中的正常一员，癌变前同所有细胞一样安分守己地执行着自己的使命。但当受到外界致癌因素刺激后，其体内所含的致癌基因被"激活"，并大发淫威，这时原本正常的细胞也就开始蜕化变质，突变为细胞家族的"异化分子"，即癌细胞。此时的癌细胞已不具有正常细胞的功能，且不听大脑司令部的指挥，像一匹脱缰的野马，以其超乎寻常的速度无休止地繁殖，迅速分裂，贪得无厌地吸取周围组织的营养，最终形成肿块，并迅速增大，占据它所在的器官、组织并损害其功能。不断增长的癌细胞还可随着奔腾不息的血液和淋巴液漫游全身，在人体各处"安营扎寨"，形成转移癌。更可恨的是，癌细胞还会释放出多种水解酶，溶化周围正常细胞，并将它们的尸体作为养料，以加速它自己的繁殖。营养的流失使人体日渐消瘦，肿瘤的泛滥使人体丧失其正常的生命活动，最后导致死亡。

癌症的临床表现，除明显消瘦是共有的外，其他随其发生部位的不同，也各有所异，如肺癌会有持续性呛咳和痰中带血；胃癌早期无症状或有消化不良，进而会发现上腹疼痛，胃纳差，或上腹部饱胀感；食道癌会表现为进行性加重的吞咽困难；大肠癌突出表现为便血，还有大便习惯的改变、腹痛等；宫颈癌表现为阴道不规则性出血，且多为性交后出血或妇科检查后出血等等，不尽相同。

癌症的发生原因至今不甚明了，但现代研究初步认为与人体的基因缺陷有关，而这种缺陷是有遗传倾向的。在基因缺陷的基础上，再加外界致癌因素，两者共同作用的结果便是癌。

既然癌的发生与外界致癌因素有关，那么我们每个人应该做的便是远离这些致癌因素，也就是摒弃不合理的生活方式和习惯。常言道，病从口入，癌症也如此。有资料统计，约有一半的癌症和不良的饮食习惯有关，尤其女性的乳腺癌与子宫颈癌，男性的前列腺癌，肠道癌症与饮食习惯关系更为密切。

我们下面所要讲的是与癌症有关的不良饮食习惯、生活方式和有利于癌症治疗的饮食内容及生活中的注意事项。"活着真美好"恐怕是每个身患绝症的患者的心声,那么我们为什么不能从日常生活做起,或遏制它的发生,或协助医生治疗、增加疗效,灭掉其肆无忌惮的嚣张气焰呢?

癌症早发现——十个报警信号

◆不明原因的体重明显减轻

◆不明原因的晨起鼻出血

◆持续咳嗽

◆进行性吞咽困难

◆长期异常的肿块或结节

◆持续性腹部疼痛或消化不良

◆不规则阴道出血

◆尿血或便血

◆迅速增大的黑痣或疣

◆说话声音嘶哑

❖　容易诱发的因素　❖

➡饮食因素

●脂肪摄取量高　在与癌症有关系的各种饮食因素中,脂肪的摄取量高是被认为与癌症的发生率关系最为密切的因素,特别是含有饱和脂肪酸的饮食,会增加大肠中胆汁酸与中性固醇的浓度,并改变大肠菌群的组成。胆汁酸及固醇均可经细菌作用生成一些致癌物质;如果长期享用高脂肪饮食势必会增加患癌的几率,尤其是经常大便秘结、粪便在肠道停留时间过长的患者。

●**摄糖量太高** 有研究报道糖的摄取量太高会增加乳腺癌和直肠癌的患病几率,认为糖摄取量高时会增加粪便在肠道中的停留时间,并且其中胆汁酸含量也会增高,这些因素均可增加肠癌的患病率。

●**食道长期不良刺激** 有人喜欢热食,甚至喝滚烫的水,吃滚烫的食物,似乎只有啜之唏嘘才食之有味,岂不知这滚烫的食物顺食道而下的时候,会对食道黏膜造成损伤,长期遭受这种不良刺激,很可能会使食道黏膜细胞突变而发生癌症。同样食物粗糙、过硬,进食过快,饮用浓茶、烈酒,摄食辣椒、蒜、醋等刺激性食物过量,均会对食道造成不良刺激。久而久之也会成为食道癌的诱发因素。

●**致癌食物** 黄曲霉素、苯并芘和亚硝胺类是公认的三大致癌物质。我们食用的食物,在常温下储存易生黄曲霉菌,黄曲霉菌是一种强烈的致癌物质,其毒素有导致肝癌的作用。凡是发生霉变的食物如发霉的花生、玉米等,就万不可再食用了;一些经过特殊工艺制作的食品,由于其独特的风味,往往是人们餐桌上的美味佳肴,岂不知其中含有大量的致癌物质,如烟熏火烤油炸的食品,这些过熟焦化的食品中,含有大量的各种致癌物质,如火腿、熏肉、烤肉、烤肉串等都会受到苯并芘的污染;而腌制食品,均含有较高的亚硝胺,如咸鱼、咸肉、香肠、腊肉、咸菜、虾皮等,所有这些食品,食之过多,致癌物质长期作用于胃黏膜可致癌变。所以对于上类特殊加工食品,食之切不可偏嗜或尽量不吃。

●**嗜酒** 长期饮用烈性酒,易发生食道癌、胃癌、肝癌,有些资料报道乳腺癌的发生与饮酒也有一定关系。

●**饮水** 饮水与癌症的关系有两层,一层关系是水质,另一层关系是水中污染的致癌物质。在水质方面主要是看水中是否含有钙与镁,水中含钙与镁者称硬水,水中无钙与镁者,一般称为软水。软水其水质较酸,镉或其他有毒元素易于从水管中渗出,进入饮水中。相反硬水则无此弊端,同时由于钙与镁的作用,有毒元素在肠道中的吸收率较低,因此减低了消化道癌症的危险;在我们的饮用水中有时会被一些有机致癌物污染,特别是地面水,在肝癌高发区发现,饮沟塘水的居民其发病率远比饮井水居民的发病率高,还有报道提示,长期饮用氯残留量高的水的居民,其膀胱癌的发病率较大。

➡**其他原因**

●**吸烟** 个人生活中的致癌物质,香烟首当其冲,因为三分之一的癌症发生与吸烟有关。除饮食因素外,各种不良生活习惯中,吸烟是与肺癌关系最为密切的因素。吸烟年限越长,吸烟量越多,开始吸烟年龄越早,肺癌死亡率越高。被动吸烟也容易患肺癌,尤其对 18 岁以前的青少年,被动吸烟的影响相对要大些。纸烟中含有各种致癌物质,苯并芘为主要的致癌物质。烤焦过熟物质有高度致癌性,一天吸两包烟的人,相当于吸入 0.5 克有毒的烧焦物质。在吸烟者的尿中能够测到致癌物。

●**致癌物的吸入** 致癌物的吸入,主要来自某些工种的工作环境及居住城市的空气污染两方面。这听起来似乎和每个人无直接关系,但只要你明白便会引起注意。职业因素包括石棉、无机砷化合物、二氯甲醚、铬及镍冶炼、氡、煤烟、氯乙烯、焦油和石油、烟草加热产物,均含有致癌物质;空气污染包括室内被动吸烟、燃料燃烧和烹调时加热所释放出的油烟雾均是致癌因素;城市中汽车废气、工业废气、公路沥青都有致癌物质存在,其中主要是苯并芘。家庭装修材料中所采用的不合格的胶及油漆,都含有一定的致癌物质。总之,生活环境中存在着许多致癌物质,有些是不为人们所知的,有些却是能放出刺鼻异味物质。

●**电离辐射** 大剂量的电离辐射可引起癌症,尤其肺癌,美国1978年报告一般人群中电离辐射的来源约49.6%来自自然界,44.6%为医疗照射,来自X线诊断的电离辐射可占36.7%。现代居室装修中如果采用了不合格的石材,其中所含的超量的放射性物质也有一定的致癌性。

●**情绪失衡诱发癌症** 在现实生活中,一些长期有情绪问题的人群中,其恶性肺癌的发病率的确比正常人高。北京肿瘤研究所对100名性格不开朗、好生闷气的人跟踪调查发现,他们不但容易患胃癌,而且与其他癌症的发病也有显著关系。而且现代医学已经确认,情绪烦乱可以引起人体大脑神经、内分泌系统以及免疫机制的紊乱,可使人体内原来潜伏的恶性细胞激发增生,形成恶性肺癌。还有学者认为,当人体长期处于不良情绪的恶性刺激下,可直接促使正常细胞发生异变,甚至变成癌细胞。

●**曝晒** 过度曝晒容易患皮肤癌。

❖ 生活建议 ❖

➡生活调理

●**戒烟** 吸烟与癌症的关系已经讲明,其实绝大多数人还是知道的。戒烟的方法有许多,只是大多数人没有戒烟的恒心和毅力,往往半途而废。那么你想想与其将来身患绝症,为何不早避病魔而远之呢?要知道一般在戒烟15年后,你的患癌几率才与不吸烟的人相同。

●**避开异样气体** 前面说过,在有些生活、工作环境中,存在着不同程度的致癌物质,虽然许多是我们不可知的,但许多会发散出刺激性异味的,那么我们起码要避开这些异味,或尽量避免这些异味的产生。

●**避免长期服用某种药物** 任何物质的过量都是有害的,尤其药物,如果你长期服用一种药物,会破坏你的生理平衡,也易引起癌变。所以请你不要长期服用一种药,如果需要,最好请医生给你选择几种同样作用的药物来回交替地服用。

●**精神调理** 对于已患癌症的患者,精神调理非常重要。临床见到一些病人,当得知自己身患绝症后,顿时精神崩溃,各种激素分泌失调,免疫功能降低,随之病情迅速恶化,短时间内便命归黄泉。相反一些能够正确对待,意志力坚强的人,在得知自己的病情后,积极配合治疗,病情的控制要相对好得多。经过大量的同类研究证实,人体细胞的新陈代谢是由神经系统控制的,如果在药物治疗的同时,能够舒畅情志,通过调节神经系统来改变细胞的新陈代谢,使正常细胞不发生变异,使癌细胞因其新陈代谢的变化而凋亡。

●**气功健身**　气功是中国传统医学的瑰宝,是以"三调"(调声、调息、调心)为基础、防病治病为目的、身心并练的一种自我锻炼方法。患者处于气功态中,意念专一,心神安宁,呼吸匀畅,全身各部位放松,这时心情会感到格外舒畅,紧张焦虑、害怕死亡的心理得到充分释放,全身各系统的生理功能得到了调整。

实验发现气功态中,肠液、胃液分泌增多,消化功能得到改善,从而使食量增加,体质恢复较快。同时唾液的分泌量也有明显增加,唾液淀粉酶活性有明显增高,比练功前平均可增高58％以上,起到助消化、中和胃酸、杀菌及保护胃黏膜、润燥降火等作用。气功态中,全身的耗能量下降,比练功前减少20％左右,肺的有效吸氧量增加,整个组织贮氧功能增强。这样,体内贮存了大量氧气,有利于改善体质,有效地控制和减缓病情的发展。上海、北京等地,由癌症病人自发组织成立的"抗癌俱乐部"中的成员,大都坚持练气功,对疾病的恢复起到了很好的促进作用。在此建议你,不妨根据自己的情况,做适当练习。但气功健身只能作为辅助方法,各种必要的治疗不可因此而中断。

●**保持清洁的生活环境**　这里的"清洁的生活环境"指"无致癌因素"的环境。前面讲了我们生存环境中存在着许多致癌物质,其中一些就存在于我们的生活环境中,还有一些是由于不正确的生活方式所造成的,那么当我们了解到这些物质的害处后,就应把它们清除出我们的身边。

➡**饮食建议**

●**基本饮食原则**　我们已反复建议过基本饮食原则是每个健康人应遵守的原则,对于癌症患者,同样也是首先应遵守的饮食原则,除非特殊情况,否则,平衡饮食是每个人应遵守的原则。这样可保证人体营养平衡,不致造成营养素的缺乏,而引发癌症。

●少饮酒　大量饮酒的危害已经讲过,所以饮酒切不可过量。

扎紧你的防癌篱笆

◆防止人为的空气污染——戒烟

◆厨房油烟要排净

◆不食霉变食品,不饮污染的水,防癌从口入

◆少食含致癌物食品,如烟熏、油炸、腌制食品

◆避免或减少与致癌物的接触

◆了解你的亲属中有无癌症患者及其遗传倾向

◆学会定期自查及早发现及早到医院检查

◆40岁以上者定期做防癌普查

◆保持大便通畅

◆多食防癌抗癌食品及"保护因子"

◆避免长期情绪抑郁

◆坚持体育锻炼

●少食或不吃致癌食品　由于生活习惯,各地居民有吃熏肉、腊肉、腌制食品的习惯,但是熏制品、烧烤食品以及腌制品均含有致癌物质,所以对这些独具风味的食品,还是少吃为好。

●发霉食物不可吃　黄曲霉菌有很强的致癌性,由于黄曲

— 345 —

霉菌的作用,食物会发霉,所以对于发霉的食品是坚决不能吃的,而且对那些容易发霉的食物,在吃的时候一定要清洗干净,加工充分。

●**不吃过烫食品** 进食应以温度适中为宜,过烫食品会对食道造成不良刺激。

●**限制高脂肪、高糖饮食**

●**抗癌食品** 民以食为天,人们为了生存,不可能不吃东西,而癌症的发生有许多时候又是因吃而起,因此我们为了对抗各种致癌物质,除了尽量避免接触、避免进食外,还应尽量多进食一些与致癌物质相克的食物。经过医学家们的长期探索,还是发现了许多具有一定防癌、抗癌作用的食物,如大豆、大蒜;菌类食品香菇、木耳;海洋生物海带、紫菜等海藻类植物,海参、牡蛎;富含维生素 A 的食物,如紫菜、番茄、菠菜、胡萝卜等;动物肝也有一定抑癌作用;新鲜蔬菜、绿豆芽;茶尤以乌龙茶最佳;有抗癌作用的食品还有许多,不再一一列举,这些食品虽然对癌症没有直接的治疗作用,但长吃、多吃总会对致癌因素有一定的抵抗作用,对癌症的预防和辅助治疗会有很好的帮助。

➡**你应该了解的营养素**

维生素

●**叶酸** 有资料报道患宫颈癌的妇女,其血液中叶酸含量偏低,但究竟是低叶酸导致了癌症,还是因为患了癌症而导致叶酸低,还不能确认。还有一项研究,对 372 名直肠癌患者和 372 名健康人的饮食做了调查,结果发现女性每天服用 300 微克以上的叶酸,即可减少一半患结肠癌的危险,而男性每天服用 385

微克叶酸,还有三分之二的危险,这说明叶酸的含量对女性更敏感些。菠菜中叶酸含量较为丰富,建议你每天进食一定量菠菜,可减低宫颈癌和直肠癌对你的威胁。

●**维生素 A** 维生素 A 及其衍生物胡萝卜素能够抑制化学致癌物诱发的肿瘤,一些调查报告认为食物中维生素 A 含量少或血清维生素 A 含量低时,患肺癌的危险性增高。维生素 A 类能作为抗氧化剂直接抑制苯并芘、亚硝胺的致癌作用,拮抗促癌物的作用,因此可直接干扰癌变过程。美国纽约和芝加哥开展前瞻性人群观察,结果说明食物中天然维生素 A 类、胡萝卜素的摄入量与十几年后癌症的发生呈负相关,其中最突出的是肺癌。

维生素 A 的用量有严格的限定,过量容易引起中毒反应,而人们能够耐受的用量,其抗癌作用则受到很大限制,相较之下胡萝卜素就安全多了,所以建议你多进食胡萝卜素含量高的食物,其主要存在于水果和蔬菜中,乳制品、蛋、肝脏也有一定的胡萝卜素存在。

●**维生素 C** 维生素 C 是水溶性抗氧化剂,与维生素 E、胡萝卜素三者在清除自由基方面有协同作用。可以阻止致癌物亚硝胺的形成和消除胃中的胃硝酸盐,所以其有预防胃癌的作用。同时,维生素 C 还能增强癌症的化疗和放疗的效果。希望你每天的饮食中维生素 C 的含量要充足,或者每天至少补充 50 毫克的维生素 C。

●**维生素 E** 维生素 E 是脂溶性抗氧化剂,与维生素 C 和胡萝卜素三者同用,在消除氧自由基方面有协同作用。维生素 E 可保护细胞膜、DNA 免受氧自由基的损伤,能有效提高免疫功能,增强机体清除癌细胞的功能,有防癌作用。

维生素 E 还可以减低某些抗癌药物的毒性。脱发是某些抗癌药物的毒副作用,如果在化疗前一周开始服用维生素 E,大约有 69%的人不会出现脱发现象,或者脱发现象较轻。

●**烟酸** 对于烟酸,现在所见的报道,主要认为可以减轻化疗的副作用。与阿司匹林合用可以增加放疗癌症患者的存活率,主要原因可能是改善了血液循环的作用。有一项针对接受手术与伽马射线治疗的膀胱癌患者的实验,让患者同时服用烟酸及阿司匹林,五年后随访其癌复发率较低,存活率较高。

矿物质

●**锌** 锌是组成人体许多重要酶不可缺少的微量元素,与脑的发育、味蕾的生长、蛋白质的合成和人体免疫功能密切相关。对前列腺的功能与生殖器官的发育也颇重要。要维持血液中维生素 E 的适当浓度,摄取足量的锌是非常重要的。

癌症病人血锌含量低,组织中的锌含量也低。在所有的微量元素中,饮食中的锌和食道癌之间的关系最为密切。缺锌会引起食管上皮角化,可增加亚硝胺致癌的发生率。食道癌患者的血锌浓度都偏低,胃癌病人的血锌浓度低于癌前,还低于萎缩性胃炎病人,更低于正常人。有转移癌的病人,其血锌低于无转移癌的病人,表明锌和免疫功能对胃癌的变化甚为重要。前列腺癌的患者,不论是前列腺体或其分泌物中锌的浓度都较低。按照我国饮食习惯,全国每人每日锌的平均摄取量为 13.2 毫克,这个量并不能满足我们的机体需要,会影响免疫功能和抗氧化能力,不利于防癌,可考虑每日补充 15 毫克的锌。

●**硒** 硒是某些酶生成不可缺少的元素,能催化致癌物的代谢,能抑制癌细胞的增殖,从而有抑癌作用。硒还能提高机体免疫功能和抗氧化功能。硒缺乏是食道癌发生的条件之一,对在食道癌高发区居民的头发硒含量调查,发现硒含量明显低于低发区。硒可抑制乳腺癌、肝癌和胃癌基因的表达,对胃癌、肝癌、前列腺癌有预防作用。放疗、化疗的病人往往出现食欲差、脱发、白细胞下降等副作用,硒能使这些副作用程度减轻,硒对术后的癌症病人还有一定的防复发作用。

●钼 钼是硝酸盐还原酶及一些氧化酶的结构成分,缺钼时植物中硝酸盐积聚,则可增加食物中亚硝胺前体,此外铜对钼有生理拮抗作用,如果铜和钼的比例增高,可使钼缺乏明显。调查证明食道癌高发区的土壤中缺钼。

●钙 钙有助于调节大肠黏膜细胞的增生,且吃高钙食物的人,产生的胆汁酸量较少,高胆汁酸是结肠癌发病的原因之一。有一项以 10 位直肠黏膜异常增生(癌前征兆)的人为对象的研究,在经他们补充 2~3 月钙质后,异常增生情况大有改善,原来病变部位的异常细胞已被正常细胞所代替。

●镁 虽然还没有证据证实镁可以治疗癌症,但是有动物实验证实饮食中镁含量高,可降低癌症的患病率。相反,镁含量低,癌症患病率会增加,所以若能保证饮食中有充足的镁,则可减少患癌症的危险。在绿色蔬菜中镁含量相对丰富些。

其他

●胡萝卜素 胡萝卜素有较强的抗氧化能力,对胃癌有良好的预防作用。能抑制胃癌细胞增殖、胃癌癌前病变发展。胡萝卜素对其他癌症也有一定预防作用,如肺癌、宫颈癌、胃肠道癌、乳腺癌等。

我国居民膳食中胡萝卜素的摄入量是不足的,所以每日饮食应注意补充胡萝卜素,建议大家多吃深绿色及橘黄色蔬菜。

我们可以把这些具有防癌作用的营养素视为健康的"保护因子"。

➡️营养治疗药膳

癌症之凶猛,足以让人手足无措,无奈之极,人们的反应往往走两个极端:要么有病乱投医,最延误病情;要么虽然采用正确的治疗方法,但是方法太单一,缺乏综合手段,使病人不能坚持治疗而影响疗效。如果能从开始或西医的各种治疗结束后再坚持用1～3年的中药治疗,同时再辅以营养药膳的治疗,将会对疗效、身体恢复以及愈后都有很大意义。

癌的食疗兼有免疫疗法的内涵,也是基于现代营养学、生理学、食品化学和现代免疫学研究的基础上不断发展的,如果掌握得好,有提高免疫功能的作用。而人们往往是在其他各种抗肺癌疗法失败后,才想到食疗,且对其寄予过高的希望。岂不知食疗应是预防和伴随医药治疗始终的方法,还应是体质恢复、防止复发不可缺少的方法。所以请你一方面不要将食疗视为万能灵丹,另一方面也不要忽视其辅助治疗的作用。古语说得好,"勿以善小而不为",而在癌的防治上,只要有益于病人的方法都值得重视。

经过医学家们的长期探索,发现了许多具有一定防癌、抗癌作用的食物,许多中草药也具有一定的抗癌作用,而且经药理实验已证实了它们的抗癌、防癌的性能。虽然不能说单靠某种食物能保证人们不患癌或治疗后的癌症不复发,但是经常有意识地选择食用,对抗癌、防癌还是有一定积极意义的。我们在这里主要介绍一些药食两用的药草及食物。

药 草

●薏苡仁 又叫薏米。它既是食品,也是常用的中药。薏米性味甘淡,有补益作用,能补益脾、肺、肾等多脏功能,另外薏米还有清热利湿作用,是常用的健脾利尿药,在热天我国南方居民还喜欢用薏米煮粥食用,就是利用它的清热作用。

在40多年前,医学家们又发现它有抗癌作用,因此薏米就经常出现在抗癌的中药处方中。经药理研究证实,它含有薏苡仁油、薏苡仁酯、脂肪油、氨基酸、蛋白质、碳水化合物、少量维生素 B_1 等成分,其中薏苡仁酯能抑制腹水癌生长。对于肺癌,薏米能补肺抗癌,常吃有助于治疗,对于胃癌术后的腹泻、肠癌的脓血便、子宫癌的赤白带下,常吃薏米都有一定的好处,且薏米入食简单,应用范围广,是一味非常方便使用的食用品。

●赤小豆 赤小豆是大家都不陌生的日常食品,它含有蛋白质、脂肪、碳水化合物、粗纤维、钙、磷、铁、维生素 B_1、维生素 B_2、烟酸等成分。赤小豆又是一味常用的中药,性味甘平,略带酸,中医认为它有利水消肿、清热解毒等作用,被广泛应用于各种水肿及疮痈肿毒、黄疸、便血腹水等症中。癌症病人如果有水肿或上述诸症,可常食赤小豆。赤小豆在日常生活中应用面也很广,大家可根据情况调配使用,如赤小豆煮汤、赤小豆米饭、赤小豆馅、八宝饭、赤小豆鲫鱼汤。

●芡实 芡实又叫鸡头肉,它含多量淀粉、蛋白质、脂肪、碳水化合物、粗纤维、钙、磷、铁、维生素 B_1、维生素 B_2、烟酸、维生素 C、胡萝卜素等成分。具有固肾涩精、补脾止泄的功效。可用于遗精、淋浊、带下、小便不禁、大便泄泻等症。其实芡实又是一种很好的食品,煮粥、熬汤、焖饭常吃非常有益。新鲜芡实芳香而带甜味,更是香美。凡是癌症伴有腹泻、赤白带下、小便失禁、夜尿多等症,常吃颇有益处。

●**灵芝** 灵芝有"治虚劳"、"益精气"、"坚筋骨"的作用,这个古老的"灵药"曾在中华五千年的历史中演绎过一个个神奇的故事,这表明灵芝的确疗效甚佳。灵芝像把小伞,伞面是灵芝的菌盖,是灵芝含有效成分最高的部分。现代研究证实,灵芝子实体含糖类、氨基酸、微量蛋白质、甾类和三萜类、油脂及生物碱、甙、香豆精甙、维生素 B_2、维生素 C 等物质,这些有效成分分别使它具有抗肿瘤、调节免疫、降血糖、降血脂、抗氧化、抗衰老和止痛、镇静、解毒、保肝、抑制肺瘤细胞等作用,是强身健体和辅助治疗肿瘤的保健品。灵芝孢子是灵芝抗肿瘤成分多糖和三萜类化合物的聚集地,对肺癌、食道癌、胃癌、肝癌、结肠癌、子宫癌、乳腺癌、白血病等有辅助疗效,研究表明,灵芝孢子对体外肿瘤细胞的抑制率达 90% 以上。能减轻肿瘤病人在治疗中出现的白细胞减少、食欲减退等副作用,能增强免疫功能,提高肿瘤患者对放疗、化疗的耐受力,使晚期癌症患者,再获治疗良机。然而普通的煎煮方法很难使灵芝的有效成分释放出来,经特殊的破壁技术处理过的灵芝孢子的有效成分溶出量,要比破壁前高出 92 倍。

●**茯苓** 茯苓是一味利水渗湿药,也是药膳常用品,在许多药膳中都有茯苓的身影。其性味甘淡而平,含有蛋白质、脂肪、卵磷脂、葡萄糖、胆碱、β-茯苓聚糖分解酶、脂肪酶、蛋白酶等成分。具有健脾利湿、消肿宁心安神等作用,常用于治疗脾虚诸症:小便不利、水肿胀满、痰饮咳逆、呕吐、泄泻及遗精、淋浊、惊悸、健忘等症。

近代研究发现,茯苓所含的茯苓多糖可增强巨噬细胞的吞噬活性,对抗甾对末梢神经的抑制,还可直接抑制癌腹水等作用含茯苓的药膳有市售的茯苓饼、饼干、糖等,还可煮粥、蒸馒头、做面等。

●**大蒜** 大蒜是我国北方居民喜食的调味品,同时又是一味杀虫抗菌的中药。内含蛋白质、脂肪、糖、B 族维生素、维生素 C、钙、磷、铁等成分。还含有硫基化合物、大蒜新素和硒等具有抗癌作用的物质。常被用来治疗痈肿疮毒、浮肿、宿食不消,杀钩虫、蛔虫,治菌痢、腹泻等。

近些年来的科研调查,采访胃癌高发区的 564 位胃癌患者和 1131 位无癌的居民的饮食习惯发现,胃癌者无吃大蒜习惯,而无癌居民却大多有吃蒜的习惯。还有一项人群调查发现,每天平均吃蒜达 20 克的人群,其胃癌发病率较其他无此习惯者明显偏低。经研究发现大蒜是一种亚硝胺阻断剂,它能够抑制亚硝胺的形成。我国北方地区的居民有吃腌菜的习惯,有的人在腌制咸菜时加入一些大蒜,可以降低亚硝酸的形成,从而预防亚硝酸急性中毒,同时也减少了亚硝胺的形成,大蒜的这一作用与它所含的抗癌物质有关,这些物质还可促使某些癌症病变前的细胞向正常细胞转化。

大蒜的吃法很多,除了我们习惯的调味之用,还可根据习惯做成各种膳食。我国古书有食疗方:"将大蒜数枚,纳鲫鱼肚中,炖汤吃,可以治疗食道癌病人的嗝气。"可见我国早有用大蒜治癌的疗法。

其实与大蒜同属的如洋葱、韭菜、细香葱等具有辛辣气味的植物,日常多食用一些对健康是有利的。

●**银耳** 银耳同许多菌类物质都能减轻化疗的毒副反应,增强化疗对肿瘤的抑制作用。银耳属于药食两用品,具有清肺热、益脾胃、滋阴、生津、益气等功效,内含蛋白质、碳水化合物、无机盐、B 族维生素、粗纤维及银耳多糖等成分,适用于肺热咳嗽、肺燥干咳、胃肠燥热、血管硬化、高血压等症。

近代研究发现银耳所含的银耳多糖能拮抗某些化疗药物对机体的免疫抑制,保护心肌和造血系统。

●绿茶　绿茶在许多章节中已经多次提到,在世界各国对癌症的研究过程中发现,常喝绿茶或喝大量绿茶的人得口腔癌、食道癌及胃癌的几率低。研究人员认为绿茶的抗癌作用应归功于它所含的单宁酸、茶色素、多酚类的抗氧化成分,认为它的这些成分有抗亚硝胺的作用。

药膳

●米仁芡豆粥　米仁、芡实、赤小豆等量,淘净加水煮粥常食,也可焖饭、做糕点,随你喜爱也可加些粳米或其他配料。也可将上三料单独与粳米或其他配料做粥常吃。

●鲫鱼赤豆汤　鲫鱼(或鲤鱼)一条(500克以上),赤小豆30~60克。将鱼洗净开膛去内脏,将赤小豆放入鱼肚中,一起煮汤。至豆熟,将鱼、豆及汤尽食。有消退腹水、水肿之效,对癌症有腹水者有益。

●核桃枝煮蛋　核桃树枝250克,鸡蛋2枚。上料加水共煮,待蛋清凝固后,将蛋打碎继续煮4小时,吃蛋喝汤。每日两料。

●人参核桃茶　人参3克,核桃肉3枚,加水共煮沸代茶饮用。能补肺化痰,增强免疫力,改善体质。

●莱菔子粥　粳米50克,莱菔子15克。莱菔子煎汤,用其药汁煮粥,每日食此粥,善化痰涎,宜肺癌痰多者食,若兼饮食停滞者更宜。

●葶苈汁鲫鱼　甜葶苈30~60克,鲫鱼一条。葶苈布包煎汤去渣,用其汤煮鲫鱼食用。可利肺气,治喘急。

●**黑豆贝母梨** 梨 1 只,黑豆 15 克,川贝母 9 克。将梨剜空,装入黑豆,慢火煨熟,入川贝母略煨、食之。可用于肺癌抽胸水后防复发。

●**薏苡猪肺** 猪肺、薏米各适量。将薏米研细末,猪肺切块煮熟蘸食。

●**芝麻杏仁蜜粥** 芝麻 15 克,甜杏仁 9 克,粳米 50 克,蜂蜜 30 克。将前三料同煮粥,待粥将熟时加入蜂蜜,粥熟食之。可润燥通便,可用于兼有便秘者。

●**麻仁松子粥** 麻子仁 15 克,松子仁 15 克,粳米 50 克。共煮粥食之,可养血通便。

●**杏仁蜜** 杏仁霜适量,蜂蜜 30 克。杏仁霜调蜂蜜,缓缓咽服,可改善食管癌放疗后梗痛,增进食欲。

●**白茯苓粥** 白茯苓 30 ~ 45 克,粳米 50 克。白茯苓研细粉,同粳米料共煮粥食。能健脾止泻、安神、增强免疫功能。

●**健脾止泻粥** 芡实 30 ~ 60 克,或栗子 10 ~ 15 个,或菱粉 30 ~ 60 克,或山药 60 克,粳米 50 克。共煮粥。适宜于肠胃吸收不良者。

●**冰糖银耳羹** 冰糖、水发银耳、青梅、山楂糕适量同煮,可防口腔溃疡。

●**海马香菇** 海马 3 克,香菇 5 克。两料共煮,食菇喝汤。可保脾抗癌。

●**参芪乌鸡** 党参 15 克,黄芪 15 克,乌骨鸡 500 克(一只)。将两药塞入乌骨鸡肚内,加调料蒸食。用于白血病,抗贫血。

●**参芪精** (详见"感冒"一节)。有补益肺脾之气的作用,可用于癌症体虚者。

●**人参粥** (详见"更年期综合征"一节)。可用于癌症体虚者。

●**十全大补汤** （详见"感冒"一节）。可用于癌症体虚气血不足者。

●**米仁红枣山楂汤** 米仁、红枣、山楂各适量,煮汤食之。适用于兼有腹胀、消化不良者。

●**桑果桃肉粥** 桑椹子 30 克,核桃 4 枚。煮粥食,可增强食欲,改善血相。

●**麦芽米仁银耳羹** 麦芽 30 克,米仁 30 克,银耳 5 克,煮羹食。可减轻放疗反应。

●**人参叶茶** 人参叶 9 克,煮茶代饮。可增强免疫力,抗癌复发及转移。

●**海带肉冻** 水发海带 500 克,猪肉 500 克。海带切细,猪肉切块,加佐料,文火煨成烂泥状。晾凉成冻而食。有资料报道海带含碘酰基,可杀癌细胞。本方可用于各种恶性肿瘤。

●**琼玉膏** 人参 1200 克,生地黄汁 8000 克,白茯苓 2450 克,白沙蜜 5000 克。将白茯苓(去黑皮)、人参研成细末,白沙蜜用生绢滤过,生地黄取自然汁(捣时不用铜铁器),四药相合拌匀,装入瓷罐内,用二三十层净纸封闭。将瓷罐放入大铝锅中,隔水炖,武火烧开,文火炖三天三夜后取出,用蜡纸将罐口封严,入水中浸凉,再放入原锅内炖一天一夜即成。每天早晨空心服一汤匙即可。可补气补血、填精补髓,中老年人平时可做保健食品,癌症患者常食可提高身体素质。

可选用的药膳很多,选易做品介绍如上几款,经医学研究者们探索,发现有许多食物有抗癌作用,大家可常食之,如芦笋、海藻、苹果、洋葱、蘑菇、香菇、木耳、大豆、胡萝卜、柑橘、西瓜、芒果、桃、杏、草莓、乌梅、荸荠、番茄、黄瓜、茭白、扁豆、甲鱼、乌龟、蛇等。美国的一位预防医学博士 G.E.伯克利在其所著的《抗癌杂谈》一书中所确认抗癌食品共有如下几类:含粗纤维素的植物;含丰富的维生素 A、B 族维生素、维生素 E、维生素 C 的食品及富含微量元素锗、硒、碘、锌、钼、铬、硫、钾的食物。除我们上面介绍到的,大家可根据以上规律去注意选用。

饮食原则

◆饮食以植物性食物为主,占总量三分之二以上

◆控制体重避免过轻或过重

◆多吃蔬菜和水果,且要常年坚持

◆多吃谷类、豆类、植物根茎类食物

◆不饮酒或限制饮酒

◆限制肉类食品,可选择鱼和禽肉代替瘦肉

◆限制高脂肪饮食,植物油每人每天 25 克

◆少吃盐及腌制品,食盐量每人每天应少于 6 克

◆不吃霉变食品

◆食物要保证新鲜

◆购置食品要注意安全指标,冲洗、削皮、浸泡、加热是关键

◆烹调方法要科学,不吃、少吃熏肉、烧烤食品及腌肉

◆正确使用营养补充剂

第二部分
营养素的保健作用
及食物来源

食物中含有能被人体消化、吸收的成分,并有一定生理功能的物质被称为营养素。人体需要的营养素有蛋白质、脂肪、糖类、矿物质、维生素及水等。这些营养素都有自己独特的营养生理功能,在人体代谢过程中又相互密切联系,共同参与和调节生命活动。营养素是构成食物的基本单位,任何一种食物不可能含有各种营养素,所以,人必须每天进食多种食物,以保证获得足够的营养素,这样才能满足人体的需求,才能维持人体的健康。下面主要介绍维生素、矿物质及蛋白质的保健作用及其食物来源。

维生素是维持生命所必需的有机物质,它可以调节代谢及辅助已消化的食物进行生化反应,并释放能量。维生素被称为微量养分,因为人体正常情况下对它的需求量极少。不过,某种重要的维生素即使只是稍稍短缺,也可能导致严重的后果。在多数情况下,维生素不能在人体内产生或合成,而以自然状态存在的维生素只是微量地存在于天然食物中,因此我们需要从天然食物或营养补品中摄取维生素。

维生素有两大类,脂溶性维生素和水溶性维生素。前者必须依赖大量的脂肪和矿物质才能被消化系统适当地吸收,而且它们最后会贮藏在肝脏之中;后者过量时会随尿液排出体外。由于水溶性维生素无法储存在体内,因此,必须每日补充。

矿物质是自然产生的化学成分,大约有18种必需的矿物质在维持人体的健康和调节人体的机能方面起着重要的作用。它们是牙齿、骨骼、血球和软组织的主要成分,同时对于体液中恰当的组成、细胞和肌肉的正常活动以及神经功能的维护等都极为重要。

人体每日需要的必需矿物质由数百毫克到数克不等,因此矿物质可以分为两组,多量矿物质及微量矿物质。多量矿物质包括钙、镁、钠、钾、磷;微量矿物质包括锌、铁、铜、锰、铬、硒、碘。虽然人体对微量矿物质的需求量很少,但它们对健康很重要。因为矿物质主要是贮存在骨骼与肌肉组织中,如果服用极大剂量,很可能导致矿物质过量,并且如果长期大量服用,也会导致毒性累积。

蛋白质是人类及所有动物赖以生存的饮食要素。所有的生物,其结构主要是由蛋白质提供。人体中的肌肉、韧带、肌腱、器官、腺体、指甲、头发、体液(胆汁及尿液除外)等均由蛋白质构成。

实际上,人体需要的不是蛋白质本身,而是构成蛋白质的物质——氨基酸,氨基酸与氮结合可以构成上千种不同的蛋白质。目前为人所知的氨基酸有22种,其中8种为必需氨基酸。必需氨基酸与其他氨基酸的不同处在于它们不能在人体中自然合成，而必须从食物及营养补品中获得。这22种氨基酸分别是异亮氨酸、亮氨酸、赖氨酸、甲硫氨酸、苯丙氨酸、苏氨酸、色氨酸、缬氨酸、组氨酸、丙氨酸、精氨酸、天冬酰胺、天冬酰胺酸、半胱氨酸、胱氨酸、谷氨酸、谷氨酰胺、甘氨酸、鸟氨酸、脯氨酸、丝氨酸、酪氨酸等。（前8种为必需氨基酸，其中组氨酸为儿童和婴儿的必需氨基酸。）每一种氨基酸都有它特定的功能，并且是预防各种症状发生所需的物质。

下文将分别介绍各种维生素、矿物质及氨基酸的一些知识。

❖ 维生素 A ❖

➡基本知识

维生素 A 是一种无色的物质，它是脂溶性维生素，因此可以贮藏在体内，并不需要每日补给。维生素 A 有两种，一种是维生素 A 醇，存在于蛋黄、动物肝脏、牛奶、奶油等动物性食物中；另一种是胡萝卜素，又称为维生素 A 原或 β 胡萝卜素。人体缺乏维生素 A 时，会将胡萝卜素转变成维生素 A。胡萝卜素可以从植物性及动物性食物中摄取。

维生素 A 在人体内扮演了许多重要的角色，是维持健康的皮肤和黏膜不可缺少的物质。它可以增强免疫力，也可以治疗消化道溃疡，防止呼吸系统受污染及癌细胞形成，表皮组织的修复维护也需要它。它有助于骨骼、牙齿发育，协助脂肪贮存，防御感冒及感染。维生素 A 扮演一个抗氧化剂的角色，可防止细胞发生癌变及其他疾病，也能减缓老化的速度。

➡缺乏症

维生素 A 略微不足时，便会影响视力。维生素 A 与某种视蛋白结合后形成一种感光的物质——视紫质。维生素 A 缺乏，视紫质受到破坏，因而影响视力，导致视力下降和夜盲症。维生素 A 严重缺乏时，人体会感到疲劳，并且皮肤会有灼热、发炎等症状，以及眼球疼痛、眼屎增加，患角膜炎等症状。另外缺乏维生素 A 会使皮肤老化，黏膜组织也会发生异常现象。

➡功效

预防夜盲症及其他眼疾；

防治一些皮肤毛病，如粉刺；

治疗黏膜的病变；

抵抗呼吸系统感染；

有助于人体制造 T 淋巴细胞，增强免疫力。

➡食物来源

鱼肝油、动物肝脏、牛奶、奶制品、带鱼、蟹、鳝鱼、胡萝卜、甜菜、紫花苜蓿、杏、绿花椰菜、芦笋、无头甘蓝、芥菜、木瓜、香菜、桃、青椒、洋葱、菠菜、番薯、茼蒿、韭菜、南瓜、芒果、羊奶、马奶、绿豆、蚕豆、蜂蜜、芹菜、香蕉、蛋类、哈密瓜、芒果、芽甘蓝。

❖ 维生素 B₁ ❖

➡ 基本知识

B 族维生素有 15 种以上，它们有助于维护神经、皮肤、眼睛、头发、肝脏、口腔的健康及消化道的肌肉色泽。B 族维生素之间有协同作用，换句话讲，一次摄取全部 B 族维生素，要比分别摄取效果更好。

维生素 B_1，又名硫胺素，是一种水溶性维生素，多余的维生素 B_1 不会贮藏于体内，而会完全排出体外，需要每天补充。维生素 B_1 的主要功能是分解食物中的碳水化合物并将之转换为葡萄糖，葡萄糖则提供人脑和神经系统所需的能量。

维生素 B_1 能促进血液循环，并辅助盐酸的制造、血液的形成及糖类代谢。它对能量代谢、生长障碍及学习能力均有影响，且有助于肠、胃、心脏的肌肉组织的健全。另外，维生素 B_1 被称为精神性的维生素或"士气维生素"，因为它对神经系统和精神状态产生正面的效果。

➡ 缺乏症

缺乏维生素 B_1，可以导致心脏周围疼痛、心悸、呼吸急促、便秘、不寻常的倦怠及情绪沮丧等症状。严重缺乏维生素 B_1 时会引起脚气病，影响神经系统的正常功能。同时，缺乏维生素 B_1 常会出现心智混乱或是身体不适的症状，例如腿脚失去知觉、眼睛肌肉麻痹等症状。

➡功效

有助于将葡萄糖转化为能量或脂肪；

改善精神状况；

维持神经系统、肌肉、心脏的正常活动；

减轻晕机、晕船；

可缓解牙科手术后的痛苦。

➡食物来源

啤酒酵母、全谷类、糙米、全麦、燕麦、花生、猪肉、干豆、蛋黄、豌豆、牛奶、猪肝、大豆、芦笋、绿花椰菜、葡萄干、干李、动物内脏、坚果类、马铃薯、火腿、葵花子、鳗鱼、青豆、玉米、羊奶、马奶、葡萄酒、荞麦、绿豆、蚕豆、洋葱、芹菜、石榴。

❖　维生素 B_2　❖

➡基本知识

维生素 B_2，又名核黄素，是一种水溶性维生素，容易消化和吸收，不会存积在体内，需要时常从食物或营养补品中摄取。维生素 B_2 可以帮助体内的蛋白质、碳水化合物和脂肪释放能量，并且它对红细胞的形成、抗体的制造、细胞呼吸作用及生长是必要的。它辅助糖类、脂肪、蛋白质的代谢。与维生素 A 合用，维生素 B_2 可以维持并改善消化道的黏膜组织，同时，维生素 B_2 也可帮助身体组织如皮肤、指甲、头发等利用氧气，去除头屑及协助铁、维生素 B_6 的吸收。

➡缺乏症

缺乏维生素 B_2 时,最普遍的症状是舌头呈红色或紫色,因为血液淤积在味蕾中。情形恶化时,嘴角会裂开,如果继续缺乏,嘴角会出现放射状的褶皱。

维生素 B_2 缺乏也会对视力产生影响,早期的症状是眼睛畏光;再严重时,眼睛会充血。同时,维生素 B_2 缺乏会引起皮肤、生殖器的炎症和机能障碍。另外,妇女怀孕期间,缺乏维生素 B_2 会损害胎儿健康。

➡功效

减轻眼睛的疲劳,防治白内障;

一定程度上减缓体能上的压力;

有助于消除口腔、唇、舌的炎症;

促使皮肤、指甲、毛发的正常生长。

➡食物来源

牛奶、动物肝脏与肾脏、乳酪、荚豆类、杏仁、脱脂奶粉、蟹、鸡蛋、泥鳅、鱼、牛奶、鸡肉、鸭肉、鹅肉、菠菜、芦笋、绿花椰菜、醋栗、核果、海带、牛肉、羊奶、马奶、葡萄酒、燕麦、荞麦、玉米、大豆、绿豆、蚕豆、葱、洋葱、芹菜、马铃薯、紫菜、佛手、酵母粉。

❖ 烟 酸 ❖

➡基本知识

　　烟酸,又称为维生素 B_3、尼克酸、烟酰胺,它属于水溶性维生素。如果肾上腺功能正常,饮食中蛋白质、维生素 B_2、维生素 B_1 和维生素 B_6 充足,身体能利用主要氨基酸之一的色氨酸合成少量的烟酸。

　　烟酸和维生素 B_1、维生素 B_2 一起负责碳水化合物的新陈代谢,并能够提供细胞组织生长所需的能量。烟酸还是促进血液循环及皮肤健康所必需的。它能维持健康的神经系统和正常的脑机能,并且是合成性激素不可或缺的物质。它也协助神经系统的运作,参与糖类、脂肪、蛋白质的代谢及制造消化系统所需的盐酸。烟酸可降低胆固醇,并改善血液循环。

➡缺乏症

　　婴幼儿缺乏烟酸经常会导致严重的腹泻。成人缺乏烟酸会引起肠胃功能失常、食欲下降,舌头上滋生细菌,产生口臭、舌苔及口腔溃疡;继续缺乏时,人会变得衰弱、悲观消沉、紧张易激怒、失眠、头痛及记忆力减退;严重缺乏时,会导致癞皮病,有时会产生暴力倾向,知觉丧失,精神恍惚,甚至死亡。

➡功效

　　对精神分裂症及其他心理疾病有治疗功效;
　　减轻梅尼埃尔综合征的不适症状;
　　有助于皮肤健康;

治疗口腔、嘴唇炎症，防止口臭；
促进消化系统的健康，减轻腹泻现象。

➡食物来源

牛肉、绿花椰菜、胡萝卜、乳酪、玉米粉、鸡蛋、鱼、牛奶、猪肉、马铃薯、番茄、全麦、动物肝脏与肾脏、瘦肉、啤酒酵母、麦芽、花生、卵、白色家禽肉、无花果、干李、青花鱼、旗鱼、羊奶、燕麦、玉米、绿豆、蚕豆、洋葱、芹菜、紫菜、海棠、鲤鱼。

❖ 泛 酸 ❖

➡基本知识

泛酸，又称为维生素 B_5，是一种水溶性维生素，它是一种重要的辅酶——辅酶 A 的组成部分。维生素 B_5 参与肾上腺激素的生成、抗体的形成，协助维生素的利用及将脂肪、糖类、蛋白质转化成能量。它有助于细胞生成，维持正常发育和中枢神经系统的发育；是人体利用对氨基苯甲酸和胆碱的必需物质。肾上腺制造类固醇及可的松时也需要泛酸。

➡缺乏症

缺乏泛酸，肾上腺特别容易受损，导致肿大或出血，无法分泌可的松或其他激素。缺乏泛酸，还会造成低血糖症、十二指肠溃疡等症状。另外，一旦缺乏泛酸，会引起忧郁症及副肾皮质机能的降低。

➡功效

维持消化道正常功能；

治疗忧郁及焦虑,减缓压力；

减轻关节炎及过敏症的症状；

降低高血脂病人的胆固醇和三酸甘油脂含量；

产生抗体以抵抗传染病。

➡食物来源

豆类、牛肉、鸡蛋、咸水鱼、母乳、猪肉、全麦、酵母、动物肝脏、瘦肉、未精制谷类、动物心脏、绿叶蔬菜、坚果类、鸡肉、荚豆类、牛奶。

❖　维生素 B_6　❖

➡基本知识

维生素 B_6,又称为吡哆素,是一种水溶性维生素。维生素 B_6 消化后,多余的维生素 B_6 在 8 小时后会排出体外,因此,需要从食物和营养补品中补充。另外,肠内细菌有合成维生素 B_6 的能力,所以应多吃富含纤维的食物。

维生素 B_6 有助于人体利用、吸收蛋白质和脂肪,是制造抗体和红血球的必要物质。它可以减轻体内水分滞留带来的不适,同时,胃中盐酸的制造也需要维生素 B_6。维生素 B_6 可协助维持体内钾、钠离子平衡,维持神经系统及大脑的正常功能,并且控制细胞分裂及生长的核糖核酸(RNA)与脱氧核糖核酸

(DNA)等遗传物质的新陈代谢也不可缺少维生素 B_6。此外,维生素 B_6 可以活化多种酶,并辅助维生素 B_{12} 的吸收和免疫系统的正常功能。

➡ 缺乏症

维生素 B_6 的缺乏将影响人体的生理和精神健康。缺乏维生素 B_6,蛋白质无法被正常利用,产生贫血、知觉神经障碍、脂溢性皮炎、口角炎、舌炎、消沉、易怒以及对疾病的抵抗力下降,并会使牙齿脆弱、容易蛀牙,极端不足会引起痉挛。特别是婴儿缺乏维生素 B_6,会出现抽搐现象。

➡ 功效

帮助消化吸收蛋白质和脂肪;

有助于过敏症、关节炎及哮喘的治疗;

增强身体免疫力,预防各种皮肤病;

减轻月经来临前的不适症状;

有利于防止草酸盐引起的肾结石,充当一种温和的利尿剂;

治疗各种神经失调症状,例如抽搐、抽筋等;

促进核酸的代谢,防止组织器官老化;

有助于色氨酸转换为烟酸。

➡ 食物来源

啤酒酵母、胡萝卜、鸡肉、蛋、鱼、肉类、豌豆、菠菜、葵花子、核桃、小麦胚芽、香蕉、糙米、全麦、全谷、甘蓝菜、动物肝脏与肾脏、大豆、燕麦、胡桃、紫花苜蓿、哈密瓜、蜂蜜、香菇、枇杷、荞麦粉、马铃薯、花生、甘薯。

❖　维生素 B_{12}　❖

➡基本知识

维生素 B_{12}，又叫钴胺素、红色维生素，是一种水溶性维生素，只需少量即能产生效果，它是惟一含有必需矿物质的维生素。维生素 B_{12}有助于红血球的形成、神经系统的运作，以及帮助细胞形成并维持细胞的生命。适当的消化及吸收作用、蛋白质合成、糖类与脂肪的新陈代谢均需要维生素 B_{12}。

➡缺乏症

维生素 B_{12}可以储存在体内，在体内积蓄的维生素 B_{12}全部耗尽的 5 年后，其缺乏症才会显现出来，而要将积蓄体内的维生素 B_{12}全部消耗则需 3 年之久。因此，人体不会轻易缺乏维生素 B_{12}。

但是，吸收不良会引起维生素 B_{12}的缺乏，这最常见于老年人及消化系统有疾病者。素食者也比较容易患维生素 B_{12}缺乏症，其症状包括走路畸形、记忆力丧失、幻想症、眼疾、贫血及消化不良。同时，缺乏维生素 B_{12}还会造成口角溃烂、精神紧张、腰酸背痛、行动困难，严重时会导致脊髓退化而瘫痪。

一般情况下，一个人的饮食中只缺维生素 B_{12}，不会造成贫血，而若同时缺乏维生素 B_{12}、叶酸及其他 B 族维生素时，会引起恶性贫血。

➡功效

可以抗贫血，促进红细胞的形成和再生；

—— 371 ——

预防神经受损、维持生育能力、促进正常的生长及发育；

对强化肝功能有效；

消除疲劳并减轻老年人神经方面的毛病，如记忆力丧失；

消除精神紧张，促使注意力集中；

增强体力，维持神经系统的正常功能。

➡食物来源

乳酪、蚌蛤、蛋、动物肝脏与肾脏、牛奶、海鲜、豆腐、生牡蛎、沙丁鱼、鲑鱼、鸡肉、鳟鱼、牛肉、猪肉、酵母、南瓜子、麦芽、葵花子、羊奶、葡萄酒、紫菜、香菇、乌骨鸡、鸽肉、鲫鱼。

❖ 生物素 ❖

➡基本知识

生物素，又叫辅酶 R 或维生素 H，是 B 族维生素的一员。它是一种水溶性维生素，含有硫磺成分。它可以在小肠中合成，也可由食物中获得。生物素可以帮助脂肪和蛋白质的新陈代谢以及维生素 C 的合成，并且和维生素 A、维生素 B_2、烟酸和维生素 B_6 有相辅相成的作用，共同维护皮肤的健康。同时，生物素可以协助细胞生长、制造脂肪酸、代谢糖类，且有助于 B 族维生素的利用。此外，它也促进汗腺、神经组织及骨髓的健康。

➡缺乏症

由于生物素能在小肠中由食物合成，缺乏生物素是罕见的。

缺乏生物素，脸部和身体会得湿疹，脸上长红斑鳞片，并且脱发。有时会使身体极度疲劳,有碍于脂肪的代谢,从而影响食欲。

➡ 功效

维护头发与皮肤健康,防止脱发、白发;

减轻湿疹、皮炎症状;

增加指甲厚度,防止指甲断裂;

缓解疲劳、减轻肌肉疼痛。

➡ 食物来源

蛋黄、咸水鱼、肉类、牛奶、鸡肉、鸭肉、鹅肉、大豆、全麦、酵母、动物肝脏、菜花、全谷类食物、动物肾脏、花生酱、糙米。

❖ 胆　碱 ❖

➡ 基本知识

胆碱是 B 族维生素中的一员,是亲脂肪的维生素(可乳化脂肪)。胆碱是能穿过"脑血管屏障"的物质,从而进入脑细胞,制造帮助记忆的化学物质。没有胆碱,大脑功能与记忆都会受损。同时,神经活动的传导、胆囊的调节、肝功能及卵磷脂的形成均需要胆碱。它能消除肝脏过多的脂肪,协助激素制造,且是脂肪和胆固醇代谢所必需的。

➡ 缺乏症

缺乏胆碱使肝脏积存过多的脂肪,从而使肝脏受损,可能引起肝硬化、肝脏脂肪的变性;同时,还会阻碍卵磷脂的合成,使胆固醇在动脉中淤积,从而导致动脉硬化,也可能是引起老年痴呆症的原因。

➡功效

对治疗神经系统方面的疾病如帕金森氏症及迟发性运动障碍有助益;

有助于治疗老年痴呆症;

控制脂肪和胆固醇的积蓄;

促进肝脏机能,帮助人体组织排除毒素;

帮助传送刺激神经的信号,防止老年记忆力衰退。

➡食物来源

蛋黄、豆类、肉类、牛奶、全麦、动物脑、动物心脏与肝脏、绿叶蔬菜、啤酒酵母、麦芽、大豆卵磷脂、紫菜、山药、海带。

❖ 叶 酸 ❖

➡基本知识

叶酸,又叫维生素 B_C、维生素 M,它属于 B 族维生素中的一种,是水溶性维生素。最近叶酸因潜在的抗癌功效而大受瞩目。

被视为大脑食物的叶酸,对制造能量及形成红细胞都是必要的。叶酸是细胞分裂、制造遗传基因的核糖核酸(RNA)及脱氧核糖核酸(DNA)不可缺少的物质。叶酸还可以帮助调节胚胎神经细胞的发育,使其正常生长发育。此外,叶酸也是细胞内酶的成分之一,主要的作用是利用糖分和氨基酸构成抗体,防止感染。

➡ 缺乏症

缺乏叶酸时,会有倦怠、皮肤灰褐色素沉淀等症状,孕妇皮肤上出现灰褐色的妊娠纹。妇女在怀孕期间最容易缺乏叶酸;一旦缺乏,常导致出血、流产及婴儿容易夭折或是罹患先天性神经缺陷。

叶酸缺乏,红细胞就会减少,将导致贫血症,使胃肠与口腔的黏膜弱化,引起下痢、胃肠炎及口腔炎等。此外,叶酸缺乏有可能导致巨红血球性贫血;同时舌头红、舌头痛也是叶酸缺乏的症状。

➡ 功效

有助于消除忧郁及焦虑;

预防及治疗叶酸贫血症;

预防婴儿先天性神经缺陷;

防止口腔黏膜溃疡;

增进皮肤健康,促进身体生长发育。

➡ 食物来源

大麦、豆类、牛肉、糙米、啤酒酵母、乳酪、鸡肉、枣椰、羊肉、动物肝脏、牛奶、柳橙、猪肉、根菜类、鲑鱼、小麦胚芽、全麦、牡蛎、蛋、全谷类、香蕉、柑橘、胡萝卜、杏、南瓜、菠菜、绿花椰菜、葵花子。

❖ 肌 醇 ❖

➡ 基本知识

肌醇是水溶性维生素,属于 B 族维生素的一种,它是亲脂肪性的维生素。肌醇和胆碱结合形成卵磷脂,并且它有代谢脂肪和胆固醇的作用。

➡ 缺乏症

缺乏肌醇可能导致谢顶;另外,缺乏肌醇还会引起湿疹、便秘及眼睛异常等症状。

➡ 功效

对毛发生长很重要,可以促进头发生长,防止脱发;

有助于清除肝脏的脂肪;

预防湿疹;

减低血液中的胆固醇。

➡ 食物来源

水果、蔬菜、全麦、肉类、牛奶、动物肝脏、啤酒酵母、白花豆、牛脑、牛心、麦芽、未精制的糖蜜、花生。

❖　维生素 C　❖

➡基本知识

维生素 C，又叫抗坏血酸，它是水溶性维生素。人体不能自行制造维生素 C，只能从食物或营养补品中摄取。

维生素 C 是组织生长及修补、肾上腺功能、健康牙龈所必需的抗氧化剂，它预防有害的感染及癌症，也能增强免疫力。它也可以降低胆固醇及高血压，还能预防动脉硬化。维生素 C 是胶原质形成的必需物质，胶原质对于人体的组织细胞、牙龈、血管、骨骼、牙齿的发育和修复是一种重要的物质。维生素 C 是强抗氧化剂，它可使致癌物失去作用，避免细胞产生癌病变。另外，维生素 C 可以和维生素 E 相互合作，换句话说，当它们一起服用时，能发挥比它们分开时还大的功能。维生素 E 负责消除细胞膜上危险的自由基，维生素 C 则负责打断体液内的自由基链。同时，维生素 C 还是新细胞及组织制造和生长必不可少的物质，还能预防滤过性病毒渗透到细胞膜内。

➡缺乏症

缺乏维生素 C 时，身上的伤口不易愈合，血管变得脆弱，牙龈容易出血，极易导致坏血病。

缺乏维生素 C，会使牙齿松软、脱落，珐琅质容易被侵蚀而形成蛀牙；同时，骨骼的基本结构会被破坏，矿物质易流失。维生素 C 与骨折的愈合有密切关系，缺乏维生素 C，无法构成骨骼的胶原蛋白，折断的骨骼便无法接合。

➡**功效**

防治坏血症;

预防婴儿猝死症;

可以养颜美容,避免皮肤在日晒后产生黑色素的沉淀,使肌肤美白;

有效预防感冒、流行性病毒感冒、病毒性肝炎、癌症、自体免疫疾病及其他的病毒性疾病;

促进干扰素的产生,干扰素可以强化细胞对病毒的抵抗力;

有抗癌作用,有助于防止亚硝胺(致癌物质)的形成;

治疗牙龈出血;

预防滤过性病毒和细菌的感染,增强免疫系统功能;

增加对无机铁的吸收。

➡**食物来源**

浆果、芦笋、草莓、青椒、绿花椰菜、花椰菜、马铃薯、番茄、葡萄、葡萄柚、木瓜、茶、醋栗、无头甘蓝、柠檬、芒果、芥菜叶、洋葱、柳橙、香菜、豌豆、菠萝、萝卜、菠菜、甜菜、胡椒、大蒜、菠萝汁、橘子、西瓜、甜瓜、猕猴桃、哈密瓜、牛奶、马奶、羊奶、葡萄酒、蚕豆、山药、芹菜、苦瓜、枣、杨梅。

❖ 维生素 D ❖

➡**基本知识**

维生素 D,又叫钙化醇、"阳光维生素"、"抗佝偻病维生素",是脂溶性维生素。维生素 D 可以促进钙、磷的消化吸收,维护牙齿、骨骼的正常发育。人体从食物或营养补品中获得的维生素D是未完全被活化的状态。因此,在它完全具有活性前,首先得在肝与肾中转化。肝或肾有毛病的人,较容易患骨质疏松症。太阳光中的紫外线可刺激某些皮肤油脂制造维生素D,所以多晒日光是获得维生素D的最简易方法。

➡缺乏症

缺乏维生素D,容易出现骨质疏松、软化的现象,导致软骨症;牙齿也容易松动或倾斜。儿童缺乏维生素D会导致佝偻病——磷、钙代谢障碍所引起的骨骼逐渐软化的疾病。另外,缺乏维生素D也可引起严重的蛀牙和老年性骨质疏松症。

➡功效

对小孩骨骼和牙齿的正常生长及发育尤其重要;

可以预防和治疗骨质疏松症、软骨症;

预防和治疗小儿佝偻症;

有助于对结膜炎的治疗;

增强钙、磷的吸收和利用。

➡食物来源

鱼肝油、多脂的咸水鱼、动物肝脏、牛奶、蛋黄、添加维生素D的乳制品、苜蓿、奶油、香菇、比目鱼、燕麦、鲑鱼、沙丁鱼、番薯、植物油、鹌鹑肉、银杏、鳕鱼、小鱼干。

❖ 维生素 E ❖

➡基本知识

维生素 E,又叫生育酚,是脂溶性维生素。维生素 E 是一种预防癌症及心脏血管疾病的抗氧化剂,可以预防油脂的过氧化作用,以及维生素 A、硒、两种含硫氨酸和维生素 C 的氧化作用。维生素 E 是一种重要的血管扩张剂和抗凝血剂,可以改善血液循环、修复组织,同时对胸肌纤维及月经来前不适症状的治疗均有助益。它也促进正常的凝血,并减少伤口的疤痕,降低血压、防止白内障、改善运动机能及腿部痉挛;而且维生素 E 可以抑制脂肪过氧化及形成自由基,从而防止细胞受损。

➡缺乏症

维生素 E 在血液制造的过程中担任辅酶的功能,如果缺乏维生素 E,那么造血作业就会停滞,导致贫血。维生素 E 缺乏是婴儿贫血的最主要原因。同时,缺乏维生素 E 可能造成肺栓塞及中风。

➡功效

预防肌肤老化,防止老年斑,保持青春活力;

可使血液黏度降低,预防氧气浪费,使血液循环顺利地进行;

有助于减轻腿抽筋和手足僵硬的状况;

防止血液凝固,预防静脉曲张及心脏病发作和中风;

防止流产、早产;

增强肝的解毒功能；

提高精子的品质、数量与活动力；

有重要的防癌变作用。

➡食物来源

全麦、核果、种子、干豆、糙米、玉米粉、蛋、脱水肝、牛奶、燕麦、番薯、小麦胚芽、大豆、植物油、坚果类、芽甘蓝、绿叶蔬菜、未精制谷类、紫花苜蓿、全谷类、花生酱、烤番薯、花生、人造奶油、玉米油、花生油、胡桃、鸡肉、玉米、动物肝脏、鲑鱼、南瓜、绿花椰菜、萝卜叶、杏仁、芝麻、糖蜜。

❖　维生素 K　❖

➡基本知识

维生素 K 是脂溶性维生素。它最主要的功能是帮助血液凝固；它也可能与骨骼形成有关。此外，维生素 K 可将葡萄糖转化成肝糖以贮存在肝中。

➡缺乏症

人体缺乏维生素 K，出血就不易凝固，可能会造成大量出血，严重的话，就会因失血过多而危及生命。很严重的腹泻可能是维生素 K 的缺乏症之一。另外，缺乏维生素 K 可能导致小儿慢性肠炎及结肠炎。

➡ 功效

有助于防治骨质疏松症；

促进血液正常的凝固，治疗月经过量；

防止内出血和痔疮。

➡ 食物来源

苜蓿、绿花椰菜、深绿叶蔬菜、大豆、甘蓝、蛋黄、花椰菜、动物肝脏、燕麦、黑麦、小麦、糖蜜、酸奶酪、红花油、大豆油、鱼肝油、海藻类、紫花苜蓿、蜂蜜、鹌鹑肉。

❖ 维生素 P ❖

➡ 基本知识

维生素 P，也被称为生物类黄酮，是水溶性维生素。人体无法自制这种维生素，必须由饮食和营养补品中补充。维生素 P 能降低腿部及背部的疼痛，及缓和长期性出血和血清缺钙的症状。同时，它有抗菌功效，可以促进血液循环、刺激胆汁形成、降低胆固醇含量、防治白内障。此外，它在维持维生素 C 的消化、吸收功能上是不可缺少的物质，并且帮助维生素 C 维持结缔组织的健康，它还是维持毛细血管通透性的要素。

➡ 缺乏症

缺乏维生素 P，毛细血管变脆，容易出血。

➡ **功效**

广泛地使用于治疗运动伤害,它可减轻疼痛、肿块、淤血;

与维生素 C 一起服用,减轻口部疱疹的症状;

防止维生素 C 被氧化而受到破坏;

有助于牙龈出血的预防和治疗;

增强毛细血管壁弹性。

➡ **食物来源**

柑橘类(柠檬、橙、葡萄柚)的白色果皮和包着果囊的薄皮、青椒、荞麦、黑醋栗、杏果、樱桃、葡萄、柠檬、李子、玫瑰果实、葡萄酒、番茄、马齿苋、大枣、菱角。

❖ 钙 ❖

➡ **基本知识**

钙是人体内含量最丰富的矿物质,约 99％的钙存在于牙齿和骨骼里,其余 1％则存在于体液和软组织中。钙对于骨骼及牙齿的形成、正常心跳的维持、神经活动的传导等起着重要作用。钙在身体每个细胞的正常功能中也扮演极重要的角色,并且它提供能量及参与蛋白质形成 RNA(核糖核酸)和 DNA(脱氧核糖核酸)结构的过程。它还能帮助肌肉收缩、血液凝结,并维护细胞膜。此外,心脏和肌肉的正常功能也离不开钙。

➡ **缺乏症**

由于钙有助于神经刺激的传导,缺乏钙,神经无法松弛下来,因而疲劳无法缓解,并且经常失眠。缺乏钙还可能导致下列各种症状:肌肉痉挛、精神紧张、心悸、脆指甲、湿疹、高血压、关节炎、胆固醇量升高、风湿性关节炎、蛀牙、失眠、软骨病、佝偻症、骨质疏松症及手脚麻木。

➡️ 功效

有助于预防结肠癌;

可以降低血压;

预防和治疗更年期骨质疏松症;

防治肌肉痉挛;

保护骨骼及牙齿免受铅毒;

维持强健的骨骼和健康的牙齿;

缓解失眠症;

预防妇女更年期时暴躁、燥热、夜间盗汗、腿部抽筋等症状;

是良好的镇痛剂;

是民间治疗经前症候群的偏方。

➡️ 食物来源

牛奶、脱脂奶粉、乳酪、糖蜜、沙丁鱼、小鱼干、泥鳅、芝麻、乳制品、海鲜、杏仁、芦笋、啤酒酵母、绿花椰菜、脱脂乳、甘蓝、角豆、羽衣甘蓝、蒲公英叶、无花果、榛子、羊奶、海带、芥菜叶、燕麦、香菜、李子、豆腐、大豆、鲑鱼、花生、胡桃、葵花子、紫花苜蓿、大蒜、马奶、荞麦、玉米、绿豆、蚕豆、葱、芹菜、荔枝、山楂、沙果、羊肉、鸭肉。

❖ 镁 ❖

➡基本知识

镁能够帮助骨骼的形成、蛋白质的制造、肌肉中能量的释放及体温的调节。在钙、钾、磷、钠及维生素 C 的代谢上,镁是必要的物质。镁可以保护动脉管壁免受血压突然改变所引起的压迫,并且在血糖转变为能量的过程中扮演着重要角色,同时是良好的抗紧张剂。

此外,镁和钙是调节心跳和肌肉收缩的两大相反的力量:镁松弛血管,而钙则收缩血管,并且在有维生素 B_6 的情况下,镁有助于减少并溶解磷酸钙所形成的结石。

➡缺乏症

缺乏镁会干扰神经活动传导至肌肉,引起暴躁及紧张;镁严重缺乏时,大脑受到的影响最大,思维混乱,丧失方向感,甚至精神错乱,记忆消退。此外,镁摄取不足将影响到人体许多器官的功能,如心脏、中枢神经系统、骨骼肌肉及胃肠道等。

➡功效

有助于预防忧郁、头晕、肌肉衰竭、肌肉抽痛、心脏疾病、血压高,并维持体内适当的酸碱值;

有助于牙齿釉质的健康;

有助于毒物的排出、蛋白质的合成、维持正常的心跳及保护皮肤、头发和指甲的正常;

帮助非胰岛素依赖性的糖尿病患者维持正常的血压;

防止钙沉淀在组织和血管中,防止产生肾结石、胆结石;

预防血小板聚集,以防止血栓的形成而诱发心脏病和中风;

缓解经前症候群的症状;

改善老年人代谢葡萄糖的能力。

➡食物来源

乳制品、鱼类、肉类、海鲜、苹果、杏、香蕉、啤酒酵母、糙米、无花果、大蒜、海带、桃、芝麻、豆腐、小麦、全谷类、杏仁、花生、干豆、豌豆、大豆、各种种子、小麦粉、牛奶、深色绿叶蔬菜、干芥菜、咖喱粉、荞麦、玉米、蜂蜜、葱、坚果类、马铃薯。

❖ 铬 ❖

➡基本知识

铬是一种微量矿物质,它能与胰岛素合作帮助糖的新陈代谢,因此,铬又称为葡萄糖耐受因子,它是生产能量必备的物质。首先,它可刺激胰脏内的 β 细胞制造更多所需的胰岛素;其次,它能使胰岛素更有效地发挥作用,帮助血液维持正常的葡萄糖含量。这种必需矿物质在糖尿病及低血糖患者体内,通过适当地使用胰岛素来维持稳定的血糖浓度。血浆中铬的浓度低时,表明冠状动脉有毛病。此外,它对胆固醇、脂肪及蛋白质的合成也是相当重要的。

➡缺乏症

缺乏铬会威胁体内维持正常血糖浓度的能力,造成低血糖症、低血糖症前期。铬缺乏也可能是动脉硬化和糖尿病的原因之一。

➡ **功效**

防治低血糖症；

预防高血压；

预防和减轻糖尿病的症状；

有助于增加高密度脂蛋白含量来降低糖尿病患者得冠状动脉疾病和中风的几率。

➡ **食物来源**

啤酒、啤酒酵母、糙米、乳酪、全谷类、干豆、鸡肉、玉米、玉米油、乳制品、牛肝、香菇、马铃薯、麦芽、蛤类、海带、绿花椰菜、火腿、火鸡肉、葡萄汁、贝类。

❈ 铜 ❈

➡ **基本知识**

铜是一种微量矿物质,它对许多酶系统和核糖核酸的制造都有重要的作用,也是细胞核的一部分。它有助于骨骼、大脑、神经和结缔组织的发育,并能促进大脑及神经的功能。人体需要铜来将铁转变为血红素,并且它能促使酪氨酸被利用,成为毛发和皮肤色素的要素。同时,铜有助于血红蛋白及红细胞的形成,且它与锌、维生素 C 均衡运作以形成弹性蛋白。此外,它还在伤口愈合过程中有辅助作用。

➡缺乏症

缺乏铜的早期症状之一是骨质疏松。铜缺乏会减少铁的吸收,缩短红细胞的寿命,因而导致贫血。同时,缺铜可能引起浮肿、骨骼疾病及风湿性关节炎。此外,铜不足还会影响血红素的形成。

➡功效

有助于铁的吸收,提高人体的活力;

配戴铜手镯是治疗关节炎的民间偏方。

➡食物来源

杏仁、大麦、甜菜、糖蜜、绿花椰菜、蒲公英叶、蒜、扁豆、香菇、核果、燕麦、柳橙、胡桃、萝卜、葡萄干、鲑鱼、海鲜、大豆、绿叶菜、全麦、干李、动物内脏、虾、海带、贝类、坚果、种子、小牛肉、牛肝、蜂蜜、卷心菜、莲子。

❖ 碘 ❖

➡基本知识

碘是一种微量营养素,人体内三分之二的碘存在于甲状腺中,它能维持健康的甲状腺及帮助甲状腺正常工作(甲状腺分泌的激素能调节许多身体机能)。碘还有助于代谢过多的脂肪,且对身心发育颇为重要。

➡️ **缺乏症**

　　碘缺乏会造成甲状腺肿大(即"大脖子病")和甲状腺机能衰退,其症状是嗜睡、颏下浮肿、体重增加及怕冷等。儿童缺碘会造成智障及侏儒症,严重时甚至引起小儿头大。缺碘还会引起贫血、低血压症、脉搏缓慢等症状。此外,乳癌可能与缺碘有关联。

➡️ **功效**

　　预防甲状腺肿大及机能衰退;

　　提高反应的敏捷性、增强活力;

　　代谢多余的脂肪,减轻体重;

　　促进毛发、指甲、皮肤、牙齿的健康。

➡️ **食物来源**

　　碘盐、海鲜、咸水鱼、海带、芦笋、大蒜、芝麻、大豆、菠菜、甜菜、芜菁叶、洋葱、紫菜、柿子、鸡蛋、鱿鱼、海蜇、海参、海盐。

❖ 铁 ❖

➡️ **基本知识**

　　铁是维持生命的主要物质,是血液中含量最高的矿物质,它是人体内制造血红素、红细胞和血红蛋白(肌肉和某些酶之中的血红素)的主要物质。铁对许多酶都是必要的,且对儿童的成长及疾病的抵抗都很重要,同时,健康的免疫系统及能量的制造也需要铁。每月中妇女所流失的铁大约是男性的两倍,因此需要额外的铁来补充每个月流失的铁。

　　胃内必须有足够的盐酸,以利于铁质吸收,要促进铁质完全吸收仍需铜、锰、钴、维生素 A、维生素 C 及 B 族维生素协助。动物类食物里面的原血红素铁比植物类食物所含的铁容易被人体吸收。

➡**缺乏症**

　　缺乏铁的症状包括毛发变脆、指甲呈汤匙状或有纵向的凸起、毛发脱落、疲劳、脸色苍白、头晕等。饮食中缺铁的儿童可能有学习困难的问题,而年青女性则不易集中精力,注意力分散。缺铁还会导致缺铁性贫血,其症状是疲乏、怕冷、免疫力降低。

　　铁质缺乏的原因可能有以下几种:小肠出血、经血过多、高磷饮食、消化不良、长期生病、肠胃溃疡、长期使用制酸剂、饮用过多咖啡或茶,及其他非营养缺乏引起的原因。因此在补充铁质之前应查明是否有这些症状。在某些情况下,缺乏维生素 B_6 或维生素 B_{12} 也会导致贫血。

➡**功效**

　　可以改善儿童的精神状态,使注意力集中;

　　防治缺铁性贫血症;

　　促进发育、增强抗病力;

　　防止疲劳,使皮肤恢复良好的血色。

➡**食物来源**

　　海带、酵母、黑砂糖、小麦胚芽、南瓜子、杨梅、瘦肉、动物肝脏、深绿色蔬菜、干豆、豌豆、梅汁、全麦面包、谷类食物、葡萄干、草莓、小扁豆、花生酱、烤花生、糙米、燕麦片、绿色蒲公英叶、枣、杏仁、沙丁鱼、鲈鱼、大豆、绿紫菜、木耳、芝麻、家禽、甜菜、枣椰果、蛋黄、香菜、桃、梨、南瓜、牛肾、牛心、生蛤、牡蛎、芦笋、糖蜜、蚝、蚌、牛肉、水果干、牛奶、马奶、荞麦、玉米、蜂蜜、葱、羊肉。

❖ 锰 ❖

➡ 基本知识

人体对锰这种微量元素需求量极小,但锰却发挥着许多重要的作用,例如激活必要的酶来充分利用维生素 C、B 族维生素、维生素 H 及生物素。蛋白质及脂肪的代谢、健康的神经与免疫系统,以及血糖的调节等,均需少量的锰。它被用以制造能量,且是正常骨骼生长及再生所需要的。在食物的新陈代谢及脂肪酸、胆固醇的制造上锰也扮演着重要的角色,而且是氧化脂肪及代谢嘌呤所需酶的要素。同时,在制造甲状腺的主要激素——甲状腺素时,是非常重要的物质。此外,在细胞再生、神经系统的正常功能和性激素的制造方面都少不了锰。

➡ 缺乏症

缺锰可能导致下列症状:发育不全、骨骼退化、运动失调、平衡感不完全、红斑病、严重的肌无力症、血糖值上升等。

➡ 功效

是缺铁性贫血者必备的矿物质;

与 B 族维生素合作,使全身舒畅,消除疲劳;

协助制造母乳;

缓解神经过敏和烦躁不安,增强记忆力;

协助肌肉的反射作用;

预防骨质疏松症;

可能起到预防癌症和心脏病的作用。

➡食物来源

核果、种子、海藻、全谷类、蓝莓、蛋黄、豆科植物、干豆类、菠萝、坚果类、绿叶蔬菜、豌豆、甜菜、海带、蜂蜜、芥菜、莲子。

❖ 磷 ❖

➡基本知识

磷存在于人体所有的细胞中,它几乎参与所有生理上的化学作用。磷有助于骨骼和牙齿的形成、细胞生长、心肌收缩、保持正常的肾脏功能。它还协助摄入体内的食物释放能量、利用维生素及形成遗传原料、细胞膜和多种酶。磷还是使心脏有规律地跳动、传达神经刺激的主要物质。

需要维生素 D 和钙来维持磷的正常机能,体内钙和磷应保持一定的比例,才能运作良好。

➡缺乏症

大部分的食物都含有磷,缺磷的情况相当少见。但缺磷会导致新陈代谢受阻、骨骼变得脆弱、发育不全,以及形成佝偻病及牙龈脓瘘等症。

➡功效

保持体液的中性；

促进牙齿的健康生长和牙龈的健康发育；

协助脂肪和淀粉的代谢,供给能量与活力；

减少关节炎的痛苦；

促进成长及身体组织器官的修复。

➡食物来源

　　酵母、谷类、南瓜子、鱼、蛋、禽肉、牛奶、坚果、汽水、芦笋、玉米、乳制品、水果干、大蒜、核果、芝麻、葵花子、鲑鱼、牛肉、各类种子、紫花苜蓿、海带、马奶、燕麦、荞麦、大豆、绿豆、蚕豆、蜂蜜、马铃薯、蕨菜、百合、枸杞子、桂圆、苹果、樱桃、菠萝、猪肉、狗肉、兔肉。

❖　钾　❖

➡基本知识

　　钾是维持生命不可或缺的必需物质,它和钠共同作用,调节体内水分的平衡并使心跳规律化(钾在细胞内作用,钠只在细胞外作用)。钾和钠的平衡失调时,会损害神经和肌肉的机能。钾对细胞内的化学反应很重要,且协助维持稳定的血压及神经活动的传导。低血糖症、长期的绝食、严重的腹泻、服用利尿剂和通便剂、肾脏病等都会导致钾的流失,精神和肉体的紧张会导致钾的不足。

➡缺乏症

缺乏钾会导致副肾皮质机能亢进,减少肌肉的兴奋性,使肌肉的收缩和放松无法顺利进行,容易倦怠。另外,会妨碍肠的蠕动运动,引起便秘,结果会导致浮肿、半身不遂以及心脏病发作。

同时,钾的摄取量不足与高血压及心律不齐有关;钾摄取不足时,钠会带着许多水分进入细胞之中,使细胞破裂,形成水肿。血液中缺钾会使血糖偏高,导致高血糖症。另外,缺钾对心脏造成的伤害最严重,冠状动脉缺乏钾,可能是人类因心脏疾病致死的最主要原因。

➡功效

有助于预防中风;

协助正常的肌肉收缩;

有助于对过敏症的治疗;

输送氧气到脑部,增进思路清晰;

有助于处理体内废物;

预防高血压的最大致病原因——盐分(钠)的危害。

➡食物来源

乳制品、鱼、禽肉、全谷、杏、香蕉、啤酒酵母、糙米、枣椰、无花果、水果干、蒜、核果、马铃薯、葡萄干、冬季瓜类、番薯、柑橘类、香瓜、番茄、绿叶蔬菜、薄荷叶、葵花子、大蒜、海带、蜂蜜、黄花菜、筒蒿、卷心菜、莴苣、银耳、瘦肉、裙带菜、干香菇、大豆、甘蔗、芋头、毛豆、萝卜叶、麦芽、花生、苹果、枇杷。

❖ 锌 ❖

➡基本知识

　　锌对于维持生长和健康很重要。锌执行指挥和监督躯体各种功能的有效运作以及酶系统和细胞的维护等作用，它是合成蛋白质和胶原蛋白的主要物质。这种必需矿物质是使前列腺正常运作及生殖器官正常发育的重要物质。细胞的分裂、生长及修复都少不了锌这种矿物质，因此在伤口复原需要迅速制造新细胞时，锌就变得非常重要。锌也产生辛辣刺激的味觉和嗅觉，并保护肝脏免受化学物质的伤害。锌可以指挥肌肉的收缩，帮助形成胰岛素，并促进免疫系统的健康；它也是稳定血液状态、维持体内酸碱平衡的重要物质。

➡缺乏症

　　锌摄取不足会引起身材矮小、创伤愈合不良、青少年性发育迟缓等现象。缺乏锌还可能有食欲下降和味觉迟钝等症状。在大脑发育的各个阶段，若缺锌则会损害记忆和神经功能。同时，锌摄取不足可能使年青人患有类似痤疮的皮肤病。

　　另一方面，锌不足会导致精子数量太低，成为男性不孕症的主要原因。另外，缺锌还可导致前列腺肥大（非癌变性的前列腺肥大）以及动脉硬化。

➡功效

　　增强人体免疫力，提高人体抵抗感染和疾病的能力；
　　改善胰岛素的效用；

有助于预防老年男性的前列腺肥大；

加速人体内部和外部伤口的愈合；

可能是治疗感冒最有效的处方；

调节前列腺内睾丸素酮的新陈代谢；

防止味觉、嗅觉消失；

有助于治疗生殖功能障碍；

消除指甲上的白色斑点；

有助于治疗精神失常；

减少胆固醇的积蓄。

➡食物来源

牡蛎、牛奶、全麦面包、海产品、芝麻、栗子、大豆、小鱼干、沙丁鱼干、大虾、牛肝、蛋黄、脱脂奶粉、干香菇、芜菁叶、萝卜干、芹菜、裙带菜、红花、可可、动物肝脏、海鲜、麦芽、啤酒酵母、南瓜子、蛋、芥末粉、未精制谷类、海带、坚果类、羊肉、蚝、猪肉、蟹、蜂蜜、南瓜、莴苣、蕨菜、苹果、葵花子、羊排、胡桃、各类种子、大豆卵磷脂。

❖ 硒 ❖

➡基本知识

人体只需要极少量硒这种必需的微量矿物质，但它却极其重要。它可以抑制癌症的发生、转移，同时对冠心病以及心肌梗塞的预防有帮助，对高血压、动脉硬化、白内障、关节炎、肌肉营养障碍、精力减退等都是有效的营养素，具有常葆青春的效果。

　　硒是主要的抗氧化剂,与谷胱甘肽共同作用消除自由基,以防止因氧化而引起的老化、组织硬化,最少也可以减低其变化的速度。它还能与有毒金属(如汞、镉、砷)或其他致癌物质结合而排出体外,以达到解毒的功效。此外,硒有可能解除过氧化油脂的毒性,使它不能促进恶性肿瘤的生长。

　　硒和维生素 E 协力帮助抗体的制造及维持心脏健康,两者配合起来所发挥的作用大于两者分别作用之和。另外,男性需要更多的硒,因为体内的硒几乎半数都集中在睾丸和邻接前列腺的输精管中。

➡ 缺乏症

　　缺乏硒有可能导致中风,并且是未老先衰的原因之一。癌症和心脏病有可能与缺硒有关。

➡ 功效

　　防止自由基形成以保护免疫系统;

　　有助于防治癌症;

　　治疗女性更年期的发热潮红及更年期的其他疾病;

　　可以预防心脏及血液循环方面的疾病;

　　有助于防治头皮屑。

➡ 食物来源

　　高丽参、大蒜、洋葱、奶油、小麦胚芽、啤酒酵母、绿花椰菜、糙米、鸡肉、乳制品、动物肝脏、糖蜜、鲑鱼、海鲜、全谷类、动物肾脏、蛋、海产品、番茄、牛羊肉、红葡萄、蕨菜。(蔬菜及作物中的硒含量取决于泥土的成分。)

❖ 钠 ❖

➡ 基本知识

钠是血液中的重要元素,与钾合作帮助身体维持正常体液平衡。保持人体适当的水分平衡与血液的酸碱值不可没有钠。胃、神经、肌肉的正常功能也都需要它。钾钠的平衡对健康是必要的。摄入过量的食盐,将导致钾的不足;经常过量摄取钠会导致高血压。

➡ 缺乏症

缺乏钠的情况很少见,但缺钠会引起头脑不清、低血糖、体弱、脱水、昏睡、心悸等症状。另外,缺钠所产生的症状,从轻微的疲劳,气候炎热时的倦怠,到酷热时的抽筋、热衰竭或中暑等症状。

➡ 功效

维持肌肉的弹性,协助神经正常运作;
防止因过热而疲劳和中暑。

➡ 食物来源

食盐、腌肉、甲壳类、胡萝卜、甜菜、干牛肉、动物脑、动物肾脏、海带、奶酪、马铃薯、冬季南瓜、杏干、香蕉、柳橙汁、烤番薯、茼蒿、乌骨鸡。

❖　色氨酸　❖

➡ 基本知识

　　色氨酸是一种必需氨基酸,它治疗失眠症,帮助稳定情绪,并且与维生素 B_6、烟酸及镁一起在大脑中发生作用,制造血液中的血清素,这是一种必需的神经活动传导物质及使人正常睡眠的神经激素。足量的维生素 B_6 是形成色氨酸所必需的物质,而色氨酸是形成血清素的必需物。此外,色氨酸可以促进制造维生素 B_6 所必需的生长素的分泌。

➡ 功效

　　治疗失眠症,促进睡眠;

　　帮助稳定情绪,缓和焦躁及紧张情绪;

　　有助于控制孩童的多动症;

　　减轻压力,对心脏有好处;

　　有助于控制体重;

　　有助于控制酒精中毒;

　　减低对疼痛的敏感度,缓解偏头痛;

　　可以作为一种无药性的兴奋剂。

➡ 食物来源

　　脱脂奶酪、牛奶、肉类、香蕉、干枣椰、花生、鱼类、大豆(含其制品)、芝麻、鸡胸肉、动物肝脏、沙丁鱼、鲑鱼、裙带菜。

❖ 苯丙氨酸 ❖

➡基本知识

苯丙氨酸是一种必需氨基酸,它作为神经传导所必需的氨基酸,是传达大脑和神经细胞之间信息的化学物质。它产生各种神经活动传导物,被大脑用来制造肾上腺素和多巴胺,这两种刺激传导物,可提高身体的灵敏度和活力。

➡功效

治疗忧郁症,使人心情舒畅;

改善记忆力及提高思维的敏捷度;

减轻偏头痛、痛经和关节炎痛;

降低饥饿感、控制肥胖症;

可提高性欲。

➡食物来源

芝麻、面包、南瓜子、豆类制品、花生、杏仁、脱脂牛奶、脱脂干酪。

❖ DL – 苯丙氨酸 ❖

➡基本知识

DL – 苯丙氨酸是苯丙氨酸的一种,是由等量的 D(合成)和

L(天然)苯丙氨酸混合而成,由此产生和激活类似吗啡的激素——内啡呔;它可以增强及延长人体对受伤及疾病的天然止痛反应。

➡功效

有助于帕金森氏症的治疗;

在控制疼痛方面,尤其是关节炎、风湿性关节炎、颈伤、腰痛、偏头痛、神经痛等,非常有效。

❖　赖氨酸　❖

➡基本知识

赖氨酸是构建人体蛋白质中极为重要的必需氨基酸,它能协助抗体、激素、酶的制造以及胶原蛋白的形成与组织的修复。由于赖氨酸可以帮助制造肌肉蛋白质,所以它对那些刚开刀或运动伤害的复原者尤其重要。此外,它也可降低血清脂肪。

➡缺乏症

缺乏赖氨酸会造成身体疲劳、注意力无法集中、眼睛容易充血红肿、恶心、头晕、脱发、贫血、生长及生殖方面受阻的症状。

➡功效

是儿童正常生长与骨骼发育所需的物质;

有助于成年人吸收钙质及维持氮的均衡;

抵抗感冒病毒及疱疹病毒;

使注意力集中；

有助于消除某些不孕症。

➡食物来源

　　蛋、啤酒酵母、豆制品、鱼肉、牛奶、大豆、胡萝卜、豆奶、黑米、燕麦、荞麦、玉米及含蛋白质丰富的食物。

❖　精氨酸　❖

➡基本知识

　　精氨酸是维持脑下垂体正常功能的必需氨基酸，与鸟氨酸、苯丙氨酸及其他神经化学元素一起作用，可合成及分泌脑下垂体的生长激素。它还可以帮助肝脏解毒、阻碍肿瘤及癌细胞的生长、健康免疫系统的维持、氨毒性的去除及有助于治疗肾脏疾病与外伤。

　　精氨酸对男性尤其重要，因为精液中80%的物质是由它构成的，并可增加精子数目。

➡缺乏症

　　缺乏精氨酸会导致不育。

➡功效

　　与鸟氨酸搭配使用，有助于减肥；

　　有助于增强免疫反应及伤口的愈合；

　　增加肌肉组织，减少体内脂肪；

有益于治疗脂肪肝及肝硬化等肝病；

增加男子精子数目。

➡食物来源

芝麻、葵花子、葡萄干、燕麦粥、巧克力、糙米、黑米、荞麦、花生、爆玉米花、坚果、全麦面包及所有含蛋白质丰富的食物。

❖　鸟氨酸　❖

➡基本知识

鸟氨酸与生长激素的分泌有密切关系，同时，它是免疫系统及肝脏不可缺少的物质。鸟氨酸还能刺激胰岛素的分泌，使胰岛素发挥合成代谢激素(肌肉建造)的功能。

➡功效

促进睡眠时生长激素的分泌；

有助于身材变得苗条，而且更有活力。

❖　甲硫氨酸　❖

➡基本知识

甲硫氨酸无法在体内合成，必须由食物或营养补品中获得，它是含硫的氨基酸。甲硫氨酸可以辅助脂肪分解，可以预防肝及动脉的脂肪堆积,并且对帮助消化系统、与其他物质作用以解除有害物质的毒性、帮助衰竭的肌肉等均有益处。在治疗某些精神分裂症中,甲硫氨酸有助于降低血液中组织胺的含量,这种物质会导致脑部传送错误的信息。

➡ 缺乏症

缺乏甲硫氨酸,会影响制造尿液的功能而导致水肿和容易受感染。

➡ 功效

对治疗风湿热及怀孕引起的毒血症很重要;
预防头发变脆;
对治疗化学过敏与骨质疏松症有益;
与胆碱和叶酸结合在一起可防止某些肿瘤的形成。

❖ 天冬酰胺酸 ❖

➡ 基本知识

天冬酰胺酸与其他氨基酸结合所形成的分子能吸收毒素并将它们由血液中消除,并协助细胞运作及 DNA(脱氧核糖核酸)与 RNA(核糖核酸)的形成。同时,它有助于排除体内有害的胺,从而保护中枢神经系统和肝脏。

➡ 功效

可能是增强人体抗疲劳能力的要素;

可以增加活力。

◈　半胱氨酸　◈

➡基本知识

半胱氨酸是谷胱甘肽的组成之一,它能加速老化的自由基失去作用。半胱氨酸在体内可以由甲硫氨酸转化而成,而这一过程必须有维生素 B_6 参与。同时,当与硒和维生素 E 一起服用时,半胱氨酸能够发挥最大效力。另外,半胱氨酸含有高量的硫,有助于消除有毒物质以保护细胞。

➡功效

是一种重要的抗衰老营养素;

可在相当程度上保护人体免受 X 光和核辐射的伤害;

保护肝及脑不受烟酒所产生的有害自由基的伤害;

有螯合作用,能与铜等重金属结合,将体内多余的铜等重金属排出;

能降低痰液黏稠度,有益于治疗支气管炎、肺气肿及肺结核等呼吸系统疾病。

❖ 胱氨酸 ❖

➡基本知识

胱氨酸是半胱氨酸的稳定形式,它可以和半胱氨酸互相转换。它协助皮肤的形成,且对解毒作用很重要,借由减低身体吸收铜的能力,胱氨酸保护细胞免于铜中毒。胱氨酸含高量的硫,当它被代谢时,会释放硫酸,而硫酸会与其他物质产生化学作用,增加整个代谢系统的解毒功能。此外,它辅助胰岛素的供给,胰岛素是人体利用糖和淀粉所必需的。

➡功效

是治疗烧伤及手术后的伤口愈合不可缺少的物质;

有助于治疗呼吸道的疾病;

在抵抗疾病的白细胞活动上扮演重要角色;

保护人体免受有害重金属及烟酒所产生的有害自由基的不良影响。

➡食物来源

蛋、大豆、芝麻等。

❖　甘氨酸　❖

➡基本知识

甘氨酸是中枢神经及前列腺必需的氨基酸,它通过供应更多的肌酸,延缓肌肉的退化。甘氨酸会刺激糖原分解因素——胰高血糖素的分泌。胰高血糖素是胰脏 α 细胞所分泌的一种多肽激素,能促进糖原的分解而使血糖浓度增高。

➡功效

其抑制作用有助于预防癫痫;

治疗两极性忧郁症;

治疗低血糖症;

治疗进行性肌肉萎缩;

治疗胃酸过多十分有效;

治疗某些类型的酸血症;

治疗因亮氨酸不均衡而产生难闻的体臭和口臭。

❖　酪氨酸　❖

➡基本知识

酪氨酸不是必需氨基酸,但在高层次的神经传导、刺激及改变大脑活动等方面扮演了重要的角色。它辅助黑色素的制造,维持肾上腺、甲状腺和脑下腺的正常功能。酪氨酸有使人心情愉快、抑制食欲、减少脂肪的功能,并且在肝中参与苯丙氨酸的初步分解。

➡缺乏症

缺乏酪氨酸会使大脑某部位缺乏去甲肾上腺素,这将造成忧郁症及情绪上的毛病。

➡功效

有助于治疗焦虑、忧郁、过敏、头痛等症;

有助于控制抗药性精神抑郁及焦躁症;

有助于吸食古柯碱的瘾君子戒除毒瘾,因为它可以缓解戒毒所引起的抑郁、疲劳及极敏感的情绪。

➡食物来源

豆腐皮、冻豆腐、花生、大豆、鲑鱼子、鳕鱼子、鲔鱼、扁豆。

第三部分

天然食物的营养

成分及药效

❖ 粳 米 ❖

➡**营养成分**

粳米,又称大米、精米。粳米含有人体必需的淀粉、蛋白质、脂肪、维生素 B_1、维生素 B_2、烟酸、维生素 C 及钙、磷、铁等营养成分,可以提供人体所需的营养、热量。糙米中的蛋白质、脂肪、维生素含量都比精白米多,米糠层的粗纤维分子,有助于胃肠蠕动,对胃病、便秘、痔疮等消化道疾病有一定治疗效果。用粳米煮粥来养生延年已有 2000 多年历史。粳米粥最上一层粥油,能补液填精,对病人、产妇、老人最宜。

➡食疗药效

◆粳米具有健脾胃、补中气、养阴生津、除烦止渴、固肠止泻
等作用。可用于脾胃虚弱、烦渴、营养不良、病后体弱等
病症。

◆粳米粥有"世间第一补人之物"之美称,应经常适量食用
粳米粥。

◆糙米较之精白米更有营养,能降低胆固醇,减少心脏病发
作和中风的几率。

❖ 糯 米 ❖

➡营养成分

糯米,又称元米、江米。糯米中含有蛋白质、脂肪、糖类、钙、
磷、铁、维生素 B_1、维生素 B_2、多量淀粉等营养成分,可煮粥、酿
酒,常食之对人体有滋补作用。

➡食疗药效

◆糯米有补中益气、养胃健脾、固表止汗、止泻、安胎、解毒
疗疮等功效。可用于虚寒性胃痛、胃及十二指肠溃疡、糖
尿病消渴多尿、气虚自汗、脾虚泄泻、妊娠胎动、痘疹痈疖
诸疮等病。

◆用糯米粉加红枣、栗子、鸡肉、桂花、萝卜、南瓜、苹果、葡
萄等配料制成的年糕,由于配料不同而有不同的食疗功
效。如红枣年糕适于贫血、食欲不振者;鸡肉年糕适于月
经不调、腰膝酸软者;用豆浆煮年糕有催乳作用等。

➡ **特别提醒**

　　◆糯米不宜食之过量,老人、小孩、脾胃虚弱者尤应注意。

　　◆年糕可加重咳嗽、令痰多,发热、感冒、气管炎患者慎用。

❖ 黑 米 ❖

➡ **营养成分**

　　黑米,又称血糯米。黑米营养丰富,含有蛋白质、脂肪、B族维生素、钙、磷、铁、锌等物质,营养价值高于普通稻米。经常食用黑米,对慢性病人、康复期病人及幼儿有较好的滋补作用,能明显提高人体血色素和血红蛋白的含量,有利于心血管系统的保健,有利于儿童骨骼和大脑的发育,并可促进产妇、病后体虚者的康复,所以它是一种理想的营养保健食品。

➡ **食疗药效**

　　◆黑米具有滋阴补肾、益气强身、健脾开胃、补肝明目、养精固涩之功效,是抗衰美容、防病强身的滋补佳品。

　　◆黑米煮粥食用最佳,用它配上芝麻、白果、银耳、核桃、红枣、冰糖、莲子等煮成八宝粥,对头昏、眩晕、贫血、白发、眼疾、咳嗽等症疗效甚佳。

　　◆黑米所含 B 族维生素、蛋白质均比普通粳米高出 2 ~ 7 倍,对流感、咳嗽、气管炎、脱发、白发、贫血、肝病、肾病患者均有医疗保健作用。

　　◆《本草纲目》中说黑米能"健脾胃、滋肾水、止肝火、养颜色、乌须发",久服可强身延年。

➡特别提醒

◆火盛热燥者不宜食用黑米。

❖　小　麦　❖

➡营养成分

小麦分为普通小麦、密穗小麦、硬粒小麦、东方小麦等品种。小麦含有蛋白质、粗纤维、碳水化合物、脂肪、钙、磷、钾、维生素 B_1、维生素 B_2 及烟酸等成分,还有一种尿囊素的成分。此外,小麦胚芽里所含的食物纤维和维生素 E 也非常丰富。精制小麦面粉,小麦胚芽中的 B 族维生素和维生素 E 将消失殆尽,麦麸中的食物纤维也不保了。因此,应食用全麦食品。

➡食疗药效

◆小麦有生津止汗、养心益肾、镇静益气、健脾厚肠、除热止渴的功效,适用于体虚多汗、舌燥口干、心烦失眠症,特别以浮小麦(小麦用水淘,不沉于水的叫"浮小麦",它有补心敛阴止汗,治疗自汗盗汗的功效)的效果为佳,可以治疗腹泻、血痢、无名毒疮、丹毒、盗汗、多汗等症。
◆古代就有"小麦养心气"的说法,它对于精神安定及增进体力有良好功效。

❖ 玉 米 ❖

➡ 营养成分

玉米,又称苞谷、玉蜀黍。玉米营养丰富,含有蛋白质、脂肪、糖类、多种维生素及微量元素。

➡ 食疗药效

◆玉米胚中约含 52% 的脂肪,仅次于大豆,蛋白质及维生素含量均高于粳米,黄玉米含有较多的维生素 A,对人的视力十分有益。

◆玉米中富含维生素 E、卵磷脂及谷氨酸,对人体健脑、抗衰老有良好的作用。

◆玉米中富含的纤维素,可吸收人体内的胆固醇,将其排出体外,可防止动脉硬化,还可加快肠壁蠕动,防止便秘,预防直肠癌的发生。

◆玉米含的镁元素,可舒张血管,防止缺血性心脏病,维持心肌正常功能,是高血压、冠心病、脂肪肝患者的首选食品。

◆玉米内含有的赖氨酸、谷胱甘肽等几种成分有较好的抗癌作用。

◆玉米中富含的硒元素,是一种强有力的抗氧化剂,能加速体内过氧化物或自由基的分解,致使肿瘤细胞得不到分子氧的充分供应,从而抑制癌细胞的生长。所以,玉米也是中老年人预防肿瘤的理想保健食品。

◆玉米具有利尿、利胆、止血、降压等功效,对治疗食欲不振、肝炎、水肿、尿道感染等病有一定的作用。

◆玉米须有平肝利胆、泄热利尿的功效,对治疗高血压、糖尿病、胆结石、肾炎水肿、黄疸型肝炎等症有较好的疗效。

❖　薏　米　❖

➡营养成分

　　薏米,又名薏苡仁、苡米、米仁等。薏米含有薏苡仁油、薏苡仁酯、固醇、多种氨基酸、碳水化合物、维生素 B_1 等营养成分。

➡食疗药效

◆薏米具有利水渗湿、健脾止泻、除痹、排脓等功效,常用于久病体虚及病后恢复期,是老人、儿童较好的药用食物。

◆薏米可治疗泄泻、湿痹、水肿、肠痈、肺痈、淋浊、白带等病症;还可美容健肤,治扁平疣等。

◆薏米有解热、镇静、镇痛、抑制骨骼肌收缩的作用,常用来治慢性肠炎、阑尾炎、风湿性关节痛、尿路感染等症。

◆薏米还有抗癌作用,以薏米煮粥食,可作为防治癌症的辅助性食疗法。

◆薏米宜与粳米煮粥食用,经常食用有益于解除风湿、手足麻木等症,并有利于皮肤健美。

➡特别提醒

◆大便燥结、滑精、精液不足、小便多者、孕妇不宜服用。

◆除治腹泻用炒薏米外,其他均用生薏米入药。

❖ 荞麦 ❖

➡营养成分

荞麦,又名乌麦、花荞、甜荞、荞子。荞麦比其他谷类更能提供全面的蛋白质,是素食者的极佳选择。

➡食疗药效

◆荞麦能帮助人体代谢葡萄糖,是预防、治疗糖尿病的极好天然食品。

◆荞麦秧叶中含多量芦丁,煮水常服可预防高血压引起的脑溢血。

◆荞麦纤维素含量高,可帮助人大便正常,并预防各种癌症。

➡特别提醒

◆由于荞麦对皮肤可产生某些刺激,故皮肤过敏者忌食。

◆荞麦的蛋白质中缺少精氨酸、酪氨酸,与牛奶搭配食用为好。

◆脾胃虚寒者忌食荞麦。

❖ 小　米 ❖

➡ 营养成分

　　小米，又称粱米、粟米、粟谷等。小米营养丰富，富含蛋白质、脂肪、糖类、维生素 B_1、维生素 B_2、烟酸和钙、磷、铁等成分，是人体必需的营养食物，容易被消化吸收，故被营养专家称为"保健米"。

➡ 食疗药效

　　◆小米具有健脾和中、益肾气、补虚损等功效，是脾胃虚弱、反胃呕吐、体虚胃弱、精血受损、产后虚损、食欲不振等患者的良好康复营养食品。

　　◆小米养胃，适合脾胃虚弱、消化不良、病后体弱的人及儿童经常食用。

　　◆小米滋养肾气，清虚热，利小便，治烦渴。

❖ 大　豆 ❖

➡ 营养成分

　　大豆，是豆类中营养价值最高的品种，在百种天然食品中，它名列榜首，含有大量的不饱和脂肪酸，多种微量元素、维生素及优质蛋白质。大豆经加工可制作出很多种豆制品，是高血压、动脉硬化、心脏病等心血管病人的有益食品。大豆富含蛋白质，且所含氨基酸较全,尤其富含赖氨酸,正好补充了谷类赖氨酸不足的缺陷,所以应以谷豆混食,使蛋白质互补。

➡ 食疗药效

◆大豆具有健脾益气宽中、润燥消水等作用,可用于脾气虚弱、消化不良、疳积泻痢、腹胀羸瘦、妊娠中毒、疮痈肿毒、外伤出血等症。

◆大豆中所含钙、磷对预防小儿佝偻病、老年人易患的骨质疏松症及神经衰弱和体虚者很相宜。

◆大豆中所含的铁,不仅量多,且容易被人体吸收,对生长发育的小孩及缺铁性贫血病人很有益处。

◆大豆中所富含的高密度脂蛋白,有助于去掉人体内多余的胆固醇。因此,经常食用大豆可预防心脏病、冠状动脉硬化。

◆大豆中所含的染料木因(异黄酮)能抑制一种刺激肿瘤生长的酶,阻止肿瘤的生长,防治癌症,尤其是乳腺癌、前列腺癌、结肠癌。

◆大豆中所含的植物雌激素,可以调节更年期妇女体内的激素水平,防止骨骼中钙的流失,可以缓解更年期综合征、骨质疏松症。

◆大豆对男性的明显益处是可以帮助克服前列腺疾病。

❖ 豆 腐 ❖

➡营养成分

　　豆腐,可分为硬豆腐、滑豆腐、熏豆腐和冻豆腐。豆腐含有丰富的蛋白质,低脂肪,不含胆固醇,含钠量低,并且含有丰富的植物性雌激素。由硫酸钙或卤水点成的豆腐,含有大量的钙、镁等成分。豆腐可做多种菜,不仅味道鲜美,而且营养丰富,容易被胃肠吸收,是理想的补益食疗品。

➡食疗药效

◆豆腐熟食可强壮身体,调和肠胃,增进饮食;生食能清肺胃热,生津液,止咳消痰,用于治疗胃火上炎、口干燥渴、腹胀满、痢疾、目赤肿痛、肺热咳嗽、痰多等症。

◆豆腐中的钙易于为人体吸收,可维持正常的心脏功能和血压,并预防某些癌症。

◆豆腐中所含植物性雌激素可帮助预防多种癌症,并减轻更年期的不适症状。

➡特别提醒

◆豆腐不要和菠菜同食,菠菜中的草酸影响对钙质的吸收。

◆豆腐含嘌呤较多,有嘌呤代谢失常的痛风患者和血尿酸浓度高的患者,应慎食豆腐。

❖ 蚕 豆 ❖

➡ 营养成分

　　蚕豆，又称胡豆、罗汉豆、佛豆、倭豆等。蚕豆从嫩苗起到老熟的种子都可作为蔬食。蚕豆营养较为丰富，蛋白质含量仅次于大豆；碳水化合物仅次于绿豆、赤豆；脂肪含量少；粗纤维的含量也较高。此外，还含有磷脂、胆碱、维生素 B_1、维生素 B_2、烟酸和钙、磷、铁、钾、钠、镁等多种矿物质，尤其是其中的磷和钾含量较高，这些营养素均为人体所必需。

➡ 食疗药效

◆常食蚕豆，其丰富的植物蛋白可以延缓动脉硬化，富含的粗纤维可以降低血液中的胆固醇，对动脉硬化、抗衰防病有较好的保健作用。

◆蚕豆中所含的磷脂是神经组织及其他膜性组织的组成成分，胆碱是神经细胞传递信息不可缺少的化学物质，常食蚕豆对营养神经组织、增强记忆力有较好的保健作用，尤其对青少年及脑力劳动者大有益处。

◆蚕豆有利尿、止血、补肾之作用，心脏病水肿、肾炎水肿病患者宜食。同瘦猪肉、冬瓜皮、大豆同煮食，消肿效果更好。

➡ 特别提醒

◆食用蚕豆一定要煮熟，以破坏蚕豆中含有的一种可引起过敏反应的物质。

◆蚕豆不易消化,故脾胃虚弱者不宜多食,一般人也不宜过食,以免损伤脾胃,引起消化不良。

❖ 豌　豆 ❖

➡营养成分

豌豆,又称青小豆、荷兰豆等。新鲜豌豆中,每百克含蛋白质 4～11 克,维生素 C 含量为 7～9 毫克。但豌豆苗中维生素 C 含量更高,每百克可达 53 毫克,在所有鲜豆中名列第一。每百克干豌豆含蛋白质 24.6 克,碳水化合物 57 克,少量脂肪及钙、磷、镁、钠、钾、铁等微量元素,其中磷的含量较高,为 400 毫克。此外,它还含有粗纤维、维生素 A、维生素 B_1、维生素 B_2、烟酸等多种维生素。

➡食疗药效

◆豌豆具有益气和中、利小便、解疮毒、通乳消胀等功效,可治疗痈肿、脚气病、糖尿病、产后乳少、霍乱吐痢等病症。

◆豌豆富含的维生素 C、胡萝卜素及钾可帮助预防心脏病及多种癌症。

◆豌豆富含的纤维素可预防结肠和直肠癌,并降低胆固醇。

◆新鲜豌豆中还含有分解亚硝酸胺的酶,有防癌、抗癌的作用。

◆新鲜豌豆苗富含胡萝卜素、维生素 C,能使皮肤柔腻润泽,并能抑制黑色素的形成,有美容功效。

➡特别提醒

◆豌豆食之过多可令人腹胀,脾胃虚弱者不宜多食,以免引起消化不良。

❖ 绿 豆 ❖

➡营养成分

绿豆,又名青小豆。绿豆含有蛋白质、脂肪、碳水化合物、粗纤维、钙、磷、铁、胡萝卜素、维生素 B_1、维生素 B_2、烟酸等营养成分,绿豆汤是家庭常备的夏季消暑饮料。

➡食疗药效

◆绿豆有滋补强壮、调和五脏、清热解毒、生津解暑、利水消肿等功效,同时还有降压、降脂、保肝之功效。

◆绿豆可解百毒,对于肿胀、痱子、疮癣、口腔炎、各种食物中毒等都有疗效。近年发现能解斑蝥中毒,对敌敌畏、有机磷农药中毒也有辅助治疗效果;常服绿豆汤对接触有毒、有害化学物质(包括气体)而中毒者有一定的防治效果。

➡特别提醒

◆身体虚寒者不宜过食或久食绿豆;脾胃虚寒、大便滑泄者忌食。

◆进食温补药的同时一般不宜饮服绿豆汤,以免减低温补药作用。

❖ 赤小豆 ❖

➡营养成分

赤小豆,又名红小豆、朱小豆、赤豆、红豆等。赤小豆富含蛋白质、脂肪、碳水化合物、粗纤维,钙、磷、铁、铜等矿物质,并含有维生素 B_1、维生素 B_2、烟酸等营养成分。

➡食疗药效

◆赤小豆有滋补强壮、健脾养胃、利尿、抗菌消炎、解除毒素等作用。

◆赤小豆还能增进食欲,促进胃肠消化吸收。

◆民间用赤小豆与红枣、桂圆同煮来补血。

◆赤小豆对肾脏病、心脏病所导致的水肿有很好疗效。

◆赤小豆因含多种 B 族维生素,可用作治疗脚气病的妙方,但宜少放糖。

➡特别提醒

◆津液枯燥、消瘦之人不宜多食赤小豆。

◆赤小豆宜与米同煮,使其营养相互补充,更加完全。

❖ 刀 豆 ❖

➡营养成分

刀豆,又称菜豆。刀豆的营养在鲜豆类蔬菜中属一般,但维生素、矿物质含量较高,含钠量少,是高血压、冠心病及忌盐病患者理想的营养保健佳蔬。

➡食疗药效

◆刀豆具有维持人体正常新陈代谢的功能,可以增强人体内多种酶的活性,并能增强大脑皮质的功能,使人神志清楚、精力充沛。

◆刀豆具有补气益肾、健脾散寒、温中下气之功效,对治疗呕吐、痰喘、虚寒呃逆、腹痛、肾虚腰痛有一定的作用。

◆刀豆与羊肉或牛肉同煮,有补肾壮阳之功效。

➡特别提醒

◆刀豆中含有一种毒蛋白凝集素与一种溶血素,经加热彻底才可被破坏,使其毒性消失。因而在烹制刀豆时,一定要烧熟烧透。

❖ 扁 豆 ❖

➡营养成分

扁豆,亦称匾豆、娥眉豆。扁豆可分为白扁豆、黑扁豆、青扁豆和紫扁豆。扁豆的营养价值较高,蛋白质含量是青椒、番茄、黄瓜的 1~4 倍;维生素 C 含量较高;还富含人体所必需的微量元素锌,它能促进智力和视力发育,提高人体的免疫力。扁豆钠含量低,是心脏病、高血压、肾炎患者的理想蔬菜。

➡**食疗药效**

◆白扁豆具有补脾和胃、消暑化湿之功效,可治疗脾虚呃逆、食少久泄、暑湿吐泻、小儿疳积、糖尿病、赤白带下等症。

◆紫褐色扁豆有清肝消炎的作用,可治眼生翳膜。

◆扁豆花也有健脾和胃、消暑化湿之功用。

◆扁豆中含有植物酸的成分,可防止细胞发生癌变。

◆扁豆中的可溶性纤维可降低胆固醇,防治糖尿病及心血管疾病。

◆扁豆中的非可溶性纤维,可降低结肠癌的发病几率。

➡**特别提醒**

◆由于扁豆中含有胰蛋白酶和淀粉酶的抑制物,这两种物质可以减缓各种消化酶对食物的快速消化作用,所以食之过多可引起胃腹胀满,脾胃虚寒者应少食。

◆扁豆中含有皂素和植物血凝素两种有毒物质,必须在高温下才能被破坏,如加热不彻底,在食后 2～3 小时会出现呕吐、恶心、腹痛、头晕等中毒性反应。

❖ **芹 菜** ❖

➡**营养成分**

芹菜有两种,生于沼泽地带的叫水芹(又名水英、野芹菜);生于旱地的叫旱芹(又名药芹、香芹)。芹菜含有蛋白质、脂肪、碳水化合物、维生素 A、维生素 B_1、维生素 B_2、烟酸、维生素 C、钙、磷、铁及粗纤维等营养成分。

➡食疗药效

◆水芹有清热利水之功效,可治暴热烦渴、淋病、水肿等症;能化痰下气,可治痰多胸闷、瘰疬等症;可止带止血,治崩漏带下、小便出血;能解毒消肿,治疟腮,解百药毒。

◆旱芹能平肝清热,可治高血压病、眩晕头痛等;祛风利湿,可治湿浊内盛、血淋诸症;解毒消肿,治疮肿、无名肿毒等症。

◆芹菜含铁量较多,是缺铁性贫血患者的食疗佳品。

◆芹菜中有一种能使血管平滑肌舒张的物质,可降低血压和胆固醇。

◆芹菜中含有补骨脂素的成分,可预防牛皮癣。

❖ 卷心菜 ❖

➡营养成分

卷心菜,又名包心菜、洋白菜、甘蓝、莲花白菜。卷心菜中胡萝卜素、维生素 C、钙、钾含量丰富,有补肾强骨、填髓健脑之功效。

➡食疗药效

◆对小儿先天不足、发育迟缓或久病体虚、四肢软弱无力、耳聋健忘等症有治疗作用。

◆常食卷心菜对人体骨骼的形成和发育、促进血液循环有很大好处。

◆对胃痛、食欲减退、腹胀满等症,卷心菜有明显的止痛和促进溃疡愈合的作用,并可缓解胆绞痛,对慢性胆囊炎和慢性溃疡病患者有效。

◆卷心菜中含有较多的微量元素钼,可抑制人体内亚硝胺的吸收与合成,它所含有的吲哚成分,能消除人工合成激素的作用,以免它刺激肿瘤的生长(尤其在乳房),因而常吃卷心菜有一定抗癌作用。

◆甲状腺肿大者,可以鲜卷心菜凉拌食用。

◆卷心菜含热量低,对糖尿病患者极为有利。

◆卷心菜含较多胆碱,能调节脂肪代谢,对肥胖、高血脂症患者有益。

◆卷心菜含丰富叶酸,是造血及血细胞生成的重要物质,贫血患者宜生吃卷心菜(可榨汁)。

➡特别提醒

◆卷心菜比大白菜含的粗纤维多而粗糙质硬,腹腔和胸外科的手术后、胃肠溃疡出血特别严重时、腹泻及肝病患者、婴儿及消化功能差的人均不宜食。

❈ 菠　菜 ❈

➡营养成分

菠菜,又叫菠棱菜、赤根菜、波斯菜、鹦鹉菜。菠菜含有蛋白质、脂肪、碳水化合物、钙、磷、铁、维生素 A、维生素 B_1、维生素

B_2、烟酸、维生素 C 等营养成分。因其维生素含量丰富,被誉为"维生素宝库",糖尿病、高血压、便秘者更宜食用。

➡食疗药效

◆菠菜有养血止血、滋阴润燥、通利肠胃等功效,可治衄血、便血、坏血病、肠胃积热、大小便不畅、痔疮等症。

◆菠菜为一种作用缓和的补血滋阴之品,对"虚不受补"者尤宜。

◆菠菜所含的酶对胃和胰腺的分泌功能起良好作用,宜于高血压、糖尿病患者(菠菜根尤适于糖尿病患者)。

◆菠菜中维生素 A、维生素 C 的含量高于一般蔬菜,常吃可维持眼睛的正常视力,防止夜盲症。

◆国外学者最近研究发现,菠菜具有抗衰老和增强青春活力的作用,这和它所含的维生素 E 和另一种辅酶 Q_{10} 有关。

➡特别提醒

◆肠胃虚寒腹泻便溏者少食,肾炎和肾结石患者不宜食。

◆菠菜含有草酸,草酸与钙质结合易形成草酸钙,它会影响人体对钙的吸收,因此,菠菜不能与含钙丰富的豆类、豆制品类以及木耳、虾米、海带、紫菜等食物同时烧。

◆食用菠菜前先投入开水中略煮一下,即可除去草酸。

❖ 竹 笋 ❖

➡营养成分

竹笋,又称冬笋、春笋、虫笋、鞭笋、笋干。竹笋含有丰富的植物蛋白、脂肪、糖类,含有大量的胡萝卜素、维生素 B_1、维生素 B_2、维生素 C 和钙、磷、铁、镁等。在竹笋所含的蛋白质中,至少有 16 种氨基酸。

➡食疗药效

◆竹笋是低脂肪、低糖、多纤维素的食品,具有促进肠道蠕动、帮助消化、防止便秘的效果,而且对于减肥,防治大肠癌、乳房癌也有作用。

◆竹笋含的稀有元素镁,具有一定防癌、抗癌的功能。

◆肺热咳嗽、浮肿、肾炎、动脉硬化、冠心病人食用竹笋也大有益处。

◆竹笋可吸附油脂,降低胃肠对脂肪的吸收,对单纯性肥胖者有减肥功效。

➡特别提醒

◆上消化道出血、消化道溃疡、食道静脉曲张、尿路结食者忌食。

❖ 洋 葱 ❖

➡营养成分

洋葱,又叫玉葱、球葱。洋葱含有蛋白质、碳水化合物、挥发油、苹果酸、钙、磷、铁、维生素 A、维生素 B_1、维生素 B_2、烟酸、维生素 C 等营养成分。

➡食疗药效

◆洋葱中不含脂肪,但含有挥发油,而挥发油中又含有可降低胆固醇的物质,洋葱中还含有前列腺素样物质及能激活血溶纤维蛋白活性的成分,这些物质均为较强的血管舒张剂,能减少外周血管和心脏冠状动脉的阻力,有对抗人体内儿茶酚胺等升压物质的作用。

◆洋葱能促进钠盐的排泄,从而使血压下降,对高血脂、高血压等心血管病患者尤益。

◆洋葱还具有杀菌作用,可用于创伤、溃疡、阴道炎的治疗。

◆洋葱含有丰富的维生素,可用于维生素缺乏症,特别是维生素 C 缺乏者。

◆洋葱还有提高胃肠道张力、增加消化道分泌的作用。

◆洋葱能使人体内产生一定数量的化学物质——谷胱甘肽,而人体内谷胱甘肽成分增多,癌的发生机会就会减少,因此洋葱具有防癌作用。

◆洋葱含有大量的类黄酮,能消除强致癌物及肿瘤刺激物的作用,能抑制恶性肿瘤的生长。

◆洋葱中的硫磺成分,可治疗并预防呼吸道疾病。

◆洋葱可提高体内高密度脂蛋白,降低血压,降低胆固醇,是预防中风及心脏病的佳品。

➡**特别提醒**

◆过多食用洋葱可致眼睛视物模糊,可引起发热、眼病;热病后不宜进食。

❖　韭　菜　❖

➡**营养成分**

韭菜,又名壮阳草。韭菜中蛋白质、脂肪、碳水化合物含量较高,尤其维生素含量丰富且全面,钙、磷、铁等矿物质亦很丰富。

➡**食疗药效**

◆韭菜具有温阳行气、宣痹止痛、散淤解毒、降脂作用,可用于胸痹、噎膈、反胃、吐血、衄血、尿血、痢疾、消渴、脱肛、跌打损伤、虫蝎螫伤等症。

◆韭菜里的粗纤维较多,能促进肠管蠕动,保持大便通畅,并能排除肠道中过多的营养成分而起减肥作用。

◆韭菜还含有一种挥发性精油和硫化物等成分,具有兴奋神经和杀菌功能,对葡萄球菌、痢疾杆菌、伤寒杆菌、大肠杆菌、变形杆菌、绿脓杆菌等均有抑制作用。

◆韭菜还有益于高血脂及冠心病患者。

◆韭菜含有生物碱、皂甙,有温补肝肾、固精壮阳作用,对阳痿早泄、腰膝酸冷、遗尿滑精等症效果很好。

➡ 特别提醒

◆由于韭菜中含粗纤维较多,不易被胃肠消化,胃肠溃疡患者不宜食用。

❖ 莴 笋 ❖

➡ 营养成分

莴笋,又名莴苣、白苣、莴菜、千金菜。莴笋的营养很丰富,含有蛋白质、脂肪、糖类、维生素 A、维生素 B_1、维生素 B_2、维生素 C、钙、磷、铁、钾、镁、硅等成分,可增进骨骼、毛发、皮肤的发育,有助于人的生长发育。

➡ 食疗药效

◆莴笋中含有一种芳香烃羟化脂,对于肝癌、胃癌有预防作用,也可缓解癌症患者放疗或化疗的副作用,是一种抗癌蔬菜。

◆患有尿血及水肿、产后缺奶或乳汁不通等症患者食用莴笋,能起到治疗作用。

◆儿童常食用莴笋有助于生长发育。

◆莴笋含氟丰富,对牙齿有保护作用,参与骨骼的生化过程,对儿童有益。

◆神经官能症、高血压、心律不齐、失眠患者,常吃生鲜莴笋,疗效显著。

❖ 茭 白 ❖

➡营养成分

茭白,又名茭瓜、茭笋。茭白含有丰富的蛋白质、脂肪、糖类,矿物质以磷的含量较多,也有少量的钙和铁。

➡食疗药效

◆茭白具有利尿、除烦渴、解热毒之功效。

◆茭白有催乳作用,可与泥鳅、豆腐或猪蹄同烧制。

➡特别提醒

◆茭白忌同蜂蜜一起食用。

◆患泌尿系结石、脾胃虚寒、滑精腹泻之人忌食。

❖ 辣 椒 ❖

➡营养成分

辣椒,又名朝天椒、番椒、辣子。辣椒营养丰富,富含蛋白质、钙、磷、胡萝卜素、铁等成分,辣椒内含有辣椒碱及粗纤维,能刺激唾液及胃液分泌,能健脾胃,促进食欲,祛除胃寒病。

➡食疗药效

◆辣椒素可刺激大脑释放内啡呔,缓解疼痛感。

◆辣椒素可加快新陈代谢,令人保持身材苗条。

◆辣椒可减轻感冒引起的不适。

◆辣椒可降低胆固醇、低密度脂蛋白、三酸甘油脂含量,促进血液循环,预防心脏病和中风。

➡ 特别提醒

◆患有溃疡病、呼吸道炎症、痔疮和疖肿者忌食。

❖ 萝 卜 ❖

➡ 营养成分

萝卜,又名莱菔、萝白。萝卜的主要营养成分是蛋白质、糖类、B族维生素和大量的维生素 C(萝卜的维生素 C 含量比苹果、梨等水果高近 10 倍),以及铁、钙、磷和多种酶与纤维。

➡ 食疗药效

◆萝卜富含木质素,被人体摄入利用,能使体内的巨噬细胞活力增强,从而逐个吞噬掉癌细胞。

◆萝卜所含的维生素 C 和钼元素,也有抗癌作用。维生素 C 能阻止亚硝酸盐在体内合成致癌性很强的亚硝胺,人体如缺乏钼元素易患肝癌和食道癌。

◆头屑多、头皮发痒、咳嗽、鼻出血等人食用萝卜也大有裨益。

◆常吃萝卜,具有降血脂、软化血管、稳定血压,预防冠心病、高血压、动脉硬化的功能。

◆萝卜中含有的多种酶能阻断或完全消除有致癌作用的亚硝胺。

◆萝卜助消化、补脾养胃、润肺化痰、平喘止咳,中医认为萝卜"百病皆宜"。

➡ 特别提醒

◆脾胃虚寒之人忌食生萝卜。

❖　胡萝卜　❖

➡ 营养成分

胡萝卜,又名红萝卜、黄萝卜、丁香萝卜。胡萝卜的主要营养成分有蛋白质、脂肪、碳水化合物、B 族维生素、维生素 C,以胡萝卜素含量最为丰富。

➡ 食疗药效

◆胡萝卜有健脾化滞、润燥明目、降压强心、抗炎、抗过敏之功效,可治消化不良、久痢、咳嗽、夜盲症。

◆胡萝卜中所含的胡萝卜素,在人体内可迅速转化为维生素 A,能维护眼睛和皮肤的健康。

◆胡萝卜中所含的叶酸有抗癌作用。

◆胡萝卜中所含木质素有提高机体抗癌免疫力和消灭癌细胞的作用。

◆现代医学多以胡萝卜作为细菌性痢疾、神经官能症、高血压病的辅助食疗品和用以预防食道癌、肺癌的发生。

◆长期吸烟的人,经常食用胡萝卜对肺部有保健作用。

◆胡萝卜的纤维素含量较高,其中的果胶酸钙可降低胆固醇,预防冠状动脉疾病和中风。

➡ 特别提醒

◆最好每天都吃胡萝卜,注意胡萝卜素是脂溶性的,须与肉类一同烹调。

❖ 藕 ❖

➡ 营养成分

藕,又名藕丝菜、莲藕。藕含丰富的蛋白质、糖、钙、磷、铁和多种维生素,其中维生素 C 的含量特别多,食物纤维含量也高。

➡ 食疗药效

◆藕含有丰富的丹宁酸,丹宁酸具有收敛性和收缩血管的止血功能。

◆藕的食物纤维能够刺激肠道,治疗便秘,促进有害物质排出,减少胆固醇和糖值,具有预防糖尿病和高血压的作用。

◆鲜藕生食或榨汁饮用,对于咯血、尿血、血友病患者能起到辅助治疗作用。

◆藕中含有蔬菜中少见的维生素 B_{12},对预防及治疗贫血有效,也是美容美发的佳品。

➡特别提醒

◆生藕性凉,脾胃虚寒者忌生食。

◆煮藕宜用沙锅忌铁器。

❖ 百 合 ❖

➡营养成分

百合,又名百合蒜、蒜脑薯。百合含有蛋白质、脂肪、碳水化合物、粗纤维、多种维生素、钙、磷、铁等成分。

➡食疗药效

◆百合有润肺止咳、清心安神作用,可用于肺痨咯血、肺虚久咳、虚烦惊悸、失眠及热病后余热未清、心烦口渴等症。

◆百合富含钾,有利于加强肌肉兴奋度,促使代谢功能协调,使皮肤富有弹性,减少皱纹。

◆百合还含有一种水解秋水仙碱,有滋养安神作用。

◆百合是一味滋补妙品,补益而兼清润,最适宜于内有虚火之虚弱症者。

◆百合与冰糖、绿豆同煮粥、汤,可清火养阴。

◆百合、红枣、莲子同煮粥、汤,可治神经衰弱、心烦失眠。

➡特别提醒

◆风寒咳嗽、溃疡病、结肠炎患者不宜服。

❖ 红 薯 ❖

➡营养成分

红薯,又名白薯、甘薯、番薯、山芋、地瓜。红薯富含碳水化合物、蛋白质、粗纤维、磷、钙、铁、胡萝卜素等,特别是红皮黄心薯所含胡萝卜素较多,可治疗夜盲症。

➡食疗药效

◆红薯含有丰富的胡萝卜素,可降低癌症、心脏病、中风的发病率。

◆红薯富含钾,可帮助维持细胞内液体和电解质的平衡,保持心脏功能和血压正常。

➡特别提醒

◆患有糖尿病、疟疾、肿胀等症者忌食。

❖ 马铃薯 ❖

➡营养成分

马铃薯,又名土豆、洋芋头、山药。马铃薯的主要营养成分有蛋白质、脂肪、碳水化合物、钙、磷、钾、铁、镁及维生素 B_1、维生素 B_2、烟酸、维生素 C。

➡食疗药效

◆马铃薯有健脾益气、和胃调中、益肾壮骨、消炎解毒等功效,可用于神疲乏力、胃肠溃疡、筋骨损伤、烧烫伤、腮腺炎等。对治疗胃及十二指肠溃疡、慢性胃痛、胃寒、习惯性便秘、皮肤湿疹等症都有很好的效果。

◆马铃薯维生素 C 及钾含量丰富,可预防癌症和心血管疾病。

◆马铃薯中维生素 B_6 含量丰富,可帮助增强免疫系统功能。

➡特别提醒

◆脾胃虚寒易腹泻者应少食。

◆霉烂或生芽较多的马铃薯均含过量龙葵碱,极易引起中毒,不能食用。

❖ 山 药 ❖

➡营养成分

　　山药,又名薯蓣、土薯。山药含有蛋白质、黏液质、胆碱、淀粉酶、氨基酸、胡萝卜素、维生素 B_1、维生素 B_2、烟酸、维生素 C 等。山药是老幼皆宜的食品,可长期食用。

➡食疗药效

◆山药有健脾补肺、益精固肾、止渴止泻等功效,可治疗体弱神疲、食欲不振、消化不良、慢性腹泻、虚劳咳嗽、遗精盗汗、妇女白带、糖尿病等。

◆山药中所含的黏液多糖物质与无机盐类结合,可以形成骨质,使软骨具有一定弹性;所含的黏液蛋白能预防心血管系统的脂肪沉积,阻止其过早硬化,并有一定减肥作用;能防止肺、肾等脏器中结缔组织萎缩,预防胶原病的发生。

❖ 冬 瓜 ❖

➡营养成分

冬瓜,又叫东瓜、白瓜、枕瓜。冬瓜含有较多的蛋白质、糖类及少量的钙、磷、铁等矿物质和多种维生素等营养素。冬瓜是瓜菜中唯一不含脂肪的瓜菜,并富含丙醇二酸成分,能抑制糖类物质转化为脂肪成分,又因有较强的利尿作用,可增加减肥效果,故冬瓜有"减肥瓜"之称。

➡食疗药效

◆冬瓜具有清热解毒、利水消肿、减肥美容的功效,是肾炎、高血压、冠心病及各种浮肿患者的康复保健养生佳蔬。

◆冬瓜所含的 B 族维生素能加速将糖类、淀粉转化为热能,从而减少体内脂肪,有利于减肥。

◆常吃冬瓜,皮肤不长粉刺,不生疔疖。

◆冬瓜子中含尿酶、葫芦巴碱及组氨酸等成分,用冬瓜子煎水饮,对慢性支气管炎、肺脓肿、肠炎、肺炎等感染性疾病有一定的治疗效果。

❖ 丝 瓜 ❖

➡营养成分

丝瓜,又名天罗、布瓜、绵瓜、天吊瓜等。丝瓜富含蛋白质、脂肪、碳水化合物、钙、磷、铁、胡萝卜素、维生素 B_1、维生素 B_2、烟酸、维生素 C、纤维素、生物碱等营养成分。

➡食疗药效

◆丝瓜所含的干扰素诱生剂,能刺激机体产生干扰素,有抗病毒、防癌抗癌的作用,但因其遇热易遭破坏,故炒食丝瓜时不要过熟。

◆丝瓜还含有皂甙类物质,有一定的强心作用。

◆丝瓜汁有清洁和保护皮肤的美容作用,还可治疗皮肤色素沉着。

◆丝瓜具有清热解毒、凉血止血、通经络、行血脉、美容、抗癌之功效,民间常用鲜丝瓜切片,捣烂取汁,服汁一杯,治疗喉炎、扁桃体炎及咽喉疼痛。

◆多吃丝瓜使长青春痘、便秘、口臭、牙龈出血症状减轻。

➡特别提醒

◆丝瓜要趁鲜嫩时食用。

◆丝瓜性凉,不宜过多食用。

❖ 黄 瓜 ❖

➡ 营养成分

黄瓜,又名王瓜、胡瓜。黄瓜富含蛋白质、钙、磷、铁、钾、胡萝卜素、维生素 B_2、维生素 C、维生素 E 及烟酸等营养素。

➡ 食疗药效

◆黄瓜中含有精氨酸等必需氨基酸,对肝脏病人的康复很有益处。

◆黄瓜所含的丙醇二酸,有抑制糖类物质在机体内转化为脂肪的作用,因而肥胖症、高脂血症、高血压、冠心病患者,常吃黄瓜既可减肥、降血脂、降血压,又可使体形健美、身体康复。

◆黄瓜汁有美容皮肤的作用,还可防治皮肤色素沉着。

◆黄瓜顶部的苦味中富含葫芦素 C 的成分,具有抗癌作用。

◆黄瓜所含的钾盐十分丰富,具有加速血液新陈代谢、排泄体内多余盐分的作用,故肾炎、膀胱炎患者生食黄瓜,对机体康复有良好的效果。

➡ 特别提醒

◆黄瓜性凉,慢性支气管炎、结肠炎、胃溃疡病等属虚寒者宜少食为妥。

❖ 苦 瓜 ❖

➡ 营养成分

苦瓜，又名癞瓜、癞葡萄、锦荔枝等。苦瓜含有蛋白质、脂肪、淀粉、钙、磷、铁、胡萝卜素、维生素 B_2、维生素 C、维生素 B_1 等成分。

➡ 食疗药效

◆苦瓜所含的维生素 B_1，是瓜菜类蔬菜中最高的，具有预防和治疗脚气病、维持心脏的正常功能、促进乳汁的分泌和增进食欲等作用。

◆苦瓜所含有的维生素 C 是菜瓜、甜瓜、丝瓜的 10～20 倍，具有防治坏血病、保护细胞膜和解毒、防止动脉粥样硬化、抗癌、提高机体应激能力、预防感冒、保护心脏等作用。

◆苦瓜中含有类似胰岛素的物质，其降低血糖的作用很明显，是糖尿病患者理想的康复佳蔬。

◆苦瓜还含有脂蛋白成分，可提高机体免疫功能，因而有抗癌、抗病毒的作用。

◆苦瓜具有清热消暑、养血益气、补肾健脾、滋肝明目之功效，对治疗痢疾、疮肿、热病烦渴、中暑发热、痱子过多、眼结膜炎、小便短赤等病有一定的作用。

◆苦瓜中含有生理活性蛋白，有利于皮肤新生、伤口愈合，经常食用可使皮肤细嫩柔滑。

➡ **特别提醒**

◆苦瓜性寒,脾胃虚寒者不宜多食。

❖ 南 瓜 ❖

➡ **营养成分**

南瓜,又名番瓜、麦瓜、饭瓜。南瓜含有蛋白质、脂肪、碳水化合物、磷、钙、铁、锌、钴、纤维素、胡萝卜素、维生素 B_1、维生素 B_2、维生素 C、烟酸等营养成分。

➡ **食疗药效**

◆南瓜有温中益气、消炎止痛、解毒杀虫等功效,可用于脾胃虚弱、营养不良、肋间神经痛、肺痈、痢疾、蛔虫病、下肢溃疡、烫灼伤等症。

◆南瓜对高血压及肝脏的一些病变有预防和治疗作用。

◆南瓜中所含的甘露醇有通大便的作用,可减少粪便中毒素对人体的危害,防止结肠癌的发生。

◆南瓜中胡萝卜素含量较高,对保护眼睛具有重要作用。

◆多吃南瓜,不易患癌症,因为南瓜富含胡萝卜素及维生素C,可帮助身体抗病毒,预防心血管疾病及癌症。

◆南瓜所富含的胡萝卜素、维生素 C 及钾的联合作用,可预防高血压,防止眼睛受到氧化破坏,因而可防止白内障之类的眼疾。

◆南瓜含有丰富的钴,可以增加体内胰岛素的释放,促使糖尿病病人胰岛素分泌正常,降低血糖。

◆南瓜中富含的钴,还可以抑制恶性肿瘤细胞的生长,并可防治高血压及肝脏、肾脏的病变。

❖ 西红柿 ❖

➡ 营养成分

西红柿又名番茄、番柿、洋柿子、六月柿等。西红柿被称为"维生素仓库",因为它含有几乎维生素的所有成分,同时它还含有蛋白质、脂肪、碳水化合物、铁、钙、磷等营养成分。西红柿营养丰富,每人每天若吃 2～3 个西红柿,就可以补偿其维生素和矿物质的消耗。

➡ 食疗药效

◆西红柿中所含的维生素 P 可以保护血管。

◆西红柿中所含的黄酮类等物质有显著止血、降压、利尿和缓下的作用。

◆西红柿中所含烟酸能维持胃液的正常分泌,促进红细胞的形成,可以保护皮肤健康。

◆西红柿中所含番茄碱能抑制某些对人体有害的真菌,可用于预防口腔炎等。

◆西红柿中所含一定量的维生素 A 可以防治夜盲症和眼干燥症。

◆西红柿还含有一种抗癌、抗衰老的物质谷胱甘肽,使体内某些细胞推迟衰老及使癌症率下降。

◆西红柿因含有大量的番茄红素而有预防宫颈癌、膀胱癌和胰腺癌的作用。

➡特别提醒

◆风湿性关节炎患者多吃西红柿可能使病情恶化。

❖ 茄 子 ❖

➡营养成分

茄子,又名落苏。茄子含有蛋白质、脂肪、碳水化合物、钙、磷、铁、胡萝卜素、维生素 B_1、维生素 B_2、烟酸、维生素 P、维生素 E,并含生物碱等营养成分。茄子在蔬菜中营养素含量中等,但茄子富含维生素 E 和维生素 P。

➡食疗药效

◆茄子中富含的维生素 E 既可抗衰老,又可提高毛细血管抵抗力,防止出血;维生素 P 能改善微细血管脆性和通透性,使毛细血管能保持弹性和正常的生理功能。常食茄子对高血压、脑溢血、动脉硬化、眼底出血等患者有良好的保健作用。

◆茄子中含有的植化物可以消除类固醇激素的作用,避免它促进癌细胞的生长,阻止癌细胞的形成。

◆茄子中含有较大量的钾,可调节血压及心脏功能,预防心脏病和中风。

❀ 蘑 菇 ❀

➡营养成分

蘑菇,又称肉蕈、白蘑菇等。蘑菇营养丰富,含有 17 种氨基酸、多种微量元素、多种维生素及大量生物酶等物质。蘑菇以野生为佳。

➡食疗药效

◆蘑菇煎汁饮用可以抑制癌的生长,其中有一种叫"PSK"的物质,可以直接杀死癌细胞,对肺癌、乳房癌、子宫癌及消化道癌等均有较好的疗效。

◆蘑菇提取液,对治疗病毒性肝炎、白细胞减少症均有明显的疗效。

◆蘑菇具有降低血糖的作用,是糖尿病患者的保健食品。

◆蘑菇还富含亚油酸,能降低血中胆固醇,改善心脑血管功能及微循环,可以预防动脉血管硬化及肝硬化。

◆常食蘑菇还可增强人体的抵抗力,预防人体各种皮肤黏膜发炎和毛细血管破裂,是高血压、高脂血症、糖尿病、病毒性肝炎、肝硬化等患者的康复保健食品。

❀ 香 菇 ❀

➡营养成分

香菇,又称冬菇、香蕈等,素有"菇中之王"的美誉。香菇是一种高蛋白、低脂肪的保健食品,富含多糖、多种酶、多种氨基酸、多种维生素。

➡ 食疗药效

◆香菇具有养血补气、开胃助食、抗肿瘤、缓衰老等功效,对治疗贫血、佝偻病、肝硬化、食欲不振、肿瘤等病有一定的作用。

◆香菇中含有多糖类物质,可以提高人体的免疫力,抑制癌细胞生长,增强机体的抗癌作用。如肿瘤切除患者常食香菇,可以预防肿瘤的复发与转移。

◆香菇富含生物碱香菇嘌呤,具有降低血中胆固醇的作用,能有效地预防动脉血管硬化。

◆香菇还含有一种"香菇素",可以使位于脑干部位的自律神经安宁,还可使心脏、肝脏及甲状腺、前列腺等腺体的功能增强,具有抗衰老、增强人体活力、使人精力充沛的保健功用。

◆香菇中含有一种干扰素,能干扰病毒的蛋白合成,使人体产生免疫作用,对病毒引起的疾病如流感、麻疹、肝炎等,有较好的防治作用。

◆香菇含有的多种维生素,可预防和治疗因缺乏维生素而引起的各种疾病,如口腔溃疡、脚气病、角膜炎、皮肤病、贫血症、夜盲症等。

❖　猴头菇　❖

➡营养成分

　　猴头菇,又称猴头蘑、刺猬菌。猴头菇营养丰富,含有蛋白质、16 种氨基酸、多种维生素及矿物质等营养素。其中蛋白质的含量高于肉类、鸡蛋及牛奶。所含 16 种氨基酸中,有 7 种氨基酸是必需氨基酸,而这 7 种氨基酸也是一般植物食品中所没有的。猴头菇中维生素的含量也十分高,其中维生素 B_2 的含量是一般米面、蔬菜的 30 多倍;维生素 B_1 的含量是香菇的 10 倍。

➡食疗药效

　　◆猴头菇具有助消化、利五脏之功效,对治疗胃溃疡、胃窦炎、消化不良、胃痛腹胀及神经衰弱等症有一定的作用。

　　◆猴头菇菌丝体中含有多糖体及多肽类物质,可增强胃黏膜屏障机能,提高淋巴细胞转化率,提高人体对疾病的免疫能力。

　　◆猴头菇的抗癌作用,使它对胃癌、食道癌等消化道恶性肿瘤的治疗效果显著。

❖　金针菇　❖

➡营养成分

　　金针菇,又名金菇。金针菇含有的赖氨酸是儿童生长发育和健脑所必需的,被誉为"增智菇"、"益智菇",含有维生素 B_1、维生素 B_2 和维生素 E,其锌的含量也较高。

➡️ 食疗药效

◆金针菇中锌含量较高,对男性预防前列腺疾病较有助益。

◆金针菇是高钾低钠食品,可防治高血压,对老年人也有益。

❖ 草 菇 ❖

➡️ 营养成分

草菇,又名稻草菇、麻菇、贡菇、兰花菇。草菇营养丰富,所含粗蛋白比香菇高出 2 倍,另外富含脂肪、糖类、粗纤维、铁、磷。在其所含的 20 多种氨基酸中,有 7 种为人体必需氨基酸。草菇还含有大量的维生素 C。

➡️ 食疗药效

◆由于草菇具有清热、解暑、降血压、降血脂等作用,所以,常食用草菇,对高血压病、高血脂症、动脉硬化、冠心病、糖尿病及癌症患者均有辅助治疗功效。

◆由于草菇所含人体必需氨基酸有 7 种,且含有大量多种维生素,所以其滋补开胃养人功能不可忽视。

❖ 鲜 菇 ❖

➡ 营养成分

鲜菇，又名肉蕈、蘑菇蕈。鲜菇的营养成分主要是蛋白质、多种维生素、叶酸、泛酸和钙、铁、磷等矿物质，还有多糖类及游离氨基酸、食物纤维等。

➡ 食疗药效

◆鲜菇中的多糖化合物有预防及治疗癌症的作用。

◆鲜菇具有降血糖、理气开胃之功效，对消除疲劳、增进食欲、帮助消化、改善体质均有裨益。

❖ 平 菇 ❖

➡ 营养成分

平菇，又名侧耳。平菇的营养很丰富，它含有18种氨基酸，包括8种人体必需氨基酸。平菇中粗蛋白的含量是鸡蛋的2.6倍，猪肉的1.5倍；平菇含脂肪较少，含有丰富的维生素类以及钙、磷、铁等矿物质。

➡ 食疗药效

◆平菇中人体必需氨基酸含量高，蛋白质含量高，是滋补身体的佳品。

◆平菇中的多糖化合物有防癌、抗癌作用。

◆平菇对于增进营养、改善人体新陈代谢、增强体质、调节植物神经等颇有益处。

❖ 黑木耳 ❖

➡营养成分

黑木耳，又称云耳。黑木耳营养极为丰富，含蛋白质、脂肪、多糖和钙、磷、铁等元素以及胡萝卜素、维生素 B_1、维生素 B_2、烟酸等，还含磷脂、固醇等营养素。

➡食疗药效

◆黑木耳所含的多糖，对肿瘤能发生分解作用，并提高人体免疫力，具有抗癌作用。

◆黑木耳所含的磷脂成分，对脑细胞和神经细胞有营养作用，因而是补脑食品。

◆黑木耳中含有一种物质，有延缓血液凝固作用，能疏通血管，防止血栓形成，对脑血栓、心肌梗塞的发生有一定的预防作用。

◆黑木耳具有滋补润燥、养血益胃、抗衰延年的功效，是久病体弱、腰腿酸软、肢体麻木、贫血、高血压、冠心病、脑血栓、癌症等患者理想的康复保健食品。

➡特别提醒

◆新鲜的黑木耳中含一种物质，会引起日光性皮炎，故新鲜黑木耳不宜食用。

❖ 银 耳 ❖

➡营养成分

银耳，又称雪耳、白木耳。银耳含有丰富的胶质、多种维生素和17种氨基酸及多糖等营养素。

➡食疗药效

◆银耳中所含的胶质有促进食物中的营养物质更多地被机体所吸收的作用，还可增加血液的黏度，具有防止出血的作用。

◆银耳中所含的一种酸性多糖类物质，能增强机体的免疫力，促进T细胞的活动能力，有效地增强机体对癌细胞的抑制和杀灭能力。

◆银耳所含营养成分丰富且全面，常食用有润肺、养胃、强智、补血、益肾、美容等功效。

◆银耳是虚劳咳嗽、痰中带血、老年性慢性支气管炎、肺结核、肺原性心脏病、虚热口渴、癌症等患者理想的康复保健食品。

❖ 海 带 ❖

➡营养成分

海带,又称海草、昆布。海带纤维少、肉质厚、味道鲜美,营养特别丰富,它含有丰富的多糖、褐藻胶、蛋白质、脯氨酸、维生素 C、维生素 B_2、胡萝卜素、碘、钾、铁、钙、钴等营养成分。

➡食疗药效

◆海带中所含的多糖类物质,具有降低血脂的功用。常食海带可预防动脉硬化、降低血脂、通便,并使机体强壮有力,是高血压、高脂血症、冠心病、肿瘤、甲状腺病、水肿等患者的康复保健食品。

◆海带具有抗癌、预防白血病和骨疼痛的作用。

◆海带富含钙、碘物质,能促进骨骼、牙齿的生长,预防骨质疏松,是儿童、孕妇和老年人的营养保健食品。

◆海带中所含的碘可以促使缺碘性甲状腺的病理肿块溶解,并借助于碘化物在人体组织和血液中形成的电解质渗透,使其病毒和炎症渗透物被吸收或排出。

◆海带由于硫酸多糖、谷固醇、海藻氨酸、钾的综合作用,可降低胆固醇,防止动脉硬化、降血压,预防并治疗多种心血管疾病。

❖ 紫　菜 ❖

➡ 营养成分

紫菜,又称紫英、子菜。紫菜含有蛋白质、脂肪、糖分、胡萝卜素、维生素 B_1、维生素 B_2、烟酸、维生素 C、钙、铁、磷、碘等成分,还含有维生素 B_{12}、叶绿素、红藻素、粗纤维、胆碱、多种氨基酸和胶质、甘露醇等营养成分。紫菜的营养特别丰富,紫菜中所含蛋白质,与大豆所含的蛋白质差不多,所含碳水化合物居各种海藻类食物之首,但脂肪的含量较低。紫菜含有的维生素 A 和维生素 B_1、维生素 B_2 为各种蔬菜之冠,其中维生素 A 可与动物肝脏相比,维生素 B_2 比香菇多 9 倍。紫菜还含有半乳糖酶、糖原酶等营养素。

➡ 食疗药效

◆紫菜中所富含的胆碱成分,是神经细胞传递信息不可缺少的化学物质,有增强记忆力的作用。

◆紫菜中富含的半乳糖酶、糖原酶等酶类,可以分解体内的一些物质,对脓痰、稠痰有化解作用。

◆紫菜中富含的维生素 U 能促进机体的新陈代谢,中老年人常食紫菜有防治动脉硬化、预防衰老、延年益寿等功用,对治疗咳嗽、贫血、慢性支气管炎、水肿、甲状腺肿大、夜盲症、胃溃疡等病有一定的作用。

❖ 发 菜 ❖

➡营养成分

发菜，又名竹简菜、粉菜、龙须菜。发菜含有藻胶、多糖、蛋白质和多量的钙、铁、磷等成分，发菜所含的蛋白质高于肉和鸡蛋。

➡食疗药效

◆患有肺病和支气管扩张、各类炎症及手术后的病人更宜食用发菜。

◆发菜有止咳化痰、降血压、清肠胃的作用，而且由于所含多种营养物质，对营养不良、慢性支气管炎、高血压、妇女月经不调等病有较好疗效。

❖ 荔 枝 ❖

➡营养成分

荔枝，又称丹荔、离枝。荔枝营养丰富，果肉中含葡萄糖高达66%，并含有果糖、蔗糖、苹果酸、多种维生素及游离氨基酸等成分。

➡食疗药效

◆荔枝富含铁元素及维生素 C，铁元素能提高血红蛋白的含量,使人面色红润,而维生素 C 能使皮肤细腻富有弹性。

◆食鲜荔枝能生津止渴、和胃平逆;干荔枝水煎或煮粥食用有补肝肾、健脾胃、益气血的功效,是病后体虚、年老体弱、贫血、心悸、失眠等患者的滋补果品。

➡特别提醒

◆荔枝不可多食,多食发热;老年人多食荔枝可加重便秘。

◆过食荔枝会得一种低血糖症的"荔枝病"。

❁ 大　枣 ❁

➡营养成分

大枣,又名红枣、干枣、枣子等。大枣富含蛋白质、脂肪、糖类、胡萝卜素、B 族维生素、维生素 C、维生素 P 以及磷、钙、铁等成分,其中维生素 C 的含量在果品中名列前茅,有"维生素丸"之美称。

➡食疗药效

◆大枣富含的环磷酸腺苷,是人体能量代谢的必需物质,能增强肌力、消除疲劳、扩张血管、增加心肌收缩力、改善心肌营养,对防治心血管疾病有良好的作用。

◆大枣具有补虚益气、养血安神、健脾和胃等功效,是脾胃虚弱、气血不足、倦怠无力、失眠等患者良好的保健营养品。

◆大枣对急慢性肝炎、肝硬化、贫血、过敏性紫癜等症有较好疗效。

◆大枣含有三萜类化合物及环磷酸腺苷,有较强的抑癌、抗过敏作用。

❖ 桂 圆 ❖

➡营养成分

桂圆,又称龙眼、亚荔枝。桂圆营养丰富,含有葡萄糖、蔗糖、蛋白质、脂肪、有机酸及维生素 A、B 族维生素等营养素,对调节人体生理功能代谢大有益处。

➡食疗药效

◆桂圆所含的蛋白质、维生素是维护皮肤和毛发功能、延缓机体衰老的重要物质。

◆桂圆肉有降血脂、增加冠状动脉血流量等作用,对高血压、冠心病患者有利。

◆鲜桂圆是阴虚津少、心中烦热、口燥咽干、咳嗽痰少等患者的保健康复果品;干桂圆肉水煎服、泡酒能补心安神、益气养血,是久病体衰、老年或产后气血不足、心悸失眠、健忘等患者的理想滋补佳品。

◆桂圆对孕妇尤为有益,可防治津液气血不足导致的小腿痉挛。

➡特别提醒

◆桂圆过食也易引起气滞、腹胀、食欲减退等症状,尤其虚火内热者不可多食。

❖ 栗 子 ❖

➡营养成分

栗子,又称板栗、大栗。栗子的蛋白质、脂肪含量较高。此外,它还含有丰富的胡萝卜素、维生素 C、维生素 B_1、维生素 B_2、烟酸等多种营养素以及钙、磷、钾等矿物质,这些物质对人体有良好的营养滋补作用,并对维持机体的正常机能和生长发育都有重要意义。

➡食疗药效

◆栗子具有补肾强骨、健脾养胃、活血止血等功效。每天早晚各生食栗子 1~2 个,细嚼慢咽,久之可治因肾虚引起的小便多、腰腿无力、久婚不育等病症。

◆栗子炒熟或用栗子做菜常食,对中老年人防病抗衰、延年益寿大有益处。

➡特别提醒

◆糖尿病人不宜食用。

◆栗子生食不易消化,熟食又易滞气,故一次不宜多食。

❖ 山楂 ❖

➡营养成分

　　山楂，又名红果、山里红、胭脂果、赤枣子、酸梅子等。山楂含有蛋白质、脂肪、碳水化合物、粗纤维、钙、磷、铁、维生素 C 及维生素 B_1、维生素 B_2、胡萝卜素、烟酸、山楂酸、柠檬酸、黄酮类等成分。

➡食疗药效

　　◆山楂所含的大量维生素 C 和酸类物质，可促进胃液分泌，增加胃消化酶类，从而帮助消化。

　　◆山楂以含钙高名列鲜果榜首。

　　◆山楂有消食化积、理气散淤、收敛止泻、杀菌等功效，有收缩子宫作用及明显的抑制各型痢疾杆菌、绿脓杆菌、大肠杆菌的作用。

　　◆山楂与其他药物配合，可用于治疗动脉硬化症、高血压、冠心病及心功能不全等心血管疾病。

　　◆山楂含有的三萜类、生物类黄酮成分，有扩张血管、降低血压、降低胆固醇作用，对于促进人体内维生素 C 发挥作用非常重要，对防治高血压、高血脂、冠心病有明显疗效。

　　◆山楂有利尿作用，帮助排除体内多余水分和盐分。

➡特别提醒

　　◆脾胃虚弱、胃酸过多、气虚便溏及牙齿有病者，慎食山楂。

❖ 核 桃 ❖

➡营养成分

核桃,又名胡桃。核桃含有丰富的脂肪、蛋白质、碳水化合物、钙、磷、铁、锰、锌、钾以及维生素 A、维生素 B_1、维生素 B_2、烟酸、维生素 C、维生素 E 等成分,是滋补强壮佳品。

➡食疗药效

◆核桃有补肾固精、温肺定喘、润肠通便、利尿消石的功能。可用于肾虚腰痛、阳痿遗精、须发早白、头晕耳鸣、肺虚久喘、肠燥便秘、尿路结石等症。

◆核桃所含不饱和脂肪酸和优质蛋白质、磷等,是营养大脑的主要物质,可增强记忆力、健脑、抗衰老,尤适于老年体虚的头晕耳鸣、健忘失眠等病症。

◆核桃含有多种维生素,有助于人体代谢。

➡特别提醒

◆核桃油分多,多食可影响脾胃消化;便溏、腹泻、痰热咳喘、阴虚火旺者忌食。

❖ 松 子 ❖

➡营养成分

松子,又称松子仁。松子含有脂肪、蛋白质、碳水化合物、钙、磷、铁、B族维生素等营养成分。

➡食疗药效

◆松子有滋阴、润肺、滑肠的作用,可用于肝肾阴虚导致的头晕眼花和盗汗心悸、肺燥咳嗽、肠燥便秘等病症。

◆松子富含脂肪油,能润肠通便,具有缓泻作用而不伤正气,尤其适用于年老体弱、妇女产后及病后的大便秘结。

❖ 石 榴 ❖

➡营养成分

石榴,又名安石榴、金婴、番桃、番石榴等。石榴的主要营养成分有碳水化合物、脂肪、蛋白质、钙、磷、维生素 B_1、维生素 B_2、维生素 C 等,有生津止渴、涩肠止泻、杀虫止痢的功效。

➡食疗药效

◆石榴含有石榴酸等多种有机酸,能帮助消化吸收,增进食欲。

◆石榴有明显收敛、抑菌、抗病毒的作用,对痢疾杆菌有抑制、杀灭作用,对体内寄生虫有麻痹作用。

◆石榴所含有的维生素 C 和胡萝卜素都是强抗氧化剂,可防止细胞癌变,能预防动脉粥样硬化。

❖ 杨 梅 ❖

➡ 营养成分

杨梅,又名树梅、水杨梅、珠红等。杨梅含有丰富的维生素C、B族维生素、铁质、葡萄糖、果糖、柠檬酸、苹果酸、草酸等物质,可营养机体,并可增加胃中酸度。

➡ 食疗药效

◆杨梅有生津解渴、和胃消食、止呕止痢、止血等功效,可用于中暑、伤食、醉酒、呕吐、泻痢、外伤、溃疡等症。
◆杨梅对大肠杆菌、痢疾杆菌等细菌有抑制作用,有消炎收敛的作用。
◆夏季饮用杨梅酒或杨梅汤,可开胃提神。

➡ 特别提醒

◆胃酸过多的人不宜吃杨梅。
◆杨梅多食后能损齿伤筋,令人发热、发疮、生痰。

❖ 樱 桃 ❖

➡ 营养成分

樱桃,又名荆桃、含桃、朱桃、樱珠等。樱桃含有的蛋白质、碳水化合物、钙、磷、铁比苹果、梨、橘子、葡萄约高 20 倍;维生素

A 也比苹果、橘子、葡萄高出 4~5 倍;B 族维生素、维生素 C 含
量也很丰富。

➡食疗药效

◆樱桃有补益气血、祛风除湿、透疹解毒的功效,可用于病
后体弱、气血不足、风湿腰腿疼痛、瘫痪等症。

◆体质虚弱、皮肤粗糙、中风后遗症者,饮服樱桃酒有保健
治疗作用。

◆樱桃含铁量特高,饮服鲜樱桃汁有利于缺铁性贫血的恢
复。

◆樱桃中含有鞣花酸,可消除致癌物,预防癌症。

❖ 桃 ❖

➡营养成分

桃,又称山桃、蟠桃、甜杨桃、蜜桃、寿桃、仙桃等。桃含有许
多人体所必需的营养物质,其蛋白质、钙、磷、铁、胡萝卜素、维生
素 B_2、烟酸、维生素 C 含量丰富,还含有苹果酸、柠檬酸、葡萄
糖、果糖等营养成分。

➡食疗药效

◆桃有生津润肠、活血消积、止喘、降压、美容等功效,可用
于夏日口渴、肠燥便秘、妇女痛经闭经、虚劳喘咳、高血压
等。

◆桃含钾量较高,适宜于有水肿的病人,作为服利尿药时的

辅助食物,有补钾作用。

◆桃有缓和的活血化淤作用,对因过食生冷而引起痛经者
　更宜。

◆桃还可增加人体对铁的吸收,对皮肤代谢有促进作用。

◆桃低热量、低脂肪,可预防肥胖、糖尿病、心脏病。

◆桃所含丰富的胡萝卜素,可预防多种癌症和心脏病。

◆桃纤维素含量较高,可预防结肠癌、直肠癌。

❈　杏及杏仁　❈

➡营养成分

　　杏,又名杏子、杏实。杏富含蛋白质、钙、磷、铁等,在水果中
名列前茅,还含有胡萝卜素、维生素 B_1 、维生素 B_2 、烟酸、维生素
C 等,其中胡萝卜素含量在水果中仅次于芒果,人们将杏称为
"抗癌之果"。杏仁较杏肉含有更多的蛋白质、脂肪酸、微量元
素、维生素等成分,并含有丰富的脂肪油。

➡食疗药效

◆杏有生津止渴、润肺定喘的功效,可用于暑热伤津、口渴
　咽干、肺燥喘咳等。

◆鲜食杏肉可促进胃肠蠕动,开胃生津。

◆杏仁是一味常用于止咳平喘的中药。苦杏仁经酶水解后
　产生氢氰酸,对呼吸中枢有镇静作用,可止咳喘,但具有
　毒性,须注意用法及用量,不能当食品用。

◆杏仁油有降低胆固醇的作用,有益于防治心血管疾病。

➡ **特别提醒**

◆杏虽然因营养丰富而被誉为"抗癌之果"、"健康之果",但不宜一次食用过多。

❖ 葡 萄 ❖

➡ **营养成分**

葡萄,又称蒲桃、草龙珠。葡萄含有蛋白质、脂肪、碳水化合物、葡萄糖、果糖、蔗糖及铁、钙、磷、钾、硼、胡萝卜素、维生素 B_1、维生素 B_2、烟酸、维生素 C、酒石酸、草酸、柠檬酸、苹果酸等营养成分。

➡ **食疗药效**

◆葡萄富含钾元素,它能帮助人体积累钙质,以促进肾脏功能,调节心搏次数。

◆葡萄富含铁质、果酸、有机酸,易被人体吸收,以促进肠胃消化,并排除尿酸,保护肝脏不受病毒侵袭。

◆葡萄对神经衰弱、过度疲劳者有良好的滋补作用。

◆葡萄中所含的鞣花酸,是强抗癌物质,常食葡萄者患癌的几率大大低于不常食葡萄者。

◆葡萄具有滋补肝肾、养血益气、强壮筋骨、生津除烦、健脑养神之功效,是气血两虚、肺虚咳嗽、冠心病、脂肪肝、贫血等患者的康复营养佳果,也是儿童、老人、孕妇、体弱多病者的健身滋补品。

◆葡萄中所含白藜芦醇有保护心血管系统的功效。
◆葡萄中硼含量很高,有益于更年期妇女维持体内雌激素水平,预防骨质疏松症。

❖ 梅 ❖

➡营养成分

梅,又名梅子、梅实、青梅等。未成熟梅子的干燥制品叫做乌梅。梅含有蛋白质、脂肪、碳水化合物、钾、钙、磷、铁、枸橼酸、苹果酸、柠檬酸、琥珀酸等。

➡食疗药效

◆梅有敛肺止咳、生津止渴、涩肠止泻、安蛔止痛等功效,可用于肺虚久咳、虚热烦渴、久泻、久疟、痢疾、便血、尿血、血崩、蛔虫腹痛等病症。
◆梅子对大肠杆菌、痢疾杆菌、伤寒杆菌、霍乱弧菌、绿脓杆菌、结核杆菌以及各种皮肤真菌等均有抑制作用,并能收缩胆囊,促进胆汁分泌,还有一定的抗过敏作用。
◆梅子含钾量较高,而含钠量较少,长期服用利尿药者,适宜食用梅子或梅汁。
◆梅子渍以白糖,俗称白糖梅子,每日吃 1~2 枚白糖梅子,既可生津解渴,又可预防肠道传染病。

➡特别提醒

◆胃酸过多者慎用。

◆梅子熟透或经过加工炮制方可食用,因青梅中含有的氰酸可使人中毒。

◆多食梅子对牙齿不好。

❉ 李 ❉

➡**营养成分**

李,又名李子、李实、嘉应子。李子富含碳水化合物及多种氨基酸、钙、磷、铁、维生素 C、胡萝卜素、维生素 B_1、维生素 B_2、烟酸等。

➡**食疗药效**

◆李子可促进消化酶及胃酸的分泌,增加胃肠蠕动,是慢性肝病患者的食疗佳品。

◆李子有生津止渴、清肝涤热、活血利水之功效,可用于内伤痨热、肝病腹水等病症。

➡**特别提醒**

◆李子含有氢氰酸,多食会引起中毒。

◆李子不可多食,多食易助湿生痰,损伤脾胃,脾胃虚弱者更应少吃。

❖ 菠 萝 ❖

➡ 营养成分

菠萝,又名凤梨。菠萝中蛋白质、脂肪、碳水化合物、粗纤维、钙、磷、铁、胡萝卜素、维生素 B_1、维生素 B_2、烟酸、维生素 C 等含量较丰富。

➡ 食疗药效

◆菠萝有生津解渴清暑、补脾胃、固元气、益气血、强精神、消食、祛湿等功效,可用于伤暑、伤食、脾胃两虚、神疲乏力、腰膝酸软、肾炎水肿、高血压、咳嗽痰多等症。

◆菠萝中含有菠萝蛋白酶,能溶解导致心脏病发作的血栓,能防止血栓的形成,并有能加速溶解组织中的纤维蛋白和蛋白凝块的功能,从而改善局部血液循环,达到消炎、消肿的作用。

◆治疗咽喉肿痛可食用菠萝。

❖ 苹 果 ❖

➡ 营养成分

苹果,又称平波、频婆等。苹果含有糖、蛋白质、钙、磷、铁、锌、钾、镁、硫、胡萝卜素、维生素 B_1、维生素 B_2、维生素 C、烟酸、纤维素等营养素。

➡食疗药效

◆苹果富含钾盐,食后可将人体血液中的钠盐置换出来,并排出体外,从而降低血压。

◆孕妇易出现缺铁性贫血,而铁质必须在酸性条件下或在维生素 C 存在的情况下才能被吸收,故苹果是孕妇很好的补血食品。

◆苹果内富含锌,锌是人体中许多重要酶的组成成分,是促进生长发育的重要元素,尤其是构成与记忆力息息相关的核酸及蛋白质不可缺乏的元素,常食苹果可增强记忆力,提高智力。

◆苹果中含有镁,镁可以使皮肤健美,红润光泽,再加上苹果中富含的胡萝卜素及多种维生素和铁质,常食苹果可营养皮肤,并可遏制黄褐斑、蝴蝶斑的生成。

◆苹果中的果胶可降低胆固醇,每天吃一两只苹果不易得心脏病。苹果中的果胶大部分都在皮上,因此吃苹果最好不削皮。

◆苹果中的可溶性纤维可调节血糖,有益于糖尿病患者。

❖ 橙 子 ❖

➡营养成分

橙子,又名甜橙、广柑、橙、黄橙、金球、黄果等。橙子含有糖类、维生素 C、维生素 P、维生素 B_1、维生素 B_2、烟酸、胡萝卜素、钙、磷、铁、柠檬酸、苹果酸及生物碱、黄酮甙、挥发油、内酯等成分。

➡食疗药效

◆橙子具有宽肠、理气、化痰、消食、开胃、止呕、止痛、止咳等功效,可用于治疗胸闷、腹胀、呕吐、便秘、小便不畅、痔疮出血,解酒、鱼、蟹毒等。

◆橙子富含多种有机酸、维生素,可调节人体新陈代谢,尤其对老年人及心血管病患者十分有益。

◆橙皮中含有果酸,可促进食欲,对胃酸不足的人可帮助消化。

◆橙子中的纤维素可帮助通便并降低胆固醇。

◆橙子中含丰富的维生素 C,有防癌作用。

➡特别提醒

◆多食橙子易伤肝气。另外,橙中含较多鞣质,能与铁结合,妨碍铁的吸收和利用,因此,贫血病人不宜多吃。

❖ 橘 ❖

➡营养成分

橘,依其果皮颜色不同有黄橘、红橘之分。橘子含有蛋白质、碳水化合物、钙、磷、铁、钾、胡萝卜素、维生素 B_1、维生素 B_2、烟酸、维生素 C 等营养成分。

➡食疗药效

◆橘子具有开胃理气、生津润肺、化痰止咳等功效,可用于脾胃气滞、胸腹胀闷、呕逆少食、胃肠燥热、肺热咳嗽等症。

◆橘子有抑制葡萄球菌的作用;可以升高血压、兴奋心脏、
抑制胃肠和子宫运动,还可降低毛细血管的脆性,减少微
血管出血。

◆橘子中含有多种有机酸、维生素,对老年人及心血管病患
者适宜。

◆橘子有增进食欲、帮助消化、调节体液的作用,并有健肤
美容效果。

◆红橘由于含有抗癌的类黄酮和限制胆固醇的松烯,可预
防癌症、早衰、冠状动脉硬化等症。

➡ **特别提醒**

◆风寒咳嗽及有痰饮者不宜食橘子。

❖ 柠 檬 ❖

➡ **营养成分**

柠檬,又名黎檬子、柠果、檬子、药果、宜母子等。柠檬含有
糖、钙、磷、铁和维生素 B_1、维生素 B_2、维生素 A,丰富的维生素
P,特别是内含大量的维生素 C,还含有丰富的有机酸和黄酮类、
香豆精类、固醇类、挥发油、橙皮甙、草酸钙、果胶等成分。

➡ **食疗药效**

◆柠檬具有生津祛暑、化痰止咳、健脾消食之功效,可用于
暑天烦渴、孕妇食少、胎动不安、高血脂等症。

— 472 —

◆柠檬果肉压榨的柠檬汁含大量维生素 C,内服用于治疗坏血病。柠檬汁还是美容洁肤的佳品,因柠檬酸具有防止和消除皮肤色素沉着的作用,使皮肤光洁细腻。

◆柠檬富含维生素 C,对于预防癌症和一般感冒都有帮助。

➡ 特别提醒

◆柠檬味极酸,易伤筋损齿,不宜食之过多。另外,胃、十二指肠溃疡或胃酸过多患者忌用。

❖ 草　莓 ❖

➡ 营养成分

草莓,有野草莓、麝香草莓、凤梨草莓等品种。草莓含有蛋白质、碳水化合物、多量的钙、铁和磷,及丰富的维生素 C,并含有维生素 B_1、维生素 B_2、烟酸、胡萝卜素、纤维素等营养成分。

➡ 食疗药效

◆草莓具有生津润肺、养血润燥、健脾、解酒的功效,可以用于干咳无痰、烦热干渴、积食腹胀、小便浊痛、醉酒等。

◆草莓中含有抗癌的异蛋白质物质,可防治某些癌症。

◆草莓的维生素 C 含量极高,它能帮助预防多种癌症。

◆草莓所含的鞣花酸能防止致癌物将健康细胞转变为癌细胞。

◆草莓所含丰富的纤维素有消除便秘、降低胆固醇的作用。

❖ 梨 ❖

➡ 营养成分

梨,又称快果、雪梨等。梨营养丰富,含有糖分、蛋白质、脂肪、钙、磷、铁、维生素 A、维生素 B_1、维生素 B_2、维生素 C、苹果酸、柠檬酸等成分。

➡ 食疗药效

◆梨具有镇静、降压的作用,如冠心病、高血压、肝炎、肝硬化等患者出现头晕目眩、心悸耳鸣,经常食梨会收到良好的康复疗效。此外,对肝炎患者有保肝、助消化、增进食欲的作用。

◆梨具有养阴补液、润肺止咳、养血生肌、清热降火之功效。

◆梨所含有的非可溶性纤维可帮助预防便秘、结肠癌、直肠癌。

◆梨的热量和脂肪低,适于喜甜又想减肥者食用。

❖ 香 蕉 ❖

➡ 营养成分

香蕉,又称甘蕉、香牙蕉。香蕉含有丰富的糖类、蛋白质、脂肪、钙、磷、铁、胡萝卜素、维生素 B_1、维生素 B_2、维生素 C、粗纤维等营养成分,尤其含钾量较高。

➡食疗药效

◆香蕉中富含的钾能降低机体对钠盐的吸收,故有降血压的作用。

◆香蕉富含纤维素,可使大便软滑松软,易于排出,对便秘、痔疮患者大有益处。

◆糖尿病患者常食香蕉,可使尿糖相对降低。

◆香蕉富含维生素 B_6 与维生素 C,是天然的免疫强化剂,可抵抗各类感染。

◆香蕉含热量较高,但不含脂肪,可解饥饿又不会使人发胖。

❖ 西 瓜 ❖

➡营养成分

西瓜,又称寒瓜。西瓜几乎含有人体所需的各种营养素,富含蔗糖、果糖、葡萄糖、维生素 A、B 族维生素、维生素 C 以及多种有机酸、氨基酸、钙、磷、铁、锌、粗纤维等成分。

➡食疗药效

◆常食适量西瓜,可以降低血压和胆固醇,促进新陈代谢,有软化及扩张血管的功能。

◆西瓜皮有美容作用,用瓜皮轻轻摩擦面部,可使面部皮肤白净光滑,富有弹性。

◆西瓜具有清热解暑、除烦止渴、降压美容、利水消肿等功效,是肾炎、膀胱炎、高血压、小儿暑热、口疮、喉炎等患者的康复保健佳品。

◆西瓜所富含的多种维生素,使西瓜具有平衡血压、调节心脏功能、预防癌症的效用。

❖ 甜 瓜 ❖

➡营养成分

甜瓜,又称为香瓜、甘瓜等。甜瓜含有蛋白质、脂肪、糖类、钙、磷、铁、胡萝卜素、维生素 B_1、维生素 B_2、烟酸、维生素 C 等。

➡食疗药效

◆甜瓜能清热解暑、生津止渴、除烦利尿,可用于暑热烦闷、食少口渴及热结膀胱、小便不利等病症。

◆甜瓜中含有可以把不溶性的蛋白质转变为可溶性蛋白质的转化酶,对肾脏病人有益。

◆甜瓜子可以化淤散结、生津润燥,并有较好的驱虫作用。

◆甜瓜的瓜蒂具有催吐作用,能催吐胸膈痰涎及宿食,内服适量,可致呕吐以救食物中毒。

❖ 花 生 ❖

➡营养成分

花生,又名落花生。花生含有蛋白质、脂肪、维生素 B_1、烟酸、维生素 E、泛酸、维生素 B_2、生物素、卵磷脂及矿物质等成分。花生由于其营养丰富、全面，因而在民间被誉为"长生果"。

➡食疗药效

◆花生可用于脾虚反胃、水肿、妇女白带、贫血及各种出血症及肺燥咳嗽、干咳久咳、产后乳汁不足等病症。

◆花生含有丰富的脂肪、人体生命活动所需各种氨基酸，并且极易被人体消化吸收，常食有滋养强壮延年益寿功效。

◆花生所含维生素 E 可抗衰老，维生素 B_1 能营养神经纤维。

◆花生所含的钙、铁对儿童、孕妇和产妇非常有益。

◆花生衣具有抗纤维蛋白溶解、增加血小板含量并改善其功能、加强毛细血管的收缩机能、改善凝血因子缺陷等作用，并含少量纤维素，具有良好的止血作用，能加速血肿消退，可用于内外各种出血症，包括血友病、血小板减少性紫癜、功能性子宫出血等。

◆花生中所含油脂多为不饱和脂肪酸，可降压、降低胆固醇。

◆花生所含卵磷脂可延缓脑功能衰退，防止血栓形成。

❖ 莲 子 ❖

➡营养成分

莲子，又称莲实、藕实等。莲子富含蛋白质、脂肪、淀粉、碳水化合物、生物碱、黄酮类化合物、维生素 C、钾、铜、锰、钛、钙、磷、铁等人体所需的多种营养素。

➡食疗药效

◆莲子中含有大量的磷,磷是构成牙齿、骨骼的成分,还是细胞核蛋白与许多酶的主要成分,可以帮助机体进行蛋白质、脂肪、糖类的代谢和维持酸碱平衡。

◆莲子所含的钾列所有动植物食品之首,钾对维持肌肉的兴奋性、心跳规律和各种代谢有重要作用。

◆莲子中铁的含量也非常丰富,铁元素是血红蛋白、肌红蛋白、细胞色素等的组成成分之一,具有治疗贫血、减轻疲劳的作用。

◆莲子具有补脾益胃、养心安神、补肾固涩、补虚损、强筋骨、固精气之功效,是脾虚泄泻、心悸不安、失眠多梦、肾虚遗精、食欲不振等患者的康复营养食品,也是中老年人强身防病、抗衰延寿的滋补品。

◆莲子与米同煮粥,健脾益肾功效显著。

◆莲子心含多种生物碱、多种类黄酮,可清热、降压。

❀ 甘 蔗 ❀

➡营养成分

甘蔗,又名薯蔗、竿蔗、糖梗等。甘蔗含蔗糖、多糖、维生素 B_1、维生素 B_2、维生素 B_6、维生素 C、蛋白质、脂肪、钙、磷、铁及多种有机酸。

➡ **食疗药效**

◆甘蔗有清热生津、下气润燥、和胃降逆等功效,可用于热
病伤津、心烦口渴、反胃呕吐、肺燥咳嗽、大便燥结、饮酒
中毒等病症。

◆甘蔗有一定的抗癌作用。

◆甘蔗甘寒多汁,是暑热季节的天然饮料佳品。

➡ **特别提醒**

◆霉变的甘蔗含有黄曲霉毒素,食后易致中毒,若有霉变者
不能食用。

◆甘蔗含糖量高,食之过量易引起高渗性昏迷,表现为头
昏、烦躁、呕吐、四肢麻木、神志朦胧等,食用甘蔗切勿过
量。

❖ 猪　肉 ❖

➡ **营养成分**

猪肉含蛋白质、脂肪、碳水化合物、磷、钙、铁、维生素 B_1、维
生素 B_2、烟酸等成分。猪肉是肉类中含维生素 B_1 最多的食品,
相当于牛羊肉的 7 倍。

➡ **食疗药效**

◆猪肉具有补肾养血、滋阴润燥、益气的功能,对于患有燥
咳热病伤津、消渴、羸瘦、贫血、便秘等症的患者大有裨
益。

◆猪肉有滋养脏腑、强壮身体之功效。

➡ **特别提醒**

◆猪肉多食可生痰,体胖多痰者慎用,患风寒及病初愈者大忌。

◆猪肉含脂肪较高,特别是胆固醇含量较高,动脉硬化、冠心病、高血压和肝、胃病患者及老年人应少食。

❖ 猪 蹄 ❖

➡ **营养成分**

猪蹄含有较多的蛋白质、脂肪和碳水化合物,并含有钙、镁、磷、铁及维生素 A、维生素 B_1、维生素 B_2、维生素 C、维生素 D、维生素 E、维生素 K 等成分。

➡ **食疗药效**

◆猪蹄富含胶原蛋白质,多吃可使皱纹推迟发生和减少,对人体皮肤有较好的保健美容作用。

◆猪蹄具有补血、通乳、托疮毒、去寒热等作用,可用于产后乳少、痈疽、疮毒、虚弱等症。

◆猪蹄有润滑肌肤、填肾精、健腰脚等功能,有助于防治脚气病、关节炎、贫血、老年性骨质疏松症等疾病,还有助于青少年生长发育、强健身体。

➡️ **特别提醒**

◆猪蹄油脂较多,动脉硬化、高血压等患者少食为宜。

◆痰盛湿阻、食滞者应当慎用。

❖ 猪 肝 ❖

➡️ **营养成分**

　　猪肝蛋白质含量较高,而含脂量则甚少。肝淀粉含量较瘦肉高,且容易水解为葡萄糖,其含铁量为猪肉的 18 倍,还含有丰富的矿物质、微量元素及维生素 A、维生素 B_1、维生素 B_2、烟酸、维生素 B_{12}、维生素 C 等成分。

➡️ **食疗药效**

◆猪肝具有补肝、养血、明目的功效,能有效地补充血液成分,有效地防治贫血,对血虚体衰、视力不足的人有较好的滋补作用。

❖ 猪 皮 ❖

➡️ **营养成分**

　　猪皮的蛋白质、碳水化合物的含量比猪肉高,脂肪却仅为猪肉的一半。特别是猪皮中富含胶原蛋白质和弹性蛋白,具有改善人体皮肤组织细胞的贮水功能,能使皮肤不易皱缩,保持弹性。

➡食疗药效

◆ 常吃猪肉皮,可使面部组织细胞的贮水功能改善,延缓皮肤细胞的衰老,能使皮肤光泽、柔润、细腻,起到保健美容的作用,并且可以补益精血,光泽头发,增加皮肤肌腱的弹性。

◆ 猪皮具有滋阴清热、利咽除烦的作用,可用于咽痛、胸满、心烦等症。

◆ 猪皮熬煮后的浮油涂唇,可治口唇干裂。

❖ 牛 肉 ❖

➡营养成分

牛肉富含蛋白质、脂肪、碳水化合物、钙、磷、铁、维生素 B_1、维生素 B_2、烟酸等营养成分。牛肉蛋白质所含必需氨基酸很多,营养价值高。牛肉所含蛋白质比猪肉多 3.3%,比羊肉多 10%;而含脂肪比猪肉少 19%,比羊肉少18.6%,是高蛋白低脂肪、营养成分易被人体消化吸收的食物。

➡食疗药效

◆ 牛肉具有补脾胃、益气血、强筋骨、消水肿、除湿气、理虚弱、化痰熄风的功能,可用于治疗身体虚弱、病后虚羸、脾虚久泻、四肢怕冷、腰膝酸软、神疲乏力等症。

◆ 在肉类中牛肉营养价值最高。古有牛肉补气功同黄芪之说,是补益的食疗佳品。

❖ 羊 肉 ❖

➧营养成分

　　羊肉含有丰富的蛋白质、脂肪、碳水化合物、钙、磷、铁、胡萝卜素及维生素 B_1、维生素 B_2、烟酸等成分。

➧食疗药效

◆羊肉具有益气养血,温中暖下、补肾壮阳、生肌健力、补虚、御风寒的功能,可治虚劳羸瘦、腰膝酸软、产后虚冷、寒疝腹痛、中虚反胃等症。

◆羊肉含有的钙、铁高于猪肉、牛肉,所以吃羊肉对肺部疾病如肺结核、气管炎、哮喘和贫血、产后气血两虚、久病体弱、营养不良、腰膝酸软及一切虚寒诸症,最为有益。

◆羊肉热量高于牛肉,铁含量高于猪肉,对造血有显著的功效。

➧特别提醒

◆患热性病或内热盛的人应慎食。

❖ 兔 肉 ❖

➧营养成分

　　兔肉含蛋白质、脂肪、碳水化合物、磷、钙、铁,还含有多种维生素等营养成分。它所含的蛋白质,其质量超过猪肉、牛肉、虾,而且为完全蛋白质,即含有人体必需的 8 种氨基酸。

➡食疗药效

◆兔肉的胆固醇含量很少,而卵磷脂含量却较多,具有较强的抑制血小板黏聚的作用,从而保护血管,防治动脉粥样硬化。

◆兔肉含有比其他动物都多的麦芽糖、葡萄糖以及硫、钾、磷、钠等矿物元素,是典型的高蛋白低脂肪的肉食品,具有补中益气、凉血解毒、止渴健脾、防动脉硬化的功能。

❖ 驴 肉 ❖

➡营养成分

驴肉含蛋白质、脂肪、磷、钙、铁,还含有多种维生素、矿物质。

➡食疗药效

◆驴肉具有益气、补血、壮筋力、滋肾养肝、止血的功能,主治积年劳损、气血亏虚、短气乏力、倦怠羸瘦、食欲不振等症,气血不足、劳损、筋软无力、晕眩、心烦患者食之大有裨益。

◆驴皮熬胶,称为"阿胶",它含有动物胶、明胶朊,并含赖氨酸、精氨酸、组氨酸、胱氨酸、钙、硫等营养成分,有补血止血、滋阴润燥之功效。

❖ 鸡　肉 ❖

➡ 营养成分

　　鸡肉含蛋白质、脂肪、碳水化合物、钙、磷、铁、维生素 B_1、维生素 B_2、烟酸,还含有维生素 A、维生素 C、维生素 E 等多种营养成分,具有温中、益气、补精、添髓的功能。

➡ 食疗药效

◆鸡肉可补虚,暖胃,强筋骨,活血,调经,止崩带,节小便频数。

◆凡年老体弱、神疲力乏、贫血、血小板减少、白细胞减少、产妇体虚乳少等,吃鸡可滋补强健。

◆鸡是妇科食疗佳品,尤其是乌骨鸡,氨基酸含量高,人体必需氨基酸含量齐全。

➡ 特别提醒

◆有阴虚内热、肿瘤、热征者,忌吃鸡。

❖ 鸡　蛋 ❖

➡ 营养成分

　　鸡蛋的蛋白质是食物中质量、种类、组成平衡最优良的,含有所有的必需氨基酸,并含有一定量脂肪和糖、维生素 A、维生素 B_1、维生素 B_2、维生素 B_6、维生素 B_{12}、维生素 D、维生素 E、维生素 H、叶酸、钙、铁、磷、镁、锌、铜、碘等营养成分。

➡食疗药效

◆鸡蛋蛋白质中,主要为婴儿成长需要的卵蛋白和卵球蛋白,与人体蛋白质组成相近,吸收率高,有养心安神、滋阴润燥之功。蛋清清肺利咽、清热解毒;蛋黄滋阴养血、润燥熄风、健脾和胃,可用于心烦不眠、燥咳声哑、血虚所致的乳汁减少或眩晕、夜盲、病后体虚、营养不良、胎动不安、产后口渴、下痢、小儿多食谷物糖类引起的腹泻或消化不良等症,是老人、儿童、孕产妇及病弱患者的理想食物。

◆尽管蛋黄中胆固醇含量较高,但因鸡蛋中含有的营养成分丰富,且含有丰富的卵磷脂(有助于神经传导作用,健脑补脑),所以每天应吃 1~2 颗鸡蛋。

➡特别提醒

◆鸡蛋不可多吃,因为过多摄入胆固醇、蛋白质,可升高血脂,加重肝脏和肾脏的负担,尤其是高血压、冠心病、脾胃虚弱者不可多食。

◆不论煎、炒、蒸、煮,鸡蛋都不宜做"老",那样既损失蛋白质,又不易消化。

❖ 鸭 肉 ❖

➡营养成分

鸭肉营养丰富,含蛋白质、脂肪、碳水化合物、磷、钙、铁、烟酸、维生素 B_1、维生素 B_2 等营养成分。

➡食疗药效

◆鸭肉有滋阴补虚、益气养胃、利水消肿功效,适于阴虚体弱、水肿、慢性肾炎等症。

➡特别提醒

◆腹泻、脚气、外感风寒、外科化脓患者忌食。

❖　鹅　肉　❖

➡营养成分

鹅肉含蛋白质、脂肪、磷、钙、铁,还含有多种维生素。

➡食疗药效

◆鹅肉具有益气补虚,和胃止渴的功能。《名医别录》载鹅肉"利五脏",可补虚益气,暖胃生津,治虚羸、消渴。

◆民间传说"吃鹅肉,喝鹅汤,一年四季不咳嗽",是因为鹅肉能补益五脏,利肺气,对感冒、慢性支气管炎患者止咳平喘化痰有效。

◆喝鹅汤对糖尿病患者较有助益。

➡特别提醒

◆患皮肤疮毒、瘙痒症及湿热内蕴者忌食。

❖ 鹌鹑 ❖

➡营养成分

鹌鹑,又名鹑鸟,亦喉鸟。鹌鹑体小肉嫩,味香美,营养丰富,是典型的高蛋白、低脂肪、低胆固醇食物,还含有维生素 B_1、维生素 B_2、维生素 A、维生素 C、维生素 D、维生素 E、维生素 K 等成分,此外还含有钙、磷、钾等矿物质,特别是富含卵磷脂及几种人体所必需的氨基酸。

➡食疗药效

◆鹌鹑具有补中益气、补五脏、清利湿热、强筋壮骨、止泄痢、养肝清肺的功能,用于治疗脾虚血亏、虚劳损伤、产后血虚、消化不良、头昏乏力、神经衰弱等症。适宜虚弱、虚劳赢瘦、气短倦怠、久泄、久痢、食欲不振、湿痹、高血压、肥胖症患者食用。

❖ 鹌鹑蛋 ❖

➡营养成分

鹌鹑蛋所含蛋白质和脂肪与鸡蛋相近,而维生素 B_1、维生素 B_2、卵磷脂、铁等均高于鸡蛋,胆固醇含量低于鸡蛋,并含芦丁和对大脑有益的脑磷脂。

➡ 食疗药效

◆鹌鹑蛋具有补五脏、益中续气、强筋壮骨的作用,可用于营养不良、贫血、结核病、高血压、血管硬化等症。

◆鹌鹑蛋有强身健脑、降脂降压作用,对肝炎、脑膜炎、心脏病、神经衰弱等症,食之尤为适应。

◆鹌鹑蛋含胆固醇低,对肥胖型的高血压、动脉硬化、糖尿病和胃病、支气管哮喘有很好的疗效。

➡ 特别提醒

◆外感未清、痰热、痰湿者不宜进食。

❖ 鸽 肉 ❖

➡ 营养成分

鸽肉营养丰富,富含蛋白质、脂肪、碳水化合物、钙、磷、铁、钾、镁、锌、维生素 B_1、维生素 B_2、烟酸、维生素 B_6、维生素 B_{12}、维生素 C、维生素 A 等成分。

➡ 食疗药效

◆鸽肉具有滋肾益气、祛风解毒、截疟、养血清热的作用,可用于肾虚及老年体虚、虚羸、消渴久疟、妇女血虚经闭、恶疮疥癣等症。

◆鸽肉含有十分丰富的血红蛋白,营养作用与鸡肉类似,而比鸡肉更容易消化吸收。

◆鸽肉脂肪含量低,对老年人或久病体虚者适宜,对血脂偏高、冠心病、高血压者尤为有益。

❖ 鸽 蛋 ❖

➡营养成分

鸽蛋含有优质蛋白质和脂肪,并含少量糖分、灰分及多种维生素及钙、磷、铁等成分,且易于消化吸收,是理想的营养品。

➡食疗药效

◆鸽蛋具有养心补肾、润燥、养血安神、解疮毒痘毒的作用,可用于肾虚或心肾不足所致的腰膝酸软、疲乏无力、心悸失眠、燥咳、咽痛、目赤、胎动不安、产后口渴等症。

◆鸽蛋为高蛋白、低脂肪补品,故也是妇女美容及高血脂、高血压患者的理想食品。

◆小儿食用,有预防麻疹的效用。

❖ 鲤 鱼 ❖

➡营养成分

鲤鱼又名丰鲤、红鲤、荷包鲤、鳞鲤、镜鲤等。鲤鱼含有大量蛋白质、铁、镁、铜、磷、维生素等成分。

➡ **食疗药效**

◆ 多吃鲤鱼有益气健脾、利尿消肿、清热解毒、滋养开胃、止
咳嗽、通乳等功效,可治腹胀满、脚气、黄疸、咳嗽、气逆、
乳汁不通等。

◆ 经常吃鲤鱼,对中老年人健康益寿颇为有益。

❖ 鲫 鱼 ❖

➡ **营养成分**

鲫鱼又名鲫瓜子、鲋鱼。鲫鱼含丰富蛋白质,并含钙、磷、铁
等多种矿物质,维生素 B_1、烟酸、维生素 B_{12} 等成分,而脂肪、碳
水化合物含量少。

➡ **食疗药效**

◆ 鱼肉中含很多水溶性蛋白质和蛋白酶,鱼油中含有大量
维生素 A 等,这些物质均可影响心血管功能,降低血液
黏稠度,促进血液循环。

◆ 鲫鱼具有益气健脾、利尿消肿、清热解毒、通络下乳、理疝
气的作用,可用于脾胃气冷、食欲不振、消化不良、呕吐、
乳少、消渴饮水、小肠疝气等症。

◆ 鲫鱼对慢性肾小球肾炎水肿和营养不良性水肿等病症有
较好的调补和治疗作用。

◆ 鲫鱼可补气血,暖胃。

❖ 青 鱼 ❖

➡ 营养成分

青鱼又名黑鲩、青鲩、乌鲭等。青鱼富含蛋白质、脂肪、钙、磷、铁、维生素 B_1、维生素 B_2、烟酸等物质，其营养价值高于鲤鱼、鲫鱼、鲢鱼。青鱼富含核酸及锌、硒等微量元素。

➡ 食疗药效

◆青鱼富含核酸，食之可滋养细胞，增强体质，延缓衰老。

◆青鱼所含锌、硒等微量元素，有助于防癌、抗癌。

◆青鱼具有补气养胃、化湿利水、祛风除烦的功效，可用于气虚乏力、脚气湿痹、头晕无力、未老先衰、烦闷、疟疾、水肿、血淋等症。

◆青鱼鳞冻可用于治鼻衄、齿龈出血和紫癜。

➡ 特别提醒

◆生青鱼胆有剧毒，不可生吃。

❖ 鲢 鱼 ❖

➡ 营养成分

鲢鱼又名白脚鲢、鲢子、白鲢。鲢鱼富含蛋白质及氨基酸，也含有脂肪、糖类、灰分、钙、磷、铁、维生素 B_1、维生素 B_2、烟酸等营养成分,均可为机体所利用,其营养价值与青鱼相近。

➡**食疗药效**

◆鲢鱼具有温中益气、暖胃、润泽皮肤的作用,可用于脾胃气虚所致的乳少、体虚、皮肤粗糙无光泽等症。

❖ 草 鱼 ❖

➡**营养成分**

草鱼又名鲩鱼、白鲩、鰀鱼、鰀鱼。草鱼富含蛋白质、脂肪、无机盐、钙、磷、铁、维生素 B_1、维生素 B_2、烟酸等,其营养价值与青鱼相近。

➡**食疗药效**

◆草鱼具有暖胃和中、平肝、祛风、治痹、截疟的作用,可用于胃寒冷痛、食少、体虚气弱、疟疾、头痛等症。草鱼补气血之功,可做滋补食疗品。

❖ 桂 鱼 ❖

➡**营养成分**

桂鱼又称鳜鱼、石桂鱼、锦鳞鱼、鰤鱼、鳜豚等。桂鱼含蛋白质、脂肪、钙、磷、铁、维生素 B_1、维生素 B_2、烟酸等,其营养价值胜过鲈鱼、鲤鱼等。

➡ 食疗药效

◆桂鱼为补气血、疗虚劳之食疗要品,肺结核病人宜多食之,可补虚劳赢瘦、肠风下血。

➡ 特别提醒

◆《本草品汇精要》:"患寒湿病人不可食。"但加入姜、葱即可消除此弊。

❖ 带 鱼 ❖

➡ 营养成分

带鱼又名鞭鱼、海刀鱼、牙带鱼、鳞刀鱼等。带鱼富含蛋白质、低脂肪、钙、磷、铁、碘及维生素 B_1、维生素 B_2、烟酸、维生素 A 等成分。带鱼磷及油脂中含有较多的卵磷质和多种不饱和脂肪酸。

➡ 食疗药效

◆带鱼不刮鱼鳞烧煮吃,可以提高其药用价值,可增强人的记忆力,增强皮肤表皮细胞活力,起到保健美容作用。
◆带鱼具有补血养肝、和中开胃、补虚、润肤、祛风、杀虫的作用,可用于脾胃虚弱、消化不良、肝炎、皮肤干燥等症。

➡️**特别提醒**
　　◆哮喘、中风、疮疡病人不宜多食。

❖　黄花鱼　❖

➡️**营养成分**

　　黄花鱼又名石首鱼、黄鱼等,我国重要种类有大黄鱼、小黄鱼、梅童鱼等。黄花鱼含蛋白质较高,并含脂肪、灰分、钙、磷、铁、维生素 B_1、维生素 B_2、烟酸、碘等,其中磷、碘含量尤高。

➡️**食疗药效**

　　◆黄花鱼具有健脾开胃、益气、填精、壮阳、明目、安神等作用,可用于体虚纳呆、阳痿早泄、少气乏力、面黄羸瘦、目昏神倦、久病体虚等症。

➡️**特别提醒**

　　◆黄花鱼多食易生痰助毒、发疮助热,故痰热素盛、易发疮疡之人不宜多食。

❖　乌贼鱼　❖

➡️**营养成分**

　　乌贼鱼又称乌鲗、缆鱼、墨斗鱼、目鱼、墨鱼等。乌贼鱼含较多蛋白质和多肽类物质,还有一定量的碳水化合物、低脂肪、无机盐、维生素 B_1、维生素 B_2、烟酸、钙、磷、铁等成分。

➡食疗药效

◆乌贼鱼具有健脾利水、养血滋阴、止血止带、制酸、温经通络等作用,可用于水肿、胃痛反酸、贫血头晕、湿痹、脚气、痔疮及妇女闭经等症。

◆乌贼鱼是一种低热量的健康减肥食品。

◆乌贼鱼肉质中含有一种可降低胆固醇的氨基酸,可防止动脉硬化。

◆常吃乌贼鱼,对提高免疫力,防止骨质疏松,治倦怠乏力、食欲不振,有一定辅助作用。

❖ 鳝 鱼 ❖

➡营养成分

鳝鱼又名黄鳝、海蛇、地精、长鱼、鳝鱼、鉭等。黄鳝营养丰富,含有人体所必需的氨基酸、蛋白质、脂肪、钙、磷、铁及维生素A、B族维生素等,其中钙、铁在淡水鱼中含量居第一。

➡食疗药效

◆鳝鱼具有补中益气、明目、解毒、通脉络、补虚损、除风湿、强筋骨、止痔血的作用,可用于治疗虚损咳嗽、消渴下痢、筋骨软弱、风湿痹痛、化脓性中耳炎等。

◆鳝鱼食疗价值很高,老人食之最佳,滋补身体。

◆鳝鱼可以通血脉、利筋骨,并且治疗贫血。

➡ 特别提醒

◆凡外感发热、虚热以及腹部胀满者不宜食用。

❀ 甲 鱼 ❀

➡ 营养成分

甲鱼又称鳖、团鱼、元鱼、水鱼、脚鱼,俗称王八。甲鱼含丰富蛋白质,并含脂肪、无机盐、碳水化合物、维生素 B_1、维生素 B_2、烟酸、维生素 A 等多种营养成分,易消化吸收,且热量高。

➡ 食疗药效

◆甲鱼具有滋阴、补虚、止泻截疟、凉血、益肾、健骨、散结等作用,可用于阴虚、骨蒸、痨热、久疟、久痢、子宫下垂、崩漏带下诸症。

◆甲鱼头入药,可补气助阳,治疗脱肛、子宫下垂、阴疮等症。

◆甲鱼血为滋阴退热药,主治虚劳潮热,对肺结核有低热的患者有较好疗效,还可治疗骨结核。

◆甲鱼有"抗癌珍膳"的美名,能提高人体免疫功能,抑制肝癌、胃癌及白血病细胞的发育。

➡特别提醒

◆脾胃阳虚者、孕妇忌服,产后泄泻、消化不良、失眠者不宜食用。

❖ 海蜇 ❖

➡营养成分

海蜇又名水母、白皮子、海蛇。海蜇含有蛋白质、脂肪、多糖、钙、磷、铁、钠、碘及维生素 B_1、维生素 B_2、烟酸、维生素 A 等营养成分。

➡食疗药效

◆海蜇具有清热化痰、消积润肠的功效,用于咳嗽痰多、痰黄黏稠、哮喘、腹胀、便秘等症。

◆海蜇含有丰富的甘露多糖等胶质,对防治动脉粥样硬化有一定功效。

◆海蜇头原液含有类似乙酰胆碱作用,能扩张血管降低血压。

❖ 鲍鱼 ❖

➡营养成分

鲍鱼又名鳆鱼、石决明肉、镜面鱼、将军帽、明目鱼等,有杂色鲍、耳鲍、皱纹盘鲍、羊鲍等多种鲍鱼。鲍鱼富含蛋白质、脂肪、钙、磷、铁、锌、碘及维生素 A、维生素 B_1、维生素 B_2、烟酸等营养成分。

➡ 食疗药效

- ◆鲍鱼具有清热滋阴、明目益精、补肝肾、养血开胃、安神通乳、止带、行痹通络之功效。
- ◆鲍鱼肉中含有"鲍灵素Ⅰ"和"鲍灵素Ⅱ",两者有较强的抑制癌细胞作用,对各种癌症患者,以及干咳无痰、肺虚咳嗽、手足心热、月经过多、白带多、更年期综合征患者均适宜。

➡ 特别提醒

- ◆《随息居饮食谱》:"鳆鱼体坚难化,脾弱者饮汁为宜。"

❧ 海 参 ❧

➡ 营养成分

海参又名刺参、沙参、海黄瓜、花刺参、绿刺参、梅花参、蛇目白尼参。海参富含粗蛋白质、蛋白质、黏蛋白、粗脂肪和脂肪、碳水化合物、维生素,还有碘、钙、钒、磷、铁、固醇、三萜醇、黏多糖等。

➡ 食疗药效

- ◆海参具有补肾益精、养血润燥、止血消炎、和胃止渴、养胎

— 499 —

利产之功效,可用于精血亏损、虚弱劳怯、阳痿、梦遗、早泄、贫血、缺乳、肠燥便秘、肺结核、神经衰弱等症。

◆海参有显著的提高机体免疫力、抑制癌细胞生长的功效,对癌症病人十分有益。

◆海参所含的软骨素硫酸具有"驻颜"抗衰老的作用。

◆海参所富含的碘是构成人体甲状腺素必不可少的元素。

◆海参不含胆固醇,参与人体脂肪代谢,降低血脂,软化血管,所以冠心病及高血压患者食之尤宜。

❖ 鳗鲡 ❖

➡营养成分

鳗鲡又名河鳗、白鳝、蛇鱼等。鳗鲡富含蛋白质、脂肪、肉豆蔻酸、磷、钙、铁、烟酸及维生素 A、维生素 B_1、维生素 B_2、维生素 C 等成分。鳗鲡肉质细嫩,味极鲜美,是高级食用鱼类中的滋补佳品。

➡食疗药效

◆鳗鲡对慢性消耗性疾病,如肺结核、淋巴结结核、慢性溃疡等病的康复有很好的辅助治疗作用,可作为此类疾病的保健食品。

❖ 乌　龟 ❖

➡营养成分

乌龟又名泥鱼、水龟、元绪、金龟等。龟肉含蛋白质、脂肪、胶质、动物胶、糖类、维生素 B_1、维生素 B_2、烟酸、钙、磷、铁等营养成分。

➡食疗药效

◆龟肉具有滋阴补血、补肾健骨、降火止泻的功效,用于血虚体弱、阴虚、骨蒸潮热、久咳咯血、久疟、肠风下血、筋骨疼痛、子宫脱垂、糖尿病等病症。

◆乌龟蛋白能抑制肿瘤细胞,增强免疫功能。

◆龟肉营养容易为人体吸收,对重病初愈者有很好补益作用。

❖ 银　鱼 ❖

➡营养成分

银鱼又名面条鱼、面鱼等。银鱼含碳水化合物、丰富的钙、磷、铁和多种维生素及赖氨酸、蛋氨酸、异亮氨酸、缬氨酸、苏氨酸等成分。

➡食疗药效

◆银鱼具有补虚、止咳、消积、健胃、益肺、利水之功效,可用于脾胃虚弱、食欲不振、小儿疳积、营养不良、腹胀水肿等症。

◆干制银鱼含钙量为群鱼之冠。

◆银鱼可食率为 100%,为营养学家所确认的长寿食品之一,被誉为"鱼参"。

❖ 虾 ❖

➡营养成分

虾的家族有龙虾、对虾、海虾、白虾、青虾、毛虾等。虾含蛋白质较高,并含脂肪、碳水化合物、钙、磷、铁、碘、硒、维生素 A、维生素 B_1、维生素 B_2、烟酸,还含有丰富的抗衰老的维生素 E 等。

➡食疗药效

◆虾具有补肾壮阳、通乳却毒、祛风痰的作用,可用于肾虚、阳痿、失眠、腰膝酸软、倦怠无力以及妇女产后乳汁缺乏、小儿麻疹、水痘、皮肤溃疡、疮痈肿毒等症。

◆虾皮中含钙量很高,孕妇常吃虾皮,可预防缺钙抽搐症及胎儿缺钙症等。

◆对虾与青虾功能有别,对虾以益气开胃为长,青虾以通乳托毒为长。

➡ **特别提醒**

　◆虾有药用价值,但容易过敏,有过敏性皮肤病、哮喘病者
　　慎食用。

❖ 河 蟹 ❖

➡ **营养成分**

　　河蟹又称螃蟹、大闸蟹、清水蟹、毛蟹等。河蟹含有蛋白质、
脂肪、碳水化合物、钙、磷、维生素 A、维生素 B_1、维生素 B_2、烟酸
等营养成分。河蟹肌肉中含十余种游离氨基酸,其中谷氨酸、甘
氨酸、精氨酸、胱氨酸、丙氨酸、脯氨酸、组氨酸量较多。此外,铁
的含量比一般鱼类高出 5～10 倍以上,具有较高的药用价值。

➡ **食疗药效**

　◆河蟹具有益阴补髓、清热散淤、通经络、解漆毒、续筋接
　　骨、催产下胎和抗结核等功能,可用于跌打损伤、伤筋断
　　骨、淤血肿疼、漆中毒、胎死腹中、胎盘残留、临产阵缩无
　　力、胎儿迟迟不下等症。

➡ **特别提醒**

　◆食蟹中毒者,可服用紫苏、冬瓜、芦根、蒜汁,皆可解之。
　◆蟹肉性极寒,不宜多食。

❖ 食 盐 ❖

➡️营养成分

食盐是氯和钠的化合物,可使人体的渗透压、酸碱度、水盐代谢得以平衡,人体对盐分须臾不可离,必须保持在一定的水平才能生存。

➡️食疗药效

◆夏天喝浓度为0.5%的盐水能预防中暑。

➡️特别提醒

◆咳嗽消渴之人不宜多食。水肿病人忌服。高血压、肾脏病、心血管疾病患者宜适当限制食盐摄入量,可用代盐(氯化钾)或无盐酱油代替食盐以促进食欲。

◆不同地区的人要根据本地区情况,选择加碘盐、加锌盐、低钠盐,可防治某些病症。

❖ 酱 油 ❖

➡️营养成分

酱油是由大豆和小麦发酵制成的,在东西方都是普遍应用的调味品。酱油的盐分含量较高,但也具有一些豆类的营养成分,还具有解热除烦、解毒的作用。

➡ 食疗药效

◆可用于治疗暑热烦闷、疔疮初起、妊娠尿血等病症。此外还能解一切鱼肉、蔬菜、药物、虫兽之毒,可治疗食物、药物中毒及汤火灼伤、虫兽咬伤。

◆国外研究者认为酱油有抗癌成分。

➡ 特别提醒

◆患高血压、心脏病的人要少用酱油。

❖ 醋 ❖

➡ 营养成分

醋有米醋、香醋、糖醋、白醋、酒醋、熏醋等,主要成分是醋酸,还含有丰富的钙、氨基酸、琥珀酸、乳酸、B族维生素及盐类等,既有肠道杀菌作用,还能促进对食物中钙、磷、铁的溶解吸收。

➡ 食疗药效

◆由于醋有杀菌作用,所以可用醋熏空气预防流感、上呼吸道感染。醋浸大蒜更添杀菌效力,防治肠道感染,对防止癌症也有助益。

◆适当饮醋,既可杀菌,又可促进胃消化功能,还可降低血压、防治动脉硬化。

◆炒菜加醋,可使青菜中维生素 C 少受损失,还可以增加对矿物质的溶解利用。

◆煮排骨肉或烧鱼时放醋，可将骨中钙、磷质溶解于汤中，有利于人体吸收。

❖ 酒 ❖

➡营养成分

酒有白酒、黄酒、啤酒、果酒等。白酒具有通血脉、御寒气、行药势的作用。适量饮酒有兴奋作用，使大脑抑制功能减弱，血管扩张，血液循环加强，故有解除疲劳、兴奋精神的作用，并使人增加食欲，促进消化吸收。

黄酒被用于烹调时的调味剂，因其含有糖、糊精、醇类、氨基酸、酯类而富有营养。

果酒中的葡萄酒，含有醇类、糖类、鞣酸、蛋白质、果胶、芳香油等，尤以氨基酸、维生素含量全面而丰富，适量、经常饮用能软化血管、保护心脏。

啤酒中含有17种氨基酸，还有糖类、醇类、维生素，有"液体面包"之称，有活血、开胃、利尿作用。啤酒中的树脂有杀死葡萄球菌、抑制结核杆菌的作用，患有高血压、心脏病、肠胃病、肺病、脚气病、消化不良、神经衰弱的人，喝啤酒还有一定的辅助治疗作用。

➡特别提醒

◆白酒不可经常饮，每次饮酒也不可过量。长期过量饮酒不但影响肠胃吸收功能，而且对肝脏伤害最大，对心、脑、肾、神经系统也有伤害。

◆消化道溃疡病人、泌尿系统结石病人,不宜饮啤酒。

◆孕妇不宜饮酒。

◆喝酒较经常、较多者,易得骨质疏松症和心血管疾病,因为酒精会影响钙的吸收,而钙是形成骨骼、维持血压和心脏功能的不可缺少的物质。

❖ 八角茴香 ❖

➡ 营养成分

八角茴香,又名大茴香、八角香、大料等,其芳香气味来源于挥发性茴香醛。

➡ 食疗药效

◆八角茴香具有温阳散寒、理气止痛、温中健脾的功能。可用于治疗胃脘寒痛、恶心呕吐、腹中冷痛、寒疝腹痛、腹胀如鼓以及肾阳虚衰、腰痛、阳痿、便秘等病症。

◆茴香油具有刺激胃肠血管、增强血液循环的作用。

❖ 花 椒 ❖

➡ 营养成分

花椒又名秦椒、蜀椒、巴椒、川椒、大椒等。花椒的气味来源于挥发油及川椒素,它还含有不饱和有机酸、固醇等。

➡️ **食疗药效**

- ◆花椒具有温中健胃、散寒除湿、解毒杀虫、理气止痛的作用,可用于治疗积食、停饮、呃逆、噫气呕吐、风寒湿邪所致的关节肌肉疼痛、脘腹冷痛、泄泻、痢疾、蛔虫、蛲虫、阴痒等病症。
- ◆花椒的果皮中含有挥发油,具有局部麻醉和镇痛作用,并有杀虫作用,可作驱蛔剂,花椒对各种杆菌和球菌均有明显的抑制作用。
- ◆花椒与小茴香同炒研末,每天服用一小匙,可治老年人腰疼腿软。
- ◆花椒、乌梅水煎服,可治胃肠道和胆道蛔虫。

❖ 胡 椒 ❖

➡️ **营养成分**

胡椒又名浮椒、王椒等。胡椒的辣味来自胡椒辣碱和胡椒辣脂碱,它还含有挥发油、脂肪等。

➡️ **食疗药效**

- ◆胡椒具有温中下气、燥湿消痰、解毒、和胃的作用,可用于治疗脘腹冷痛、反胃呕吐、宿食停积、寒湿泄泻、寒疝腹痛以及痄腮、睾痛、食物中毒、疮肿、毒蛇咬伤、犬咬伤等病症。
- ◆胡椒所含胡椒辣碱、胡椒辣脂碱、挥发油等物质,内服可作驱风、健胃之剂,并有微弱的抗疟作用。
- ◆胡椒辣碱还有抗惊厥作用,可用于治疗癫痫。

➡ 特别提醒

◆胡椒不宜过食久食,对于胃热、阴虚有热较重者尤不宜食用,以免助火伤身。

◆胡椒小剂量食用可增进食欲,大剂量食用则刺激胃黏膜,引起充血性炎症的改变。

❖ 白　糖 ❖

➡ 营养成分

白糖,古称石蜜、糖霜,直接由甜菜或甘蔗糖汁提炼而成。白糖含糖类 99% 以上,以葡萄糖和果糖为主,此外还含有多种氨基酸、钙、磷、铁和维生素 B_2 等成分。

➡ 食疗药效

◆白糖具有润肺生津、补中益气、清热燥湿、化痰止咳、解毒醒酒、降浊怡神之功效,可用于治疗肺燥咳嗽、口干燥渴、中虚脘痛、脾虚泄泻以及盐卤中毒、脚气、疥疮、阴囊湿疹等病症。

◆白糖有抑菌防腐的作用。

➡ 特别提醒

◆糖不宜多食,多食久食则助热,有损齿、生虫之弊。

◆老年人及高血压、肥胖、动脉硬化、冠心病患者不宜多食,多食则留湿生痰。

❖ 红 糖 ❖

➡ 营养成分

红糖,又名赤砂糖、紫砂糖,是由甘蔗制成的含糖蜜的糖。红糖营养价值优于白糖,其中铁、钙比白糖高出 3 倍,还含有锰、锌、铬等微量元素,所以红糖更适用于产妇、儿童及贫血患者食用。红糖还有一定数量的维生素 B_2、烟酸和胡萝卜素。

➡ 食疗药效

- ◆红糖具有补中舒肝、止痛益气、和中散寒、活血祛淤、调经、和胃降逆的作用,可用于治疗脘腹冷痛、风寒感冒、妇人血虚、月经不调、痛经、产后恶露不尽、喘嗽烦热、食即吐逆等病症。
- ◆红糖作为调料,还可增进人的食欲。
- ◆红糖中含有较为丰富的铁质,有良好的补血作用。

❖ 冰 糖 ❖

➡ 营养成分

冰糖,是冰块状的蔗糖结晶体。

➡ 食疗药效

- ◆冰糖具有补中益气、和胃润肺、止咳化痰、清热降浊、养阴生津、止汗解毒等功能,可用于治疗中气不足、肺热咳嗽、阴虚久咳、口燥咽干、咽喉肿痛、小儿盗汗、口疮、风火牙痛等病症。

❖ 蜂 蜜 ❖

➡营养成分

蜂蜜,又名蜂糖、蜜糖、沙蜜、石蜜、石饴等。蜂蜜的营养成分极其丰富,它含有葡萄糖、果糖、多种酸类、多种有机酸、蛋白质、多种维生素、40余种矿物质,但不含脂肪。

➡食疗药效

◆蜂蜜具有补中润燥、缓急止痛、降压通便、解毒等作用,可用于治疗中气亏虚、肺燥咳嗽、风疹、胃痛、口疮、水火烫伤、高血压、慢性便秘等病症。

◆蜂蜜有提高人体抵抗力的作用,能使人精力充沛,调整脾胃功能,对胃炎、便秘、胃及十二指肠溃疡有较好的治疗作用,并能去腐生肌,加快创口愈合。

◆心脏病患者常食用蜂蜜可营养心肌,对神经衰弱和肝炎病人也有一定疗效。

◆蜂蜜所含糖类和矿物质,又是贫血体弱、婴幼儿及孕妇的滋补佳品。

◆蜂蜜具有营养神经的功效,可增强记忆力。

◆蜂蜜的葡萄糖和果糖对肝脏有保护作用。

➡**特别提醒**

◆不宜用蜂蜜喂养一岁以下婴儿。

❖ **茶 叶** ❖

➡**营养成分**

茶叶别名为茶、茗等。茶的品种繁多,它的化学成分也多达300余种,除生物碱类之外,还含有黄酮类、鞣质、粗纤维、多种维生素、多种氨基酸、多种矿物质、茶丹宁等。

➡**食疗药效**

◆茶叶对末梢血管有直接扩张作用,能松弛平滑肌,对支气管哮喘、胆绞痛有较好辅助治疗作用。

◆茶叶还能降低血清胆固醇浓度和固醇与磷脂的比值,减轻动脉粥样硬化的程度。

◆茶叶对治疗放射性损伤、保护造血功能、提高白细胞数量有一定的功效。

◆茶叶的抑菌作用与黄连不相上下,花茶、绿茶的抗菌能力大于红茶。

◆茶叶还有抑制肾小管再吸收的作用,因而有利尿之功效。

◆茶中的芦丁、多种维生素、茶丹宁,可增强血管韧性,防治心血管疾病。

◆茶中的茶丹宁的作用远远强于维生素 E,是抗老化物质,故经常喝茶可延缓衰老。

➡特别提醒

◆失眠者忌服,脾胃虚寒者应慎服。

◆服人参等滋补药物时应禁饮茶。

◆茶叶中的鞣酸与铁结合成不溶性的盐类,所以用硫酸亚
铁等含铁的药物来治疗缺铁性贫血(小细胞性贫血)时,
要禁忌饮茶。

❖ 芝 麻 ❖

➡营养成分

芝麻有白芝麻、黑芝麻之分。芝麻含有大量的脂肪和蛋白
质,还有糖类、维生素、矿物质。芝麻所榨之油称香油,又称麻
油,主要为油酸和亚油酸的甘油酯,生熟可食,除大便滑泻者外
诸病无忌,是调味品中香气浓郁的一种。

➡食疗药效

◆芝麻含有的几种人体必需氨基酸在维生素 E、维生素 B_1
的交互作用下,能加速人体代谢功能。

◆芝麻中含有的铁和维生素 E,是预防贫血、活化脑细胞、
清除血管堆积物的重要成分。

◆芝麻具有补肝肾、润五脏的作用,可用于治疗肝肾精血不
足所致的眩晕、须发早白、脱发、腰膝酸软、步履艰难、五
脏虚损、肠燥便秘等症。

◆芝麻所含的脂肪中,大多为不饱和脂肪酸,有益寿延年的作用。

◆素食者应多吃芝麻,脑力工作者也应多吃芝麻。

❖ 葵花子油 ❖

➡营养成分

葵花子油 90%是不饱和脂肪酸,其中亚油酸占 66%左右,还含有维生素 E、植物固醇、磷脂、胡萝卜素等营养成分。

➡食疗药效

◆葵花子油含的亚油酸是人体必需脂肪酸,它是构成各种细胞的基本成分,具有调节新陈代谢、维持血压平衡、降血中胆固醇的作用。

◆葵花子油含较多的维生素 E,可以防止不饱和脂肪酸在体内过分氧化,有助于促进毛细血管的活动,改善循环系统,从而防止动脉硬化及其他血管疾病。

◆葵花子油含有微量的植物固醇和磷脂,这两种物质能防止血清胆固醇升高。

◆葵花子油含的胡萝卜素被人体吸收后可能化为维生素 A,它可防止夜盲症、皮肤干燥等症,而且还有抗癌作用。

➡特别提醒

◆肝病患者不宜多吃葵花子油。

❖ 菜籽油 ❖

➡**营养成分**

菜籽油中主要脂肪酸为油酸、亚油酸等,还含有多种维生素。

➡**食疗药效**

◆菜籽油具有调味、清热、解毒、通便等作用,可用于治疗便秘、痈疽肿毒、烫伤等病症。

◆菜籽油含多数不饱和脂肪酸,患有心脏病、高血压、高血脂症者宜用。

➡**特别提醒**

◆凡目疾、疮疡、产妇等忌用。

❖ 花生油 ❖

➡**营养成分**

花生油,又名落花生油。花生油中含有不饱和脂肪酸、亚油酸、多种氨基酸、多种维生素。

➡**食疗药效**

◆花生油中的不饱和脂肪酸可降低胆固醇,维生素 E 可维持人体生理功能、延长细胞寿命。

◆花生油具有补中润燥滑肠下积作用,用于治疗肺热燥咳、蛔虫性肠梗阻、胃痛、胃酸过多、胃及十二指肠溃疡等病症。

➡️ **特别提醒**

◆服花生油治病时,若服后有呕吐现象,则应停止。

❖ **大豆油** ❖

➡️ **营养成分**

　　大豆油,属半干性油,含有油酸、亚油酸等不饱和脂肪酸及维生素 A、维生素 B_1、维生素 B_2、胡萝卜素、维生素 E、钙、磷、铁、卵磷脂、固醇等成分。

➡️ **食疗药效**

◆大豆油具有驱虫、润肠、解毒、杀虫的功效。

◆大豆中的亚油酸能够预防包括乳腺癌、结肠癌、直肠癌在内的许多癌症。

◆常食用大豆油能促进胆固醇的分解与排泄,可降低血液中胆固醇在血管壁的沉积,对治疗肠梗阻、大便秘结有特效。

❖ **葱** ❖

➡️ **营养成分**

　　葱,又叫菜伯、和事草、四季葱。葱含有蛋白质、糖类、脂肪、碳水化合物、胡萝卜素,还含有苹果酸、磷酸糖、维生素 B_1、维生

素 B_2、维生素 C、铁、钙、镁及挥发性的"葱素"等成分。

➡ 食疗药效

◆葱具有利肺通阳、发汗解表、通乳止血、定痛疗伤的功效，用于痢疾、腹疼痛、关节炎、便秘等症。

◆葱有一种独特的香辣味，来源于挥发硫化物——葱素，能刺激唾液和胃液分泌，增进食欲。

◆葱所含的苹果酸和磷酸糖能兴奋神经、改善促进循环、解表清热。

◆常吃葱可减少胆固醇在血管壁上的堆积。

❖ 姜 ❖

➡ 营养成分

姜主要含有挥发油、姜辣素、树脂、淀粉等成分。

➡ 食疗药效

◆姜有发表散寒、温肺止咳、温胃止呕、解毒止泻、调味等功效，可用于风寒感冒、呕吐泄泻、痰饮喘咳等症，并可用于鱼蟹、禽兽肉等药物和食物中毒。

◆姜可使肠管张力、节律及蠕动增加，制止因胀气所致肠绞痛。

◆姜对大脑皮质、心脏、延髓的呼吸中枢和血管运动中枢均有兴奋作用。

◆姜外用对癣菌、阴道滴虫有抑制和杀灭作用。

◆孕期反应的妇女食姜,既可消除恶心,又不会伤及胎儿。

➡ 特别提醒

◆若食用过多,生热损阴,可致口干、喉痛、便秘等症。
◆阴虚内热、血热及痔疮患者均忌服。

❈ 蒜 ❈

➡ 营养成分

蒜有紫皮蒜、白皮蒜之分。蒜含有挥发性蒜辣素、蛋白质、脂肪、多种维生素、多种矿物质。蒜可用作调味品,更可用作防病、保健、治病良药。

➡ 食疗药效

◆蒜辣素具有杀灭大肠杆菌、痢疾杆菌、霍乱病菌或病毒作用及防癌、防治心血管疾病等多种疾病的作用,被称为"地里生长的青霉素"。
◆蒜还可以抑制亚硝酸等致癌物在人体中的合成和吸收,减少癌症发生几率。

➡ 特别提醒

◆蒜中杀菌成分遇热会被破坏,因此尽可能生食。
◆眼病、痔疮、胃肠道出血、肝病、肾病患者,不宜食用。

第四部分
药草功效及食疗建议

❖ 人 参 ❖

➡药草成分

人参为五加科植物人参的根。世界上人参有中国的"吉林人参"、朝鲜的"高丽参"、日本的"东洋参"、美国的"西洋参(花旗参)"。人参含有人参皂甙、人参酸、挥发油、糖类、胆碱、多种氨基酸、烟酸、泛酸、维生素 B_1、维生素 B_2 及钙、磷、钾、钠、铁等成分。

➡药草功效

人参性味甘、微苦,温,具有补气养血、固液生津、补肺健脾、益智安神、开心明目、大补元气等功用,适用劳伤虚损、心衰气短、自汗肢冷、心悸怔忡、久病本虚、神经衰弱、中风、阳痿、尿频、消渴、食少、倦怠、眩晕头痛、妇女崩漏以及久病不愈、一切气血津液不足之症。

现代医学研究证实,人参对神经系统有良好的调节作用,可兴奋中枢神经,有强心作用,有促性腺激素样作用,能降低血糖,增强细胞分泌胰岛素的功能,能增强肾上腺皮质功能,提高机体对外界环境的适应能力,提高机体免疫力。人参还可以促进蛋白质的核糖核酸合成,抑制高胆固醇血症的形成,降低胆固醇,防止动脉硬化,可用于心衰、免疫力低下、糖尿病、高脂血症等疾病。

➡治疗建议

◆遇因出血引起的休克、循环衰弱、气虚欲脱、脉搏微细等危险症候,可煎服野山参,可使病人复苏,缓解症状,有起死回生之效。

◆糖尿病人可适当服用人参制剂,能协助降低血糖,增强胰岛素的降糖作用,改善全身状况。

◆患有心血管疾病,可适量服用人参,能调节胆固醇代谢,降低血脂。

◆食欲不振、消瘦、腹泻、气短、呼吸微弱等病人,适当服用人参制剂,可健脾益肺、增强食欲、安神止惊。

◆神经衰弱者适当服用人参制剂,可调节大脑神经,使兴奋与抑制趋于平衡,消除疲劳,镇静安神。

◆人参有促性激素的作用,早泄、轻度阳痿、精子缺少等病人,服用人参制剂,均有较好疗效。

◆妇女失血过多,头晕腰酸,服用人参制剂均有疗效。

◆人参可以增加女性体内雌激素含量,可用来治疗妇女更年期的不适症状。

◆人参可促进肝组织再生,抑制各种病毒对肝细胞的伤害,对肝炎、肝功能障碍等病人,有较好疗效。

➡特别提醒

◆用人参滋补,可采用蒸服、炖服、嚼服、浸酒服等方式。蒸、炖人参,可用人参 3~5 克,蒸或炖三次,前两天服汁,第三天连汁带渣一起服下;嚼服人参,不要超过 1 克,要细嚼,最后连渣一起咽下;浸酒要在 10 日之后服,早晚各一次,每次两匙。

◆人参服用剂量可为每日 3~5 克。不要过量。

◆阴虚火旺、高血压患者,不宜服用人参。

◆人参忌铁器,不可用铁锅、铝锅煎煮,服时忌食萝卜和茶叶。

➡推荐药膳

◆清蒸人参鸡 母鸡一只放入盆内,加人参 15 克(先蒸 30 分钟),水发香菇、玉兰片、葱、姜、盐、料酒、味精各适量,上笼用旺火蒸至鸡熟烂。此款取其抗衰老之功效。

◆参归腰子 人参 15 克、当归 10 克,用文火煎煮 30 分钟,取汤汁。猪腰子切成丝,葱、姜切片,与花椒并入调料包,然后将其与猪腰丝一同放入药汁中文火煮熟。拣出调料包,加酱油、香油、盐、味精调味即成。此款取其补肾填精、强身健体之功效。

◆人参鹌鹑 鹌鹑 4 只切块,在油中翻炒,加葱、姜、料酒、醋、盐、少量水,加入人参粉 6 克,煮至汤干、鹌鹑肉熟即可。此款取其补益五脏、益气、强筋骨之功效。

◆人参莲子汤 人参 10 克、莲子 10 枚、冰糖 30 克。将人参、莲子放入碗中加清水浸泡 30 分钟,再加冰糖,蒸 60 分钟即成,每日一次饮汤吃莲子,人参留用,至第三次时汤同人参一起食用。此款取其抗癌、抗衰老、补脾益气之功效。

◆**人参枸杞酒** 人参20克切片,与350克枸杞子装入纱布袋中。冰糖适量在锅中加水加热至冰糖溶化、糖汁黏稠、色黄。白酒10千克放入坛中,加人参、枸杞布袋,密封浸泡10~15天(每日用竹筷搅动一次)。取出药袋,加入冰糖即可饮用,每日10~20毫升。此款取其滋阴养血之功效。

❖ 党 参 ❖

➡ 药草成分

党参为桔梗科植物党参的根。党参内含有皂甙、微量生物碱、挥发油、黏液质、蛋白质、蔗糖、葡萄糖、菊糖、维生素 B_1、维生素 B_2、树脂、矿物质等成分。

➡ 药草功效

党参性味甘,平,具有补中、益气、生津、养血、健脾、镇静的功效,适用于脾胃虚弱、气血两亏、体倦无力、食少、口渴、久泻等症。

现代医学证实,党参对神经系统有兴奋作用,可增强机体抵抗力。可降低血压,增加血色素,增强人体免疫力,提高超氧化物歧化酶的活性,增强消除自由基的能力;具有调节胃肠运动、抗溃疡、抑制胃酸分泌、降低胃蛋白酶活性的作用。现代临床经常用党参治疗溃疡、贫血等症。另外,党参还有抗癌、抗缺氧、抗衰老作用。

➡ 治疗建议

◆党参与黄芪、升麻合用,可补气、益气,治疗气虚倦怠、四肢无力及中气不足引起的脱肛、子宫脱垂、胃下垂等症。

◆党参与当归、阿胶、熟地同用,可健脾补血,治疗贫血、血虚萎黄、慢性出血症引起的气血两亏病症。

◆党参配合白术、茯苓、山药、薏米,可治疗因脾胃虚弱所致的食欲不振、慢性腹泻、消化不良、食后腹胀及肺虚气喘等症。

◆党参蒸透至甜软,早晚空腹嚼食7克,可治老年人病后体虚及气血两虚。

◆党参30克、大枣10枚煎汤代茶饮,连服一周对于病后体虚、食欲不振、四肢无力、贫血、心悸等有较好疗效。

◆党参、枸杞子各15克,浸入500克黄酒中,一周后早晚各服一次,适用于神经衰弱、气血两虚症状。

➡特别提醒

◆党参功效较人参弱,如遇急救虚脱,在找不到人参时,可用党参加大剂量至90克,与附子9克、生白术30克煎汤服用,可使病人复苏。

◆党参忌与萝卜、茶叶同食。

➡推荐药膳

◆**参芪炖鸡**　母鸡一只,党参、黄芪各52克,大枣5枚,加生姜,共炖,熟后加盐、味精,吃肉、饮汤。此款取其治疗老年体弱、贫血之功效。

◆**参枣炖肉**　瘦猪肉100克、党参30克、大枣5枚,加适量调料炖服,此款取其治疗气血两虚之功效。

◆**参枣糯米**　党参10克浸泡1小时后煎煮30分钟,取汁,将糯米 250 克、大枣 20 枚放入药汁中,用武火蒸 30 分钟至米熟透,撒白糖即可。此款取其健脾益气、防衰老之功效。

◆**归参山药猪腰** 猪腰子 500 克,当归、党参、山药各 10 克,投入沙锅中清炖至熟,将熟猪腰子切成薄片装盘,撒葱、姜、蒜末,淋酱油、醋、香油即成。此款取其养血益气、补肾填精之功效。

◆**参芪鸭条** 鸭去内脏洗净,表皮用酱油均匀涂抹,放入油中炸至鸭皮呈金黄色时捞出沥油,再放入沙锅中,投入陈皮、党参、黄芪各 15 克,酱油、葱、姜、盐适量,加清水,用武火烧开后,用文火焖至鸭肉熟烂。鸭肉切成条状,装入汤碗,倒原汤加味精即成。此款取其益气养血、治疗贫血、营养不良、久病不愈、体质虚弱等病症及抗衰老之功效。

❖ 太子参 ❖

➡ 药草成分

太子参为石竹科植物太子参的根。太子参含有皂甙、果糖、淀粉、多种维生素等成分。

➡ 药草功效

太子参味甘性平,有补气、益血、神经衰弱、健脾、养胃、生津功效,对消化不良、体质虚弱、神经衰弱、肺虚咳嗽、自汗、脾虚、腹泻、心悸、气血两亏等症均有较好疗效。太子参药力平和,其补气作用比人参、党参弱,但生津液功效却比党参强,所以对于体虚、年长、年幼之人,太子参更宜用于补养。

➡️治疗建议

◆ 太子参 15 克,水煎服,可连续服用,用于补气血、健脾胃。

◆ 太子参、乌梅各 15 克,水煎代茶饮,可加适量白糖,既补虚损,又生津解渴。

◆ 太子参 15 克,沙参、麦冬各 12 克,川贝 6 克,水煎服,可治疗肺阳虚所致咳嗽痰少、津液不足等症。

◆ 太子参 25 克、浮小麦 15 克,水煎服,可治自汗。

➡️推荐药膳

◆ **银耳参羹** 银耳 15 克泡发,与太子参 5 克放入沙锅中,先用武火煮沸,再用文火炖至银耳熟烂,加冰糖即可。此款取其养阴润肺、抗癌、润肤、补脾之功效。

❖ 黄 芪 ❖

➡️药草成分

黄芪是豆科植物黄芪或内蒙古黄芪的根。黄芪含有多种氨基酸、胆碱、苦味素、甜菜碱、黏液质、蔗糖、葡萄糖醛酸、叶酸、钾、钙、钠、镁、锌、铜、硒等成分。

➡️药草功效

黄芪性味甘,微温。黄芪是重要的补气药。生用黄芪,有益气固表、利水消肿、托毒、生肌功效,适用于治疗自汗、盗汗、血痹、浮肿、痈疽不溃或溃久不敛等症。蜜炙黄芪有补气、养血、益中功效,适用于治疗内伤劳倦、脾虚泄泻、气虚、血虚、气衰等症。

麸皮拌炒的黄芪,有益气、健脾功效。

黄芪应用范围广,与不同药草配合,可产生不同功效,如与人参同用,可大补元气;与桂枝、附子同用,可补气助阳;与白术、防风同用,可益气补脾、固表止汗;与当归同用,可补气生血;与防己、防风同用,则祛风湿;与人参、甘草同用,可除燥热。

现代医学认为黄芪具有降低血液黏稠度、减少血栓形成、降低血压、保护心脏、双向调节血糖、抗自由基损伤、抗衰老、抗缺氧、抗肿瘤、增强机体免疫力作用,可用来治疗心脏病、高血压、糖尿病等症。

➡治疗建议

◆黄芪 15 克、红枣 10 枚水煎服,连服两周,可治肺结核盗汗。

◆黄芪 15 克,升麻、党参各 10 克,水煎服,可治内脏下垂。

◆黄芪 30 克、当归 10 克、大枣 10 枚,水煎服,可治气血两虚及失血后贫血。

◆防风、黄芪各 50 克,白术 100 克、生姜 5 片,水煎服,连服10 天,可治自汗。

◆蜜炙黄芪 8 克、甘草 2 克、大枣 1 枚,切细后水煎,去渣温服,可补虚除燥。

◆黄芪、当归各 50 克,黄酒 500 克浸泡,每日服用 2 匙,可补气生血。

◆蜜炙黄芪 25 克、淮山药 30 克、党参 15 克、山萸肉 9 克,水煎服,可治慢性肾炎。

➡特别提醒

◆黄芪是温补性药物,对于发烧、咯血、热毒、气滞、便秘、阳亢等热征,均不宜服用。

➡推荐药膳

◆**黄芪炖母鸡** 母鸡一只、黄芪50克,加调味料适量,共炖至鸡肉熟烂,食肉饮汤。此款取其滋补气血、增强机体免疫力之功效,适于病后、产后体虚之人。

◆**黄芪烧鲤鱼** 鲤鱼一尾切花刀,在油中炸至金黄色捞出。白糖在油锅中炒成枣红色时将炸好的鲤鱼放入,另放黄芪10克、党参片6克,葱、姜、蒜、酱油、花椒、盐、水适量,烧沸后用文火煨至汤浓鱼熟。鱼放盘中,淋上香油、芡汁即成。此款取其益气、健脾、通乳之功效,适于慢性肾炎、营养不良、产后乳汁不通等症。

◆**黄芪人参粥** 黄芪30克、人参5克冷水浸泡30分钟后放入沙锅,加水250毫升,文火煎20分钟后煮汁留用,加水再煎。将两次煎出的药汁合并,与粳米60克同置沙锅中煮熟,加白糖即可食用。此款取其补虚损、防病抗衰之功效,适用于体质虚弱、久病不愈、头晕耳鸣、心悸气短、自汗乏力等症。

◆**黄芪里脊** 黄芪50克在沙锅中加水100毫升煎20分钟后取汁,葱、姜、酱油、味精、盐、料酒兑汁后加入药汁。猪里脊肉400克切条,与蛋黄、水淀粉拌匀后,放入油锅中炸至金黄色捞出。另起锅,将炸好的里脊与调好的汤汁翻炒至汁稠即成。此款取其益气补虚之功效,适用于产后体虚、年老体弱、营养不良、神疲乏力等症。

◆**黄芪牛肚** 牛肚一只洗净切片,黄芪片32克与小茴香、花椒装入调味袋中。锅中加足水,放入牛肚片和调味袋,再加葱、姜、蒜、酱油、醋、料酒、盐,烧开后用文火炖至牛肚熟烂,食肚喝汤。此款取其补益脾胃之功效,适用于慢性肠胃炎、胃及十二指肠溃疡等症。

◆**黄芪乌骨鸡** 乌骨鸡一只在沸水中余3分钟,捞出去血沫,黄芪50克浸软切片,与葱、姜、花椒、料酒、盐一同放入汤盆中,隔水蒸至鸡肉熟烂,加入味精即成。此款取其益气、补血、调经之功效,适用于贫血、产后体虚、年老体弱、月经不调、更年期综合征等症。

◆**归参芪猪蹄** 党参、当归、黄芪各30克浸软切片装袋,猪蹄切成四块置沸水中余片刻捞出。猪蹄、药袋、葱、姜、料酒、酱油、盐、水放入沙锅中煮沸,改用文火煨至猪蹄熟烂,拣去药袋和葱姜,加味精即可。此款取其补气、养血、通乳之功效,可用于营养不良、贫血、食欲不振、失眠、心悸、产后乳少等症。

❖ 黄 精 ❖

➡药草成分

黄精是百合科植物黄精、囊丝黄精、热河黄精、滇黄精、卷叶黄精等的根茎。黄精含有黏液质、糖、淀粉、多种氨基酸等成分。

➡药草功效

黄精性味甘,平,具有补中益气、润心肺、强筋骨、补脾气、养胃阴等功效。因其补性缓和,可用于长期滋补,身体虚弱、病后体弱之人尤宜。适用于虚损寒热、肺痨咳血、食少、筋骨软弱、风湿疼痛、风癞疥癣等症。

现代医学证实,黄精可降低血压,对高血压、肾性高血压有治疗作用;对预防动脉硬化、脂肪肝有一定作用;对结核菌、伤寒杆菌、多种皮肤真菌,有明显抑制作用;可抑制肾上腺素引起的血糖过高,并可作为滋补佳品长期使用,有强身健体、抗衰老作用。

➡ 治疗建议

- ◆ 黄精 25 克,水煎服,可治肺结核、病后体虚。
- ◆ 黄精 30 克,熟地、山药各 25 克,天花粉、麦门冬各 20 克,水煎服,可治胃热口渴。
- ◆ 黄精 40 克,加冰糖 50 克炖服,可治蛲虫病。
- ◆ 鲜黄精 100 克,加冰糖 50 克,炖服,可治肺结核咳嗽、赤白带。
- ◆ 枸杞子、黄精等份,研为细末,捣成块,干后再研为细末,炼蜜为丸。每日服用适量,可补精气。
- ◆ 黄精 50 克、蜜 50 克,炖服,可治小儿下肢痿软。
- ◆ 黄精与党参、白术、茯苓、麦芽、陈皮配合,可用于治疗脾胃虚弱引起的消化不良、食欲不振、精神疲倦等症。
- ◆ 黄精与沙参、麦冬、贝母配合,可用于治疗心肺阴虚所引起的咳嗽痰少、干咳无痰、痰中带血等症。
- ◆ 黄精与玉竹、麦冬、生麦芽、冰糖合用,可用于治疗高热病后引起的咽干、口干、大便干、饮食无味等。
- ◆ 黄精与山药、黄芪、天花粉合用,可用于治疗糖尿病。

➡ 特别提醒

- ◆ 脾虚、气滞、舌苔厚腻、胸闷胃呆者,不宜服用黄精。

➡ **推荐药膳**

◆**黄精炖猪肉**　黄精 50 克、瘦猪肉 200 克切成长方块,放入沙锅中,加适量水,放入葱、姜、料酒,隔水炖熟,拣出葱、姜,加少许味精即成。此款取其补脾益气、养心润肺之功效,适用于神经官能症、胃及十二指肠溃疡、营养不良、贫血等症。健康人可常服取益寿强身之功。

◆**黄精煨肘**　猪肘 750 克用旺火煮沸 3 分钟捞出。用小火将冰糖炒成深黄色糖汁后,放入猪肘,同时加入党参 9 克、大枣 5 枚、黄精 9 克及姜、水适量,微火煨至猪肘烂熟、汁黏稠即成。此款取其补脾益胃、滋阴养血之功效,适用于胃及十二脂肠溃疡、浅表性胃炎、消化不良、营养不良、贫血等症,又可作为年老体虚之人的滋补佳品。

◆**黄精瘦肉粥**　黄精 50 克放沙锅中文火煎煮 20 分钟取汁,再置水中煎取药汁,将两次药汁合在一处。瘦猪肉 100 克切丁,同粳米 100 克一同放入沙锅中,加药汁、葱、姜,煮沸后改文火煮至肉烂粥熟,拣去葱姜,加入盐、味精即成。此款取其益气、养颜、养血之功效,可用于食欲不振、贫血、营养不良、心悸、体虚、自汗、消瘦等症。

❋　**白　术**　❋

➡ **药草成分**

　　白术为菊科植物白术的根茎。白术含有挥发油,其中主要成分是苍术醇、苍术酮,并含有维生素 A。

➡药草功效

白术性味苦,甘,温,具有补脾、益胃、燥湿、益气、生血、和中功效,自古为补脾益气之要药。可用于治疗脾胃虚弱、不思饮食、倦怠乏力、泄泻、痰饮、水肿、小便不利、头晕、自汗、胎动不安等症。

现代医学研究认为白术能加快血液循环、降低血糖,使胃肠分泌旺盛蠕动增强。白术能防止肝糖元减少,对肝脏有保护作用。白术可增加水和钠的排泄,具有明显而持久的利尿作用。白术中的挥发油对人体有镇静功效。

➡治疗建议

◆生白术切片,在牛奶中浸透后晒干,每次取 10 克,用水煎服,适用于补中益气、健脾和胃。

◆白术 30 克,水煎,早晚与黄酒 2 匙同服,适用于治疗肢体麻木、风湿痛。

◆白术 250 克切片,加水适量在沙锅中煎 1.5 小时后滤出药液,加水再煎,共三次。将三次药液合为一处熬成膏,贮于瓶中,每次 2 匙,蜜水调服,适用于治疗脾虚腹泻、慢性痢疾。

◆生白术捣碎、加水、食糖,隔水蒸汁,每次取 15 克服用,适用于治疗小儿流涎。

◆白术、白茯苓、白芍药(炒)各 5 克,甘草(炒)2.5 克,加姜、枣水煎服,适用于妇女脾虚蒸热。

◆白术 200 克,分作四份分别与黄芪、石斛、牡蛎、麸皮同炒至微黄,拣出白术研末,每次取 10 克用小米汤调服,适用于治疗盗汗。

◆白术、车前子等份,炒为末,每次用水调服 10～15 克,可治疗湿泻暑泻。

➡特别提醒

◆白术忌与桃、李、青鱼同食;口干舌燥、津液缺少患者不宜服用。

➡推荐药膳

◆**参苓白术鸡**　白术、茯苓各 10 克装入纱布袋,母鸡一只剁块,入沸水中焯去血水,捞出去浮沫。鸡块与药袋放入沙锅中,加清水、料酒、葱、姜、盐及人参粉 5 克,烧开后用文火炖至鸡肉熟烂,拣去葱、姜及药袋,加入味精即成。此款取其健脾益气之功效,适用于食欲不振、消化不良、慢性胃肠炎、面色萎黄、倦怠乏力等症。

◆**益脾饼**　白术 30 克、干姜 6 克用纱布包好,加大枣 250克,沙锅内煮 60 分钟,拣去药袋,把枣肉搅拌成枣泥。鸡内金 15克粉碎成细末,与面粉 500 克、枣泥拌合成面团,做小饼若干张,烙熟即成。此款取其健脾益气、开胃消食之功效,适用于食欲不振、食后胃痛、慢性腹泻、慢性肠胃病等症。

❖ 山 药 ❖

➡药草成分

山药是薯蓣科植物薯蓣的块茎。山药含有皂甙、黏液质、胆碱、淀粉、糖蛋白、自由氨基酸、多酚氧化酶、维生素 C 等成分。

➡ 药草功效

山药性味甘、平,具有健脾、补肺、固肾、益精、强筋骨之功效,可治脾虚泄泻、久痢、虚劳咳嗽、消渴、遗精、带下、小便频数等症,适合体质瘦弱、体力差、肺虚久咳、痰多喘咳、腰酸腿软、糖尿病、饮食不香、久泻久痢人常服。

现代医学研究认为山药中含的皂甙具有扩张冠状动脉、增加血流量、改善微循环、提高人体免疫功能的作用。

➡ 治疗建议

◆山药捣汁取半碗,加同量甘蔗汁,分次热饮,适用于治痰气喘急。

◆干山药一半炒黄色,一半生用,研为末,每次取 10 克,日服 2 次,米汤送下,适用于治久痢不食。

◆山药 120 克煮熟,每日晨食用,适用于治脾虚泄泻、糖尿病。

◆山药、白术各 50 克与人参 1.5 克捣为细末,分数份,用温米汤冲泡,饭前饮下,适用于治疗脾胃虚弱、不思饮食。

➡ 推荐药膳

◆**山药炖羊肚** 羊肚 300 克、山药 200 克切块,放入沙锅中,加葱、姜、盐、料酒、适量水,烧沸后用文火炖至羊肚熟烂,调入味精即成。此款取其益胃、补肺、滋肾之功效,口渴、多饮、糖尿病、老年肾动脉硬化等症适用。

◆**山药羊肉汤** 山药 50 克、羊肉 500 克切同样大小块,羊肉块先放在沸水中余去血水捞出,山药块、羊肉块置于沙锅中,加葱、姜、胡椒粉、料酒、适量水,烧沸后去浮沫,再用文火炖至羊肉酥烂,拣去葱、姜,加盐、味精即成。此款取其补脾益肾之功效,适用于慢性肾炎、慢性肝炎、慢性胃肠炎患者食用。健康人常用更可防病强身。

◆**山药炖白鳝** 白鳝一条切2厘米长段、山药50克切2厘米见方块、百合50克切片,置入汤盆,加水适量,隔水蒸60分钟即成。此款取其补虚损之功效,适用于气、血、阴、阳俱虚的长期患病者。健康人食用可抗癌防衰。

◆**山药蛋黄粥** 山药30克轧粉,凉开水调开后煮沸,加蛋黄泥(3枚蛋黄)调匀,每日空腹食2~3次。此款取其健脾益胃之功效,适用于长期腹泻的小儿食用。

◆**山药薏苡糊** 山药、薏苡仁各15克,研末炒黄,煮成糊状,加白糖可食用。适用于婴幼儿消化不良、腹泻。

◆**芝麻山药糊** 黑芝麻120克炒熟,粳米60克泡一小时后捞出,山药20克切片,放入盆中,加牛奶200毫升、蛋清适量拌匀滤出浆汁。冰糖120克放锅中加水煮化,加入浆汁,不停搅拌,煮成糊状即成。此款取其滋补肝肾、益脾润肤之功效,适用于肝肾不足所致头发早白、肌肤干燥等症。

❖ 熟 地 ❖

➡药草成分

熟地是玄参科植物地黄或怀庆地黄的根茎蒸熟后的名字。地黄中含有甘露醇、β-谷固醇、梓醇、豆固醇、地黄素、生物碱、脂肪酸、葡萄糖、蔗糖、精氨酸、γ-丁氨酸、维生素A、铁等成分。

➡药草功效

熟地性味甘,微温,具有补血养阴、填精益髓、滋肾养肝之功效,适用于月经不调、腰膝酸痛、遗精盗汗、头晕心悸、失眠、眼花、脱发、肺结核、糖尿病等症。

现代医学研究证实熟地有强心作用,能调节血压,小剂量使血管收缩,大剂量使血管扩张。熟地还可调节血糖、保护肝脏,对风湿、类风湿、传染性肝炎、湿疹、神经性皮炎有显著效果。

➡治疗建议

◆头晕耳鸣、腰膝酸软、盗汗遗精、月经不调、糖尿病等症,可用"六味地黄丸"。

◆肺肾阴虚、久咳气喘、腰膝酸软,可用"麦味地黄丸"。

◆肝肾不足引起的头晕耳鸣、视物昏花、羞明流泪,可用有滋肝养肾作用的"杞菊地黄丸"。

◆肺肾阴虚、久咳无痰、咽干口燥、低热颧红,可用有滋肾润肺作用的"参麦六味丸"。

◆阴虚血少、虚热盗汗、两胁疼痛、四肢无力等,可用有滋阴补血作用的"归芍地黄丸"。

◆熟地泡酒饮,有壮肾养血功效。

◆熟地 35～100 克,炙甘草 10～15 克,当归 10～15 克,水煎温服,可救治呼吸促急、气道噎塞、势极垂危者。

➡特别提醒

◆平日消化不良、腹泻、胸膈胀满者忌用;忌与萝卜、大葱、韭菜同用;煎药忌用铜器。

➡推荐药膳

◆熟地烧牛肉 熟地 15 克放入沙锅中,加水 300 毫升,文火煎 20 分钟取汁。牛肉 500 克切 4 厘米见方块,放沙锅中加水烧开片刻捞出。油烧六成熟时用姜、蒜、小茴香爆出香味后下牛肉略炒,加料酒、白糖、酱油、盐煸炒至牛肉上色,入味后,加入药汁,烧开后改用文火炖至牛肉熟烂,汁收干,加味精、香油即成。此款取其滋阴养血之功效,适用于神经衰弱、贫血、肺结核患者食用。

◆熟附狗肉汤 熟地、附片各 30 克,陈皮 10 克,花椒粒适量,放入调味布袋中。狗肉 1000 克,顺筋切大块,清水中捶打洗净血水后在沸水中焯 10 分钟捞出。沙锅内放几节猪排骨,将狗肉和调味袋、葱、姜放入,加适量水烧沸,转用文火炖至肉烂,拣去葱、姜、药袋,捞出肉块切条状,再放入沙锅,加胡椒粉、味精、盐即成。此款取其温补脾肾之功效,适用于慢性胃肠炎、结肠炎、慢性前列腺炎、前列腺肥大、老年体虚等症。

◆八宝鸡汤 熟地 7.5 克、党参 5 克、茯苓 5 克、炒白术 5 克、炙甘草 2.5 克、白芍 5 克、当归 7.5 克、川芎 3 克装入纱布袋中。母鸡一只清理干净,猪肉 750 克,猪骨 750 克砸碎。将上述鸡肉、猪肉、猪骨、药袋放入锅中,加水适量烧沸,去浮沫,加葱、姜、料酒,用文火炖至熟烂,拣去葱、姜、药袋,鸡肉、猪肉捞出切块,再放入锅中,加盐、味精即成。此款取其调补气血之功效,适用于气血两虚、面色萎黄、食欲不振、四肢乏力等症。

❖ 何首乌 ❖

➡ 药草成分

何首乌为蓼科植物何首乌的块根。何首乌含有蒽醌类的大黄素、大黄酚、大黄酸、大黄素甲醚、大黄酚蒽酮、淀粉、粗脂肪、卵磷脂等成分。

➡ 药草功效

何首乌性味苦、甘、涩,微温,具有补肝、益肾、养血、祛风等功效,适用于肝肾阴亏、须发早白、血虚头晕、腰膝酸软、筋骨酸痛、遗精、崩带、久痢、慢性肝炎、痈肿、瘰疬、肠风、痔疮等症。

现代医学研究证实,何首乌中的蒽醌类物质,具有降低胆固醇、降血糖、抗病毒、强心、促进肠胃运动等作用,还有促进纤维蛋白溶解活性作用,对心脑血管疾病有一定防治作用;何首乌中所含卵磷脂是脑组织、血细胞和其他细胞膜的组成物质,经常补用何首乌,对神经衰弱、白发、脱发、贫血等症有治疗作用,因此可延缓衰老、强身健体、保健心脏。动物实验证明,何首乌还有抗肿瘤作用。

➡ 治疗建议

◆何首乌配熟地、当归、白芍、阿胶、白术等,可用于治疗气血两亏症。

◆何首乌配山萸肉、山药、五味子、牡蛎、茯苓等,可用于治疗肾虚引起的滑精、遗精、白带过多等症。

◆何首乌配枸杞子、补骨脂、当归、菟丝子、黑芝麻等,可用于治疗肝肾精血不足引起的须发早白、身体虚弱等。

◆何首乌15克切块,生地黄15克切片,入瓶中,注入白酒1000克,密封,每三天摇荡一次。15天后可滤药、去渣、澄清、饮用，每日 2 次，每次 10 毫升，可补肝肾、益寿、强身、明目、乌发。

◆何首乌、枸杞子各 13 克，杜仲、熟地各 10 克，水煎服，治肝肾精血不足引起的头晕眼花、腰膝酸软。

◆何首乌、草决明、生山楂、泽泻各 10 克，水煎服，每日一剂，连服数日，可治血清胆固醇过高症。

◆何首乌、大枣各 15 克，陈皮 6 克，甘草 3 克，加水 600 毫升煎至 200 毫升，分一日三次服，适用于老年体虚、病后虚弱、食欲不振等症。

➡特别提醒

◆何首乌忌与猪血、羊血、萝卜、葱、蒜等同食；忌用铁器；大便溏泄及外感风寒者忌食。

➡推荐药膳

◆**首乌炖鸡**　何首乌 30 克捣碎放入纱布袋塞入鸡腹内，鸡放沙锅中加姜、盐、料酒、水适量，烧开后用文火炖至鸡烂，取出药袋，加入味精即成。此款取其益气养血之功效，适用于气血不足引起的倦怠乏力、头晕目眩、心悸失眠、健忘、自汗等症，还有益于增强记忆力。

◆**首乌香菇**　何首乌 30 克温水浸软切片，沙锅中加 200 毫升水煎 30 分钟，取汁加水再煎，两次药汁合为一处再煎至 100 毫升。水发香菇 50 克切条，用干淀粉裹匀，油七成热时下入香菇条炸至酥脆捞出。另起锅，油七成热时，下姜丝、香菇条，加用清汤、药汁、料酒、盐、糖、味精、酱油调成的芡汁翻炒，淋香油即成。此款取其补益肝肾之功效，适用于贫血、神经官能症、眩晕、耳鸣、遗精、腰膝酸痛等症,还有益智、健脑、抗衰、乌发作用。

◆**首乌肝片**　何首乌 20 克如上款煎取药汁。猪肝 250 克切片,用 50 毫升药汁、盐、水淀粉搅拌均匀。油烧七成热时,下入拌好的肝片,炸片刻捞出。另起锅,下入姜丝、肝片,倒入用另 50 毫升药汁、水淀粉、酱油、料酒、盐、醋调成的芡汁炒匀,淋香油即成。此款取其补肝肾、益精血、明目乌发之功效,适用于贫血、神经官能症、成人早衰等症。

◆**首乌粥**　何首乌 40 克切片如上款煎取药汁,粳米 60 克、大枣 3 枚放入沙锅,注入药汁和水,烧沸后用文火熬至粥稠,加入冰糖即成。此款取其滋肾养肝、乌发明目之功效,适用于肝肾阴虚所致眩晕、头胀痛、视物不清、耳鸣、失眠、遗精、腰膝酸软、须发早白等症。

❖　当　归　❖

➡**药草成分**

当归为伞形科植物当归的根。当归含有挥发油、水溶性生物碱、蔗糖、脂肪、β-谷固醇、亚油酸、烟酸、棕榈酸、硬脂酸、维生素 E、维生素 B_{12} 等成分。

➡**药草功效**

当归性味甘、辛、温,具有补五脏、生肌肉、益中气、补血养血、调经止痛、润燥滑肠等功效,可用于治疗月经不调、经闭腹痛、崩漏、血虚头痛、眩晕、肠燥便秘、跌仆损伤、冠心病、心绞痛、风湿痛、各种淤滞作痛等症。由于当归既能补血,又能养血;既能通经又能活络，许多妇科疾病都须用当归治疗，因此，当归被称为"妇科专用药"、"女性人参"。

现代医学研究认为当归有抑制子宫平滑肌收缩、使血脉通畅的作用，所以可以帮助维持正常的月经周期，减少经前综合征引起的不适，减轻停经后的不适症状；当归能增加肝组织的耗氧量，防止肝糖元降低；当归对血压具有双向调节作用，还可以降低血液黏滞性和降低血脂；当归可加速运动后肌酸的消除，提高血红蛋白含量，具有解除运动疲劳、防止衰老的作用。

➡ 治疗建议

◆当归、熟地各 10 克，大枣 30 克，水煎服，适用于身体虚弱、月经不调等症。

◆当归、黄芪各适量泡在黄酒中，数日后可饮用，适用于补气养血。

◆当归、熟地、川芎、白芍各等份，研为粗末，每次取 15 克，水煎去渣热服，适用于滋养气血、治疗月经不调等诸多妇科病症。

➡ 特别提醒

◆大肠滑泻、阴虚火旺、舌苔厚腻者，忌食。

➡ 推荐药膳

◆**当归炖鸡**　母鸡一只放入沙锅中，加当归 30 克，葱、姜、盐、水适量，烧开后转用文火炖 3 小时，撒胡椒面即成。此款取其补气养血润肠之功效，适用于气血亏虚、营养不良、心悸、失眠、乏力、自汗等症患者食用。对健康人则益寿延年。

◆**当归生姜羊肉汤** 当归、生姜各75克切片装入调味袋，瘦羊肉500克切块，放入沙锅中，加适量水、调味袋、大茴香、桂皮、盐，烧沸后用文火炖至羊肉熟烂，拣去调味品即成。此款取其养血健脾之功效，适用于月经不调、经少色淡、痛经、经期头痛、习惯性流产、贫血、男子阳痿、腰膝冷痛等症。健康人常用更可调养气血，益寿延年。

◆**归地炖羊肉** 当归、生地黄各15克，与花椒一同装入调味袋，瘦羊肉250克切块放入沙锅中焯去血水捞出。另起锅，加入调味袋、葱、姜、蒜、酱油、料酒、盐、清汤适量和羊肉块，烧开后用文火炖至羊肉熟烂，拣去调味品和药袋即成。此款取其补气养血之功效，适用于贫血、营养不良、月经不调、产后体虚之人。

◆**参归炖母鸡** 当归、党参各15克装入纱布袋，将药袋装入母鸡腹内，放在沙锅中，加水、葱、姜、胡椒粉、盐、料酒适量，烧沸后用文火炖至鸡肉熟烂即成。此款取其益气补血之功效，适用于贫血、更年期综合征、营养不良、月经不调等症，对健康人可增强体质。

◆**当归羊肝** 当归10克浸软切片装入药袋，羊肝、药袋、葱、姜、料酒、盐放沙锅内，加适量水，烧开后撇去浮沫，用文火煮至羊肝熟透，捞出切片装盘，淋上用酱油、醋、味精、蒜茸、香油调成的汁即成。此款取其益肝养肝之功效，适用于治疗贫血、神经官能症、月经不调、夜盲等症。

❖ 阿 胶 ❖

➡️**药草成分**

阿胶为马科动物驴的皮去毛后熬制而成的胶块。阿胶含有胶原、多种氨基酸，如赖氨酸、精氨酸、组氨酸、胱氨酸以及钙、硫等成分。

➡ 药草功效

阿胶性味甘，平，具有滋阴、补血、养肝、益气、止血、清肺、润燥、定喘、调经、安胎等功效，适用于治疗虚弱贫血、产后贫血、面色萎黄、咳血、吐血、尿血、便血、子宫出血、鼻出血、血小板减少性紫癜、月经色淡量少、肺燥咳嗽、咽干津少、便秘、腰酸骨痛等症。对于平日体质弱、易感冒的人，阿胶可起到调理身体改善体质的作用。

现代医学研究证实，阿胶有加速红细胞、血红蛋白生成的作用，因而对失血性贫血有较好疗效。阿胶能增强对钙的吸收，使血钙提高而有止血作用。阿胶可防治进行性肌营养障碍症。阿胶中的胶原蛋白，可使皮肤弹性增强，防止产生皱纹。

➡ 治疗建议

◆阿胶250克，冰糖200克，加水、黄酒各200毫升，隔水炖，搅拌，炖至充分溶化。冷却成切成20块，每天早晚空腹各吃一块，适用于治各种贫血。

◆取上法阿胶一块与炒熟核桃仁两个，早晚空腹服下，适用于治咳喘、便秘。

◆阿胶10克，与连根葱白3根、蜂蜜2匙水煎，至阿胶溶开。拣去葱，饭前服下，适用于治疗老人便秘。

➡ 特别提醒

◆脾胃虚弱、感冒发烧、动脉硬化、冠心病者忌服。

➡推荐药膳

◆**阿胶芪枣汤** 黄芪 20 克、红枣 20 枚放入沙锅中,加水浸泡 2 小时后烧沸,改文火煎 1 小时,取汁。将阿胶 10 克放入药汁中煮沸至阿胶溶化即成。此款取其补气生血之功效,适用于贫血、营养不良、乏力气短、自汗、食欲不振、面容憔悴等症。

◆**红枣阿胶露** 黑芝麻 150 克炒熟,与红枣 500 克、核桃肉 150 克、桂圆肉 150 克共研碎。阿胶 250 克在 800 毫升黄酒中浸 12 天后,将酒倒入陶瓷盆中蒸至阿胶完全溶化,放入上述四种食物搅匀,加冰糖 250 克再蒸至冰糖完全溶化。冷却后在冰箱内保存,每日晨取冻露 3 匙开水化服。此款取其养血、润肺、益肝、安神之功效,适用于贫血、营养不良、面色萎黄、头发早白等症。健康人可常服。

❖ 枸杞子 ❖

➡药草成分

枸杞子为茄科植物枸杞或宁夏枸杞的成熟果实。枸杞子含有胡萝卜素、维生素 B_1、维生素 B_2、烟酸、维生素 C、β - 谷固醇、亚油酸、甜菜碱、钙、磷、铁等成分。

➡药草功效

枸杞子性味甘,平,具有滋肝、补肾、润肺、补虚、益精、明目、固髓、健骨等功效,适用于肝肾阴亏、腰膝酸软、头晕目眩、虚劳咳嗽、肺结核、糖尿病、慢性肝炎等症。枸杞子无毒副作用,可在日常膳食中配餐时随意搭配,久服枸杞子可强筋壮骨、益寿延年。

现代医学研究认为枸杞子中的甜菜碱,可抑制脂肪在肝细胞内沉积、促进肝细胞再生,因而具有保护肝脏作用。同时,它还可以调节血糖,降低血压,防治高血压、心脏病、动脉硬化等症。枸杞子还有兴奋大脑神经、兴奋呼吸、促进胃肠蠕动等作用。

➡治疗建议

◆蒸熟枸杞子每次 3 克,每日 3 次嚼食,适用于治疗轻型糖尿病。

◆枸杞子 40 克、姜 2 片、牛鞭一具,加水适量,隔水炖服,食肉饮汁,适用于治疗遗精、阳痿、腰膝酸软、夜多小便等症或用于老年人滋补。

◆枸杞子单独泡酒,或与熟地、人参、灵芝等同泡酒,可用于日常滋补。

◆鸡蛋 2 只、枸杞子 20 克、大枣 3~4 枚同煮,蛋熟去壳再煮片刻,吃蛋喝汤,可滋阴、补肝肾、健脾、益气。

◆猪肾 2 只,去筋腹切片,枸杞子 30 克,加水适量煮汤,调味食用,连服4~5 天,可补益肝肾,治疗肝肾两虚所致阳痿。

➡特别提醒

◆外邪实热、脾胃虚所致消化不良、腹泻、性欲亢进者忌用。

➡ 推荐药膳

◆牛肉枸杞海带汤 枸杞子60克泡入酒中,牛肉400克切小块,油烧热,放葱、姜、蒜炒出香味后放入牛肉翻炒,牛肉表面变色后,加热水2000毫升煮沸,除去浮沫,加海带段25克、藕节5个小火炖至肉菜熟软,取出藕节,加入莲子20粒、枸杞子、白酒60毫升,炖至汤收一半时,加入食盐、酱油即成。此款取其补脾、益胃、养肝之功效,适用于气血不足、肝肾亏虚者。健康人常食可益寿延年。

◆枸杞炖鱼 鲫鱼3尾在沸水中烫一下捞出,划十字花刀。油烧至八成热时用葱、姜炝锅,后放清汤、胡椒粉、料酒、盐煮沸,将鱼、枸杞子15克下入汤锅中,烧沸后用文火炖至鱼熟,加味精、香油调味即成。此款取其健脾益胃之功效,适用于慢性胃炎、消化不良、糖尿病等症,健康人常食更佳。

◆枸杞蒸鸡 子母鸡一只用沸水氽透捞出,将枸杞子15克装入鸡腹中,腹部朝上放入盆中,加清汤、葱、姜、胡椒面、料酒、盐,盖好盆盖,用湿棉纸封住盆口,上笼蒸2小时,拣去葱、姜,加入味精即成。此款取其滋补肝肾之功效,适用于肝肾阴虚所致头晕目眩、耳鸣健忘、失眠梦多、腰膝酸软、遗精等症。健康人常食可滋补强身、抗衰防老。

◆枸杞炖兔肉 兔肉250克切块,在沸水中氽去血水捞出放入沙锅内,加清汤、枸杞子15克、葱、姜、胡椒粉、料酒、盐,烧沸后用文火炖至兔肉熟烂,拣去葱、姜,加入味精即成。此款取其滋补肝肾之功效,适用于治疗贫血、神经官能症、糖尿病、更年期综合征、耳源性眩晕等症。健康人常食可强身健体。

◆枸杞滑溜里脊 枸杞子25克水煎取药汁,反复煎两次,药汁合为一处,文火煎至浓汁,约25毫升。猪里脊250克切片,用鸡蛋清、水淀粉拌匀,油七成热时,放入里脊肉略炸后捞出。

油锅中投入葱、姜、蒜、里脊片,倒入用枸杞浓汁、料酒、盐、醋、水淀粉调成的芡汁,炒匀即成。此款取其滋阴补血、美发明目之功效。适用于贫血、营养不良、结核病、更年期综合征等症。健康人常食可滋补强健、美发明目。

◆**枸杞炖羊肉**　羊肉 250 克切块,沸水中汆片刻捞出放入沙锅内,放入枸杞子 20 克,豆豉、葱、料酒、酱油、盐、清水适量,烧沸去浮沫,用文火炖至羊肉熟烂,加入味精即成。此款取其滋肾养肝明目之功效,适用于贫血、神经官能症、成人早衰、老年体弱等症。健康人可常食用。

◆**枸杞子粥**　粳米 50 克、枸杞子 20 克放入沙锅内,加水烧开后用文火煮至粥熟即成。此款取其滋补肝肾之功效,健康人及头晕目眩、耳鸣、失眠、咽干、口燥、口渴、多饮、尿频量多、潮热、盗汗、遗精、闭经之人均可服用。

◆**枸杞羊肾粥**　羊肾两对去臊腺筋膜,切细丁,羊肉 500 克切丁,枸杞叶 500 克装入纱布袋中,粳米 250 克,加葱白、清水适量,一同放入沙锅中熬粥至肉烂米烂即成。此款取其补肾填精之功效,适用于肾精衰败、腰脊疼痛、性功能减退等症。

❖ 白芍 ❖

➡ 药草成分

白芍为毛茛科植物芍药的根。白芍含有芍药甙、牡丹酚、芍药花甙、苯甲酸、挥发油、脂肪油、树脂、鞣质、淀粉、糖类、黏液质、蛋白质、β-谷固醇等成分。

➡️药草功效

　　白芍性味苦、平,微寒,具有养血柔肝、缓中止痛、敛阴收汗等功效,适用于治疗胸腹胁肋疼痛、泻痢腹痛、自汗盗汗、阴虚发热、月经不调、崩漏、带下等症。

　　现代医学认为芍药贰有抗炎、抗溃疡、抗菌、解热、调节血糖的作用。白芍还有扩张血管的作用。白芍煎剂能抑制痢疾杆菌、伤寒杆菌、溶血性链球菌、肺炎链球菌、大肠杆菌、绿脓杆菌等。

➡️治疗建议

◆白芍 15 克、当归 9 克、熟地 15 克、川芎 6 克,水煎服,每日一剂,适用于补血养肝。

◆白芍 20 克、炙甘草 9 克,水煎服,每日一剂,适用于治疗因痉挛引起的疼痛。

◆白芍 12 克,龟板、鳖甲各 15 克,知母 9 克,水煎服,适用于治疗阴虚盗汗、肺结核潮热。

◆白芍、炒枣仁各 15 克,远志、茯神各 9 克,水煎服,每日一剂,适用于治疗失眠、多梦、惊恐等症。

◆白芍 100 克、干姜 40 克研为细末,分为 8 包,月经来时,黄酒为引每日服一包,连服三星期,适用于治疗痛经。

❖ 桂圆肉 ❖

➡️药草成分

　　桂圆肉即龙眼肉,为无患子科植物龙眼的假种皮。桂圆肉含有葡萄糖、蔗糖、酸类、腺嘌呤、胆碱、维生素 A、维生素 B_1、维生素 B_2、维生素 C、氨基酸、脂肪、钾、钠、镁、钙、磷、铁等成分。

➡药草功效

桂圆肉性味甘，温，具有益心脾、补气血、安神等功效，适用于治疗心脾虚损之心悸、健忘、失眠、虚劳羸弱、气血不足、浮肿等症。因思虑过度引起的失眠、惊悸，用桂圆肉治最好。

现代医学认为桂圆肉具有增进红细胞及血红蛋白活性、升高血小板、改善毛细血管脆性、降低血脂、增加冠状动脉血流量的作用，对心血管疾病有防治作用。

➡治疗建议

◆桂圆肉加适量白糖、水，隔水蒸熟，每日早晚各食一匙，适用于补益气血，治疗产前心悸。

◆桂圆肉浸白酒，百日后可每日饮 1~2 盅，适用于温补脾胃、解疲劳、助精神。

◆桂圆肉、大枣各 30 克，水煎后连汤服食，每日一次，适用于治疗贫血、血小板减少。

◆桂圆肉 10 克、花生米 15 克，水煎服，适用于治疗失眠、心悸、贫血、精神不振、体弱等症。

◆桂圆肉 15 克、鸡蛋 2 个，共炖熟食，每日 1~2 次，适用于产后体虚、月经不调等症。

◆桂圆肉、何首乌、鸡血滕各 250 克，黄酒 1500 毫升，浸 10 天后，每天早晚各服 15 毫升，适用于治疗贫血萎黄、头发早白等症。

➡特别提醒

◆患有腹泻、胃腹胀满、肺热咳嗽、咳血、舌苔厚腻者不宜食用。

➡推荐药膳

◆**桂圆鸽蛋汤**　桂圆、枸杞子、黄精各 10 克切碎,放入沙锅中,加清水 500 毫升,煮沸 15 分钟,将鸽蛋 4 枚破壳后下到沙锅中,投入冰糖 50 克,煮至鸽蛋熟即成。此款取其滋补肝肾之功效,适用于肝肾阴虚所致头痛、头胀、眩晕、耳鸣、视物不清、遗精、失眠、腰膝酸痛等症。健康人亦可常服保康健。

◆**枸杞桂圆鸡**　将枸杞子 15 克、桂圆肉 30 克塞入鸡腹内,放入沙锅中,加葱、姜、料酒、盐、适量水烧开后,用文火炖至鸡肉熟烂,加味精即成。此款取其补肾益精之功效,适用于发育迟缓、腰膝酸软、头晕、耳鸣、精神萎靡、遗精、阳痿等症。健康人可常服。

◆**桂圆童子鸡**　童子鸡一只放入沸水中氽 3 分钟捞出放入汤盆中,加入桂圆肉 30 克,装有葱、姜、花椒的调料袋,料酒、盐、水适量,隔水蒸 1~2 小时至鸡肉熟烂。拣去调料袋,加入味精即成,此款取其养心安神之功效,适用于心血不足所致头晕、面色苍白、心悸、心烦、失眠、多梦、健忘等症。

◆**桂圆鹌鹑蛋**　桂圆肉 15 克用水浸软,鹌鹑蛋 4 枚破壳打散,加 20 毫升水,放入桂圆肉、红糖适量,搅匀后大火蒸熟即成。此款取其补血养心之功效,适用于心悸、失眠、多梦、健忘、面色苍白等。健康人可常服。

◆**桂圆莲子粥**　糯米 50 克放入沙锅中,加适量水,放入桂圆肉 15 克、泡发去心莲子 15 克、红枣 20 枚,文火煮至粥熟,加入白糖即成。此款取其养血安神之功效,适用于心悸、失眠、健忘、多梦、面色苍白等症。健康人可常服。

◆**桂圆栗子粥** 栗子 10 枚剥皮切碎,粳米 50 克放入沙锅中,加桂圆肉 15 克、切碎的栗子、适量水,文火煮至粥熟,加入白糖即成。此款取其养心安神之功效,适用于心血虚症,如心悸、失眠、多梦、健忘、面色苍白等症。健康人可常服。

◆**归地白芍鸡** 白芍、当归、熟地各 10 克,川芎 8 克,装入纱布袋中,乌鸡一只沸水中余过捞出,将乌鸡、药袋放入沙锅中,加清汤适量煮沸去浮沫,放葱、姜、料酒、胡椒粉、盐,用文火炖至鸡肉熟烂,拣去药袋、葱、姜,加入味精即成。此款取其补血、调经之功效。适用于月经不调、痛经等症。

❖ 冬虫夏草 ❖

➡ **药草成分**

冬虫夏草为麦角科植物冬虫夏草菌的子座及其寄主蝙蝠蛾科昆虫虫草蝙蝠蛾等幼虫尸体的复合体。冬虫夏草内含脂肪、粗蛋白、粗纤维、碳水化合物、虫草酸、冬虫夏草素、维生素 B_{12} 及多种微量元素等成分,其中粗蛋白可解为谷氨酸、脯氨酸、丙氨酸等。

➡ **药草功效**

冬虫夏草性味甘、温,具有补虚损、益精气、止咳化痰等功效,适用于痰饮咳喘、虚喘、肺结核、咳血、自汗、盗汗、贫血、神经衰弱、神经性胃病、病后体虚、阳痿、遗精、腰膝酸软等症,中医有冬虫夏草"疗诸虚百损"的说法。

现代医学研究证实,冬虫夏草内的虫草酸、冬虫夏草素和可水解为多种氨基酸的粗蛋白,是最有药用价值的部分,它们有扩张支气管、止咳平喘、抗菌(尤其是结核菌)、降血压、抗肿瘤、降低胆固醇及甘油三酯等成分、抑制血栓形成、增强肾上腺素、提高免疫力的作用。

➡治疗建议

◆冬虫夏草数枚浸酒饮用,适用于补肾。

◆冬虫夏草9克水煎服,适用于病后体虚之人补养。

◆冬虫夏草与沙参、麦冬、川贝、阿胶、杏仁同用,适用于治疗虚劳咳嗽、咳血、肺结核、气管炎等症。

◆冬虫夏草与百合、熟地、当归同用,适用于治疗自汗、盗汗。

◆冬虫夏草与枸杞子、山萸肉、山药同用,适用于治疗阳痿、遗精、腰膝酸软等症。

◆冬虫夏草30克、鲜胎盘一只,隔水炖熟食用,日分四份,两日食完,适用于滋补,可治冬虫夏草所有适应症。

➡推荐药膳

◆**虫草鸭** 老雄鸭一只去肚杂,将鸭头劈开,冬虫夏草3～5克放入其中,用线扎好,将鸭子放入汤盆中,放葱、姜、料酒、盐、适量水,用大火蒸2小时至鸭肉熟烂即成。此款取其补虚损、益脾肾之功效,适用于各种虚劳症,如肺结核、糖尿病、贫血、肺癌、肝癌、胃癌等病患者。健康人食之有强身防衰抗癌作用。

◆**虫草鸡** 雄鸡一只,腹中置冬虫夏草3～5克,放入沙锅中,加葱、姜、料酒、盐、水适量,炖至鸡肉熟烂即成。此款取其补虚损、止咳化痰之功效,适用于气管炎、肺气肿、哮喘等症患者食用。健康人可常服。

◆**虫草杏仁猪肺** 猪肺 250 克切小块,放入沙锅中,加入冬虫夏草 10 克、苦杏仁 10 克,葱、姜、清汤、料酒、盐适量,烧开后用文火炖至猪肺熟烂,拣去葱、姜,加胡椒面、味精、香油即成。此款取其补肺益肾之功效,适用于肺结核、肺气肿、肺癌等症。健康人食之可抗癌防病。

◆**虫草蒸羊肉** 瘦羊肉 400 克切粗条,人参 6 克、冬虫夏草 5 克蒸软切片。羊肉条在放有葱、姜、陈皮、花椒调味袋的水中余去血水后,捞出放在汤盆中,加入冬虫夏草、人参片,加盐和适量水,盖紧汤盆置笼上大火蒸 1 小时,加入冰糖适量后再蒸 10 分钟即成。此款取其补脾、补肺、补肾之功效,适用于气短乏力、畏寒、食欲不振、气喘、咳嗽、腰膝酸软、阳痿、遗精等症,肺气肿、肝硬化、肾炎患者可常食。健康人常食更能益气血,滋养强壮。

◆**虫草黄雀** 黄雀 12 只洗净切块,与冬虫夏草 6 克、姜 2 片同入沙锅内,加清水适量慢火炖 2~3 小时即成。此款取其填精益髓、补肾兴阳之功效,适用于阳气衰败、肾精亏损所致体虚、阳痿、早泄、性功能低下等症。

❀ 麦冬 ❀

➡**药草成分**

麦冬为百合科植物麦冬的块根。麦冬含多量葡萄糖及葡萄糖甙、氨基酸、维生素 A、β-谷固醇等成分。

➡**药草功效**

麦冬性味甘,微苦,寒,具有养阴润肺、清心除烦、益胃生津等功效,适用于治疗肺燥干咳、咯血、吐血、虚劳烦热、咽干口燥、便秘、糖尿病、肝炎等症。

现代医学认为麦冬有调节血糖、恢复胰岛素水平、调节肝糖元、抗白色葡萄球菌、抗大肠杆菌等作用。

➡ 治疗建议

◆麦冬、金银花各 9 克,桔梗、生甘草各 6 克,开水冲泡代茶饮,可治咽干喉痛、舌燥口渴。

◆麦冬、百合各 15 克,茅根 12 克、冰糖适量,水煎代茶饮,可治干咳痰少、痰中带血。

◆麦冬、天冬各 120 克,五味子 60 克,水煎去渣,加适量白糖再煎,至浓为膏状置瓶中。每日两次每次一匙开水调服,适用于滋润五脏、补益身体。

◆麦冬、甘草、沙参、桔梗、玄参、乌梅肉各 50 克捣碎混合均匀,每次取出 15 克以沸水冲泡 60 分钟代茶饮,每日 3 次,可治急慢性咽炎、喉炎等症。

◆麦冬适量,洗净放小盒中,随时含数粒于口中,至软嚼碎咽下,治慢性咽炎咽干、咽痛、咽痒之轻症效佳。

➡ 特别提醒

◆风寒咳嗽、感冒、腹泻、胃寒腹痛病人忌用。

❖ 天 冬 ❖

➡ 药草成分

天冬为百合科植物天门冬的块根。天冬含有天冬酰胺、黏液质、β-谷固醇、糖类、淀粉等成分。

➡药草功效

天冬性味甘，苦，寒，具有滋阴、润燥、清肺、降火等功效，是一种清凉滋补药，适用于治疗阴虚发热、咳嗽、咳血、咽喉肿痛、糖尿病、遗精、盗汗、便秘等症。

现代医学认为天冬对炭疽杆菌、甲型或乙型溶血性链球菌、白喉杆菌、类白喉杆菌、肺炎链球菌、金黄色葡萄球菌、柠檬色葡萄球菌、白色葡萄球菌、枯草杆菌等有不同程度的灭菌作用；对急性淋巴细胞型白血病患者白细胞的脱氢酶，有一定抑制作用；对乳腺癌、乳房小叶增生、良性乳房肿瘤，有辅助治疗作用。

➡治疗建议

◆天冬、人参、熟地各9克，加水200毫升，煎至100毫升倒出药汁，加水再煎，药汁合为一处，分三次服用，适用于补肾益精、润肺止咳。

◆天冬浸泡去皮心，捣烂取汁置沙锅中用文火煎，至汤浓时加白蜜熬成膏状装瓶。一星期后，每日早晚开水调服一匙，适用于润肺止咳，治疗痰中带血、体虚等症。

◆天冬30克加水200毫升煎至100毫升，加红糖适量再煮开，每日一剂温服，连服3~5天，适用于治疗月经过多、功能性子宫出血等症。

◆天冬、麦冬、川贝、北沙参各10克，水煎服，可治肺结核潮热、盗汗、痰中带血等症。

◆天冬、麦冬、桔梗、板蓝根、山豆根各10克，生甘草6克，水煎服,可治急性喉炎和扁桃体炎。

◆天冬、麦冬、五味子各等份,水煎至二三成取汁,再煎至汁浓,加蜂蜜熬成膏状装瓶,每日两次,每次一匙开水调服,适用于治疗糖尿病、久咳痰少等症。

◆天冬 50 克去皮、根须,捣碎,用细白布绞取汁,澄清后放入瓷罐中,文火熬成膏,每服一匙,空心喝酒服下,可强身益气,防病延年。

➡推荐药膳

◆**天冬烧麦**　面粉 150 克、鸡蛋 1 只制作烧麦皮;猪肉 100 克、春笋半只、洋葱半只、天冬 10 克、鸡蛋 1 只及酱油、盐、糖、植物油各适量做成馅,包好烧麦蒸熟即成。此款取其滋阴生津、健脾益胃、润肤养颜之功效,适用于各类人滋养。

❖ 玉 竹 ❖

➡药草成分

玉竹为百合科植物玉竹的根茎。玉竹含有铃兰苦甙、铃兰甙、山茶酚甙、槲皮醇甙、维生素 A、淀粉、黏液质等成分。

➡药草功效

玉竹性味甘,平,具有养阴、润燥、除烦、止渴等功效,适用于治疗热病阴伤、咳嗽烦渴、虚劳发热、小便频数、消谷易饥等症。玉竹的养阴作用偏在脾胃,久服不会伤害脾胃。玉竹与黄精作用类似,但玉竹益气作用不如黄精,而黄精清热作用不如玉竹。

现代医学研究指出,玉竹有滋养、镇静及强心作用,适用于治疗心悸、心绞痛;玉竹有降低血脂和血糖作用,对肾上腺素引起的高血糖有显著抑制作用,可用于治疗糖尿病;玉竹中有抗氧化作用的成分,可调节人体免疫力,抑制肿瘤的生长。常服玉竹可抗老防衰,延年益寿。

➡治疗建议

◆玉竹、黄精、何首乌、桑椹各9克,水煎服,每日一剂,适用于治疗贫血、气阴两伤、病后体虚等症。

◆玉竹、党参、丹参各15克,川芎9克,水煎服,每日一剂,适用于治疗心绞痛、心悸、胸闷气短等症。

◆玉竹25克水煎服,每日一剂,适用于治疗风湿性心脏病、肺原性心脏病、冠状动脉粥样硬化性心脏病所引起的心力衰竭。

◆玉竹25克、丹参12克水煎服,适用于治疗肢体酸软、自汗、盗汗等症。

◆玉竹15克、旱莲草9克煎水,加醋适量服用,可治牙衄,每日一剂,连服至愈。

➡特别提醒

◆阴病内寒、胃有痰湿气滞者忌服;忌用铁器和卤碱。

➡推荐药膳

◆**玉竹瘦肉汤** 瘦猪肉(或羊肉)100克切片放入沙锅中,烧沸去浮沫,加入玉竹15克、生姜适量,文火烧至肉熟烂,加入盐、味精即成。此款取其养阴、润肺、止咳之功效,适用于治疗慢性咽喉炎、肺结核、久咳痰少、气喘乏力等症。健康人可常服。

◆**沙参玉竹鸭** 雄鸭一只放开水中汆去血水捞出,将鸭子放入沙锅中,加沙参、玉竹各 30 克,葱、姜、胡椒粉、盐、清汤适量,烧沸后用文火炖至鸭肉熟烂,拣去葱姜,加入味精即成。此款取其养阴、补肺之功效,适用于干咳、少痰、潮热、盗汗、手足心热、咽干音哑、大便秘结等症,热病后期、肺结核、便秘患者可常服。健康人可常服。

◆**玉竹粳米粥** 鲜玉竹 30 克(成品玉竹减半)放入沙锅中,加适量水煎 20 分钟,取汁加水再煎,将两次药汁合为一处,放入沙锅中,加粳米 100 克烧开后文火熬至粥熟即成。此款取其滋阴、润肺之功效,适用于肺结核、糖尿病、热病后期患者。健康人可常服。

◆**玉竹心子** 玉竹 50 克切成粗粒,用水稍润,两次煎取药汁 1500 毫升。猪心 500 克破开洗净,与药液、姜、葱、花椒在沙锅内煮至六成熟捞出,将半熟猪心放在卤汁内煮熟捞出。卤汁适量,加盐、糖、味精、香油,加热成浓汁,浇在猪心上即成。此款取其安神宁心、养阴生津之功效,适用于热病伤阴的干咳烦渴、心血不足、心阴亏损的心烦不眠等症。

❖ 沙 参 ❖

➡️ **药草成分**

沙参分南沙参和北沙参。南沙参为桔梗科植物轮叶沙参、杏叶沙参、阔叶沙参的根;北沙参为伞形科植物珊瑚菜的根。南沙参含有三萜皂甙、淀粉等成分。北沙参含有生物碱、淀粉、挥发油、谷固醇、珊瑚菜等成分。

➡药草功效

南沙参性味甘,微苦,凉;北沙参性味甘,苦,淡,平。南北沙参均具有养阴清肺、祛痰止咳等功效,适用于治疗肺热燥咳、虚劳久咳、咽干喉痛等症。在功效上,南北沙参略有区别,南沙参偏于清肺热祛痰,适于风热感冒、肺燥;北沙参养胃生津作用则较南沙参强些。中药处方中如果不加说明,沙参即指北沙参。

现代医学研究指出,南沙参祛痰、强心作用较明显;北沙参有加强呼吸、升高血压作用。

➡治疗建议

◆南沙参15克,麦冬、熟地、玉竹、淮山药各9克,水煎服,适用于肺结核、慢性气管炎、病后体虚者的干咳、痰少、气短乏力等症。

◆北沙参12克,石斛、麦冬、生地各9克,冰糖适量,水煎服,适用于高热病后津液缺乏、咽干口燥、食欲不振、小便不利、大便秘结等症。

◆南沙参25克水煎服,可治肺热咳嗽。

◆北沙参25克水煎服,适用于烦渴、咳嗽、食欲不振、脾胃不适等症。

➡特别提醒

◆风寒咳嗽、肺胃虚寒者忌服沙参。

➡推荐药膳

◆**沙参汽锅鸡** 子母鸡一只切块焯去血水捞出装入汽锅中,放沙参(南北沙参均可,北沙参更佳)30克,葱、姜、花椒、水适量,大火蒸1~2小时至鸡肉熟烂即成。此款取其润肺、养胃之功效,适用于肺结核、慢性咽喉炎、糖尿病、慢性胃炎、消化不良等症。健康人可常服。

◆**沙参莲子粥** 沙参15克切片,莲子15克去莲心,白果10克,与粳米100克一同放入沙锅中,加适量水煮沸后,用文火熬至粥熟,加入蜂蜜适量即成。此款取其滋阴润肺之功效,适用于咽干口燥、干咳少痰、潮热盗汗、痰中带血等症。健康人可常服。

❖ 百 合 ❖

➡药草成分

百合为百合科植物百合、细叶百合、麝香百合及其同属多种植物鳞茎的鳞叶。百合含有秋水仙碱等多种生物碱、淀粉、蛋白质、脂肪、钙、磷、铁等成分。

➡药草功效

百合性味甘,微苦,平,具有润肺、止咳、清心、养阴、补中、益气、安神、利尿等功效,适用于肺痨久咳、肺虚干咳、咳血、慢性支气管炎、肺气肿、神经衰弱、心悸、失眠、小便不利、热病后期的神志恍惚、更年期综合征等症。

现代医学认为百合有抑制癌细胞生长、提高机体抗缺氧耐力的功效。

➡治疗建议

◆百合 100 克,白糖适量,水煎服,适用于治疗失眠、心悸、精神不安及肺结核等症。

◆百合 100 克、蜂蜜 20 克拌匀蒸熟,睡前服,适用于神经衰弱、失眠、口干、久咳等症。

◆百合、莲子、薏米、银耳各适量煮粥,适用于各种虚弱症,有滋补、益胃、安神作用。

◆清蒸鲜百合,对于贫血、体虚、胃病、肝炎患者均有补益。

◆鲜百合 3 个捣汁温开水服,早晚各一次,适用于治疗肺结核、慢性支气管炎、肺气肿等症。

◆百合 25 克、酸枣仁 25 克、远志 15 克,水煎服,适用于治疗神经衰弱、心烦失眠等症。

➡推荐药膳

◆**百合粳米粥**　百合 50 克切小块、粳米 100 克放入沙锅内,加适量水煮粥至熟,加入白糖即成。此款取其清心安神之功效,适用于贫血、神经衰弱、肺结核、更年期综合征等症。健康人可常服。

◆**百合银耳红枣莲子羹**　百合 50 克、银耳 25 克泡发、莲子 50 克去心、红枣 10 枚,先在沙锅内将莲子煮软,再放入银耳、百合、红枣煮至莲子软烂、银耳发黏,加入冰糖适量即成。此款取其清心、安神、润肺、补血之功效,适用于神经衰弱、贫血、肺结核、肺气肿等症。健康人可常服。

◆**百合芹菜**　芹菜嫩茎 200 克切寸段,用开水烫一下捞出,鲜百合 50 克掰开瓣,炝锅后下芹菜、百合翻炒片刻,加适量盐、味精即成。此款取其清肺胃郁热、通利血脉、止咳安神之功效,适用于贫血、久咳、心烦、口渴、头晕等症。健康人可常服。

❖ 灵 芝 ❖

➡药草成分

灵芝为多孔科植物紫芝或赤芝的全株。灵芝含有麦角固醇、有机酸、氨基酸、葡萄糖、多糖类、树脂、甘露醇、生物碱、内酯、香豆精、水溶性蛋白质和多种酶类。

➡药草功效

灵芝性味甘,平,具有治虚劳、咳嗽、气喘、失眠、消化不良等功效,中医常用来补肺肾、止咳喘、补肝肾、安心神、健脾胃、坚筋骨。

现代医学研究,灵芝对神经系统有镇静、镇痛作用;对心血管系统有强心、降压、增加冠状动脉血流量、降血脂、降血糖、降低心肌耗氧量等作用;能降低转氨酶、保护肝脏;有镇咳、祛痰、平喘作用;可以调整免疫系统,增强人体抗病抗衰老能力。

适用灵芝来治疗的病症有神经衰弱、精神疲劳、失眠、耳鸣、慢性支气管炎、哮喘、肺气肿、高血压、冠心病、心律失常、高胆固醇、肝炎、脾胃虚弱、糖尿病、腰膝酸软、白细胞减少等。

➡治疗建议

◆灵芝 2.5 克,切碎,白酒浸泡服用,可治积年胃病。

◆灵芝、丹参各 30 克,三七 15 克,研细末,每日 2 次,每次 3 克吞服,适用于治疗冠心病、心绞痛。

◆灵芝 10 克,当归、枸杞子、党参各 15 克,水煎,早晚分服,适用于治疲乏无力、慢性肝炎。

◆灵芝 15 克、黄芪 18 克、猪蹄一只取筋共煮,可治白细胞减少症。

◆灵芝 15 克、山药 30 克,水煎服,可治糖尿病。

◆灵芝 30 克浸于 500 毫升黄酒内,一星期后每日 2 次,每次 1 杯服用,可治神经衰弱。

➡推荐药膳

◆**灵芝猪心**　灵芝 15 克浸软切片,猪心 500 克纵向剖开,放入沙锅中,加葱、姜、花椒、适量水,烧开后用文火炖至猪心六成熟,捞出猪心和灵芝。沙锅中加入卤汁,放入猪心,文火炖至猪心熟烂,捞出切片。将猪心片、灵芝片码入盘中,适量卤汁加味精、白糖、盐,收成浓汁浇在盘中,淋香油即成。此款取其养心安神之功效,适用于贫血、神思恍惚、失眠、多梦、健忘、心悸等症。健康人可常服。

◆**灵芝兔肉**　灵芝 30 克浸软切片,与去骨兔一只,葱、姜、花椒、盐、料酒各适量一同放入沙锅内,烧开后用文火炖至兔肉熟。将兔肉、灵芝捞出,兔肉在卤汁中再卤制 1 小时捞出切条,与灵芝片一同码入盘中,加香油、味精即成。此款取其养心、安神、健脾、益气之功效,适用于贫血、神经衰弱、神经官能症等。健康人可常服。

❖ 女贞子 ❖

➡药草成分

女贞子为木犀科植物女贞的果实。女贞子含有齐墩果酸、甘露醇、葡萄糖、棕榈酸、硬脂酸、油酸、亚油酸及多种微量元素等成分。

➡药草功效

女贞子性味苦,甘,平,具有补肝肾、安五脏、强腰膝、乌须发功效,适用于治疗阴虚内热、头晕、眼花、耳鸣、腰膝酸软、须发早白、肾亏遗精、肝肾精血不足、神经衰弱、失眠心悸等症。

现代医学研究证实,女贞子可抑制肿瘤的生长,调节免疫功能,具有降转氨酶、保肝、抗炎、扩张冠状动脉、抗心律失常等作用。

➡治疗建议

◆女贞子、何首乌各 15 克,旱莲草 9 克,黑豆 30 克,水煎服,可治头晕目昏、须发早白等症。

◆女贞子、桑椹子各 15 克,杭菊花 6 克,枸杞子 9 克,水煎服,可治失眠心悸、头晕耳鸣等症。

◆女贞子 1000 克,浸于 1000 克黄酒中,每日酌量饮用,可治神经衰弱。

◆女贞子 15 克、地骨皮 10 克、青蒿 8 克、夏枯草 12 克,水煎一日内分三次服,可治结核性潮热。

➡特别提醒

◆胃脘冷痛、腹泻者忌用。

➡推荐药膳

◆**贞杞猪肝** 女贞子、枸杞子各 30 克,葱姜适量,在沙锅内用文火煎煮 30 分钟,猪肝 250 克用竹签穿刺多处,放入沙锅中煮 30 分钟,取出切片装盘,蒜末、酱油、醋、香油调汁淋其上即成。此款取其滋补肝肾之功效,适用于头晕目昏、失眠心悸、遗精、腰膝酸软等症。健康人可常服。

◆**贞杞虫草鸡** 女贞子、黄芪各 30 克,冬虫夏草 3～5 枚,装入药袋中,鸭子一只放入沙锅中,加入药袋,葱、姜、料酒、盐、水适量,烧开后用文火炖至鸭肉熟烂,拣去药袋、葱、姜,加入胡椒粉、味精即成。此款取其益气养血、滋阴补阳之功效,适用于气血阴阳俱虚之久病、危重病人。健康人可常食用,防癌强身。

❖ 补骨脂 ❖

➡️药草成分

补骨脂为豆科植物补骨脂的果实。补骨脂含有挥发油、脂肪油、树脂、香豆素、生物碱、糖原质、补骨脂素、皂甙等成分。

➡️药草功效

补骨脂性味辛,温,具有补肾壮阳、固精、暖脾胃、止泻等功效,适用于肾阳虚引起的阳痿、遗精、腰膝酸软、遗尿、夜尿多、消化不良、慢性腹泻、虚寒咳嗽等症。

现代医学研究,补骨脂可使冠状动脉血流量、心血输出量增加;补骨脂有抗癌作用;补骨脂对因放射疗法引起的白细胞减少有升高白细胞作用。

➡治疗建议

◆补骨脂 12 克、吴茱萸 9 克、五味子 9 克、肉豆蔻 6 克、淮山药 15 克,水煎服,适用于治疗慢性肠炎、脾胃两虚引起的"五更泻"(拂晓时泻肚)等症。

◆补骨脂 12 克、核桃仁 15 克、杜仲 9 克、牛膝 9 克,水煎服,可治腰膝冷痛、产后腰痛。

◆补骨脂 50 克、白酒 300 毫升,浸泡一星期,每日涂患处一二次,可治白癜风、牛皮癣。

◆补骨脂在瓦上炒香熟,研为末,每日空腹用温酒调服 15 克,嚼核桃肉一只,可治妊娠腰痛。

◆补骨脂 12 克,益智仁、韭菜子各 9 克,菟丝子、芡实各 15 克,水煎服,适用于治疗阳痿、遗精、遗尿或夜尿多。

◆补骨脂 50 克,瓦上炒香熟,研为末,每次 5 克热水调服,可治小儿遗尿。

◆补骨脂 500 克去皮捣为细末,核桃仁 1000 克去皮研末,用蜂蜜将两者搅匀,置于瓷器中,每日晨以热开水调服 1匙,久服可益气延年、养心明目、强筋骨。

➡特别提醒

◆阴虚火旺、大便秘结、各种实热征患者忌服。

❖ 杜 仲 ❖

➡药草成分

杜仲为杜仲科植物杜仲的树皮。杜仲含有杜仲胶、糖甙、生

物碱、果胶、脂肪、树脂、有机酸、酮糖、醛糖、绿原酸、维生素 C
等成分。

➡ 药草功效

　　杜仲性味甘，微辛，温，具有补肝肾、强筋骨、健腰膝、安胎
气、降血压等功效，适用于肝肾虚弱引起的腰脊酸痛、腰膝酸软、
便频、阳痿、遗精、头晕、眼花、耳鸣、胎动不安及高血压等症。

　　现代医学研究，杜仲能增强免疫功能和肾上腺皮质功能；对
动脉粥样硬化有治疗作用；对痢疾杆菌、大肠杆菌、绿脓杆菌、肺
炎链球菌、葡萄球菌有抑制作用；有镇静、催眠作用。

➡ 治疗建议

　　◆杜仲 35 克切碎加入 500 毫升白酒内，3 日后过滤取药酒，
　　每次 5 毫升，一日三次水冲服，可治高血压。

　　◆杜仲、白术、当归、阿胶、党参各 10 克，水煎，一日分三次
　　服完，可治胎动不安，预防流产。

　　◆炒杜仲 35 克，切碎，浸于 500 毫升黄酒内，一星期后，每
　　日三次，每次2～3匙，可治劳累、久坐所致腰背酸痛。

　　◆炒杜仲 15 克、川木香 5 克、八角茴香 15 克，加水 200 毫
　　升、酒半盅煎服(渣可再煎)，可治腰痛。

　　◆炒杜仲 200 克，炒小茴香 100 克，炒车前子 25 克，炒山茱
　　萸肉 150 克，研为末，炼蜜丸，每天早晨取 25 克，白开水
　　送服，可治小便余沥、阴囊湿痒。

➡ 特别提醒

　　◆阴虚火旺、有内热者忌服。

— 567 —

➡推荐药膳

◆**杜仲猪腰** 炒杜仲 12 克放沙锅内,加水 100 毫升,煎至 50 毫升取药汁。猪腰子 250 克剔去臊腺筋膜,切腰花,加入药汁、料酒、盐、白糖、淀粉拌匀。油至八成热,投入葱、姜、蒜、花椒炒散,放入腰花翻炒至熟,加味精即成。此款取其滋补肝肾之功效,适用于腰膝酸软、失眠多梦、头晕、目眩、耳鸣、潮热、盗汗、遗精、闭经等症。健康人可常服。

◆**杜仲羊腰** 炒杜仲 15 克、五味子 6 克放沙锅中,加水 200 毫升,煎至 50 毫升取汁。羊腰子 500 克剔去臊腺筋膜,切腰花,加入药汁、淀粉、盐拌匀。油至八成热,放入腰花、烹料酒、酱油,加葱、姜、蒜,翻炒至熟,加入味精即成。此款取其补肾健腰膝之功效,适用于腰膝酸软、腰膝酸痛、阳痿、尿频等症。健康人可常服。

❖ 肉苁蓉 ❖

➡药草成分

肉苁蓉为列当科植物肉苁蓉或苁蓉、迷肉苁蓉等的肉质茎。肉苁蓉含有列当素、生物碱、醇素、糖分、脂肪油等成分。

➡药草功效

肉苁蓉性味甘,酸,咸,温,具有补肾、益精、润燥、滑肠的功效,适用于治疗阳痿、早泄、遗精、不孕、带下、血崩、腰膝冷痛、便秘、贫血、神经衰弱、遗尿等症。

现代医学研究,肉苁蓉有一定程度的抗衰老作用;能显著提高小肠推进度,缩短通便时间;其乙醇浸出液有降血压作用。

➡ 治疗建议

◆肉苁蓉、火麻仁、当归各 15 克,蜂蜜 30 克,水煎服,可治
便秘。

◆肉苁蓉 15 克、山萸肉 10 克、石菖蒲 6 克、茯苓 9 克、菟丝
子 9 克,加水 500 毫升,煎至 200 毫升,一日分三次温服,
可治性欲减退。

◆肉苁蓉、熟地、山萸肉、菟丝子、韭菜子、五味子、杜仲、淮
山药各 50 克,研细末,蜜炼为丸,每丸约 15 克,每日两
次,每次一丸,空腹,米汤送服,适用于治疗肾虚阳痿、早
泄、遗精等症。

◆肉苁蓉 15 克水煎服,适于老年体弱及病后体虚者常服。

➡ 特别提醒

◆阴虚火旺、性欲亢进者忌服;脾胃虚弱所致腹泻者忌服;
忌用铁器煎药。

➡ 推荐药膳

◆**苁蓉羊肉羹** 肉苁蓉 15 克切碎在沙锅中煎至肉苁蓉熟
烂后取汁,羊肉 150 克切碎放沙锅中,加药汁及适量水烧开,用
文火炖至羊肉熟烂,加葱、姜、盐适量,水淀粉勾芡即成。本款取
其温补肾阳之功效,适用于性机能减退、年老体弱、久病体虚之
人服用。健康人可常服。

◆**苁蓉鸡** 黑公鸡一只切块,沸水中氽去血水捞出,将鸡块
与肉苁蓉 30 克放在沙锅中,加白酒 50 克,葱、姜、水适量烧开,

用文火炖至鸡肉熟烂,拣去葱、姜,加胡椒粉、盐、味精即成。此款取其温补肾阳之功效,适用于性机能障碍、慢性前列腺炎、慢性肾炎、神经衰弱、老年体弱等。

◆**苁蓉煲羊腰** 羊腰子一对去臊腺筋膜,切片,肉苁蓉 30克装入纱布袋,两者放入沙锅中,加适量水煲汤至熟,拣去纱布袋,加入盐即成。此款取其补肾壮阳之功效,适用于性机能低下、慢性前列腺炎、前列腺肥大、神经衰弱、腰膝冷痛酸软等肾阳虚症。

❖ 巴戟天 ❖

➡ 药草成分

巴戟天为茜草科植物巴戟天的根。巴戟天含有植物固醇,根含蒽醌、黄酮类化合物、维生素 C、糖类、树脂等成分。

➡ 药草功效

巴戟天性味辛,甘,温,具有补肾阳、壮筋骨、安五脏、祛风湿功效,适用于治疗性欲减退、阳痿、腰膝酸软、遗精、早泄、腹部冷痛、风湿痛、月经不调等症。

现代医学研究,巴戟天有类皮质激素样作用及降低血压作用。

➡ 治疗建议

◆巴戟天、党参、淫羊藿、肉苁蓉、山药各 9 克,水煎服,可治阳痿、遗精、早泄等症。

◆巴戟天、桑寄生、木瓜、党参各9克,附子、续断各6克,水
煎服,可治腰膝酸软、风湿痛等症。

➡特别提醒

◆性欲旺盛、阴虚火旺、脑充血等人忌用。

❖ 淫羊藿 ❖

➡药草成分

淫羊藿为小檗科植物淫羊藿、心叶淫羊藿或箭叶淫羊藿的
茎叶。淫羊藿含有淫羊藿甙、挥发油、蜡醇、植物固醇、鞣质、棕
榈酸、硬脂酸、油酸、亚油酸、脂肪等成分。

➡药草功效

淫羊藿性味辛,甘,温,具有补肾壮阳、强筋壮骨、益气强心、
祛风除湿的功效,适用于治疗阳痿、遗精、早泄、性机能衰退、月
经不调、更年期综合征、高血压、风湿痛、半身不遂、四肢麻木、膝
软无力等症。

现代医学研究认为,淫羊藿有促进精液分泌的作用;有持久
的降血压作用;有抗肺炎链球菌、结核杆菌、金黄色葡萄球菌的
作用。

➡治疗建议

◆淫羊藿25克,浸于500毫升黄酒中。两个星期后,每晚
服15毫升,适用于补肾壮阳、强健筋骨。

◆淫羊藿、川芎、苍耳子、肉桂、威灵仙各 50 克研末,温酒调服,每日三次,每次 5 克,可治风湿痛、四肢麻木、腿软无力等症。

◆淫羊藿、熟地、肉苁蓉各 10 克,水煎服,可治阳痿,兴奋性神经。

◆淫羊藿 100 克、肉苁蓉 50 克研末,黄酒 1000 毫升浸泡一星期,密封,每日摇晃几下,每日饮三次,每次 15 毫升,适用于性机能减退、慢性前列腺炎、神经衰弱、老年体弱等症。

❖ 菟丝子 ❖

➡药草成分

菟丝子为旋花科植物菟丝子或大菟丝子的种子。菟丝子含有树脂甙、糖类、维生素 A、淀粉、β–谷固醇、三萜酸类物质等成分。

➡药草功效

菟丝子性味辛,甘,平,具有补肝肾、益精髓、明目的功效,适用于治疗腰膝酸痛、遗精、消渴、尿有余沥、目暗等症。

现代医学研究证实菟丝子有增强心脏的收缩力、降低血压、恢复肾功能、抑制病菌等作用。

➡治疗建议

◆菟丝子 15 克研碎包入纱布袋中用开水冲泡,代茶饮,可补肾益精,适用于糖尿病、高血压、年老体弱之人常饮。

◆菟丝子30克研碎浸于400毫升白酒中,2～3天后可饮,每日2次,每次60毫升,可补肾壮阳,适用于腰膝酸痛、畏寒、尿频、遗尿、遗精、阳痿等症。

◆菟丝子、五味子各50克,生干地黄150克,研为细末,饭前用米汤调服10克,可治阴虚阳盛、四肢发热。

◆菟丝子150克、茯苓100克、石莲肉60克共研为末,加酒调为小丸,每日服30～50克,30天为一疗程,能健脾益肾固涩,治疗肾脾两虚、小便频数。

➡特别提醒

◆肾脏有火、大便燥结、阴虚火动、阳强、孕妇、血崩,忌用。

➡推荐药膳

◆复元汤　羊脊骨一副剁成数节,羊瘦肉500克切条块氽去血水。淮山药50克、肉苁蓉20克、菟丝子10克、核桃仁2个装入纱布袋。将粳米100克、羊骨、羊肉、药袋放入沙锅中,加清水适量煮沸,去浮沫,加入花椒、大料、料酒,文火煮至肉熟烂,加胡椒粉、盐调味即成。此款取其温补肾阴之功效,适用于肾阳不足、肾精亏损所致耳鸣眼花、腰膝无力、阳痿早泄等症。

❖ 山萸肉 ❖

➡药草成分

山萸肉即山茱萸,为山茱萸科植物山茱萸的果肉。山萸肉含有山茱萸甙、皂甙、鞣质、熊果酸、没食子酸、苹果酸、酒石酸、维生素 A、糖分、树脂等成分。

➡ 药草功效

　　山茱肉性味酸,微温,具有补肝肾、涩精气、固虚脱功效,适用于贫血、神经衰弱、心脏衰弱、脉弱无力、头晕耳鸣、阳痿、遗精、早泄、腰膝酸软、小便频数、月经过多等症。

　　现代医学研究,山茱肉对痢疾杆菌、金黄色葡萄球菌、皮肤真菌有抑制作用;有利尿、降压作用;对于因化疗及放疗所致的白细胞下降,有使其升高的作用。

➡ 治疗建议

　　◆山茱肉、五味子、益智仁、金樱子各 9 克,水煎服,可治遗
　　　精、早泄、遗尿、夜尿多等症。
　　◆山茱肉、牛膝各 50 克,肉桂 15 克,捣细末,每日饭前,用
　　　温酒调服 10 克,适用于治疗腰膝酸痛、腰膝无力。
　　◆山茱肉 15 克、浮小麦 30 克,水煎服,可治阴虚盗汗。
　　◆山茱肉、熟地、山药、茯苓各 15 克,水煎服,可治头晕耳
　　　鸣、腰膝酸软、身体虚弱等症。
　　◆山茱肉 100 克,益智仁 50 克,人参、白术各 40 克,分十
　　　剂,水煎服,可治老人遗尿。

➡ 特别提醒

　　◆内热火旺、小便不利,忌用;治遗精、早泄,山茱肉必须去
　　　核使用。

❖　五味子　❖

➡药草成分

　　五味子是木兰科植物五味子的成熟果实。五味子含有挥发油、氨基酸、单糖类、柠檬酸、苹果酸、酒石酸、五味子酚、五味子素、树脂、脂肪、维生素 E、维生素 C、铜、铁、镍、锰、磷、钙等成分。

➡药草功效

　　五味子性味酸，温，具有敛肺、滋肾、养心、养肝、生津、收汗、涩精等功效，适用于神经衰弱、失眠、健忘、心悸、糖尿病、慢性肝炎、胃酸缺乏、肺虚咳喘、口干、自汗、盗汗、劳伤羸弱、梦遗滑精、久泻久痢等症。

　　现代医学认为五味子乙醇提取物对中枢神经具有兴奋与抑制的双向调节作用，并有降低血压、改善血液循环、保护心肌功能的作用；五味子酚的抗氧化性可消除自由基对身体的损伤，有抗衰老作用；五味子中的木脂素能促进肝糖元生成，减轻肝细胞损伤，抗病毒，保肝脏。五味子有提高免疫功能、抑制癌细胞生长作用，是抗癌防衰佳品。

➡治疗建议

　　◆五味子蒸烂，研磨滤汁去子，熬成稀膏，酌量加入蜂蜜再熬至蜜熟，冷却后贮入瓶中，可时时服用，治肺虚寒咳嗽。
　　◆人参 25 克，五味子、麦门冬各 15 克，水煎服，可治热伤元气、肢体倦怠、口干、汗出不止。

◆五味子 30 克、山萸肉 12 克同炒熟,研末,每服取其 6 克,米汤送服,可治肾泄。

◆五味子 10 克、生地 15 克,水煎服,可用于滋补。

◆五味子 500 克,浸泡后取核,将核入沙锅内加水煎,过滤取汁,汁中加蜂蜜 1000 克,慢火熬成膏,贮瓶中备用。每日空腹服 2 匙,开水送下,可治梦遗虚脱。

◆五味子、枸杞子各 6 克捣碎,加适量的糖,用沸水冲泡代茶饮,可养阴生津,适用于津液亏虚症。

◆五味子 60 克,浸入 1000 克黄酒中,七日后服用,每服 1 匙,可用于滋补。

◆五味子 150 克,炒熟研末,浸入 500 克白酒中,紧塞瓶盖,每日摇荡一两次。30 日后过滤去渣,其澄清液色如葡萄酒,每日早晚各服 1 匙,可用于滋补。

➡ 特别提醒

◆肺有实热、肝火较盛者,或伤风感冒、发热、麻疹初起,忌用五味子。

➡ 推荐药膳

◆**五味子里脊丝** 五味子 6 克烘干研粉;猪里脊 250 克切丝,放入油锅中炸散后捞出。油锅中倒入炸好的里脊丝,投入葱、姜、蒜、酱油、黄酒、白糖、五味子末煸炒,撒盐,用淀粉勾芡即成。此款取其益气生津之功效,适用于热病后期、糖尿病后期病人。健康人常服亦有强身健体功效。

❖ 附 子 ❖

➡️药草成分

附子为毛茛科植物乌头的旁生块根(子根),附子含有次乌头碱、乌头碱、新乌头碱、塔拉胺等成分。

➡️药草功效

附子性味辛,甘,大热,有毒(生附子毒性强,只做外用;经过炮制的附子已基本无毒),具有壮阳、温中、散热、止痛、回阳救逆、温脾胃、祛风湿等功效,适用于脉搏微弱、手足冰冷、畏寒怕冷、冷汗淋漓、心脏衰弱、急性虚脱、大吐大泻、脾胃寒痛、腰膝冷痛、风湿痛、阳痿、尿频等症。对老年人来说,附子是很好的冬令补品。

现代医学研究认为附子有强心、扩张血管作用;还有镇静、镇痛、抗炎等作用。

➡️治疗建议

◆猪肾一只去筋膜,夹入附子末 3 克,外用纱布包起煨熟。隔日一服,空腹食用,7 次为一疗程,可治肾阴虚衰引起遗精及腹痛、便溏等症。

◆附子 15 克、人参 9 克,水煎服,可治疗脉微细弱、四肢厥冷、虚脱等症。

➡️特别提醒

◆孕妇、阴虚火旺者忌服,附子有毒入药必须先煎半小时至一小时方可。

➡**推荐药膳**

◆**附子炖羊肉** 制附子 60 克与花椒、桂皮、八角装入调味袋中。羊肉 2000 克切块,放在沙锅中,加适量水烧沸后去浮沫,加入调料袋、生姜,小火炖至羊肉熟烂拣去药袋,加盐、味精即成。此款取其温中散寒、补中益气之功效,有治虚劳寒冷、腰膝虚弱、腰膝冷痛、风湿痛作用。尤适用于年老体衰之人,有病可祛病,无病可保健。

◆**附子炖狗肉** 制附子 15 克、菟丝子 10 克装入纱布袋中。狗肉 250 克切大块在沸水中汆出血水捞出切小块。狗肉、姜片在锅中煸炒,烹入料酒,再倒入沙锅中,加药袋、葱、姜、盐、清汤适量烧沸,用文火炖至狗肉熟烂,拣出药袋、葱、姜,加味精即成。此款取其温补肾阳之功效,适用于治疗阳痿、遗精、夜尿频数、腰膝酸软、精神倦怠、畏寒等症。

◆**附子粳米粥** 制附子 9 克、半夏 9 克、甘草 3 克,加水 300 毫升,煎 20 分钟,取汁,再煎取汁,两次药汁合为一处。粳米 200 克放入沙锅内,加入大枣 10 枚,药汁、水适量,熬至粥熟即成。此款取其温中补气、健脾胃之功效,适用于胃脘冷痛、胸闷呕逆等症。

◆**附子炖鸡** 制附子 30 克装入纱布袋中,母鸡一只放入沙锅中,加适量水烧沸去浮沫,加入药袋、葱、姜、胡椒粉、料酒、盐,用文火炖至鸡肉熟烂,拣去药袋、葱、姜,加入味精即成。此款取其温补肾阳之功效,适用于阳痿、宫寒不孕、神疲怕冷等症。

❖ 续　断 ❖

➡药草成分

续断为川续断科植物川续断或续断的根。川续断含有生物碱、挥发油成分;续断含有续断碱及挥发油成分,还含有维生素。

➡药草功效

续断性味苦,辛,微温,具有补肝肾、续筋骨、调血脉、利关节、安胎气、止崩漏等功能,适用于治疗肝肾不足所致的肾亏腰痛、腰膝酸痛、遗精、四肢无力、伤筋断骨、风湿痛、关节痛、妊娠下血、胎动不安、崩漏带下、痔瘘、痈疽疮肿等症。

现代医学研究证实,续断对痈疡有排脓、止血、镇痛、促进组织再生等作用。

➡治疗建议

◆续断 100 克,补骨脂、牛膝、木瓜、杜仲、萆薢各 50 克,研为细末,用蜂蜜调和制丸状,每次空腹服约 25 克,适用于治疗肾亏腰痛、腰膝酸软等症。

◆续断、牛膝研为细末,每次取 10 克于饭前服下,可治老人风冷、转筋骨痛。

◆川续断 100 克、桑寄生 100 克、菟丝子 200 克研细末,水化阿胶 100 克和为丸,每次开水送服 10 克,可治滑胎。

◆川续断(酒浸、炒)40 克、蒲公英(炒)40 克,研为末,每天早晚各取 15 克白开水调服,可治乳腺炎。

◆川续断 25 克、骨碎补 15 克、红花 9 克、土元 9 克，水煎汁，加白酒 30 毫升，渴服，可治跌打损伤、筋骨折伤。

➡推荐药膳

◆**续断猪尾** 续断 25 克、杜仲 30 克、猪尾 1～2 条，放沙锅中加适量水炖至猪尾熟烂，加盐、味精适量即成。此款取其补肝肾、强筋骨之功效，适用于肾虚腰痛、阳痿、遗精、陈旧性腰部损伤、腰脚痛等症。

◆**续断猪腰** 续断 25 克，与葱、姜、花椒装入调料袋中，猪腰子一只去臊腺筋膜，切粗条放沙锅中加适量水烧沸，用文火煮至腰子熟，拣去调料袋，加入酱油、盐、味精、香油即成。此款取其通利血脉、利肝肾之功效，可治水肿。

❖ 茯 苓 ❖

➡药草成分

茯苓为多孔科植物茯苓的干燥菌核。茯苓含有 β－茯苓聚糖、乙酰茯苓酸、茯苓酸、树胶、甲壳质、蛋白质、脂肪、固醇、卵磷脂、葡萄糖、腺嘌呤、组氨酸、胆碱、β－茯苓聚糖分解酶、脂肪酶、蛋白酶等成分。

➡药草功效

茯苓性味甘、淡，平，具有渗湿利水、益脾和胃、宁心安神功效，适用于治疗小便不利、水肿胀满、痰饮咳逆、呕吐、腹泻、遗精、早泄、心悸、失眠、健忘、多梦等症。

现代医学研究,β－茯苓聚糖具有增强人体免疫功能的作用,经常服用可增强人体抗病、抗癌能力。

➡治疗建议

◆茯苓 30 克切碎,浸入 500 毫升黄酒中,七日后每天早晚各服 1～2 匙,可补虚弱、健脾胃、助消化、安心神。

◆茯苓皮 30 克、椒目 9 克,水煎服,可治水肿、小便不利等症。

◆茯苓 15 克、白术 10 克、郁李仁 7 克,加生姜煎服,可治水肿。

◆茯苓(去皮)38 克、白术 50 克,切细水煎,分两天饭前服,可治湿泻。

◆白茯苓末 10 克,米汤调服,可治心悸、遗精、白带浑浊。

◆白茯苓 25 克、白术 50 克捣碎,浸入 250 毫升黄酒中,浸 1～2 星期后,每日饮 3 次,每次 10～15 毫升,可治慢性胃肠炎、慢性肝炎、慢性肾炎等症。

➡特别提醒

◆津液缺乏、滑精、小便过多者,忌用。

➡推荐药膳

◆**茯苓桂圆粥**　茯苓 30 克、桂圆肉 100 克、粳米 100 克放入沙锅中,加适量水,文火熬至粥熟,加入白糖即成。此款取其养心安神之功效,适用于贫血、神经衰弱等症。健康人可常用。

◆**茯苓牛奶**　将茯苓粉 10 克用水冲化,再用热牛奶冲饮,每日晨一杯。此款取其安心神、补脾胃之功效,适用于消化不良、贫血、神经衰弱患者饮用。健康人可常用。

◆**参苓粥** 人参、茯苓各 10 克,在沙锅内加 500 毫升水,煎 20 分钟取汁,再加水 300 毫升煎 20 分钟取汁,两次药汁合为一处,放沙锅内,加粳米 100 克,煮至粥熟即可。此款取其健脾益气之功效,适用于贫血、营养不良、体虚等症。健康人可常服。

◆**茯苓包子** 茯苓 30 克切块放入沙锅中,每次加水 250 毫升,每次煮沸 60 分钟,将三次药汁合为一处。面粉 1000 克,加发面 300 克及温热茯苓水 500 毫升,使成发酵面团。猪肉 500 克剁茸,加酱油、姜末、胡椒、香油、料酒、盐、葱末、骨头汤适量搅拌成馅。包出包子蒸熟即成。此款取其养心安神、健脾开胃、除湿化痰、利水肿之功效,适用于脾胃虚弱、小便不利、心悸失眠、痰饮咳逆等症。

❖ 薏 米 ❖

➡**药草成分**

薏米为禾本科植物薏苡的种仁。薏米含有蛋白质、脂肪、碳水化合物、维生素 B_1、亮氨酸、赖氨酸、精氨酸、酪氨酸、薏苡素、薏苡酯、三萜化合物等成分。

➡**药草功效**

薏米性味甘,淡,凉,具有健脾、补肺、清热、利湿功效,适用于治疗心源性浮肿、脚气病、脾胃虚弱、肺热咳嗽、慢性肠炎、肺结核、小便不利、肺脓疡、阑尾炎、风湿痛、关节炎等症。

现代医学研究,薏米中所含薏苡酯对癌细胞有抑制作用;薏米仁油能兴奋呼吸,减少肌肉及末梢神经的挛缩及麻痹;薏米还具有解热、镇痛、降血糖、抗衰老作用。

➡ 治疗建议

◆薏米 500 克,桑寄生、当归身、川续断、苍术(米泔水浸炒)各 200 克,分作 16 份,水煎服,可治风湿痛、肢体麻痹、腰脊软痛等症。

◆薏米装纱布袋,放沙锅中与黄酒同煮,饮酒适量,可治风湿痛、健脾胃、强筋骨。

◆薏米 500 克杵碎,放沙锅中,加水 1500 毫升,煎至 500 毫升,取适量每日服,可治肺结核、咳脓血。

◆薏米 30 克,与百合、川贝、白芨各 15 克水煎服,可治肺结核。

◆薏米 30 克、玉米须 30 克、白茅根 15 克水煎,去渣加红糖食用,可治全身浮肿、尿少色黄、口苦口黏、心烦口渴、大便不爽等症。

➡ 特别提醒

◆大便燥结、滑精、津液不足、小便多等症忌用;孕妇忌用。

➡ 推荐药膳

◆薏米冬瓜鸭　鸭子一只剁块,在沸水中汆 5 分钟捞出。沙锅中加入鸭块、薏米(30 克)、适量水、葱、姜、料酒、盐,烧沸后用文火炖至鸭肉熟烂,放入冬瓜块(500 克)烧开,文火炖 5 分钟,拣去葱、姜,放入香菜、香油、味精即成。此款取其健脾利湿之功效,适用于胃及十二指肠溃疡、慢性胃肠炎、胃癌、肝癌、肝硬化腹水等症。健康人可常用。

◆**薏米炖鸡**　将上款中鸭换成鸡,去冬瓜,做法同上,功效同上。

◆**薏米山药粥**　山药 60 克、薏米 60 克捣成粗粒,沙锅内加水适量煮至软烂,加入切碎柿霜饼 24 克,搅匀即成。此款取其滋养脾肺、止咳祛痰之功效,适用于脾肺阴亏、饮食懒进、虚劳咳嗽及一切阴虚之症。健康人可常用。

◆薏米 20 克与玉米、花生、豆类煮粥,可用于滋补强身。

◆薏米 30 克与赤小豆、冬瓜煮粥,可治水肿。

◆薏米 30 克、桃仁 20 克、粳米 100 克在沙锅中煮粥,可清热、利湿、活血。

◆薏米、粟米、菱粉各 60 克,在沙锅中先将薏米煮至软烂,加粟米、菱粉再煮至熟,可健脾、利湿。

附录
合理饮食建议

生物体为了维持正常生命活动及保证生长、生殖和代谢所需的外源性物质称为营养要素,由水、矿物质、碳水化合物(糖)、脂肪、蛋白质和维生素等六大类所组成。其中水、矿物盐为无机物,脂肪、蛋白质及维生素则为有机物。矿物盐中除含量较多的常量元素以外,部分含量很少,但却参与机体许多生命活动者称为微量元素。

为了让大家全面了解食物中的营养成分,我们除简单介绍以外,还列表加以说明。

碳水化合物为组成能量消耗的重要部分。大约 60% 可吸收的碳水化合物是以植物淀粉即多糖形式存在,其他则以蔗糖、乳糖、果糖等存在于水果、乳类等物质中。食物中碳水化合物来源、性质以及结构特点见表 1 所示。

表1　食物中碳水化合物类型、来源

碳水化合物	来　　　源
D–葡萄糖	水果;大多数植物食物中含少量;械糖
D–果糖	水果;大多数植物食物中含少量;蜂糖;械糖
D–半乳糖	乳糖成分;消化过程中可产生
蔗糖	甘蔗;甜菜;水果;械糖
乳糖	牛奶;奶制品(奶糖)
麦芽糖	发芽谷粒;淀粉消化过程中可产生
支链淀粉	淀粉植物;谷类;烹调时勾芡物
糖元(动物淀粉)	肝;肉类
果胶	水果

说明:D–葡萄糖等,食物中碳水化合物经过消化腺分泌出各种酶的
　　　消化物后,转化成为单糖、D–葡萄糖、D–果糖、D–半乳糖。

脂肪由碳和氢组成,富含能量,普通饮食中脂肪含量如表2所示。

表2　常见食物的脂肪含量与组成

食物	脂肪总量 (克/100克)	胆固醇 (毫克/100克)	脂肪酸百分比		
			饱和脂肪酸	油酸	亚油酸
全　奶	3.5	12	59	25	3
鸡　蛋	11	548	29	37	11
瘦牛肉	22	70	50	41	3
瘦猪肉	14	85	37	42	9～14
鸡腿肉	3.5	74	27	47	22
鲑　鱼	14	35	18	16	2
全　麦	2.0	0	21	14	55
玉　米	3.8	0	15	44	43
大　豆	18	0	13	22	54
花生油	48	0	14	48	28

与动物脂肪相比,植物脂肪中含有较多非饱和脂肪酸,且脂肪酸链相对较短,因此熔点较低。每克脂肪氧化后可产生9千卡的热量。

蛋白质为组成机体的主要成分。各种不同蛋白质含有不同氨基酸成分。见表3所示。

表3 食物中氨基酸的组成

富蛋白食物	含蛋白百分数	赖氨酸	含硫氨基酸	苏氨酸	色氨酸	亮氨酸
理想值		5.5	3.5	4.0	1.0	7.0
鸡 蛋	(12.8%)	6.4	5.5	5.0	1.6	8.8
牛 奶	(3.5%)	7.8	3.3	4.6	1.4	9.8
牛 肉		8.7	3.8	4.4	1.2	8.2
鸡 肉	(20.6%)	8.8	4.0	4.3	1.2	7.2
大 豆	(34.6%)	6.9	3.4	4.3	1.5	8.4
黑 豆	(23.6%)	6.9	2.6	3.4	1.0	8.7
扁 豆	(25.0%)	6.1	1.5	3.6	0.9	7.0
玉 米	(9.2%)	2.9	3.2	4.0	0.6	3.0
燕 麦	(14.2%)	3.7	3.6	3.3	1.3	7.5
胶 原		3.4	0.9	1.8	0	3.0

食物蛋白中凡其氨基酸组成成分与人体结构越接近者营养价值越高,也最容易被利用及贮存。由表3可见鸡蛋、牛奶、牛肉、鸡肉等所含蛋白虽不是最高,但与理想氨基酸组成甚为相似,因此营养价值颇高;黑豆虽然含有23.6%蛋白,但缺乏部分含硫氨基酸,因此,营养价值下降。其他如扁豆类、玉米、燕麦以

及胶元等均为营养价值不高的蛋白质。

蛋白质是提供氮质的主要来源，它是组成身体任何细胞的必要成分。摄入蛋白质主要用于合成机体蛋白质以维持代谢所消耗的蛋白，许多被合成为各种激素或神经传导物质等等。

以下将介绍成人每日所需总热量及蛋白质、脂肪、糖所占的比例。

❖　基本饮食原则　❖

为了能够掌握每日膳食的合理分配，我们给大家介绍中国营养学会推荐的营养素比例(见表 4)，应建立定时、定质、定量的膳食制度，纠正暴饮暴食、偏食、滥用滋补食品或强化营养食品等不良习惯。

一般情况下，在六个月内无特殊原因体重下降 10% 以上常需进一步检查以明确有无病因存在，但有时即使在六个月内体重下降仅 6% 也可能是严重躯体疾病的征象。

下面说一说应注意的关于营养代谢障碍的临床情况，如食欲不振、消瘦，大多提示有热量及蛋白不足；味觉异常可提示锌缺乏；肤色苍白、滤泡过度角化、扁平性皮炎、瘙痒、色素改变以及阴囊性皮炎等分别可提示叶酸、铁、维生素 B_{12}、维生素 A、维生素 C、维生素 B_2 以及烟酸等代谢障碍；脱发、毛发稀疏等在蛋白缺乏症中常见；夜盲、畏光则提示有维生素 A、维生素 B_2 障碍；口腔检查中舌炎常表示维生素 B_2 缺乏；齿龈出血在除外牙周病外应注意有维生素 C 缺乏；颈部结节性甲状腺肿为缺碘；腹部无力扩张伴肝脏肿大为蛋白及热量不足；铁缺乏常可见匙状甲；手足搐搦、反射消失等多提示有钙、镁以及 B 族维生素障碍等。

表4　推荐的每日膳食中营养素供给量

类　别		能量(千卡或兆焦耳)		蛋白质(克)		脂肪能量占总摄入量的比率(%)
		男	女	男	女	
18岁以上	极轻劳动	2400(10.0)	2100(8.8)	70	65	20~25
	轻劳动	2600(10.9)	2300(9.6)	80	70	
	中劳动	3000(12.6)	2700(11.3)	90	80	
	重劳动	3400(14.2)	3000(12.6)	100	90	
	极重劳动	4000(16.7)	—	110	—	
孕妇(第4~6个月)			+200(+0.8)		+15	
孕妇(第7~9个月)			+200(+0.8)		+25	
乳母			+800(+3.3)		+25	
45岁以上	极轻劳动	2200(9.2)	1900(8.0)	70	65	20~25
	轻劳动	2400(10.0)	2100(8.8)	75	70	
	中劳动	2700(11.2)	2400(10.0)	80	75	
	重劳动	3000(12.0)		90		
60岁以上	极轻劳动	2000(8.4)	1700(7.4)	70	60	
	轻劳动	2200(9.2)	1900(8.0)	75	65	
	中劳动	2500(10.5)	2100(8.8)	80	70	
70岁以上	极轻劳动	1800(7.5)	1600(6.7)	65	55	
	轻劳动	2000(8.4)	1800(7.5)	70	60	
80岁以上		1600(6.7)	1400(5.9)	60	55	

说明:体重参考值为63千克或53千克。

资料来源:中国营养学会1988年10月修订。

为了身体的健康,我们应了解成人各种体力劳动应供给的热量及其所包含的蛋白、脂肪、糖的量,这无疑有利于掌握具体怎样去实施。那么,正常人与不同疾病的患者饮食有哪些区别呢?下面做一介绍:

首先应当知道无论什么疾病,饮食在治疗上都具有一定的功效,但不能认为服用营养补品可以代替均衡的饮食。

在掌握如上饮食原则的同时,还应注意如下几点方可称为健康饮食:

◆食用各种不同的食物。

◆增加水果蔬菜,尤其是新鲜、未经烹调的水果蔬菜,建议可以自制各类生菜汁饮用。

◆每日摄取的脂肪量不超过总热量的 25%。

◆肉类每日摄取量一般在:〔身高(厘米) – 105(常数)〕× 1 (克),即可。

◆建议主食不易进食太多,每餐应有 2 ~ 3 样新鲜蔬菜凉调或爆炒。

◆使用盐类要有节制,尽可能于食物中少加盐,尽可能选择低盐食物。

◆避免长期食用精制糖,少食甜的含糖量大的食品。

◆尽量避免食用腌、熏、烤的食品。

◆有饮酒习惯者,每天应少于 50 克(白酒)。

◆进餐时应心情愉快,细嚼慢咽不易过饱。

◆一般早餐应吃好,中餐应吃饱,晚餐应吃少,同时建议餐后活动半小时。

◆建议每周吃两次鱼,动物内脏尽可能少吃,多食海类食品。

◆其他食物尽量摄取,以达到或维持理想的体重。

❖ 素食疗法原则 ❖

其依据基本饮食疗法原则,只是除去动物性食物,例如猪肉、牛肉、羊肉、鱼类、贝类,但可以食用牛奶、鸡蛋及其相应的各类食品。可随各自的口味多食各类蔬菜,同时也应遵循基本饮食原则(除肉类以外)。

❖ 低脂肪饮食 ❖

◆基本掌握脂肪所提供的热量占总热量的 20%~25%即可,甚至更低。

◆在食用较低标准脂肪时,尽可能减少富含饱和脂肪酸类物品,因其长时间及超量食用可造成某些疾病,这些食品有各种肉类、脂肪及其油汁、乳脂、奶油、乳酪、油酥、全脂牛奶、人造乳脂等。但鱼油例外,因为鱼含不饱和脂肪酸较多,有利于降低血清胆固醇。胆固醇应每日低于 300 毫克,尽量少用脏肝、肾、鱼子、蛋黄等胆固醇含量多的食物。

◆尽可能避免一次食用大量富含脂肪食品(尽管没有超出一日的总量),尤其是晚餐。

❖ 高纤维饮食 ❖

◆多食含纤维质高的物品,因其可预防憩室炎、大肠癌、痔疮,起到通便清火的作用,尤其老年人更宜多食用。

◆具体哪些物质含纤维多呢？水果、豆类、各种蔬菜,尤其是芹菜、韭菜、包心菜、茄子、马铃薯、南瓜,还有燕麦片、芝麻等。

◆建议肥胖者对高纤维饮食量可增加到目前状态的 2~3 倍,有助于体重的减轻。

❖ 无糖饮食 ❖

◆事实上无糖饮食是指在食物中去掉精制糖而言,一般的制作无法去掉所做食品及菜类所含的糖分。

◆避免食用含糖多的食物,如糖果、巧克力、各类甜糕点,含糖多的饮料、蜂蜜、砂糖等。

◆可以食用水果及牛奶。

❖ 高蛋白质和低蛋白质饮食 ❖

◆高蛋白质是指肉类、鱼类、蛋类,因其含人体所需的必需氨基酸多,所以称为高质量的蛋白质。一般而言,高蛋白饮食为每日供给 120 克的优质蛋白,具体的食物有各种肉类(猪、牛、羊、鱼、贝)、各种蛋类、乳酪,另外牛奶也属于此类。

◆低蛋白质一般指每日供给量小于 30 克,在食用的种类及量的问题上要加以注意。

— 593 —

❖ 低嘌呤饮食 ❖

◆避免进食高嘌呤饮食。含嘌呤最丰富的食品有动物内脏、骨髓、海味、蛤蟹等。含一定嘌呤量的物品有鱼虾类、肉类、豌豆、菠菜、菜花、粳米、大豆、芹菜、花生、栗子等,而水果、牛奶、鸡蛋则不含嘌呤。

◆易多饮水,以利尿酸排出。

◆避免饮酒、过度劳累等。

❖ 糖尿病饮食 ❖

◆对年长、体胖无糖尿病症状或轻微者,尤其是空腹及餐后胰岛素不低者适当节制饮食是主要疗法。

◆对重症或 I 型者除药物治疗外,更宜严格控制饮食。食物中蛋白质约占总热量的 15% ~ 20%,成人按每日每千克标准体重 0.8 ~ 1.2 克(平均 1.0 克)计算,孕妇、乳母、营养不良及有消耗性疾病者可加到 1.5 克左右。脂肪量可根据体重、血脂高低及饮食习惯而定,其占总热量的 30% ~ 35% 以下,约每日每千克标准体重 0.6 ~ 1.0 克。其余为糖类占总热量的 50% ~ 65%。

◆如有高脂血症,每日胆固醇摄入量应低于 300 毫克。

◆完全休息病人每天主食 200 ~ 250 克(米饭或面食),轻体力劳动者250 ~ 300 克,中体力劳动者 300 ~ 400 克,重体力劳动者 400 ~ 500 克以上。

◆**热量分配**:有几种方法,其一,1/5、2/5、2/5;其二,1/3、1/3、1/3;其三,四餐分配法,1/7、2/7、2/7、2/7,如用药后有饥饿感或濒于发生低血糖者可按病情稍进食或减少用量。

◆可按具体情况调节饮食量。肥胖者经限制进食量后体重渐下降,消瘦病人则根据体重等情况适当增加进食量。

下面举例说明糖尿病病人如何计算主食量。

首先算出标准体重:

标准体重(千克)=身高(厘米)-105

根据标准体重及工作性质估计每日所需总热量:休息者每日每千克体重给予热量25~30千卡,轻体力劳动者30~35千卡,中度体力劳动者35~40千卡,重度体力劳动者40千卡以上算出每日的总热量。

掌握1克糖、1克蛋白质放4千卡热,1克脂肪放9千卡热的原则。

例如一位身高165厘米,中度体力劳动,合并肺结核的糖尿病患者如何计算呢?

此患者标准体重为:165-105=60千克。

因合并有结核病又为中度体力劳动者,热量适当放宽,取40千卡每日每千克体重。所以,总热量为:60×40=2400千卡。

算蛋白、脂肪、糖的具体量,无太明确的情况一般给蛋白、脂肪均为每日每千克体重1克,其余为糖。

△蛋白质量60×1(克)=60克

其所含热量为:60×4千卡=240千卡

△60×1(克)=60克

其所含热量为:60×9=540千卡

△糖的含量:总热量减去蛋白及脂肪的热量

2400 - 540 - 240 = 1620 千卡

因为 1 克糖释放 4 千卡热,故:

1620 ÷ 4 = 405 克　405 克为主食的含糖量/日

△主食总量:

60 + 60 + 405 = 525 克

故此患者的主食为 525 克,根据前述的饮食分配法将主食分开食用即可。

糖尿病病人在选择脂肪类食物应尽量选用鱼、瘦肉、禽类等;植物油选用豆油、花生油、麻油、玉米油、葵花子油,每日约为 25 克。

在蛋白类食物基本掌握:鱼、虾、鸡、鸭等蛋白含量为12% ~ 24%,乳类为3% ~ 4%,植物食物中干大豆含量为35% ~ 40%,豆制品 10% ~ 20%,谷类7% ~ 10%;蔬菜、水果、蛋白质含量很少。

此外,我们主张糖尿病饮食中多食用天然纤维,也就是说多吃些粗粮、杂豆、海藻、青菜(芹菜、菠菜、豆芽)、水果等类食品。

❖　碱性饮食　❖

◆可以进行素食饮食法,其可以提供较多的碱性物质。

◆牛奶、糖蜜、水果(李子除外),某些坚果如杏仁、椰子、栗子均属于碱性食品。

◆同时应了解一些酸性食品,如荞麦、乳酪、扁豆、肉类、精制糖、玉米、稻米等。